NEUE WISSENSCHAFTLICHE BIBLIOTHEK 93
LITERATURWISSENSCHAFT

Romantikforschung seit 1945

Neue Wissenschaftliche Bibliothek

ROMANTIKFORSCHUNG
SEIT 1945

Herausgegeben von
Klaus Peter

Verlagsgruppe
Athenäum – Hain – Scriptor – Hanstein

CIP-Kurztitelaufnahme der Deutschen Bibliothek

Romantikforschung seit 1945 [neunzehnhundertfünfundvierzig] / hrsg. von Klaus Peter. – Königstein/Ts. : Verlagsgruppe Athenäum, Hain, Scriptor, Hanstein, 1980.
(Neue Wissenschaftliche Bibliothek ; 93 : Literaturwiss.)
ISBN 3-445-02022-1 kart.
ISBN 3-445-12022-6 geb.

NE: Peter, Klaus [Hrsg.]

Gesamtherstellung: Friedrich Pustet, Regensburg
Printed in Germany
ISBN 3-445-02022-1 kart.
ISBN 3-445-12022-6 geb.

Inhalt

Einleitung

KLAUS PETER

Die Romantik ist wieder aktuell. Ein Artikel der FAZ war kürzlich überschrieben: Der Aufbruch der neuen Romantiker. Hannelore Schlaffer berichtete von neuen Tendenzen der intellektuellen Opposition, Tendenzen, die im Anschluß an die „neuen Philosophen" in Frankreich und deren enormen Erfolg auch in der Bundesrepublik „die Sehnsucht nach vormodernen Bewußtseinsformen, nach der verlorenen Natur, dem Wunderbaren, selbst der Neigung zur Konversion" bekunden und nicht nur für Schlaffer daher die Parallele mit der historischen Romantik nahelegen. Und Schlaffer beobachtete weiter: „Schließlich ist auch die politische Situation vergleichbar. Wie um 1800 die Intellektuellen vom untergehenden Acien régime und von der neu installierten bürgerlichen Gesellschaft zweifach enttäuscht waren, so nimmt die gegenwärtige ‚Romantik' ihren Ausgang von der doppelten Enttäuschung, daß weder Kapitalismus noch Sozialismus ihr allgemeines Versprechen auf individuelles Glück einzulösen vermochten."[1]

Trotz der vergleichbaren gesellschafts-politischen Situation ist die Aktualität der Romantik heute dennoch keineswegs selbstverständlich. Im Gegenteil: zumindest in Deutschland, in der Bundesrepublik ebenso wie in der DDR, hatte, was im Namen der Romantik und mit ihr seit dem Ende des 19. Jahrhunderts und besonders während des Dritten Reichs geschehen war, die Romantik selbst mit einem ideologischen Tabu belegt. Sicher ist es falsch, die Romantik mit ihrer Wirkung zu identifizieren, die Romantik für das verantwortlich zu machen, was in ihrem Namen 100 Jahre später getrieben wurde. Ihre Wirkungsgeschichte erklärt jedoch die besondere Situation der Romantik in Deutschland nach 1945: eine vorurteilsfreie Beschäftigung mit ihr war unmöglich geworden, ihre Geschichte belastet sie bis heute.

Die Romantikforschung war und ist von dieser Situation in besonderem Maße betroffen. War die Germanistik insgesamt tief verstrickt in den Schuldzusammenhang, der zu Hitlers Reich führte, so bildete die Romantikforschung in den 20er und 30er Jahren die wissenschaftliche Avantgarde dieser Bewegung. Die Forschung nach 1945 stand und steht bis heute unter dem Eindruck dieser Vergangenheit, der erst neuerdings zu verblassen scheint. Es ist daher wohl nicht unangebracht, an die Geschichte zu erinnern, deren Wiederholung niemand wünschen kann. Dabei steht die Auseinandersetzung mit dieser Geschichte, wie sie im Umgang der Romantikforschung mit ihrem Gegenstand seit 1945 stattfand, im Zentrum dieses Bandes. Die Einleitung skizziert in den folgenden Abschnitten den Gang der Entwicklung: in einem kurzen Abriß die Forschungsgeschichte bis 1945 (I), die Forschung in der Bundesrepublik in den 50er und frühen 60er Jahren (II), Neuansätze der Forschung in den 60er Jahren (III), die Romantikforschung in der DDR (IV) und schließlich neue Forschungsrichtungen in den 70er Jahren (V). Von der Befangenheit der Forschung unmittelbar nach dem Krieg, die in der scheinbar problemlosen Anknüpfung an die Vergangenheit, als ob nichts gewesen sei, ebenso zum Ausdruck kam wie in der radikalen Ablehnung und selbst in der „werkimmanenten“ Interpretation, führt der Weg zu historisch-kritischen Urteilen, die suchen, der Romantik gerecht zu werden, ohne zu verdrängen, was – namentlich in Deutschland – aus ihr folgte. Die Erkenntnis, die in solchen Urteilen sich ausspricht, sollte vor unkritischen Identifikationen mit der Romantik bewahren und es dennoch erlauben, die überlieferte Leistung als solche zu würdigen, aus ihr zu lernen, was zu lernen ist.

I

Die Wissenschaft von der Literatur begann in der Romantik. Für die Germanistik insgesamt, besonders aber für die Romantikforschung selbst hatte diese Tatsache kaum überschätzbare Folgen. Entscheidend war die Preisgabe der historischen Hoffnung, die noch die Frühromantik Friedrich Schlegels und Novalis' charakterisiert hatte, und die Wendung zum Pessimismus, der nach 1800 allein in der Vergangenheit noch Wahrheit und Poesie erblickte und für die Zukunft ausschließlich die Bewahrung des Alten für wichtig hielt. Bei Friedrich Schlegel selbst läßt sich die Entwicklung verfolgen, die von den kühnen Entwürfen einer Geschichtsphilosophie, die das goldene Zeitalter in die Zukunft malte, zu dem Historismus führte, der auch in der Zukunft schließlich nur noch die Vergangenheit sah. Während Brentano und Arnim ihr Interesse am Vergangenen und an der Überlieferung in Volkslied und Märchen noch mit der aktuellen Dichtung verbanden und in eigene Produktion umsetzten, erklärten die Brüder Grimm das Vergangene zum Gegenstand einer Wissenschaft, die einzig noch dem Konservieren gewidmet war.

Oft wurde es beschrieben: als Grund für diese Entwicklung muß die Enttäuschung des Optimismus gelten, der im 18. Jahrhundert die Aufklärung mit der Revolution oder doch mit der Reformation der gesellschaftlich-politischen Verhältnisse assoziiert hatte. Es war die Enttäuschung des Bürgertums, das durch das Ende der Französischen Revolution im Terror der Jakobiner und durch die Eroberungspolitik Napoleons sich um die bessere Zukunft betrogen fühlte und zudem in Deutschland in den Koalitionskriegen und schließlich im Wiener Kongreß die Restauration triumphieren sah. Der Historismus, der die spätere Romantik charakterisiert, spiegelte die Anpassung dieses Bürgertums an die gesellschaftliche Realität, die den Bürger von der politischen Mitbestimmung ausschloß und alle Hoffnung, die er etwa noch hatte, zunehmend verbot. Die Geschichte der Wissenschaft, die aus dieser Konstellation erwuchs, wurde davon auf fatale Weise geprägt.

Die Anpassung der Romantik an die durch den Wiener Kongreß wiederhergestellten oder neu geschaffenen Verhältnisse, ja die aktive Unterstützung dieser Verhältnisse durch die sogenannte politische Romantik Friedrich Schlegels, Adam Müllers und anderer machte die Romantiker zu Feinden des Fortschritts, der liberalen Kräfte des Bürgertums, die sich mit diesen Verhältnissen nicht abfanden. Für die Autoren des Jungen Deutschland war die Romantik daher identisch mit der Reaktion. So formulierte Heine in seinem Buch *Die romantische Schule* (1836) erstmals die Argumente, die bis ins 20. Jahrhundert immer wieder gegen die Romantik vorgebracht wurden. Auf die Frage: „Was war aber die romantische Schule in Deutschland?" antwortete Heine: „Sie war nichts anders als die Wiedererweckung der Poesie des Mittelalters, wie sie sich in dessen Liedern, Bild- und Bauwerken, in Kunst und Leben manifestiert hatte. Diese Poesie aber war aus dem Christentume hervorgegangen, sie war eine Passionsblume, die dem Blute Christi entsprossen."[2] Daß die Festlegung der Romantik auf das Christentum und das Leiden große Bereiche der romantischen Philosophie und Dichtung unberücksichtigt ließ, spielte für Heine, dessen Schrift eine Kampfschrift war, keine Rolle. Ihre politische Wirkung verlangte Einseitigkeit. Noch deutlicher verstand er unter Christentum allein den Katholizismus, den er so kennzeichnete: „Ich spreche von jener Religion, in deren ersten Dogmen eine Verdammnis alles Fleisches enthalten ist und die dem Geiste nicht bloß eine Obermacht über das Fleisch zugesteht, sondern auch dieses abtöten will, um den Geist zu verherrlichen; ich spreche von jener Religion, durch deren unnatürliche Aufgabe ganz eigentlich die Sünde und die Hypokrisie in die Welt gekommen, indem eben durch die Verdammnis des Fleisches die unschuldigsten Sinnenfreuden eine Sünde geworden und durch die Unmöglichkeit, ganz Geist zu sein, die Hypokrisie sich ausbilden mußte; ich spreche von jener Religion, die ebenfalls durch die Lehre von der Verwerflichkeit aller irdischen Güter, von der auferlegten Hundedemut und Engelsgeduld die erprobteste Stütze des Despotismus geworden."[3]

Mit dieser Charakterisierung der Romantik bestritt Heine jeden Zusammenhang der Romantik mit der Aufklärung und formulierte damit zum ersten Mal den prinzipiellen Gegensatz von Aufklärung und Romantik, der in den ideologischen Auseinandersetzungen des 19. und 20. Jahrhunderts eine so bedeutsame Rolle spielen sollte. Freilich: so entschieden diese Ablehnung der Romantik ausfiel, in Einzelbeschreibungen konnte Heine seine eigene Herkunft aus dieser Romantik und seine Bewunderung für sie als literarisches Phänomen nie ganz verbergen. Tieck, Novalis und Brentano übten auch auf ihn eine Faszination aus, der er sich nicht zu entziehen vermochte. Aber die These von der Autonomie der Kunst, die die Romantiker vertraten, eignete sich nicht für den Kampf gegen die Reaktion. Daher suchte Heine an die Aufklärung anzuknüpfen, an den Humanitätsgedanken Lessings und Herders, Goethes und Schillers und Jean Pauls, wo die Kunst nach seiner Meinung dem Leben noch nicht entfremdet war.[4] In Jean Paul entdeckte er einen unmittelbaren Verwandten der Schriftsteller des Jungen Deutschland, „die ebenfalls keinen Unterschied machen wollen zwischen Leben und Schreiben, die nimmermehr die Politik trennen von Wisenschaft, Kunst und Religion und die zu gleicher Zeit Künstler, Tribune und Apostel sind". Apostel, denn: „Ein neuer Glaube beseelt sie mit einer Leidenschaft, von welcher die Schriftsteller der früheren Periode keine Ahnung hatten. Es ist dies der Glaube an den Fortschritt, ein Glaube, der aus dem Wissen entsprang."[5]

Einen ähnlich scharfen Protest gegen die Romantik formulierten nach Heine Theodor Echtermeyer und Arnold Ruge in den Hallischen Jahrbüchern wenige Jahre später. Der

Titel ihres Manifestes: *Der Protestantismus und die Romantik* (1839/40). Auch hier ging es um Politik, um den Kampf gegen die Reaktion, mit der die Romantik gemeinsame Sache machte.[6] Und die liberale Literaturgeschichtsschreibung des 19. Jahrhunderts setzte diesen Kampf fort. Ausdrücklich gegen den „Objektivismus", den in der Geschichtsschreibung Ranke vertrat, entwarf Georg Gottfried Gervinus nicht nur seine *Geschichte des 19. Jahrhunderts seit den Wiener Verträgen* (1855), sondern auch sein erstes Hauptwerk, die *Geschichte der poetischen Nationalliteratur der Deutschen* (1835–42). Die deutsche Literaturgeschichte erreicht hier ihren Höhepunkt mit der Klassik Goethes und vor allem Schillers, dessen Pathos die Deutschen zu politischen Taten inspirieren sollte. Gervinus stritt für die nationale Einheit und die Demokratie, die den Leistungen der Klassik politisch zu folgen hätten. Die „Objektivität" der Historischen Schule kam dabei als Kampfmittel kaum in Frage und so wandte sich auch Gervinus wie die Autoren des Jungen Deutschland – deren literarische Produkte er im übrigen scharf ablehnte – nicht nur gegen die Archivstudien Rankes, sondern gegen die Romantik überhaupt, aus der der Historismus hervorgegangen war. Während er die Dichtung Kleists, Körners, Arndts und Uhlands als Dichtung im Dienste der nationalen Befreiung noch gelten ließ, weil sie „an der Gegenwart freudig festhält", heißt es in der *Geschichte des 19. Jahrhunderts* von der Romantik: „Das Kennzeichen der eigentlichen Romantik dagegen ist überall die Flucht in über- und unterirdische Regionen, in das Reich der Träume und Geister und in die Fernen der Zeiten und Völker, die Wiederbelebung der Dichtungswerke dieser abgelegenen Zeitalter, die Verleugnung der Gegenwart, der Neuzeit und des wirklichen Lebens." Und als Grund dafür stand auch für Gervinus fest: „Die Reaktion gegen das revolutionäre Zeitalter, gegen die demokratische Gleichmachung, gegen die neufranzösische Aufklärung, Freigeisterei und steife klassische Kunst war auch hier das Ziel und die Triebfeder in diesem blinden Zurückdrängen nach den alten, abgelegten und abgelebten Formen der Kunst wie der Gesellschaft und der Sitte." Den Bruch der Brüder Schlegel mit Schiller betrachtete er als die verhängnisvolle Wende zum Bösen.[7]

Eine neue Situation entstand, als Bismarck unter dem wachsenden Druck der Opposition der Liberalen eine ihrer zentralen Forderungen erfüllte: die nationale Einheit. Die Nationalliberalen verwandelten sich damit über Nacht von Oppositionellen in die Hauptstützen des neuen Reiches: Bismarck konnte sich fortan auf sie verlassen. Die liberale Literaturgeschichtsschreibung paßte sich der neuen Lage augenblicklich an. Nachdem wie Gervinus auch Hermann Hettner, Julian Schmidt und A. Koberstein gegen die Romantik polemisiert hatten,[8] erschien 1870 Rudolf Hayms umfangreiche Studie *Die romantische Schule*. Haym glaubte, jetzt die Romantik „objektiver" beurteilen zu dürfen. Auch er war Liberaler und begann sein Buch mit der Feststellung: „Im Bewußtsein der Gegenwart erfreut sich das, was man ‚romantisch' nennt, keinerlei Gunst. [. . .] Noch allzu gut ist uns die Periode unsrer neueren Geschichte im Gedächtniß, in welcher Wissenschaft, Staat und Kirche sich von einer durch die Macht gestützten Invasion romantisch gefärbter freiheitsfeindlicher Ideen bedroht sah." Heine, Echtermeyer, Ruge, Gervinus und die anderen hatten recht: „Weil die Gründer und Jünger des romantischen Literaturgeistes offenkundig Sympathien mit dem Mittelalter, mit dessen Glaubensdunkel, dessen lockeren Staatszuständen, dessen wild, aber poetisch wucherndem Individualismus gehabt hatten, so schien das Wiederauftauchen dieser Tendenzen den Kampf auf Leben und Tod gegen die ‚Romantik' zu rechtfertigen. Das Reactionäre war romantisch, und ein Romantiker hieß uns daher Jeder, der, der neugewordenen Zeit zum Trotz, sich auf eine vergangene Bildungsform steifte, um sie durch künstliche Mittel wieder in's Leben zu rufen."[9] Um 1870 freilich hatte der Liberalismus erreicht, wofür er kämpfte, brauchte er um Anerkennung nicht länger zu ringen. Haym: „Wie an einen Traum, den wir abgeschüttelt haben, denken wir an den Kampf der 40er Jahre zurück. Ein viel ernsterer und praktischerer Kampf, die zuversichtlich frohe Arbeit des Fortschritts auf dem wie durch ein Wunder errungenen Boden machtstolzer nationaler Selbständigkeit hat begonnen." Damit büßte die Romantik ein, was sie an Bedrohlichem besaß, war nicht mehr der aktuelle Gegner und konnte deshalb erstmals „objektiv", ja mit Gleichgültigkeit betrachtet werden. Die Voraussetzung war geschaffen, „dem romantischen Wesen in rein historischer Haltung nachzugehn."[10]

Damit begann die eigentliche Romantikforschung. Daß das Erscheinen von Hayms Buch praktisch gleichzeitig mit der Reichsgründung stattfand, unterstreicht erneut, wie sehr die Romantik in ihrer Wirkung – wohl mehr noch als andere Epochen der deutschen Literaturgeschichte – von gesellschaftspolitischen Interessen bestimmt wurde. Für die Romantikforschung hatte dies sofort Folgen. Verstand Haym sein Buch noch als eine Pflichtübung, die die „fortschrittslustige Zeit" forderte, die Pflicht nämlich, sich volle Klarheit über das Vergangene, die „geistige Erbschaft" zu verschaffen[11], so kehrte sich die Beschäftigung mit dem Vergangenen auch in der Germanistik, wie ehemals in der Romantik selbst, bald gegen den Fortschritt. Das Interesse an der Romantik verdrängte das Interesse an der Aufklärung, an den liberalen Ideen, die es bei Haym motiviert hatten. Die Gründung des Zweiten Reiches brachte daher nicht nur den Beginn der eigentlichen Romantikforschung, sondern viel allgemeiner: ein neues Selbstverständnis der Germanistik als Wissenschaft. Der Nationalismus, der sein Ziel erreicht hatte, gab sein liberales Erbe preis, wurde konservativ. Für die Germanistik hieß dies: motiviert wurde die Wissenschaft jetzt nicht mehr durch die Aufklärung, nicht einmal mehr so sehr durch die Klassik; motiviert wurde diese Wissenschaft von nun an wesentlich durch die Romantik.

Diese Entwicklung zeichnete sich erstmals ausgerechnet bei einem Wissenschaftler ab, der in der Wissenschaftsgeschichte als Repräsentant des Positivismus gilt: bei Wilhelm Scherer. Freilich: ihn interessierte nicht die Frühromantik Friedrich Schlegels, Novalis' und Tiecks, die von Fichte herstammte und nach Scherers Meinung unter diesem Einfluß „den Boden der Natur gänzlich unter den Füßen" verloren hatte; ihn interessierte die spätere Romantik, die nach den politischen Ereignissen von 1805 und 1806, den Niederlagen Österreichs und Preußens gegen Napoleon, nüchterner geworden war und „sich ebenso wie Fichte der Wirklichkeit und dem vaterländischen Leben wieder" zuwandte.[12] Diesen Wandel betrachtete Scherer als revolutionär. Nicht die Philosophie Kants und Fichtes, wie Heine behauptete hatte, und nicht die Frühromantik Friedrich Schlegels, wie Haym und Dilthey schrieben, habe auf literarischem Gebiet der Französischen Revolution entsprochen: „vielmehr muß man die ganze litterarische Bewegung von Lessing und

Herder bis Jacob Grimm als ein Analagon der Revolution hinstellen, worin es zweierlei galt: Emancipation von fremden Mustern, Abwerfung der litterarischen Fremdherrschaft, und zweitens Emancipation von dem Geiste des achtzehnten Jahrhunderts."[13] Scherer schrieb den Aufsatz über „die deutsche Litteraturrevolution" im gleichen Jahr, in dem Hayms Buch über die romantische Schule erschien. Während aber Haym an der grundsätzlichen Liberalität und damit an der aufklärerischen Motivierung der Literaturgeschichtsschreibung festhielt, setzte sich bei Scherer erstmals der in Zukunft für die Germanistik so fatale Nationalismus durch, der nicht mehr im Zeichen der Zukunft stand, sondern im Zeichen der Vergangenheit. Hier begann recht eigentlich die Germanistik als „deutsche" Wissenschaft. Bis 1914 wußte sie sich in Übereinstimmung mit der Gegenwart, erschien der wilhelminische Staat als Ergebnis der von ihr erforschten und repräsentierten Vergangenheit. Gefeiert wurde die „Wiedergeburt Deutschlands" in den Befreiungskriegen, in der Zeit der späteren Romantik, der Zeit Jakob Grimms, die mit der Reichsgründung ihre Vollendung erfahren habe. Und wie die Befreiungskriege damals, so sah Scherer den deutsch-französischen Krieg von 1870/71 als Voraussetzung der „deutschen" Wissenschaft, sich selbst in der Situation Grimms: „Jacob Grimm und seine Tendenzen sind auf wissenschaftlichem Gebiete der klarste und mächtigste Ausdruck der nationalen Geistesströmung, welche unsere neueste Geschichte beherrschte und noch lange beherrschen wird. Wie einst die französische Occupation Jacob Grimms wissenschaftliche Gesinnung zur vollen Reife brachte, so hat auch heute die aufgezwungene Abwehr unseres westlichen Nachbars alle nationalen Antriebe verstärkt." Und Scherer resümierte: „Das Nationalgefühl als treibendes Pathos unserer Entwicklung muß und wird noch wachsen."[14]

Noch war dieser Nationalismus nicht chauvinistisch, noch war dieser auf die Vergangenheit gerichtete Konservatismus nicht reaktionär. Ausdrücklich warnte Scherer davor, über dem neuen „Teutonismus" den Universalismus zu vernachlässigen.[15] Aber schon findet sich bei ihm die Gegenüberstellung von Aufklärung und Romantik in dem unheilvollen Sinne, den die Germanistik der 20er und 30er Jahre des 20. Jahrhunderts dann propagierte: „Was man den Geist des achtzehnten Jahrhunderts oder der Aufklärung nennt, setzt sich aus sehr verschiedenen Elementen zusammen, die theils auf den Ideenkreis der Renaissance, theils auf die großen mathematisch-naturwissenschaftlichen Entdeckungen des siebzehnten Jahrhunderts zurückgehen. Das Resultat: Uniformierung, Centralisirung der Bildung und des Staates, Absolutismus mit allmächtiger Bureaukratie, Mechanisirung, äußerliche Reglung des Lebens nach Rücksichten des Verstandes und der Zweckmäßigkeit. Dem gegenüber nun eine Revolution, welche sich auf die von der Aufklärung zurückgesetzten Elemente stützt. Gegenüber dem Kosmopolitismus die Nationalität, gegenüber der künstlichen Bildung die Kraft der Natur, gegenüber der Centralisation die autonomen Gewalten, gegenüber der Beglückung von oben die Selbstregierung, gegenüber der Allmacht des Staates die individuelle Freiheit, gegenüber dem construirten Ideal die Hoheit der Geschichte, gegenüber der Jagd nach Neuem die Ehrfurcht vor dem Alten, gegenüber dem Gemachten die Entwicklung, gegenüber der mathematischen Form die organische, gegenüber dem Abstracten das Sinnliche, gegenüber der Regel die eingeborne Schöpferkraft, gegenüber dem Mechanischen das ‚Lebendige'."[16] Die Romantik wurde zum Maßstab der Beurteilung nicht nur der Literatur, sondern auch der Politik. Nachdem der Gegensatz von Aufklärung und Romantik so prinzipiell und mit so deutlicher Akzentuierung fixiert worden war, konnte die Wissenschaft sich nur noch gegen die Aufklärung entscheiden. In dem Augenblick daher, in dem die Aufklärung eine Chance hatte, politisch sich durchzusetzen, in der Weimarer Republik, mußte die Wissenschaft sich dagegen erklären, von der Gegenwart sich abwenden und politisch reaktionär die Vergangenheit gegen sie ausspielen.

Unterstützung fand diese innerhalb der Germanistik sich abzeichnende Entwicklung durch das Wirken Wilhelm Diltheys, die Neubegründung der Geisteswissenschaften im Gegensatz zur Naturwissenschaft. Auch der Versuch, Dichtung vom „Erlebnis" her zu verstehen, richtete sich gegen den „Rationalismus" der Aufklärung und damit gegen den Liberalismus des früheren 19. Jahrhunderts. Bernd Peschken zeigte, auf welche Weise Dilthey sich so von Julian Schmidt unterschied.[17] Kein Wunder daher, daß in solchem Zusammenhang dann auch bei Dilthey die Romantik ein positives Interesse fand und gleichberechtigt neben die Klassik trat, so die Einheit der klassisch-romantischen Epoche begründend, in der die deutsche Philosophie und Dichtung den Grund legten, für die „Weltansicht", die er in seinen Schriften vertrat. Schon in dem Novalis-Aufsatz von 1865 setzte er sich für die Romantik ein: „Was mich auf Novalis führt, ist die weitergreifende Hoffnung, an ihm einige der wichtigeren Motive der Weltansicht aufzuklären, welche in der auf Goethe, Kant und Fichte folgenden Generation hervortritt. In einem näher zu bestimmenden Sinne kann man den umlaufenden Namen der Romantik für diese Weltansicht in Anspruch nehmen. Falls man nicht vorzieht, dem Mißbrauch, der seit mehr als einem halben Jahrhundert mit diesem Namen getrieben worden ist, einmal dadurch ein gründliches Ende zu machen, daß man sich seiner entledigt."[18] Fünf Jahre später, 1870, erschien dann Diltheys umfangreiche Studie über Schleiermacher, in der er die Beziehung seiner eigenen Lehre zur Romantik begründete.[19]

Obwohl auch Dilthey zu den Liberalen zählte, die mit dem Zweiten Reich in Frieden lebten, deren Konservativismus gerade auf der Übereinstimmung mit der Gegenwart, dem status quo, beruhte, so war die Lebensphilosophie Diltheys auch bereits ein Ausdruck des Protestes gegen die Realität der Zeit, den im Namen des Fortschritts triumphierenden Kapitalismus. Zwar suchte Dilthey den Geisteswissenschaften einen Platz neben der Naturwissenschaft anzuweisen; jedoch erhob er den Anspruch, mit Hilfe der Geisteswissenschaften, die sich mit dem „Leben" befaßten, zu retten, was sonst verloren sei. Und auch in diesem Zusammenhang erhielt die Romantik eine neue Aktualität. Die Philosophie Diltheys, des Neukantianismus' und dann auch der Phänomenologie trafen sich hier mit literarischen Tendenzen, der „Neuromantik" von Autoren wie George, Hofmannsthal und Rilke, wie Ricarda Huch, Hermann Hesse und Thomas Mann. Ricarda Huch propagierte die Romantik zudem in ihrer enthusiastisch geschriebenen Geschichte dieser Epoche. Und diese Renaissance der Romantik in der Literatur ging schließlich Hand in Hand mit populären Tendenzen der Kulturkritik, die Paul de Lagarde, Julius Langbehn, Friedrich Lienhard, Houston Steward Chamberlain und andere vertraten, mit einem Idealismus, der jedes positive Verhältnis zur Realität ausschloß.

Dies waren die Voraussetzungen für die Germanistik und die Romantikforschung nach dem Zusammenbruch des Wilhelminischen Reiches, nach 1918. Martin Doehlemann beschrieb die Reaktion des Germanistenverbandes auf den verlorenen Krieg.[20] Bestand das Selbstverständnis der Germanistik bereits vor dem Krieg darin, als Wissenschaft vom Deutschtum der nationalen Sache zu dienen, so nun erst recht. Die Niederlage bewies, daß die Anstrengungen in diesem Sinne – und jetzt vor allem auch gegen die politische Gegenwart, die Weimarer Republik – noch verstärkt werden mußten. In diesem Bemühen rückte die Romantik endgültig ins Zentrum der germanistischen Forschung. Sah die liberale Wissenschaft vor 1914 noch die Klassik als den Höhepunkt der deutschen Literatur an, insbesondere Goethe, dem die Romantik bei Dilthey an die Seite trat, so begann jetzt die Alleinherrschaft der Romantik. Doehlemann zitiert aus den Mitteilungen der „Gesellschaft für deutsche Bildung", dem Fachorgan des deutschen Germanistenverbandes in den 20er Jahren: „Bei Lessing, bei Goethe und Schiller fließt dies Völkische, selbst da, wo es so wundervolle Gestaltungen sich geschaffen hat wie Minna von Barnhelm, Faust, oder Wilhelm Meister und Tell, noch gleichsam aus dem Quell des Unbewußten heraus. Dann aber bringt die Wendung zum bewußt Völkischen im Anschluß an Herder die Romantik." (U. Peters, 1925) Und: „Sturm und Drang ist Antithese zur Aufklärung, Klassik Synthese von rationalem und irrationalem Prinzip, Romantik Steigerung von klassischem Gleichmaß zu eigentümlich deutscher Unendlichkeitstendenz." (Julius Petersen, 1924)[21] Paul Kluckhohn (1928) erklärte: „Jede geistige Zukunft Deutschlands [wird] mit dem Tropfen romantischen Öls gesalbt sein; denn Romantik wird uns stets lebendige Gegenwart, ein Teil unser selbst, notwendige Nahrung unserer Seele und unseres Geistes bleiben."[22] In seinem Buch *Die Wesensbestimmung der deutschen Romantik* (1926), das im Untertitel schlicht „eine Einführung in die moderne Literaturwissenschaft" heißt, fand Julius Petersen: „Der Mensch von heute darf schwerlich als Romantiker bezeichnet werden. Aber mehr noch vielleicht als damals fühlt er in seinem Antiintellektualismus, in seinem Gegensatz gegen Rationalismus, Mechanismus und Materialismus, in seinem religiösen und metaphysischen Drang nach ewigen Werten und in seinem Streben, die Dinge von innen zu sehen, eine Wahlverwandtschaft, die ihn zur alten Romantik treibt."[23]

Daß eine so orientierte Wissenschaft dem Nationalsozialismus nicht nur nichts entgegenzusetzen hatte, sondern in der Mehrheit ihrer Vertreter den 30. Januar 1933 als „Tag der Erfüllung" begrüßte,[24] kann nicht Wunder nehmen. Das heißt nicht, daß die Ideologie, die die Germanistik im allgemeinen und die Romantikforschung im besonderen vertrat, identisch war mit der faschistischen. Nicht alle Interpreten der Romantik gingen so weit wie Alfred Baeumler, dessen Einleitung in die Bachofen Ausgabe von 1924 in diesem Zusammenhang oft zitiert wird.[25] Mit dem gesellschaftlichen Bezug jedoch, den die Wissenschaft jener Jahre anstrebte, erreichte ihre Geschichte den Punkt, wo sie mitschuldig wurde an dem Unheil, das dann geschah.

II

„Das Ende des dritten Reiches brachte den deutschen Germanisten eine öffentliche Geltungseinbuße, den Verlust der Selbstsicherheit und des Selbstverständnisses: In dem Maße, in dem sie das ‚Deutsche' als nationalpädagogischen Grundwert allmählich aus ihrer Wissenschaft strichen, wurde ihnen und der interessierten Öffentlichkeit deren Sinn, Nutzen und Wissenschaftlichkeit zum Problem. Im Zuge der strikten methodischen ‚Diätkur', welche die faschistischen Komponenten der deutschen Literaturwissenschaft auf dem Wege des stillen Aussparens und methodischen Wegdefinierens von Zuständigkeiten zu eliminieren und einen neuen Ruf von ‚Wissenschaftlichkeit' zu begründen versuchte, geriet die Germanistik zu einer Art Schrumpfwissenschaft mit rein innerliterarischen, vermeintlich ideologieneutralen Forschungstechniken."[26] So beschrieb Martin Doehlemann die Germanistik der Bundesrepublik nach 1945. Statt mit Neuansätzen reagierte die Wissenschaft mit Ausklammerung: die Diskussion der Vergangenheit fand nicht statt. Als 1952 der Deutsche Germanistenverband neu gegründet wurde, geschah es, um die Tradition des Verbandes fortzusetzen, freilich ohne die „nationalistische Übersteigerung".[27] Die Vergangenheit des Verbandes und der Germanistik überhaupt kam erstmals 1966 auf dem Münchner Germanistentag zur Sprache, und noch dann gehörte persönliche Courage dazu, das heikle Thema, die Rolle der Wissenschaft im Dritten Reich und was dazu geführt hatte, öffentlich zu diskutieren.[28]

Wie sehr die Wissenschaft sich nach 1945 der gesellschaftlichen Verantwortung entzog, indem sie ihre Rolle im Zusammenhang der jüngsten politischen Vergangenheit einfach ignorierte, beweist ein Zyklus von Vorträgen über die Romantik, den die Universität Tübingen 1947 veranstaltete.[29] Die Vorträge – die entsprechenden Fachvertreter behandelten die Romantik in der Literatur, der Philosophie, der Religion, der Musik und Malerei, in der Geschichte und Gesellschaftslehre sowie in den Naturwissenschaften – referierten Positionen der Vorkriegsforschung, als ob es das Dritte Reich nicht gegeben hätte. Für die Germanistik sprach Paul Kluckhohn. Auch er sah keinen Grund, die Vergangenheit der Germanistik oder die der Romantikforschung – etwa der eigenen – kritisch zu beleuchten. Fraglos setzte er die Trennung von Geisteswissenschaft und Politik voraus und hielt sich an die erste. Ganz selbstverständlich erklärte er die Romantik in seinem Einführungsvortrag zu einem Teil der größeren Bewegung, „die man neuerdings oft als Deutsche Bewegung bezeichnet", und setzte sie von der Richtung ab, „die im 18. Jahrhundert in Deutschland und mehr noch in den westeuropäischen Ländern vorherrschte", von der Aufklärung.[30] In dem Vortrag von Carl Brinkmann über „Romantische Gesellschaftslehre" heißt es dann: „Das Romantische ist wie der physisch notwendige geistig und seelisch wohltätige Schatten, den die allzu grelle Lichtquelle des Klassischen überall wirft." Und: „Damit scheint gesagt: mindestens soziologisch ist uns das Romantische heute ein unverlierbares, ja heute vor allem notwendiges Element abendländischer Geistigkeit."[31] In seinem Vortrag über „Erscheinung und Wesen der Romantik" führte Romano Guardini das Entscheidende der Romantik, was hinter ihren Widersprüchen stehe, auf eine „Ursphäre" zurück, die im Dasein der Romantik zum Vorschein komme. Es sei dies das „Ungeschieden-Eine, vor der Mannigfaltigkeit des Zählbaren", das „Vor-Wortliche", das nicht unmittelbar gesagt werden könne, aber die Voraussetzung jeder Aussage bilde, und das „Unzugängliche", das nie direkt zur Gegebenheit gelange, aber durch alles Gegebene hindurch empfunden werde.[32]

Der Tübinger Vortragszyklus gehörte eigentlich noch der Vorkriegszeit an. Die stillschweigende und selbstverständliche Voraussetzung der Trennung von Wissenschaft und Politik als raison d'être dieser Wissenschaft diente jedoch auch in Zukunft nicht nur als Schutzschild gegen die Diskussion der entschieden politischen Rolle dieser Wissenschaft in den vergangenen Jahrzehnten, sondern erlaubte darüber hinaus das unkritische Anknüpfen an die Forschung jener Zeit. Unter dieser Voraussetzung entstand eines der nach Konzeption und Umfang bedeutendsten Unternehmen der Romantikforschung seit 1945: die seit 1958 erscheinende *Kritische Friedrich-Schlegel-Ausgabe.* Wie sehr diese Ausgabe, deren Abschluß – sie soll einmal 35 Bände umfassen – auch heute noch kaum absehbar ist, von der Forschung der Vergangenheit geprägt ist, Forschungsvoraussetzungen der 20er und 30er Jahre ungeprüft übernahm und übernimmt, zeigt der Vergleich mit der Schlegel-Forschung jener Jahre. Am Ende des 19. Jahrhunderts hatte die liberale Romantikforschung, insbesondere Haym und Dilthey, nur den jungen Friedrich Schlegel gelten lassen, den konvertierten Schlegel dagegen ignoriert oder als Verräter der eigenen früheren Positionen kurz abgetan; in den 20er und 30er Jahren setzte sich, vor allem aufgrund der Arbeiten Josef Körners, ein neues Schlegel-Bild durch. Körners These war, daß die Entwicklung Schlegels mit der Konversion nicht abbrach, sondern, im Gegenteil, erst dann ihren Höhepunkt erreichte. Er korrigierte damit jedoch nicht nur Einseitigkeiten der früheren Forschung, trat vielmehr dem Liberalismus dieser Forschung mit einer neuen, nämlich konservativen Forschungsposition entgegen. Körner entsprach damit dem Interesse der Zeit und polemisierte gegen die „borniert liberalistischen Zeitläufte", „welche nur über die Vorstellung ein- und geradlinigen Geschichtsverlaufs verfügten", und denen daher „die Umkehrung des seit Mittelalter-Abbruch üblichen Wandels vom Kirchenglauben zur Denkfreiheit als Tat oder Schicksal eines geistigen Bankrotteurs gelten" mußte.[33] Körners eigene geistige Orientierung wird deutlich, wenn er von Schlegel sagte: „Manche seiner Lieblingsideen, die dem empiristischen 19. Jahrhundert abstrus erschienen, wie etwa die Lehre von einer werdenden Gottheit, erfahren in unsern Tagen feierliche Urständ; Grundstellungen seines Denkens sind in Simmels Relativismus, in Bergsons Intuitionismus, in Max Schelers Religions- und Liebestheorie, in Jaspers' und Heideggers Existenzphilosophie, in der neuen christlichen Philosophie des Russen Berdjajew neu bezogen worden. Heute wo so viele nach einer positiven Philosophie suchen und den Idealismus hinter ein wieder lebendig gewordenes Christentum zurückdrängen, wird auch der christliche Denker Friedrich Schlegel willkommen sein."[34]

Die *Kritische Friedrich-Schlegel-Ausgabe* erwuchs aus diesen Voraussetzungen. Auch Ernst Behler, der Hauptherausgeber der Ausgabe, geht von der unmittelbaren Aktualität der Spätschriften Schlegels aus. 1960 erklärte er in dem Aufsatz „Zur Theologie der Romantik", in dem er zum „Gottesproblem in der Spätphilosophie Friedrich Schlegels"

Stellung nahm: „Zu den charakteristischen Entwicklungszügen des gegenwärtigen Geisteslebens zählt ein neu erwachtes Interesse an der romantischen Bewegung und der Philosophie des deutschen Idealismus, das sich schon seit geraumer Zeit in einer Fülle von Studien und Untersuchungen bekundet. Diese Hinwendung ist desto erstaunlicher, als es sich hierbei offenbar nicht um eine rein historische Interessenrichtung handelt, sondern deutlich um eine tiefe Affinität des heutigen Geisteslebens zu den philosophischen Anliegen und Einsichten dieser Epoche." Wie vor ihm Körner, auf den Behler sich denn auch immer wieder beruft, fand auch er: „Das Eigentümliche an der heutigen Hinwendung zur romantischen und idealistischen Geistesepoche scheint nun darin zu liegen, daß gerade die Spätromantik in ihrer vorherrschend theistischen und christlichen Ausprägung das Interesse der Gegenwart findet und dabei vor allem die Frage im Vordergrund steht, unter welchen Inspirationen und Impulsen der Übergang von der ‚negativen' zur ‚positiven Philosophie' gefunden wurde, wie also das autonome Selbstbewußtsein der Welten und Gegenstände erschaffenden Vernunft zu Erfahrungen vordrang, in denen nicht mehr das Wissen, das Denken oder die künstlerische Gestaltung des Absolute ist, sondern das vorgegebene Sein."[35] Diese Überzeugung hat Behler in einer Reihe von Publikationen, zu denen auch eine Auswahlausgabe der Werke Friedrich Schlegels (1956) und eine Monographie dieses Autors (1966) gehören, immer wieder betont. Ob, wie vermutet wurde,[36] konfessionspolitische Motive Behlers Schlegel-Arbeiten bestimmten, sei dahingestellt. Näher liegt wohl die Verbindung zur Lebensphilosophie Nietzsches, Bergsons und Diltheys, für die Behler bei Schlegel Ansätze erblickt. Sie motivierte nach Behler Schlegels Katholizismus und darin sieht er bis heute dessen Aktualität.

Die *Kritische Friedrich-Schlegel-Ausgabe,* zu deren Herausgebern neben Behler, dem Hauptherausgeber, auch Jean-Jacques Anstett, Hans Eichner u. a. zählen, enthält in ihren 35 geplanten und zum Teil bereits erschienenen Bänden nicht nur die von Schlegel selbst schon veröffentlichten Arbeiten, sondern – und zum größten Teil erstmals – auch die erhaltenen Teile des Nachlasses und die Briefe; sie bildet damit die Grundlage der heutigen Schlegel-Forschung. Einleitungen und Kommentare der Herausgeber weisen auf historische und biographische Zusammenhänge hin, erschließen die oft kaum lesbaren Handschriften des Nachlasses, ohne allerdings Information und Interpretation immer klar voneinander zu trennen. – Im Zusammenhang mit dieser Ausgabe ist auch auf Hans Eichners Edition der Literary Notebooks (1957) hinzuweisen, die eine Reihe von bis dahin unveröffentlichten Handschriften Schlegels zur Poesie zugänglich macht. Eichners Schlegel-Interpretation unterscheidet sich von der Behlers und Anstetts durch ihr engeres literaturtheoretisches Interesse, den Einfluß des New Criticism.

In extremem Gegensatz zu der völlig kritiklosen Wiederaufnahme der Tradition vor 1945, die die Interpretationen der *Kritischen Schlegel-Ausgabe* kennzeichnet, stand die Romantikforschung etwa Werner Kohlschmidts. In dem Aufsatz „Nihilismus der Romantik" (1953) beleuchtete Kohlschmidt die „negative Seite der Romantik". Bewußt trat er damit der herrschenden Forschungsmeinung entgegen, auf den Gegensatz zu den in Tübingen 1947 vorgetragenen Positionen wies er ausdrücklich hin.[37] Den „Nihilismus" der Romantik thematisierend, reagierte er auf die Tatsache, daß die Romantik „einen erheblichen Anteil hat an der inneren Vorgeschichte der deutschen Katastrophe, die ja auch eine europäische Katastrophe wurde".[30] Daß die Romantik eine „destruktive Seite" besaß, hätte schon Kierkegaard gewußt, aber neuerdings, unter dem Eindruck der jüngsten Geschichte, sei gerade diese Seite besonders aktuell geworden. Kohlschmidt berief sich auf Thomas Mann, der seit dem *Zauberberg* und vor allem im *Doktor Faustus* (1947) „das Leiden an seiner eigenen geistigen Herkunft wie auch an dem nihilistischen Ausschlag der deutschen Geschichte wohl am radikalsten als entscheidende Mitwirkung der romantischen Tradition in Deutschland dargestellt" habe. Er berief sich weiter auf Ferdinand Lions Buch *Romantik als deutsches Schicksal* (1947) und auf Fritz Strichs Vorwort zur vierten Auflage von *Klassik und Romantik* (1949). Auch Walther Rehms Buch *Kierkegaard und der Verführer* (1949), das Kohlschmidt nicht nannte, gehört wohl in diesen Zusammenhang. Freilich, wie Rehm, so übte auch Kohlschmidt Kritik an der Romantik von einer Position her, die mit Kierkegaard deutlich dem Christentum verpflichtet war. Hier fand die protestantische Romantikkritik à la Hegel und Echtermeyer/Ruge eine späte Wiederholung. Ihre jetzt allerdings ausgesprochen konservative Motivation wird etwa in Kohlschmidts Aufsatz „Der Wortschatz der Innerlichkeit bei Novalis" (1948) deutlich. Der Autor zeigt, wie die Romantik, hier Novalis, die christliche Tradition der Innerlichkeit, den Pietismus des 18. Jahrhunderts und die Mystik vorher, säkularisierte und dadurch ausweitete und befreite, zugleich aber auch zweideutig werden ließ: „Gewinn und Verlust liegen auf der Hand. Beweglichkeit und Reichtum nehmen zu, da nichts Menschliches und Weltliches außerhalb der Möglichkeit der Verinnerlichung fällt. Aber als drohende Gefahr zeichnet sich die der Mehrdeutigkeit und Entleerung bei solcher Weite und Freiheit am Horizonte ab."[39] Im „Nihilismus" der Romantik beklagte Kohlschmidt demnach die Krise der Religion, und seine Romantik-Schelte erweist sich als ein Stück konservativer Kulturkritik, der der Faschismus nur als der schlagendste Beweis diente. So teilte diese Romantikkritik ihr Motiv mit der Romantik selbst und war ein Teil der Tradition, die sie negierte.

Die von der Religion inspirierte Forschung war für die 50er Jahre jedoch weniger typisch als die sogenannte werkimmanente Interpretation; mit ihr wurde die Germanistik erst eigentlich zu der „Schrumpfwissenschaft", die Doehlemann meinte. Die werkimmanente Interpretation empfing ihre philosophische Rechtfertigung von der Phänomenologie und Ontologie und knüpfte damit ebenfalls an die Zeit vor 1945 an; zur dominierenden Interpretationsmethode wurde sie freilich erst nach dem Krieg. Einer ihrer einflußreichsten Theoretiker war Emil Staiger. Sein bedeutendster Beitrag zur Romantikforschung war die Interpretation Brentanos. Bereits 1939 hatte er in seinem Buch *Die Zeit als Einbildungskraft des Dichters*, in dem er mit Hilfe von drei Gedichten „Möglichkeiten des Menschseins" darzustellen suchte, um damit einen Beitrag zur „allgemeinen Anthropologie" zu leisten, Brentano neben Goethe und Keller behandelt.[40] Brentano, dessen Gedicht „Auf dem Rhein" der Darstellung zugrunde liegt, wird hier als extremes Beispiel eines Zeiterlebnisses vorgestellt, das Staiger als „Mangel an Umsicht" charakterisierte und folglich als „reissende Folge von einzelnen Da" oder kurz als „reissende Zeit" bezeichnete.[41] Sich auf den Begriff der „inneren Zeit" bei Dilthey, Husserl, Bergson, den

Neukantianern und Heidegger beziehend,[42] glaubte er, mit der „Zeit" das „innerste Wesen" des Menschen zu fassen, und beurteilte den Wert von Dichtung nach dem Maß, in dem es dem Dichter gelang, wie Goethe „Dauer im Wechsel" der Zeit darzustellen. Brentano sei dies nicht gelungen: „Das Übermächtige, die Märchenwelt, das Ineinandergehen von Traum und Wahrheit, der Mangel an ‚Geist' – das Wort in Goethes Sinn gebraucht –, die Ohnmacht in der reissenden Zeit, die ihm den Anblick des Dauernden, man könnte beinah sagen, der eigenen Identität, verwehrt, das scheint ihn überraschend primitivem Dasein anzunähern. An das Mythisch-Primitive, oder auch ans Kindliche mag man sich in seinem Werk auf Schritt und Tritt erinnert fühlen."[43] Gegenüber Goethe interpretierte Staiger Brentano – der damit zum Repräsentanten für die Romantik überhaupt wurde – als Erben, der den Forderungen, die Goethe in seiner Dichtung an den Dichter stellte, nicht mehr gewachsen war.

Zweierlei ist hier bemerkenswert: Mit der von der Phänomenologie Heideggers inspirierten Wendung der Wissenschaft zu der „Sache", hier der Dichtung – eine Wendung, die Staiger selbst allerdings aufgrund seines anthropologischen Interesses durchaus metaphysisch begriff –, verband Staiger, indem er die Klassik Goethes als Ausdruck der höchsten Möglichkeit des „Menschseins" betrachtete, eine Abwertung der Romantik, die seiner Interpretation, obwohl auch sie an die Wissenschaft der 20er Jahre anknüpfte, den Schein eines Neuansatzes verlieh. Staiger hat in der Folge allerdings sein Urteil insbesondere über Brentano geändert. In den *Grundbegriffen der Poetik* (1946) stellte er Brentano als einen Hauptrepräsentanten des „Lyrischen" vor. Das negative Urteil, das die „reissende Zeit" implizierte, erscheint gemildert, geblieben freilich ist das unbewußte Dichten, der „Mangel an Umsicht": „Der lyrische Dichter leistet nichts. Er überläßt sich – das will buchstäblich verstanden sein – der Ein-gebung. Stimmung und in eins damit Sprache wird ihm eingegeben. Er ist nicht imstande, der einen oder der anderen gegenüberzutreten. Sein Dichten ist unwillkürlich."[44] Während Staiger von Conrad Ferdinand Meyer wußte, daß er nur den „Schein des Unwillkürlichen" besaß und deshalb nicht als Prototyp des Lyrikers in Frage kommt, stellte er von Brentano fest: „Anders hat Clemens Brentano gedichtet, über die Laute gebeugt und improvisierend zum Erstaunen der Freunde. Wir hören es seinen Liedern an, wie sie von selber aufklingen in ihm."[45] Noch in der späteren Interpretation von „Die Abendwinde wehen" (1955) sprach Staiger davon, wie „elementare Mächte" bei Brentano „die Besonnenheit" überwältigten, wie der Dichter sich einwiegte „in einen Klangraum, ein schmerzlich schwebendes Glück, ein Echospiel von Lauten, das nicht er, das vielmehr ihn beherrscht".[46] Und noch hier stand Brentano für die Romantik insgesamt, deren „Geringschätzung der ‚Dinge' der uns entgegenstehenden ‚Wirklichkeit'", die dem betörenden Klang der Dichtung geopfert wird, sich in bloße Stimmung auflöst.

Die werkimmanente Interpretation der 50er Jahre war nicht immer wie bei Staiger von Heidegger her motiviert, von einem anthropologischen, bzw. existential-ontologischen Interesse. Der Einfluß der Interpretationen Staigers jedoch war groß. Charakteristisch für die Methode war und blieb dabei vor allem die Isolierung der Dichtung – oft eines einzelnen Werkes – nicht nur aus ihrem gesellschaftlichen, sondern oft auch aus ihrem geistesgeschichtlichen Kontext. Modellcharakter erlangten neben den Interpretationen Staigers auch die Richard Alewyns, besonders dessen Studie „Eine Landschaft Eichendorffs" (1957). Die Begründung seiner Methode gab Alewyn in dem Aufatz „Eichendorffs Dichtung als Werkzeug der Magie" (1957/58). Demnach ging es auch ihm nicht um gesellschaftliche oder historische Zusammenhänge, sondern um die „elementaren Kategorien unserer Welterfahrung".[47] Er untersuchte die Symbolik Eichendorffs, die Eichendorff, wie Alewyn meinte, nicht selbst geschaffen habe, sondern, die der Dichter „gefunden hat in dem Schatz einer Symbolsprache, die so alt ist wie die Menschheit und so allgemein wie das Leben der Seele".[48] Die Sprache der Eichendorffschen Texte schien Alewyn zu korrespondieren mit der Sprache der Natur, einem Un- oder Überhistorischen, das die Dichtung auf wunderbare Weise offenbare. In der mit recht viel bewunderten Studie „Eine Landschaft Eichendorffs" zeigte Alewyn anhand einer eingehenden Analyse der Sprache, mit der Eichendorff Landschaften beschrieb, wie der Dichter Raum gestaltete, „erlebten Raum",[49] wie Alewyn in Analogie zur „erlebten Zeit" ihn nannte. Die Souveränität, wie er in dieser Studie mit dem Text umging, beweist, wozu die werkimmanente Interpretation auf ihren Höhepunkten fähig war.

Die beiden Arbeiten Alewyns waren auch enthalten in Paul Stöckleins verdienstvoller Edition der Aufsatz-Sammlung *Eichendorff heute* (1960). Stöcklein, der sich ebenso mit einer einfühlsamen Eichendorff-Monographie (1963) für den Dichter einsetzte, versammelte in dieser Edition Arbeiten, die, teilweise 1957 zum 100. Todestag Eichendorffs entstanden, am Beispiel Eichendorff die Romantikforschung der 50er Jahre hervorragend repräsentieren. Neben den beiden Aufsätzen Alewyns enthält der Band Identifikationen mit Eichendorffs Katholizismus (Friedrich Heer, Curt Hohoff), heroisch-existentialistische Deutungen (Hermann Kunisch, Reinhold Schneider), Symboluntersuchungen (Gerhard Möbus, Oskar Seidlin), Motiv- und Stilanalysen (Robert Mühlher, Horst Rüdiger) und einen Aufsatz des Herausgebers über Eichendorffs Persönlichkeit. Die historische Bedingtheit des Eichendorffschen Werkes, das konkret-gesellschaftliche Interesse, das in ihm sich manifestierte, ist in keinem dieser Aufsätze Gegenstand der Untersuchung. Stattdessen ging es allen Interpreten um ein „Ewiges", das in den jeweiligen Texten zu dem Leser sprechen soll. In der dichterischen Sprache allein, deren Aufwertung die Wendung zum Text intendierte, sollte der Sinn sich finden, den die korrumpierte Geschichte nicht mehr herzugeben schien. Aber gerade deswegen blieb, was die Interpreten den Texten als deren Sinn ablasen – den oft großartigen Sprachanalysen und Detailuntersuchungen zum Trotz –, doch stets willkürlich. Ob Eichendorff katholisch, existentialistisch oder allgemein menschlich erschien, hing, da der historische Kontext fehlte, allein von dem Interesse des jeweiligen Interpreten ab. Das gilt auch für den einzigen Aufsatz der Sammlung, der in seinem Titel verspricht, den engen Raum der Werkinterpretation zu sprengen: Wilhelm Emrichs Aufsatz „Dichtung und Gesellschaft bei Eichendorff". Emrich kontrastierte Eichendorff einer Gesellschaft, deren Züge ganz unspezifisch blieben; deshalb gewinnt auch Eichendorffs Kritik an ihr keine konkrete Gestalt. Mit dem Protest gegen die „Entstellungen, die der Mensch dem Menschen, die der Mensch sich selber antut",[50] bleibt auch Emrichs Eichendorff bei der existentiellen Kritik stehen, die am allgemeinen Zustand der Welt kaum etwas ändern kann, den besonderen Zustand aber nicht erreicht.

Eine Variante der werkimmanenten Interpretation war der in Amerika gepflegte „New Criticism". Er kam, wie Heinrich Henels glänzende Interpretation von Arnims „Majoratsherren" (1960) beweist, ohne metaphysische Rechtfertigungen aus, konzentrierte sich ganz auf die literarische Struktur des Werkes. „Weltanschauliche Schwerathletik", die nach Henel Arnim fern lag,[51] lag auch ihm selber fern, was seine Interpretation positiv von vielen anderen unterscheidet.

Während die Fachgermanistik die Auseinandersetzung mit der Vergangenheit, die Frage, was Tradition unter den gegebenen Umständen noch bedeuten konnte, nahezu geschlossen vermied, stellte Theodor W. Adorno 1957 diese Frage in einem Rundfunkvortrag „Zum Gedächtnis Eichendorffs" gerade ins Zentrum seiner Überlegungen. Er begann mit der Feststellung: „Die Beziehung zur geistigen Vergangenheit in der falsch auferstandenen Kultur ist vergiftet."[52] Die überlegene Stellung Adornos und der Kritischen Theorie gegenüber den Fachwissenschaften in den 50er und noch in den 60er Jahren beruhte darauf, daß hier die Vergangenheit diskutiert wurde, aber nicht so, als ob diese noch selbstverständlich gegeben wäre. Adorno wußte: „Der Rhythmus der Zeit ist verstört",[53] d. h. an die Tradition war nur anzuknüpfen, indem man den Bruch in ihr nicht beschönigte, indem man „keine Tradition unterstellt".[54]. So sprach Adorno von Eichendorffs Konservatismus, der wie der der Romantik insgesamt der konservativen und reaktionären Rezeption entgegenkomme, er sprach von dem Element der Eichendorffschen Gedichte, „das dem Männergesangverein überantwortet ward" und das nicht „immun gegen sein Schicksal" war, ja es vielleicht herbeigezogen habe.[55] Und er verschwieg nicht, daß in den Generationen, die seit Eichendorffs Tod vergangen waren, „das Ideologische am weltfrohen und geselligen Eichendorff" hervorgetreten sei, ein Fragwürdiges, das zur Kenntnis nehmen müsse, wer sich auf diese Dichtung heute einlasse. Auf dem Hintergrund solcher Kritik versuchte Adorno, Momente der Dichtungen herauszuarbeiten, die Eichendorff progressiv mit der Moderne verbinden sollten. Auch Alewyn und Seidlin wiesen auf Eichendorffs Verwandtschaft mit Baudelaire hin. Während dieser Hinweis bei ihnen jedoch, da der Ansatz ihrer Interpretationen unhistorisch war, ohne Folgen für die Deutung Eichendorffs blieb, entdeckte Adorno in seiner Analyse Züge des Dichters, Widersprüche, die mit den Ergebnissen Alewyns und Seidlins nicht mehr vereinbar sind.

Die Verwandtschaft der Romantik mit der Moderne, die insbesondere von den französischen Symbolisten anerkannt worden war, bildete auch den Gegenstand von Werner Vordtriedes Buch *Novalis und die französischen Symbolisten* (1963). Hier wie in den Arbeiten Marianne Thalmanns, etwa in *Romantik und Manierismus* (1963) und in Ingrid Strohschneider-Kohrs' Studie *Die romantische Ironie in Theorie und Gestaltung* (1960), ging es um die Entdeckung der Moderne in der Romantik, um den Nachweis der Aktualität der Romantik als Werkstatt für moderne literarische Techniken. Das Interesse dafür motivierte auch die Dissertation Hans Magnus Enzensbergers über *Brentanos Poetik* (1955, als Buch 1961). In scharfem Gegensatz zu Staigers Brentano-Deutung betonte Enzensberger das Artistische, das Raffinierte an Brentanos Lyrik, das gerade nicht als Improvisation und bloßer Einfall gelten kann, sondern bewußtes Künstlertum voraussetzt. So wies Brentano nach Enzensberger über seine Zeit hinaus und wurde als „radikaler Artist"[56] der erste moderne Dichter. Mit dem „Verfahren der Entstellung", das Enzensberger in der Lyrik Brentanos aufzeigte, mache der Dichter der alten Poetik „den Garaus". Es sei ein „zutiefst modernes Verfahren", an dem sich noch die Größe und Gefahr „der Poesie unserer Tage" ermessen lasse.[57]

III

In den 50er Jahren, der Adenauer Zeit, bot die Gesellschaft der Bundesrepublik ein Bild relativer Geschlossenheit: der Auf- und Ausbau der neuen gesellschaftlichen und staatlichen Ordnung galt als vordringlichste Aufgabe, der steigende Lebensstandard als allgemeines Ziel. Intellektuelle wie die der Kritischen Theorie in Frankfurt, die die neue Ordnung gesellschaftskritisch in Frage stellten, fanden kaum Gehör. Die Literatur und die Wissenschaft von der Literatur, mit Fragen der Existenz und der Form beschäftigt, ignorierten die Politik. Dies änderte sich in den 60er Jahren. Nicht nur erzeugte der Kapitalismus des jungen Staates seine eigenen Probleme; es zeigte sich auch, daß die Verdrängung der Vergangenheit zugunsten der besseren Gegenwart diese Vergangenheit noch lange nicht erledigte. Zweifel an der Gegenwart meldeten sich nicht nur von rechts (NPD), sondern zunehmend auch von links. An den Universitäten wuchs der Einfluß der Kritischen Theorie, Schriftsteller und Intellektuelle wie Hans Magnus Enzensberger stellten ihre Produktion mehr und mehr auf die Kritik der neuen Wirklichkeit ein. Politisch erhoffte man Alternativen von der SPD, für die Günter Grass und Rolf Hochhuth 1965 am Wahlkampf teilnahmen. Politik war diesen Intellektuellen nicht länger verdächtig sondern notwendig. Die Gesellschaft schien in Bewegung zu geraten, was 1966 zur Großen Koalition zwischen CDU und SPD führte, 1969 zur Kanzlerschaft Willy Brandts.

Damit war die Gesellschaft der Bundesrepublik offener, war, allem Widerstand zum Trotz, liberaler geworden. So kam es 1966 auf dem Germanistentag in München auch dazu, daß die Germanistik sich erstmals ihrer eigenen Vergangenheit stellte. Der freiere Blick lenkte die Aufmerksamkeit jedoch nicht nur auf die nationalistische und nationalsozialistische Tradition der Wissenschaft, sondern führte auch zur neuen Besinnung auf die liberale Vergangenheit, das historisch-philologische Erbe des 19. Jahrhunderts. Das neu erwachte Interesse an der Geschichte setzte der Metaphysik der 50er Jahre Nüchternheit entgegen, eine Geistesgeschichte, die nicht notwendiger Weise die Motivationen Diltheys wiederholte, vielmehr ihre Rechtfertigung in der „objektiven" Darstellung von Fakten suchte, ohne Urteil, ohne Einfühlung und Psychologie. Das Interesse an Aufklärung, das diesen Neuansatz prägte, äußerte sich daher weniger in der Kritik von Ideologie – selbst da nicht, wo die Soziologie zur Interpretation herangezogen wurde –, sondern in einem neuen Positivismus, der sich auf die Erschließung von Tatsachen und Zusammenhängen beschränkte. Ein Ergebnis dieser Tendenz waren in der Germanistik kritische Ausgaben und die Edition von Materialien-Bänden, die sich möglichst jeder Wertung enthalten, dem Leser das Urteil überlassen.

Für die Romantikforschung erwies diese Neuorientierung der Wissenschaft sich als besonders fruchtbar. Der Identifikationsästhetik wirkte die Forschung nun mit Quellenstudien entgegen, die die Romantik an vielen Stellen in völlig neuem Licht zeigten. Repräsentatives Beispiel dafür sind die Novalis-Arbeiten Hans-Joachim Mähls. Mehr noch als Friedrich Schlegel, dessen mancherlei Wandlungen sich schwer auf einen Nenner bringen ließen, galt Novalis vielfach als der eigentliche Repräsentant der Romantik. Schon für Ruge und Echtermeyer war Novalis „nicht nur das Original und die Quelle der Romantik, sondern auch ihr ganzer Inbegriff“[58]: „Sein Geist enthält in der unmittelbaren Form *poetischer* Anschauung und *lyrischer* Erregung den ganzen Inbegriff dessen, was neben und nach ihm das deutsche Bewußtsein in seinen Tiefen lange Zeit vorzugsweise beschäftigen soll. Die nähere Charakteristik dieses Mannes trifft daher an allen Punkten in das Herz unserer Gegenwart.“[59] Das besitzt Gültigkeit für die ideologische Auseinandersetzung mit der Romantik bis heute. Wo die Forschung mit der Romantik sympathisierte, stand auch Novalis im Zentrum des Interesses, in den 20er Jahren vor allem durch die Arbeiten Paul Kluckhohns und Richard Samuels, die 1929 auch die erste wissenschaftlich fundierte Novalis-Ausgabe veranstalteten; wo die Romantik bekämpft wurde, da geriet Novalis ins Feuer: nach Echtermeyer und Ruge bei Georg Lukács (1945) und Claus Träger (1961). Wo in den 50er Jahren Interpreten sich für andere Romantiker, für Eichendorff, Brentano oder E. T. A. Hoffmann einsetzten, meinten sie bisweilen, den betreffenden Dichter zu „retten“, wenn sie ihn nur deutlich genug von Novalis unterschieden.[60] Novalis erschien immer „romantischer“ als andere Romantiker und deshalb problematischer.

Mähls Dissertation *Die Idee des goldenen Zeitalters im Werk des Novalis* erschien als Buch 1965, abgeschlossen war sie bereits 1959; 1963 publizierte er eine große Abhandlung über „Novalis und Plotin“; gleichzeitig arbeitete er mit an der zweiten Auflage der von Kluckhohn und Samuel 1929 veranstalteten Novalis-Ausgabe. Der zweite und dritte Band dieser zweiten Auflage erschienen mit der Philosophie des Novalis 1965 bzw. 1968. In seiner wegweisenden Dissertation stellte Mähl die Idee des goldenen Zeitalters zusammen mit anderen Ideen dar, die sich im Lauf der Geschichte mit ihr berührten oder in sie eingingen, und verfolgte sie durch die Jahrhunderte, um auf diese Weise ein „Hintergrundsbild“ zu schaffen, „das den geistesgeschichtlichen Horizont unserer Untersuchung umrißhaft andeutet und dessen einzelne Motive jeweils am geeigneten Ort aufgenommen werden können, um zur Wesensbestimmung der frühromantischen Utopie im Werk des Novalis beizutragen.“[61] Mähl stellte Novalis damit in den Zusammenhang einer Tradition, die vom antiken Mythos des goldenen Zeitalters, von der Erwartung eines tausendjährigen Reiches in der jüdischen und christlichen Überlieferung ebenso gespeist wurde wie von der arkadischen Wunschlandschaft der Hirten- und Schäferdichtung, der Idee einer Weltmonarchie, des ewigen Friedens und des besten Staates, wie sie in der

Neuzeit zuerst Thomas Morus entworfen hat. Verstand Mähl seine Untersuchung als „Ideengeschichte", so in deutlichem Unterschied zu deren Begriff in den 20er Jahren: „Die ‚Idee' des goldenen Zeitalters ist schon dort, wo sie im Bereich der antiken Geistesgeschichte auftaucht und in ihren verschiedenen Ausprägungen als Mythos, als philosophischer Gedanke und als dichterisches Symbol betrachtet werden kann, niemals bloßer *Begriff*, sondern immer zugleich auch *Bild*. An ihr hat nicht nur eine Geschichte des menschlichen Denkens, sondern ebensosehr eine Geschichte des menschlichen Fühlens, Vorstellens und Bildens Anteil. Das ‚Ideelle' ist hier immer zugleich das Ideale im Sinne einer konkreten, in Bildern ausgeformten und vergegenwärtigten Wunschvorstellung. Soweit wir also die Dichtungsgeschichte betrachten, um den Wandel der utopischen Ideen und traditionellen Bildmotive zu verfolgen, bedeutet dies keine Reduzierung der dichterischen Werke auf ihren ‚ideellen' Gehalt, sondern führt zu einer Untersuchung, die einer gerade in der Kritik an der älteren Ideengeschichte aufgeworfenen Frage begegnet: der Frage nämlich, ‚wie Ideen wirklich in die Literatur eingehen', d. h. über das Rohmaterial des Gedankens hinaus künstlerisch integriert werden können."[62] Ferner distanzierte Mähl sich von bloßen Einflußuntersuchungen, indem er „an den überlieferten, ideellen Voraussetzungen gerade das schöpferische Eigengesetz" des Novalis vergleichend erschließen möchte, und argumentierte zugleich gegen die werkimmanente Interpretation: „Es schmälert nicht [...] das Eigenrecht der Dichtung, wenn in Novalis' ‚Hymnen an die Nacht' das größte und kühnste Symbol des Dichters [...], die ‚Sonne der Nacht', auf eine uralte chiliastische Tradition zurückgeführt wird und sich als bewußter Rückgriff des Dichters auf diese Tradition darbietet." Es kann nach Mähl „im Gegenteil unser Verstehen des Werkes nicht nur vertiefen, sondern allererst ermöglichen, wenn statt der gewagten Spekulationen über ein solches dichterisches Symbol [...] die geschichtliche Tiefendimension erfaßt und behutsam gedeutet wird, in der sich Aneignung und schöpferische Umwandlung vollzogen haben".[63]

Derart abgesichert gegen eine abstrakte, literaturferne, bloß auf philosophische Begriffe ausgehende Geistesgeschichte ebenso wie gegen die positivistische Auflösung der Dichtung in einem Geflecht von Beziehungen einerseits und die unhistorische Identifikation durch Einfühlung andererseits, entwickelte Mähl ein Novalis-Bild, das dem bestehenden nicht nur wesentliche Aspekte hinzufügte, sondern mit der utopischen Tradition den Dichter in einem Kontext zeigt, der ihn vor schnellen Fixierungen ideologischer Art bewahren muß. Als Quellenforscher zeigte Mähl Novalis zudem im Umgang mit der Überlieferung und gewährt damit Einblick in die geistige Werkstatt des Philosophen und Dichters. So erscheint Novalis in völlig neuem Licht: nicht länger als „Seher" von intuitiven Wahrheiten, im Kontext vielmehr der Philosophie- und Literaturgeschichte, die er studierte und aus der er Konsequenzen zog, die er mit seinen persönlichen Erfahrungen verbinden konnte. Novalis bei der Arbeit: unter dieser Überschrift könnte auch Mähls Studie über „Novalis und Plotin" stehen, vor allem aber die Bände 2 und 3 der *Schriften*, die das philosophische Werk, größtenteils von Novalis nicht zur Publikation bestimmte Aufzeichnungen, enthalten. Gegenüber der ersten Auflage der Ausgabe stellt die zweite Auflage, die, nach Kluckhohns Tod, Samuel zusammen mit Mähl und Gerhard Schulz betreute, eine grundlegende Neuerung dar. Das galt zunächst nur für den zweiten und dritten Band, der erste Band mit den Dichtungen, der bereits 1960 erschienen war, folgte noch dem Prinzip der Ausgabe von 1929. Nach dem Erscheinen dieses ersten Bandes erwarb das Freie Deutsche Hochstift in Frankfurt eine bedeutende Handschriftensammlung, die die Voraussetzungen für die Edition der folgenden Bände wesentlich verbesserte und die Interpretationsmethode, die Mähl in seiner Dissertation erarbeitet hatte, auf die Ausgabe anwendbar machte.[64] Anhand der neuen Ausgabe läßt sich nun der Entwicklungsgang von Novalis' Denken genauer verfolgen als je zuvor. Es wird z. B. deutlich, daß der Tod Sophie von Kühns, der in der älteren Forschung immer als die entscheidende Voraussetzung von Novalis Werk galt, von Novalis bereits in einem gedanklichen Kontext gesehen wurde, den er sich vor allem in der Auseinandersetzung mit der Philosophie Fichtes erworben hatte. Das persönliche Erleben stützte demnach nur Überzeugungen, die er schon vorher besaß, oder besser: er benutzte es, diese Überzeugungen weiter auszubauen und zu entwickeln.

1965, im gleichen Jahr, in dem Mähls Dissertation und der zweite Band der Novalis-Ausgabe erschienen, erschien auch das bedeutende Novalis-Buch Wilfried Malschs: *‚Europa'. Poetische Rede des Novalis. Deutung der französischen Revolution und Reflexion auf die Poesie in der Geschichte.* Indem Malsch die „begriffene Emanzipation" zum zentralen Thema des Novalisschen Werkes erklärte, wandte auch er sich entschieden gegen das traditionelle Novalis-Bild: nicht nur zeigte er Novalis im Kontext der Aufklärung, sondern setzte ihn darüber hinaus in unmittelbaren Bezug zur Französischen Revolution. Zusammen mit Hölderlin, Hegel und Friedrich Schlegel gehöre Novalis in einen Zusammenhang mit Goethe und Schiller, einen Zusammenhang, für den Malsch den Begriff einer „kritisch-orphischen" Klassik prägte und den er von der Romantik Tiecks, Brentanos, Arnims, E. T. A. Hoffmanns, Eichendorffs und Heines unterschied. Denn anders als diese „Romantiker" berührten jene, so Malsch, „nirgends in ihrem Werk die Möglichkeit einer unversöhnlich dissonanten Welt". Vielmehr habe die „Zersetzung der sozusagen ‚naiveren' Klassik" sie dazu herausgefordert, „die Möglichkeit eines alles Getrennte durchherrschenden ‚Ganzen' geschichts-poetisch oder naturforschend oder auch, wogegen freilich Goethe Zurückhaltung übte, literaturkritisch oder philosophisch zu erproben".[65] Mit dieser Zuordnung ergab sich ein Novalis-Bild, das das alte geradezu auf den Kopf stellte: indem es den Dichter im engen Kontakt mit den progressivsten Kräften seiner Zeit zeigte, machte es dessen konservative Interpretation zumindest schwerer.

Die Verbindung der Frühromantik Friedrich Schlegels und Novalis' zur Aufklärung untersuchte auch Helmut Schanze, dessen Dissertation *Romantik und Aufklärung. Untersuchungen zu Friedrich Schlegel und Novalis* ein Jahr später (1966) als Buch erschien. Es entstand auf diese Weise in der Mitte der 60er Jahre das Bild einer „anderen Romantik", ein Begriff, mit dem Schanze 1967 eine Sammlung von Texten überschrieb, die geeignet sind, progressive Elemente der Romantik nachzuweisen. Diesem neuen Romantik-Bild entsprachen in der Friedrich Schlegel-Forschung die Bücher von Klaus Briegleb (1962), Eberhard Huge (1971), Franz Norbert Mennemeier (1971) und zuletzt Heinz

Dieter Weber (1973). In der Novalis-Forschung ließen sich die Arbeiten von Johannes Mahr (1970) und Hannelore Link (1971) hinzufügen. Alle diese Studien argumentieren, indem sie die reflexiven Momente der frühromantischen Theorie und Praxis herausarbeiten, gegen das traditionelle Vorurteil von der irrationalen Romantik, deren Subjektivismus und Emotionalität. Sie alle sind geistesgeschichtlich orientiert in dem Sinne, daß sie sich fast ausschließlich um philosophische und literaturhistorische Zusammenhänge bemühen, ohne den ideologischen Charakter der entsprechenden Werke zu diskutieren, d. h. ohne auf deren soziale Bedingtheit einzugehen.

Wolfgang Frühwald wandte die neu gewonnene historisch-philologische Methode auf einen Dichter der späteren Romantik an, auf Brentano. 1962 veröffentlichte er unter dem Titel „Das verlorene Paradies" eine umfangreiche Deutung von Brentanos Zueignung zu dem Märchen „Gockel, Hinkel und Gackeleia"; 1968 erschien als letzter Band der von Friedhelm Kemp seit 1960 herausgegebenen Brentano-Ausgabe der erste Band mit den Gedichten und den „Romanzen vom Rosenkranz", von Frühwald und Bernhard Gajek ausgesucht, geordnet und kommentiert; 1969 lag die Habilitationsschrift *Romantik im Zeitalter der Restauration. Studien zum Spätwerk Clemens Brentanos* vor (1977 als Buch erschienen unter dem Titel *Das Spätwerk Clemens Brentanos (1815-1842). Romantik im Zeitalter der Metternich'schen Restauration*); 1972 faßte er in dem Vortrag „Gedichte in der Isolation. Romantische Lyrik am Übergang von der Autonomie- zur Zweckästhetik" seine Interpretation des späten Brentano zusammen und veröffentlichte 1973 einen ausführlichen Bericht über die Brentano-Forschung. Deutlich setzte sich auch Frühwald von der werkimmanenten Interpretation der 50er Jahre, insbesondere von den Brentano-Interpretationen Staigers und Enzensbergers ab: „Beim Überblick über die hier skizzierten, problemorientierten Strukturlinien der Forschung wird erkennbar, daß sich die Brentano-Literatur erschreckend weit von den literar*historischen* Fragestellungen und ihren philologischen Grundlagen entfernt, daß erst in jüngster Zeit eine Besinnung darauf wieder eingesetzt hat. Es wird deutlich, wie sehr die zeitbedingten, zeittypischen und zeitkritischen Werkfaktoren vernachlässigt worden sind, wie sehr die extreme Bindung Brentanos an seine Epoche in den Hintergrund gedrängt, wie sehr diese Gestalt durch die Betonung ihrer Genialität und ihrer revolutionären Einsamkeit von den Tendenzen der Zeit isoliert worden ist."[66] Unter Auswertung einer großen Fülle von Material suchte Frühwald die traditionellen Schranken der liberalen ebenso wie der konservativen Brentano-Forschung zu durchbrechen, um zu dem historisch „wahren" Brentano vorzudringen. Im Gegensatz zu der Forschung, die in dem jungen Brentano den genialen und revolutionären Dichter feierte, den zum Katholizismus zurückgekehrten jedoch ignorierte, und auch im Gegensatz zu der Forschung, die, umgekehrt, gerade den katholisch-erbaulichen Dichter schätzte, sieht Frühwald das Charakteristische Brentanos in der Einheit des Entgegengesetzten. Zu verstehen sei Brentano allein aus der Zeit heraus, in der er schrieb, eine Zeit der Wende, in der die Auffassung von der Autonomie der Kunst, die die Goethezeit beherrscht hatte, der Auffassung wich, daß die Kunst bestimmten Zwecken zu dienen habe. Rückte dieses neue Brentano-Bild den Dichter in die Nähe Heines, so blieb ungeklärt, warum Brentano, anders als Heine, in seiner Zweckdichtung nicht die Partei der politischen Emanzipation, sondern die der Kirche, der Restauration ergriffen hat. Es wird als Tatsache hingenommen.

Zusammen mit Jürgen Behrens und Detlef Lüders ist Frühwald auch Herausgeber der im Auftrag des Freien Deutschen Hochstiftes veranstalteten historisch-kritischen Brentano-Ausgabe *Sämtliche Werke und Briefe*. Nach der *Kritischen Friedrich-Schlegel-Ausgabe* und den *Novalis Schriften* ist dies die dritte große Romantiker-Ausgabe, die nach 1945 unternommen wurde, und, nachdem die einzige bisher versuchte kritische Gesamtausgabe der Werke Brentanos, die von Carl Schüddekopf auf 18 Bände geplanten *Sämtliche Werke* (1909-1917) nach zehn Bänden abgebrochen wurde, die erste kritische Brentano-Ausgabe überhaupt. Wie Frühwald das Unternehmen 1969 beschrieb, folgt es im wesentlichen den Prinzipien der Novalis-Ausgabe: „Die Einzelbände der Edition werden nach einem streng philologischen Prinzip erarbeitet."[67] Von der Schlegel-Ausgabe unterscheidet sie sich vor allem dadurch, daß sie auf „Gesamt- und Einzeleinleitungen" ebenso verzichtet wie „auf interpretierende Anmerkungen". Der Apparat beschränkt sich demnach streng auf Entstehungsgeschichte, Überlieferung, Lesarten und Erläuterungen. 36 Bände sind geplant, davon sind seit 1975 sieben erschienen.

Einen Überblick über die Romantikforschung der 60er Jahre vermittelt der von Benno von Wiese 1971 herausgegebene Band *Deutsche Dichter der Romantik. Ihr Leben und Werk*. Die Anlage des Bandes, die den namhaftesten „Dichtern" je einen Aufsatz einräumt, folgt der traditionellen Literaturwissenschaft, der die Geschichte in einzelne Dichterpersönlichkeiten auseinanderfällt. Der neue Zugang zur Romantik, den Benno von Wiese im Vorwort des Bandes versprach, basiert, wo die Beiträge nicht einfach konventionellen Interpretationsmustern folgen, auf der breiteren Materialkenntnis und der durch sie gesteigerten „Objektivität" der Darstellungen. Der Herausgeber versicherte: Die Absicht des Bandes „ist in keiner Weise apologetisch, aber ebensowenig wird der Leser hier eine diffamierende Kritik der Romantik finden".[68] Denn: „Offensichtlich ist sowohl die Zeit der Verklärung wie auch die der bloßen Anklage vorüber." Das heißt aber auch: in dem Band fehlt die Ideologiekritik, deren Berechtigung von Wiese zwar anerkannte, gegen die er jedoch an der Romantik „das Bleibende ihrer dichterischen Leistung" betonen möchte. Eine Ausnahme von dieser Regel ist der Aufsatz über Tieck von Heinz Hillmann. Zu den anderen Autoren des Bandes zählen Ernst Behler (über Friedrich Schlegel), Hans-Joachim Mähl (über Novalis) und Wolfgang Frühwald (über Brentano); außerdem schrieben Siegfried Sudhof über Wackenroder, Edgar Lohner über August Wilhelm Schlegel, Werner Vordtriede über Arnim, Wulf Segebrecht über E. T. A. Hoffmann und Helmut Koopmann über Eichendorff. – Eine zweite Sammlung mit Aufsätzen über die Romantik ist der bereits 1967 von Hans Steffen herausgegebene Band *Die deutsche Romantik. Poetik, Formen und Motive*. Die Sammlung trägt, nach dem Vorwort des Herausgebers, „der Vorliebe gegenwärtiger Kunst und Forschung für das Spiel, den Wechsel und die Betonung der Formen und Funktionen"[69] Rechnung, neben Problemen der Poetik steht der Kunstcharakter romantischer Werke zur Diskussion. Der interessanteste Beitrag ist aber Eberhard Lämmerts Aufsatz „Eichendorffs Wandel unter den Deutschen", den Lämmert im gleichen Jahr unter dem Titel „Zur Wirkungsgeschichte

Eichendorffs in Deutschland" auch in der Festschrift für Alewyn drucken ließ. Wie 1966 in seinem Vortrag auf dem Münchner Germanistentag, in dem er die Germanistik als nationale Wissenschaft kritisierte, ging es ihm auch bei der Wirkung Eichendorffs um die Genese der deutschen Ideologie. Dabei begnügte Lämmert sich nicht mit der Feststellung, daß Eichendorffs Dichtung, insbesondere der *Taugenichts* als spezifisch deutsch verstanden oder mißverstanden worden ist, sondern fragte auch, was in dieser Dichtung selbst dazu beigetragen hat.

IV

Die prominente Rolle der Romantik in der nationalistischen und schließlich faschistischen deutschen Ideologie war der Grund für ihre kategorische Ablehnung durch den Marxismus. Neben und nach Alfred Kurella (1938) und Alexander Abusch (1944/45) war es besonders Georg Lukács, der der bürgerlichen Forschung, deren Hypostasierung der Romantik die Position der Aufklärung entgegensetzte. Die Romantik stellte er als „Wendung" in der deutschen Literaturgeschichte dar, als Wendung nämlich von der progressiven Aufklärung, die nach Lukács in der Klassik Goethes und Schillers kulminierte, zur Reaktion, die seither die bürgerliche Kultur und Wissenschaft beherrscht und folgerichtig zu Hitler geführt haben soll. Unter dem Titel *Die Zerstörung der Vernunft* veröffentlichte er 1954 ein Buch, das den Irrationalismus der deutschen Vergangenheit von Schelling zu Schopenhauer, Kierkegaard und Nietzsche, von da zu Dilthey, Heidegger und schließlich Rosenberg verfolgt. Dieser Tradition entsprach auf der Gegenseite die Traditionslinie, die seit dem 18. Jahrhundert Goethe und Hegel, Marx und Lenin einschloß, wobei Lukács sich in seiner Darstellung auf Heine und Franz Mehring berief, ja auf Marx und Engels selbst, die in der Nachfolge Hegels und wie die Autoren des Jungen Deutschland die Romantik ebenfalls bekämpft hatten. In dem programmatischen Aufsatz „Die Romantik als Wendung in der deutschen Literatur" (1945) nannte er den „Bruch mit der Aufklärung" die „Haupttendenz" der Romantik.[70] Er verurteilte das „moderne reaktionäre Suchen nach Ahnen der Romantik in der deutschen Aufklärung" als „Geschichtsfälschung", damit vor allem gegen die von Rudolf Unger (1911) propagierte Verbindung Hamanns und Herders mit der Romantik polemisierend. Hamanns und Herders „ideologische Verworrenheit" habe zwar fortschrittliche und reaktionäre Absichten zugleich", aber ihre wichtigste Tendenz habe dennoch in der „unklaren Sehnsucht nach einer konkreten historischen Dialektik" gelegen, „nach jenem Denken und Gestalten, das seine Vollendung in Goethe und Hegel erhielt". Hamann und Herder, so erklärte Lukács, bildeten eine Opposition „*innerhalb* der deutschen Aufklärung". So wurde die Grenze zwischen Faschismus und Antifaschismus in die zwischen Romantik und Aufklärung zurückübersetzt, und Lukács betonte, daß „die Kritik der Romantik eine höchst aktuelle

Aufgabe der deutschen Literaturgeschichte" sei und daß diese Kritik „niemals tiefschnürfend und scharf genug sein" könne.[71]

Das Denken in ideologischen Blöcken reflektierte in der Germanistik der 50er Jahre den Zustand des Kalten Krieges: in der Bundesrepublik versteckt hinter der Objektivität, die das Ignorieren der Geschichte versprach, in der DDR unverblümt im Namen der von Lukács abgesteckten antifaschistischen Tradition. Während die Position in der Bundesrepublik bald modifiziert wurde, galt der starre Gegensatz Aufklärung/Klassik-Romantik in der DDR als Orientierungsmal der Interpretation bis in die 70er Jahre. So beweist der 1961 in „Sinn und Form" von Claus Träger veröffentlichte Essay „Novalis und die ideologische Restauration. Über den romantischen Ursprung einer methodischen Apologetik", warum es in der DDR in diesen Jahren eine Romantikforschung eigentlich nicht gab und nicht geben konnte. Wie Lukács sah auch Träger die Romantik damals in einer Tradition mit Dilthey, der Lebensphilosophie und der aus dieser abgeleiteten geisteswissenschaftlichen Methode, deren Irrationalismus zwangsläufig in den Faschismus mündete. Daher eröffnete er den Essay mit einem Angriff auf Dilthey, der im Namen des Lebens die Geschichte aus der Geistesgeschichte eliminiert habe: „Nur durch die Umwandlung der gegenständlichen Geschichte in ein subjektives Kondensat konnte die fatale Frage nach der Geschichtlichkeit des bürgerlichen Menschen in die Dekretierung seiner Ewigkeit umgewandelt werden."[72] Mit der Überzeugung, daß die „vorgebildete Ideenwelt der Romantik" der „geistesgeschichtlichen Verinnerlichung der Wissenschaft" entgegengekommen sei,[73] war die Interpretation der Romantik fixiert: sie konnte nur noch negativ ausfallen. Ihr Inbegriff aber war wie schon bei Echtermeyer und Ruge: Novalis. „Die Christenheit oder Europa" erklärte Träger zur „eigentlichen Programmschrift der Frühromantik": „Noch heute liest man sie nicht ohne Schaudern."[74] In „Glauben und Liebe" offenbare sich das Reich der Blauen Blume „als Reich der preussisch-deutschen Reaktion",[75] werde der preußischen Monarchie Friedrich Wilhelms III. eine „ideale, messianische Rolle angedichtet".[76] Aus all dem folge eine „bodenlose Aufklärungsfeindschaft"; der „kühne Vorgriff" auf eine bessere Gesellschaft, den die Klassik gestaltet habe, werde zurückgenommen[77] zugunsten „romantischer Höhenflüge"[78], die in „Rausch" enden.

1967 erschien eine umfangreiche Gesamtdarstellung der Romantik in der Reihe *Erläuterungen zur deutschen Literatur.* Es handelte sich um eine gemeinsame Anstrengung des Kollektivs für Literaturgeschichte im Verlag Volk und Wissen. Zu den Autoren zählten Hans-Dietrich Dahnke, Claus Träger, Gerhard Schneider, Fritz Böttger, Hans-Georg Werner, Gottfried Stiehler und Klaus Schäfer. Im Vorwort heißt es: „In unserer Darstellung der Romantik wird erstmalig versucht, diese widersprüchliche Epoche der deutschen Literatur vom marxistischen Standpunkt zu interpretieren. Dabei konnte es nicht die vordringliche Aufgabe sein, z. B. die der Romantik innewohnenden irrationalistischen Tendenzen einseitig abzuwerten; es kam vielmehr darauf an, so differenziert wie möglich zu analysieren, die historischen Gesetzmäßigkeiten herauszuarbeiten und die bleibenden Leistungen der Romantik zu würdigen."[79] Diesem anspruchsvollen Programm wurde der Band auf keinen Fall gerecht. Weder findet sich hier ein konsequent durchgehaltener marxistischer Standpunkt, noch weiterführende Einzelanalysen von Autoren und Werken. Die Vielzahl der Beiträger hatte eine Vielzahl von Ansätzen zur Folge, die kaum unter einen Hut gebracht sind. Neben traditionell Geistesgeschichtlichem und Biographischem steht Literatursoziologisches, und trotz dem Versprechen, differenzierter zu analysieren, setzen sich die von Lukács stammenden Urteile immer wieder durch, bilden den Maßstab dafür, was hier als progressiv und was als regressiv zu gelten hat.

Positivere Bewertungen erfuhren in den *Erläuterungen* und anderswo Dichter, die von der „eigentlichen" Romantik abgehoben werden konnten, angeblich größeren „Realismus" bewiesen. Dies galt ausschließlich für Autoren der späteren Romantik, deren „Volksnähe" sich im Gegensatz zu der steilen Intellektualität der Frühromantik im Sinne einer „plebejischen" Tradition interpretieren ließ. Auch hier freilich war Lukács vorangegangen. So hatte er in dem Eichendorff-Essay von 1940 den progressiven Lyriker Eichendorff von dem reaktionären Ideologen unterschieden. In Eichendorffs Gedichten fand er „ein instinktives Mitleben mit dem Volk und den Volksgestalten, das instinktive Gefühl, daß sie moralisch besser, menschlich reicher sind als jene adelige Intelligenz, deren Schicksale im Mittelpunkt seiner Erzählungen stehen".[80] Auch in Eichendorffs *Taugenichts* sah er einen „urwüchsig begabten Bauernjungen"[81] und fand, daß in dieser Erzählung, im Unterschied zu Eichendorffs anderen Erzählungen, „nach innen wie nach außen echter Realismus"[82] herrsche. Dieses Urteil bildete wohl die Voraussetzung dafür, daß Eichendorff, in scharfem Gegensatz zur generellen Verurteilung der Romantik, 1952 im „Neuen Deutschland" positiv gewürdigt wurde, daß 1955 ein „Lesebuch" publiziert und 1957 von Claus Träger eine zweibändige Auswahl-Ausgabe seiner Werke herausgegeben werden konnte. Die Kriterien, die ein so positives Urteil über Eichendorff erlaubten, trafen freilich auch auf andere Romantiker zu. In den *Erläuterungen* von 1967 führte dies zu einer positiven Beurteilung Brentanos, den Lukács noch ganz negativ gesehen hatte. 1967 besaß Brentano jedoch die Voraussetzungen „ein Meister des städtisch-demokratischen Liedes" zu werden, wie das in „Ponce de Leon" eingestreute Gedicht „Nach Sevilla" beweise, das einer „erdennahen plebejischen Mädchengestalt" in den Mund gelegt sei.[83] Ebenso heißt es von der „Geschichte vom braven Kasperl und dem schönen Annerl", daß sie „in ihrem Kern aus dem Geist plebejischer Tradition erzählt" werde.[84] Die Großmutter wird als „alte Bäuerin" vorgestellt, die „aus ihrem plebejischen ‚Klassenbewußtsein' heraus" urteile und den „tiefen Gegensatz zwischen einer ‚natürlichen' Ordnung der Dinge und den herrschenden Zuständen" erkenne. Zwar gestalte Brentano hier kein „plebejisch-oppositionelles Denken, das zum Handeln anspornt", er stelle aber „die höchste Form des Widerstandes dar, zu der eine alte Bäuerin in einer gegenrevolutionären Zeit gelangen konnte".[85]

Der romantische Autor freilich, dessen „Realismus" den Forderungen der am Realismus des 19. Jahrhunderts orientierten marxistischen Ästhetik am meisten entgegenzukommen schien und deshalb auch schon bei Lukács stets positive Erwähnung fand, war E. T. A. Hoffmann.[86] Hans Mayer veranstaltete 1958 beim Aufbau-Verlag eine sechsbändige Ausgabe der *Poetischen Werke* Hoffmanns, der er eine Einleitung vorausschickte, die unter dem Titel „Die Wirklichkeit E. T. A. Hoffmanns" 1959 auch in der Bundesrepublik veröffentlicht wurde und in der Tat zu den größten Leistungen der DDR-Germanistik zählt. Gegen Goethes Wort von dem „krankhaften Werke" Hoffmanns, das die Literaturgeschichtsschreibung des 19. Jahrhunderts in ihrem Urteil über Hoffmann beherrschte, und gegen die Verherrlichung des „Gespenster-Hoffmann", wie sie zu Beginn des 20. Jahrhunderts Hans von Müller betrieb, stellte Mayer das Werk Hoffmanns als von einem Dualismus gekennzeichnet dar, in dem zwei Welten sich unversöhnt gegenüberstehen, eine wirkliche und eine mythische. Die wirkliche Welt habe Hoffmann auf eine Weise gezeichnet, daß in ihr „erfüllte Kunst" nicht möglich ist. Dies führe, so Mayer, bei Hoffmann jedoch nicht, wie bei anderen Romantikern, zu einer „Entwesung der Wirklichkeit" sondern zur Gesellschaftskritik: „Der epische Dualismus Hoffmanns ist nicht romantisch im Sinne von Novalis (trotz aller einzelnen romantischen Züge), sondern weit eher sentimentalisch im Sinne von Schillers berühmter Definition. Das Gegeneinander der beiden Welten, der realen und der mythischen, erscheint als Ausdruck ungelöster deutscher Gesellschaftsverhältnisse." Der Gegensatz der beiden Welten sei der Versuch einer Wirklichkeitsdeutung, „die im Bereich ihrer Zeit und Zeitgenossen offenbar keine Möglichkeit sieht, die tiefen Lebenskonflikte anders als durch Ausweichen in den mythischen Bereich lösen zu können."[87] Und anders als bei anderen Romantikern sei dieses Ausweichen nicht als „Fluchttendenz" zu verstehen, sondern als die „bemerkenswerte Vorwegnahme künftiger Zustände",[88] die Überwindung also der deutschen Misere. – 1962 erschien die Dissertation Hans-Georg Werners *E. T. A. Hoffmann. Darstellung und Deutung der Wirklichkeit im dichterischen Werk* im Druck, das in der DDR bis heute einzige, einem Romantiker allein gewidmete Buch. Bei der Darstellung der Wirklichkeit in Hoffmanns Werk unterschied Werner von Werk zu Werk und suchte damit ein pauschales Urteil zu vermeiden. Gegen Lukács und Mayer sah er jedoch trotz realistischer Tendenzen auch bei Hoffmann das „Romantische" überwiegen, auch bei ihm werde die Wirklichkeit durch den Bezug auf eine übersinnliche Welt entwertet.

Die allgemeine Verurteilung der Romantik, Lukács' historische Konzeption von der Romantik als „Wendung in der deutschen Literatur", prägte die Romantikforschung der DDR bis in die Mitte der 70er Jahre. Daß Lukács' Autorität gerade auf diesem Gebiet so lange anhielt – obwohl sie auf anderen Gebieten, etwa im Zusammenhang mit der Brecht-Lukács-Debatte schon vorher in Frage gestellt worden war –, unterstreicht, wie sehr die Romantik ideologisch belastet war und ist: ihre Aufwertung verbot sich aus politischen Gründen. Wo eine differenziertere Beurteilung versucht wurde, reagierte man empfindlich. Dies beweist die Reaktion auf eine Tagung über Fragen der Romantikforschung, die Hans Mayer 1962 an der Leipziger Universität veranstaltete. Die bemerkenswertesten Beiträge dieser Tagung stammten von Mayer selbst und von dem Romanisten Werner Krauss. Mayer wies in seinem Eröffnungsvortrag auf die vielen Widersprüche hin, die das Bild der Romantik nicht nur in Deutschland, vielmehr in ganz Europa charakterisierten und ein pauschales Urteil über sie unmöglich machten. Politisch Progressives stehe hier neben Reaktionärem, ästhetisch Antiquiertes neben höchst Modernem. Er fragte: „Wo ist also die Gemeinsamkeit, die es erlaubte, den Terminus der

Romantik gleichermaßen auf Chateaubriand und Victor Hugo anzuwenden, auf Heine und Brentano, auf den politisch-nationalen Messianismus von Mickiewicz und Joseph Schellings späte Philosophie der Offenbarung?"[89] Die Verabsolutierung der Klassik durch Lukács verstelle den Blick für die „relative geschichtliche Berechtigung bestimmter romantischer Grundpositionen gegenüber Goethe und auch gegenüber der bisherigen deutschen Aufklärung". Im Unterschied zu Marx übersehe Lukács, „daß die Romantiker gerade in der Entwicklung des historischen Denkens in Deutschland einen nicht unwesentlichen Fortschritt gegenüber den Aufklärungskategorien bedeutet haben, oder besser: daß bestimmte wissenschaftliche Prinzipien der Aufklärung, und damit der bürgerlichen Emanzipation, nicht durch die deutsche Klassik, sondern durch die erste romantische Schule weitergeführt wurden."[90] – Krauss versuchte in seinem Vortrag „Französische Aufklärung und deutsche Romantik", eine Verbindung zwischen diesen beiden Epochen herzustellen, und dies gerade da, wo beide am weitesten auseinander zu gehen scheinen: in ihrem Verhältnis zum Mittelalter. Krauss bewies anhand von Zitaten, daß das Mittelalterinteresse der Romantiker, auch das des Novalis, in der Aufklärung bereits vorgebildet war, und daß deshalb und in diesem Zusammenhang auch die Europa-Rede des Novalis – für Träger 1961 die Programmschrift der Reaktion – durchaus progressive Momente enthalte. Die Wendung des Mittelalterinteresses zugunsten der Reaktion liege später: „Der Funktionswandel der Mittelalterideologie trat erst ein, als durch die Heilige Allianz ein weltenweites Kartell der feudalistischen Großmonarchien zusammengewoben war, und zwar im Zeichen eines Pazifismus, der den Gefängnisfrieden der Völker zu sichern hatte."[91] Provozierender noch als Mayer übte Krauss Kritik an Lukács, dessen Position überhaupt nur aus der Nachkriegszeit heraus zu verstehen sei. Jetzt dagegen sei es unumgänglich, „daß wir uns von allen Einseitigkeiten befreien und daß wir uns der Verpflichtung einer vertieften Verantwortung gegenüber dem kulturellen Erbe nicht entziehen."[92]

In dem Tagungsbericht, den die „Weimarer Beiträge" druckten, wurden diese Neuansätze schroff zurückgewiesen. Zwar wurde der Tagung bescheinigt, daß sie in vielerlei Hinsicht anregend gewesen sei; aber die von Mayer und Krauss vorgeschlagene Neubewertung vor allem der Frühromantik wurde abgelehnt. Die Aufwertung der Romantik, so hieß es, erwies sich „als problematisch und undurchführbar". „Der Versuch Mayers, die Romantik einseitig von den positiven Aspekten her zu sehen, konnte nicht überzeugen. Die echte historische Durchdringung des Problems der Romantik hätte erfordert, den Nachweis des Reaktionären in dieser Bewegung schon in der Konzeption der Tagung einzubeziehen."[93]

Über zehn Jahre dauerte es, bis die Anregungen Mayers und Krauss' begannen, eine Wirkung zu zeigen, jetzt allerdings, in der Mitte der 70er Jahre, gleich in einer ganzen Reihe von Arbeiten. Plötzlich, und für den Außenseiter geradezu sensationell, kam ans Licht, was offenbar interne Diskussionen seit längerer Zeit vorbereitet hatten. Zum Teil waren es die gleichen Forscher, die bis dahin repräsentativ die Lukács'sche Position vertreten hatten, die nun neue Wege einschlugen. Ein programmatischer Aufsatz, der den neuen Kurs begründen sollte, stammte 1975 wieder, wie 1961 schon einmal, von Claus

Träger: „Ursprünge und Stellung der Romantik". Träger hatte allerdings schon früher an Krauss angeknüpft. 1967 hatte er in Belgrad einen Vortrag gehalten, dessen Titel bereits an Krauss erinnerte: „Ideen der französischen Aufklärung in der deutschen Romantik". Hier unterschied er zwei Richtungen in der Romantikforschung, eine „radikal-liberale bis demokratisch-revolutionäre" und eine „konservativ-apologetische". Die erste, die von Heine bis Lukács reiche, gerate in Gefahr, „die Romantik schlechtweg als bloße Reaktionsbewegung zu verurteilen", die zweite, die vom Historismus seit Savigny zu Dilthey und Unger führe, deute die Romantik als eine „irrationalistisch-gefühlsbestimmt definierte Lebensauffassung".[94] Mit einem Hinweis auf den Krauss-Vortrag von 1962 distanzierte Träger sich von beiden Richtungen. Und entgegen seinen eigenen Ausführungen von 1961 betonte nun auch er die Verbindung der Romantik mit der Aufklärung, selbst und insbesondere im Falle des Novalis, dessen Staatsphilosophie es darum gegangen sei, „das von der Revolution erzeugte *moderne* Staatsbewußtsein mit den deutschen Verhältnissen zu versöhnen".[95]

Bezeichnend für die Wende in der Romantikforschung der DDR ist jedoch der Aufsatz von 1975, der den Kurswechsel nun auf breiter Ebene zu begründen suchte. Wichtig ist die folgende Erklärung Trägers: „Es ist eine Grundposition des Marxismus-Leninismus, daß das Wesen der Geschichte in ihrer Ganzheit und Unumkehrbarkeit besteht. Die wissenschaftliche Analyse kann nicht umhin, diesem Tatbestand Rechnung zu tragen; denn das Bewußtsein von der Geschichte kann nur ein Bewußtsein von ihrer dialektisch-widersprüchlichen Prozeßhaftigkeit sein. Der politisch-ideologische Kampf fordert allerdings eine Stufenfolge in der Betonung oder Vernachlässigung dieser oder jener Periode, Erscheinung, Persönlichkeit. Dies hat seinen Sinn darin, daß die Arbeiterklasse bei ihrem Machtantritt vor allem jene Traditionen oder Epochen, in denen der Gedanke des Fortschritts sich unvermittelt manifestiert, sinnfällig von einzelnen auf die Masse des Volkes übersprang, zur Meisterung ihrer eigenen zukunftsträchtigen Aufgaben unmittelbar zu nutzen bestrebt ist. Im Fortgang der Dinge freilich erwächst die Notwendigkeit, das geschichtliche Handeln nicht mehr lediglich durch ein Begreifen des geschichtlichen Werdens aus seinen progressiven Hauptlinien zu unterstützen. Das aber hängt von der Reife der sozialistischen Gesellschaft, von der erreichten Höhe des historischen Bewußtseins, dem kritischen Vermögen, der historischen Urteilsfähigkeit ihrer Mitglieder ab. Mit anderen Worten: Die Haltung gegenüber der Geschichte wird gewissermaßen zunehmend ‚gerechter'."[96] Von der neuen Stufe aus, die der Sozialismus der DDR erreicht haben soll, argumentierte Träger daher nicht nur gegen die bürgerliche Auffassung, die geistige Tätigkeit sei „das eigentliche Feld der Selbstverwirklichung"; ins Gericht ging er vor allem mit der marxistischen Tradition von Heine bis Lukács. Als das „mechanistische Pendant" zur bürgerlichen Interpretation stelle sie den Versuch dar, „alle überlieferten Produkte geistiger Tätigkeit, zumal der Literatur und Kunst, interpretatorisch auf die – in ihnen unter anderem *auch* manifestierte – Komponente der Kritik, auf die darin mitgegebene Abbildung der äußeren Bedingungen der Produktion und Reproduktion des gesellschaftlichen Lebens zu reduzieren." Und weiter: „Die Scheinradikalität dieser Position steht freilich in umgekehrtem Verhältnis zum Wesen der Kunst, die in ihrer notwendigen

Idealorientiertheit immer über den Status quo Hinausweisendes impliziert; sie befindet sich darum ebenso wie die bürgerliche Interpretation im Widerspruch zur marxistisch-leninistischen Auffassung des Ästhetischen. Das Gegenstück also zur reproduzierten romantischen ‚Schönseeligkeit', zur überschwenglichen Verwindung der Misere, ist die mechanisch-materialistische Seelenlosigkeit, die Gefahr eines starren Determinismus, der platten Bestätigung der Misere. Es war vor allem Georg Lukács, der – seiner Verdienste ungeachtet – der marxistischen Literaturwissenschaft zu ihrem Schaden und nicht ohne beträchtlichen Folgenreichtum diesen Weg nahegelegt hat."[97] Mit diesen Angriffen nach beiden Seiten erkämpfte Träger sich den Weg zu einer differenzierteren Betrachtung der Romantik. Gegen die eigene Interpretation von 1961 erklärte er jetzt: „Die Romantik war, wann und wo immer, zuvörderst Opposition, nicht Apologie oder Legitimismus."[98] Warum diese Opposition politisch nicht zum Tragen kam und nicht kommen konnte, lag an den gesellschaftlichen Umständen.

Träger stellte damit die Romantik nicht nur, wie Mayer 1962, in den Kontext der europäischen Romantik, nicht nur, wie Krauss, in den Zusammenhang mit der Aufklärung, er unterminierte auch den für die Romantikforschung der DDR so zentralen Gegensatz zwischen Romantik und Klassik. Zuletzt hatte diesen Gegensatz noch Hans-Dietrich Dahnke zur Grundlage einer Romantikdarstellung gemacht, 1971 in der Einleitung zu Band II, 1 der neuen *Geschichte der deutschen Literatur von 1700 bis zur Gegenwart.*[99] Indem er sich speziell auf Dahnkes Darstellung bezog, fand Träger dann in seinem Argumentationszusammenhang diese „undifferenzierte Beurteilung" des Erbes „unverständlich" und kritisierte ihre „dialektikferne Inkonsequenz", aus der „immer wieder die lukácsianische Antithese" hervorsehe.[100] Demgegenüber unterstrich er die Verwandtschaft der politischen Vorstellungen des Novalis mit denen der preußischen Reformer von 1806 und mit Hegel: wenn man den Frühromantikern etwas vorwerfen müsse, dann nicht, daß sie zu reaktionär, sondern eher, daß sie zu „radikal-modernistisch" auftraten. Klassik und Romantik gehörten, so Träger, als „ein Epochencharakteristikum" zusammen, bildeten eine dialektische Einheit, in der die Klassik Goethes und Hegels sich durch die „größere Klugheit", die Romantik Friedrich Schlegels und Novalis' durch die „größere Konsequenz" auswiesen.[101]

Mit dieser Position entsprach die Romantikforschung der DDR der gesellschaftlichen und intellektuellen Entwicklung, die welthistorisch, aber auch innerhalb der DDR seit den 50er Jahren stattgefunden hatte, eine Entwicklung, die besonders seit der Konferenz in Helsinki (1975) Positionen des Kalten Krieges obsolet erscheinen läßt. Das Für und Wider des neuen Kurses kommt in zahlreichen Veröffentlichungen zum Ausdruck, die seither erschienen. An der Diskussion beteiligten sich Günter Hartung (1976) und Hans Jürgen Geerdts (1977); Helga Heinrich distanzierte sich in ihrem Buch *Geschichtsphilosophische Positionen der deutschen Frühromantik* (1976) zwar von Lukács, hielt im übrigen aber an dem alten Urteil über die Romantik fest, das sie durch die These zu modifizieren suchte, daß die Frühromantik ein Phänomen des Kleinbürgertums gewesen sei, das, eingeklemmt zwischen Bürgertum und Proletariat, zu keinem sinnvollen Konzept der Wirklichkeit habe finden können. Ein Schauplatz der Auseinandersetzung von Altem und Neuem ist schließlich auch der 1976 abgeschlossene und 1978 erschienene siebte Band der *Geschichte der deutschen Literatur*, die unter der Gesamtleitung von Hans-Günther Thalheim bei Volk und Wissen erscheint. Für den siebten Band „Von 1789 bis 1830" waren verantwortlich: Hans-Dietrich Dahnke, Thomas Höhle und Hans-Georg Werner. Das neue Interesse an der Romantik kommt schließlich auch bei einer Reihe von Schriftstellern zum Ausdruck: von Ulrich Plenzdorfs „Die neuen Leiden des jungen W." (1973) bis zu Christa Wolfs 1979 erschienenen Ausgabe von Werken der Karoline von Günderode geht es auch hier um die Neubewertung von Momenten der Vergangenheit, die bisher offensichtlich vernachlässigt worden sind.

Wie tief dieses neue Interesse reicht und keineswegs nur wissenschaftlich bedingt ist, wurde auf der Tagung deutlich, die die Berliner Humboldt Universität 1977 in Frankfurt/Oder veranstaltete. Neben Claus Träger, der erneut den neuen Kurs rechtfertigte, und Hans-Georg Werner, der die Wirkungsstrategie der Erzählungen E. T. A. Hoffmanns analysierte und damit einen überzeugenden Schritt in Richtung Wirkungsästhetik machte, sind die Vorträge Dahnkes und Wolfgang Heises besonders interessant. Dahnke, bisher stets ein Exponent des traditionellen Kurses, stellte fest, daß in der neusten Romantikforschung eine „polemische Auseinandersetzung" stattfinde „mit Aspekten des Menschenbildes in unserer Theorie und Praxis", „die als einseitig empfunden werden": „Die Polemik richtet sich gegen Erscheinungen einer Disproportion zwischen Ökonomisch-Materiellem und Geistig-Kulturellem, zwischen Sein und Bewußtsein, Äußerem und Innerem des Menschen, gegen allzu einfache und durch die Realität dann widerlegte Vorstellungen von Modellierung und Lenkung des konkreten Menschen, gegen das Überwicht einer wissenschaftlich-theoretischen Erklärung und Bestimmung von Mensch und Welt, die die Lücken ihrer Kenntnis und Durchdringung der Wirklichkeit nur allzu leicht durch normative Postulate zu füllen geneigt ist."[102] Die Romantik erhält hier eine Aktualität, die auch Heise in seinen Ausführungen über Wackenroder ansprach. Bei den Frühromantikern gelte es, die Sehnsucht zu begreifen, so Heise, „aus der Ohnmacht, individuellen Vereinzelung, aus der Verwirrung der Gefühle und insgesamt der Unbehaustheit einer sie erdrückenden Wirklichkeit auszubrechen", die Sehnsucht, „die einst jene junge Generation erfuhr – und die Modell wurde für immer wieder erneut aufkommende romantische Wellen".[103] Denn: „In der Kunst gewordenen Sehnsucht, in der Kritik an dem, was Menschen niederzieht, quält, einengt, verwundet, liegt die Größe der Romantik in Deutschland, ihre Grenze, Banalität und Gefahr."[104]

V

Gleicht die Forschung der DDR einem Drama, das die Einheit der Handlung auszeichnet, so fällt es in der Bundesrepublik bisweilen schwer, eine Handlung überhaupt ausfindig zu machen. Die Szene charakterisiert hier eher eine Vielzahl von unterschiedlichen Ansätzen, alten und neuen, die nebeneinander bestehen oder miteinander streiten. Dies gilt für die 70er Jahre mehr denn je. Während einerseits die Realität der Bundesrepublik als Staat und Gesellschaft stabiler scheint als zuvor, haben sich andererseits die Spannungen, die in den 60er Jahren sichtbar wurden, eher verschärft. Die Studentenbewegung Ende der 60er und Anfang der 70er Jahre führte zur Entstehung einer neuen Linken, auch an den Universitäten. Seit der Mitte des Jahrzehnts verbreitete sich immer nachhaltiger das Bewußtsein einer Krise, für das Energieprobleme nur einen äußeren Anlaß abgeben. Der Zukunftspessimismus hatte politisch einen deutlichen Rechtsruck zur Folge; ideologisch den von Hannelore Schlaffer beschriebenen „Aufzug der neuen Romantiker". Gegen das allgemeine Unbehagen an der modernen Gesellschaft und Kultur soll hier nicht mehr der Sozialismus helfen, sondern Leistungsverweigerung, Sektenbildung und Drogen, die Neuentdeckung von Mythos und Natur und eine Psychiatrie, die den Wahnsinn für besser hält als die Vernunft. Entsprechend änderten sich die Leitbilder: „Statt Hegel entdeckt man Nietzsche, statt Heine und Börne Hölderlin und Novalis, statt Brecht Antonin Artaud, statt Freud Lacan und endlich statt Marx Wilhelm Weitling."[105]

Die Vielzahl und Uneinheitlichkeit der gesellschaftlichen Interessen spiegelt sich in der Romantikforschung in dem Pluralismus von Forschungsansätzen, wie er exemplarisch etwa auf dem von der Deutschen Forschungsgemeinschaft 1977 auf Schloß Reisensburg veranstalteten Symposium über die „Romantik in Deutschland" zum Ausdruck kam.[106] Im folgenden soll zum Abschluß dieser Darstellung der Romantikforschung seit 1945 auf vier Forschungsrichtungen hingewiesen werden, die für die 70er Jahre charakteristisch sind. Erstens die Fortsetzung der in den 60er Jahren zu neuem Leben erweckten historisch-philologischen Methode; zweitens die im Zusammenhang mit der Entstehung der neuen Linken entwickelte Ideologiekritik; drittens die mehr oder weniger aus dieser abgeleitete Rezeptionsforschung; und viertens der Neuansatz, der sich unter dem Namen Diskurstheorie anmeldete.

1. Die historisch-philologische Arbeit, bestimmt, die Textgrundlage einzelner Dichter zu verbessern und Informationsmaterial zu sammeln, hatte schon in den 60er Jahren neben den großen kritischen Ausgaben auch Editionen zur Folge, die, wie Edgar Lohners 7 bändige Ausgabe der *Kritischen Schriften und Briefe* August Wilhelm Schlegels (1962-1974) und Walter Müller-Seidels 5 bändige Ausgabe der Werke E. T. A. Hoffmanns (1960-1965), basierend auf älteren Ausgaben, Texte neu zugänglich machten. Im Falle Eichendorffs führt Hermann Kunisch seit 1962 die von Wilhelm Kosch und August Sauer 1908 begonnene *Historisch-kritische Ausgabe* fort. Die 1957/58 von Gerhart Baumann veranstaltete *Neue Gesamtausgabe der Werke und Schriften* Eichendorffs in 4 Bänden ist längst vergriffen. An ihre Stelle trat 1970ff Ansgar Hillachs und Klaus-Dieter Krabiels 5 bändige Ausgabe mit Anmerkungen nach dem neusten Stand der Forschung. Von Hillach und Krabiel liegt auch ein 2 bändiger *Eichendorff-Kommentar* (1971/72) vor, von Krabiel ein Buch über den Dichter (1973). – Bei Tieck gibt es an neueren Ausgaben die 4 bändige Edition des dichterischen Werkes von Marianne Thalmann (1963-1966); ergänzt wird diese durch einen Band *Ausgewählte kritische Schriften* (1974), dessen Herausgeber Ernst Ribbat ist. Von Ribbat stammt auch das seit Marianne Thalmanns Arbeiten über Tieck (1955 und 1960) wichtigste Buch über diesen Autor: *Ludwig Tieck.*

Studien zur Konzeption und Praxis romantischer Poesie (1978). Ribbat suchte Tieck hier ganz aus der Zeit des ausgehenden 18. Jahrhunderts heraus zu interpretieren, als Vertreter der Spätaufklärung, dessen Romantik die Aufklärung mit anderen Mitteln forsetzt. – Ausgesprochen schlecht ist die Textsituation im Falle Achim von Arnims; an neueren Ausgaben gibt es nur die 3 bändige Edition *Sämtliche Romane und Erzählungen* (1962-1965) von Walter Migge. Arnims Dramen, seine Briefe, Aufsätze und Rezensionen sind unzureichend oder gar nicht ediert, große Teile des Nachlasses ruhen unberührt in Archiven. Dies ist der Grund dafür, daß die Forschung sich ausschließlich mit dem dichterischen Werk beschäftigte. Wichtige neue Aspekte des Arnimschen Werkes erschloß allerdings Jürgen Knaacks Buch *Achim von Arnim – Nicht nur Poet* (1976). Der Band enthält auch einige bisher ungedruckte Texte und ein Verzeichnis sämtlicher Briefe.

2. Die Studentenbewegung Ende der 60er und Anfang der 70er Jahre und die von ihr geforderte gesellschaftliche Relevanz der Wissenschaft blieb auch – trotz der linkstraditionellen Feindschaft gegenüber der Romantik – nicht ohne Wirkung auf die Romantikforschung. Neu in den Blick kam, daß zumindest die Anfänge der Romantik durch ihre Verbindung zur Französischen Revolution mit der Politik eng verknüpft waren. Die Frühromantik erlangte auf diese Weise eine Aktualität, die auch konservativere Forscher nicht ignorieren konnten. Nachdem Malsch den Zusammenhang Frühromantik-Revolution 1965 bereits thematisiert hatte, erschien 1972 nun ein Aufsatz Ernst Behlers „Die Auffassung der Revolution in der Frühromantik" und 1974 in dem Band *Deutsche Literatur und Französische Revolution* der Beitrag Richard Brinkmanns „Frühromantik und Französische Revolution". Diese Arbeiten betonten freilich den nicht-politischen Charakter des Revolutionären in der Romantik und wandten sich damit gerade gegen das Interesse, das Friedrich Schlegel und Novalis bei jüngeren Forschern geweckt hatten. So erklärte Brinkmann: „Was Friedrich Schlegel betrifft, so ist die Vorstellung zweifellos falsch, die eine der neusten Publikationen propagiert, Friedrich Schlegel habe seine frühen Schriften, vor allem zur antiken Kunst und Literatur, gewissermaßen als ‚Blendlaternen des Ideenschmuggels' (um einen Ausdruck Gutzkows zu gebrauchen) benutzt, um der Zensur zu entgehen und revolutionäre Gedanken zu verbreiten. [. . .] Vielmehr stehen alle revolutionär anmutenden Einzelheiten im Zusammenhang eines umfassenderen Konzepts, dem es gerade nicht darauf ankommen kann, inhaltlich bestimmte politisch-revolutionäre Lehren zu verbreiten und sie unvermittelt auf die politisch-soziale Wirklichkeit zu beziehen."[107] Das Argument richtete sich gegen Werner Weilands Studie *Der junge Friedrich Schlegel oder Die Revolution in der Frühromantik* (1968). Weiland behauptete jedoch nicht, wie Brinkmann unterstellte, daß Schlegels Interesse ausschließlich politischer Natur gewesen sei, sondern daß hier Kulturelles und Politisches sich zu einer Einheit verbanden. Und auf diese Verbindung, die die traditionelle Forschung meist ignoriert oder gar verleugnet hatte, kam es den jüngeren Forschern jetzt an.

Sicher wurden Arbeiten wie Richard Fabers *Novalis: Die Phantasie an die Macht* (1970), die, getragen vom Schwung der aktuellen Ereignisse, die Nähe der Romantik zur Revolution zu unreflektiert positiv sahen, der Geschichte nicht gerecht. Die Arbeiten, die in der Folge das neue Thema aufgriffen und fortentwickelten, setzten daher diese

Nähe, die Verbindung von Literatur und Politik, nie als gegeben voraus, sondern machten sie gerade zum Gegenstand ihrer Untersuchungen. Daß die Frühromantik, besonders Friedrich Schlegel und Novalis, mit ihrem revolutionären Programm zu hoch gegriffen hatten, daß die in ihm artikulierten Ambitionen enttäuscht werden *mußten*, führte dann, von gesellschaftlichen Voraussetzungen und der Politik her, zur Kritik dieses Programmes. Das von Brinkmann apostrophierte „umfassendere Konzept" wurde durchschaut als das Produkt von Verhältnissen, in denen spezifischere Konzepte kaum eine Chance hatten, bewußt oder unbewußt daher als Ausweichen vor einer Verantwortung, die zu übernehmen keiner der Romantiker vorbereitet und daher bereit war; es wurde durchschaut als Ideologie. Eine der ersten in diesem Sinne ideologiekritischen Studien war Heinz Schlaffers Aufsatz über Tiecks „Blonden Eckbert": „Roman und Märchen" (1969). Die romanhaften und d. h. modernen Züge des Märchens bei Tieck herausarbeitend, diskutierte Schlaffer die Funktion des Märchens in der modernen, der bürgerlichen Gesellschaft: „Volksdichtung wird [. . .] im bürgerlichen Zeitalter nie Dichtung für das Volk, sondern Dichtung für den Bürger sein, der das Einfache als exotischen Reiz goutiert. Volk bleibt als Idee vom Bewußtsein des Bürgers ebenso abhängig wie auf der literarischen Ebene – wo sich der Vorgang hauptsächlich abspielt (erst später greift er als völkische Idee verhängnisvoll auf die politische Ebene über) – das Märchen vom Roman im ‚Blonden Eckbert'."[108] Dichtung für den Bürger: wie für das „umfassendere Konzept" Friedrich Schlegels und Novalis', deren Philosophie, gilt für das Märchen, wie Schlaffer am Beispiel des „Blonden Eckbert" überzeugend nachwies, daß der bürgerliche Autor als Philosoph und als Dichter in und mit seiner Literatur der gesellschaftlichen Wirklichkeit entfloh: „Mit Bertha gehen der Autor und seine Leser den Weg in das verlorene poetische Paradies, die märchenhafte Welt der Frühe; doch dieser Weg ist bloß ein poetischer Spaziergang, um der Langeweile, Kargheit und Entfremdung der eigenen Zeit zu entfliehen."[109] Auf andere Weise geht auch der philosophische Autor diesen Weg; das Ziel ist dasselbe, ob es in der Vergangenheit liegt oder in der Zukunft.

Schlaffers Studie folgten andere Arbeiten: Hans-Joachim Heiners „wissenssoziologische Deutung" von Friedrich Schlegels „Ganzheitsdenken" (1971); Heinz Hillmanns Tieck-Interpretation in Benno von Wieses *Deutsche Dichter der Romantik* (1972); Klaus Peters *Idealismus als Kritik* (1973), eine Analyse von Friedrich Schlegels „Philosophie der unvollendeten Welt"; Rolf Peter Janz' Studie zur Ästhetik Schillers und Novalis' (1972); ein von Joachim Bark 1974 herausgegebener Band *Literatursoziologie* mit Beiträgen von Hans-Wolf Jäger über Tieck und Jakob Grimm, Christa Bürger über Tiecks „Blonden Eckbert" und von Hannelore Schlaffer über Friedrich Schlegel und Georg Forster; 1977 schließlich edierte Dieter Bänsch in der Reihe „Literaturwissenschaft und Sozialwissenschaften" einen Band mit dem Titel: *Zur Modernität der Romantik.* Die Beiträge stammen von Werner Weiland, Dieter Bänsch, Peter Bulthaupt, Helmut Pfotenhauer, Gert Mattenklott, von Ingrid und Günter Oesterle. Der bemerkenswerteste Beitrag ist Mattenklotts Studie über Friedrich Schlegels *Lucinde:* „Der Sehnsucht eine Form". Indem Mattenklott darstellte, wie aus Schlegels Werk der moderne Roman geboren wurde, gleichzeitig aber die Ambitionen der *Lucinde* von ihren Voraussetzungen her strenger Kritik unterwarf, weitete er die Problematik zur Kritik des modernen, nachromantischen Romans überhaupt. Ohne die Romantik abzuwerten, ja gerade indem er ihre Leistung überzeugend herausarbeitete, machte er ihre historische Bedingtheit deutlich, das Ideologische an ihr, das der Kritik verfällt. – Eine Variante der Ideologiekritik sind die von feministischer Seite auch gegen die Dichtung der Romantik vorgebrachten Einwände. Als ein Beispiel sei Barbara Becker-Cantarinos Interpretation von Schlegels *Lucinde* (1976/77) genannt.

3. Richtet die Ideologiekritik sich gegen etablierte Forschungsrichtungen, indem sie die Vorstellung von der Autonomie der Kunst im Kontext der Geschichte relativiert, so wendet sich die ebenfalls Ende der 60er Jahre entstandene Rezeptionsforschung gegen den Vorrang der Intentions- und Autorperspektive: „Unter dem Aspekt des Ist- und Soll-Bestandes, der gesellschaftlichen Relevanz von Literatur und der Beschäftigung mit ihr, rückte das Lesepublikum in den Vordergrund des literaturwissenschaftlichen Interesses."[110] So Gunter Grimm im Vorwort des 1975 von ihm edierten Bandes *Literatur und Leser*. Literatur, für Leser geschrieben, ist ohne sie nicht zu verstehen. Ins Zentrum des Interesses rückt dabei die Wirkungsgeschichte von Werken, wie sie Eberhard Lämmert im Falle Eichendorffs schon in den 60er Jahren skizzierte. Von Interesse ist aber auch, wie ein Autor den Leserbezug in seinem Werk schon integrierte, wie der Blick auf den Leser die Wahl spezifischer Techniken und Mittel bestimmte. Erregten gerade unter diesem Aspekt Literaturbereiche die Aufmerksamkeit der Wissenschaft, die bisher kaum untersucht worden waren, die Trivial-, Unterhaltungs- und Gebrauchsliteratur, so eröffneten sich hier auch neue Wege für die Interpretation der üblicher Weise von der Germanistik behandelten Texte. Barbara Elling faßte das Ergebnis ihrer Studie *Leserintegration im Werk E. T. A. Hoffmanns* (1973) folgendermaßen zusammen: „Die Hinwendung zum Leser ist in ihrer Wirkung sorgfältig abgestuft und kann mit einer Lernkurve verglichen werden. Zunächst muß der Leser in das Werk hineingerissen werden und muß sich mit dem Werk und den Charakteren identifizieren. Er muß also in das Werk integriert werden. Das geschieht meist durch Suggestion und Ansprechung der Empfindungen. Doch ist dies weitgehend ein Prozeß, bei dem der Leser passiv bleibt. Der Erzähler will jedoch den Leser zur Selbsttätigkeit anregen. Er muß ihm also das Vertraute entfremden und das Wirkliche unwirklich erscheinen lassen. Er muß das Doppelgesichtige, das Zwiespältige in der Welt, wie sie der Leser kennt, zeigen. Das, was er zuvor durch Suggestion vor den Augen des Lesers aufgebaut hat, muß wieder zerstört werden. Erst dann, wenn der Leser an allem unsicher geworden ist, kann ein Erneuerungsprozeß beginnen."[111] Da die Beschreibung der Techniken, die eine solche Wirkung erzeugen können, das Werk Hoffmanns nicht länger prinzipiell von Werbetexten etwa unterscheidet, die Manipulation des Lesers in beiden Fällen den Gegenstand der Untersuchung bildet, stimuliert diese Methode eine von der traditionellen Sonderstellung der Kunst unabhängige Bewertung auch literarischer Texte, die, wie andere Texte auch, nur noch als Mittel sprachlicher Kommunikation betrachtet werden. – In Gunter Grimms Buch *Literatur und Leser* erschien Paul Mogs Aufsatz, der diese Methode auf Eichendorff anwendet. Mog bezog sich dabei auf Wolfgang Isers Buch *Die Appellstruktur der Texte* (1970), bemühte sich jedoch,

inhaltliche Momente als „Appellsubstanz" in die Analyse der „Appellstruktur" mit aufzunehmen.

4. Die „neue Romantik" oder den „neuen Irrationalismus", der nicht eigentlich durch die unmittelbare Identifikation mit der Romantik, sondern dadurch, daß er den Irrationalismus der Romantik „kritisch" überholt, „romantische" Intentionen verfolgt, repräsentiert ein Buch, das Friedrich A. Kittler und Horst Turk 1977 veröffentlichten: *Urszenen. Literaturwissenschaft als Diskursanalyse und Diskurskritik*. Im Anschluß an französische Theoreme des sog. Poststrukturalismus behaupten die Herausgeber die Unhaltbarkeit des subjektbezogenen Erkennens und Handelns. Die Lehre vom Subjekt, dessen Identität die Voraussetzung bildete für die traditionelle Auffassung vom Menschen und selbst noch die Freudsche Psychoanalyse motivierte, wird hier unterhöhlt durch die Einsicht in Strukturen, die die Identität des Subjekts auflösen. Dabei kommt jedoch nicht, wie bei der Ideologiekritik, sein gesellschaftliches Wesen zum Vorschein, sondern, wie schon der Titel des Buches, der auf Freud anspielt, nahelegt, sein psychologisches. Psychologisch freilich nicht im Freudschen Sinne; im Sinne vielmehr einer Wissenschaft, die erst durch die „Konjunktion von Psychoanalyse und Linguistik"[112] möglich wurde. Diese Wissenschaft bezieht das Sprechen nicht mehr auf Subjekte, sondern „auf den Grenzwert eines weißen Rausches, das Foucault, das obstinate Gemurmel einer Sprache' genannt hat, ‚die *von allein* spricht, ohne sprechendes Subjekt und ohne Gesprächspartner'".[113] Unter diesen Umständen, so behaupten die Herausgeber, „wird die Literatur zum Gegenstand der Diskursanalyse und Diskurskritik".[114] Der literarische Text sei durch das Bewußsein gekennzeichnet, „als Wissender gewußt zu sein": „Die Frage nach der Existenz eines solchen Bewußtseins ist nicht nur die Frage nach seiner Vermittlung durch allgemeine Strukturen oder diskursive Praktiken (die Frage der Diskurs*analyse*), sondern auch die Frage nach der Existenz, die das Bewußtsein sich in der Gestalt der Autorschaft gibt (die Frage der Diskurs*kritik*)."[115]

Wie sehr diese Diskurstheorie der Romantik, bzw. bestimmten Momenten der Romantik, verpflichtet ist, bezeugt der Beitrag von Norbert W. Bolz „Über romantische Autorschaft": „Aus dem Höhenflug der Spekulation in die Niederungen des dämonologischen Mythos zieht den idealistischen Autor der Tiefsinn frühromantischer Kritik."[116] Preisgegeben wird in dieser Interpretation das emanzipatorische Moment, das sowohl die Kritik Friedrich Schlegels wie auch die des Novalis von der Aufklärung her auszeichnete. Bolz: „Kritik, in welcher Aufklärung ihr Medium radikaler Entmythologisierung fand, bereitet als positive einen kabbalistischen Rückfall in den Mythos vor – das verleiht dem frühromantischen Messianismus seine unaufhebbare Doppeldeutigkeit."[116] – Nicht mehr doppeldeutig erscheint die Romantik dann im Werk E. T. A. Hoffmanns. Kittlers eigener Beitrag „‚Das Phantom unseres Ichs' und die Literaturpsychologie" interpretiert Hoffmanns Erzählung „Der Sandmann", indem er deren Strukturen auf Formen primärer Sozialisation zurückführt, die die historische Gestalt der Erzählung zufällig erscheinen lassen. Kam die romantische Dichtung, insbesondere die Hoffmanns, der psychologischen Deutung seit je entgegen, weil die Psychologie zu ihrem eigensten Wesen gehört, so schlägt Kittler vor, diese Psychologie selber psychologisch zu hinterfragen. Hier geht er mit Lacan über Freud hinaus: das Ich, an das Freud noch geglaubt habe, werde von der neuen Lehre als bloßes Phantom durchschaut. Von hier aus erklärt Kittler den Wahnsinn, dem der Held in Hoffmanns Erzählung, Nathanael, verfällt. Im Sinne der Erzählung löse das Wahnsinnig-werden Grauen aus; im Sinne der Lehre Lacans jedoch lasse es sich als die Realität schlechthin beschreiben: „Gerade was phantastisch an den Texten scheint, entziffert sie [die Psychoanalyse là la Lacan] als die symbolische Wirklichkeit der Hominisation."[117] Die „Subversion" des Ichs, die Dezentrierung des cartesischen Ego,[118] führt damit allerdings weit über die Intentionen der Romantik hinaus. Während das Ich damals im Mythos, in der Religion, in der Natur, dem Staat oder im Volk Zuflucht suchte vor der Realität, die es bedrohte, ist in der „neuen" Romantik das Ich überhaupt nur eine Illusion, mit der Realität, die es bedroht, identisch. Rettung verspricht hier nur noch der Tod.

ANMERKUNGEN

1 Hannelore Schlaffer, Der Aufzug der neuen Romantiker. Jenseits des Realitätsprinzips: Über neue Tendenzen intellektueller Opposition, Frankfurter Allgemeine Zeitung, 19.5. 1979, S.25. Vgl. hierzu auch: Der neue Irrationalismus, Literaturmagazin 9, Reinbek bei Hamburg 1978.

2 Heinrich Heine, Die Romantische Schule, in: H. H., Sämtliche Schriften in 12 Bänden, hg. von Klaus Briegleb, Bd.5, München 1976, S.361.

3 Ebd., S.362.

4 Ebd., S.379.

5 Ebd., S.468. Vgl. hierzu auch: Peter Uwe Hohendahl, Geschichte und Modernität. Heines Kritik an der Romantik, in: P. U. H., Literaturkritik und Öffentlichkeit, München 1974, S.50-101.

6 Theodor Echtermeyer/Arnold Ruge, Der Protestantismus und die Romantik. Zur Verständigung über die Zeit und ihre Gegensätze. Ein Manifest, hg. von Norbert Oellers, Hildesheim 1972.

7 Georg Gottfried Gervinus, Schriften zur Literatur, hg. von Gotthard Erler, Berlin (DDR) 1962, S. 437ff.

8 Hermann Hettner, Die romantische Schule in ihrem inneren Zusammenhange mit Goethe und Schiller, Braunschweig 1850. Julian Schmidt, Geschichte der deutschen Literatur seit Lessings Tod, Bd.2: Die Romantik (1797-1818), 5. Aufl., Leipzig 1866.

9 Rudolf Haym, Die romantische Schule. Ein Beitrag zur Geschichte des deutschen Geistes, Berlin 1870, Neudruck: Darmstadt 1961, S.3.

10 Ebd., S.4.

11 Ebd., S.4f.

12 Wilhelm Scherer, Geschichte der deutschen Literatur, 7. Aufl., Berlin 1894, S.633.

13 Wilhelm Scherer, Die deutsche Litteraturrevolution, in: W. Sch., Vorträge und Aufsätze zur Geschichte des geistigen Lebens in Deutschland und Österreich, Berlin 1874, S.340.

14 Wilhelm Scherer, Die deutsche Spracheinheit, in: W. Sch., Vorträge und Aufsätze, S.68. Vgl. zu diesem Thema auch: Eberhard Lämmert, Germanistik – eine deutsche Wissenschaft, in: Germanistik – eine deutsche Wissenschaft, Beiträge von E. L., Walther Killy, Karl Otto Conrady und Peter von Polenz, Frankfurt/M 1967, S.7-41. Und: Franz Greß, Germanistik und Po-

litik. Kritische Beiträge zur Geschichte einer nationalen Wissenschaft, Stuttgart 1971, über Scherer, S. 31-70. Sowie: Karl Otto Conrady, Germanistik in Wilhelminischer Zeit. Bemerkungen zu Erich Schmidt (1853-1913), in: Literatur und Theater im Wilhelminischen Zeitalter, hg. von Hans-Peter Bayerdörfer, Karl Otto Conrady und Helmut Schanze, Tübingen 1978, S. 370-398.

15 Scherer, Die deutsche Spracheinheit, S. 68.

16 Scherer, Die deutsche Litteraturrevolution, S. 340f. Vgl. auch: Greß, Germanistik und Politik, S. 31-34.

17 Bernd Peschken, Versuch einer germanistischen Ideologiekritik. Goethe, Lessing, Novalis, Tieck, Hölderlin, Heine in Wilhelm Diltheys und Julian Schmidts Vorstellungen, Stuttgart 1972.

18 Wilhelm Dilthey, Novalis, in: W. D., Das Erlebnis und die Dichtung, 14. Aufl., Göttingen (Kleine Vandenhoeck-Reihe) 1965, S. 188.

19 Wilhelm Dilthey, Leben Schleiermachers, 2. Aufl., hg. von Hermann Mulert, Berlin und Leipzig 1922.

20 Martin Doehlemann, Germanisten in Schule und Hochschule. Geltungsanspruch und soziale Wirklichkeit. München 1975.

21 Ebd., S. 90.

22 Ebd., S. 92.

23 Julius Petersen, Die Wesensbestimmung der deutschen Romantik. Eine Einführung in die moderne Literaturwissenschaft, Leipzig 1926, Neudruck: Heidelberg 1968, S. 3.

24 Doehlemann, Germanisten in Schule und Hochschule, S. 77. Zur Germanistik im Dritten Reich vgl.: Karl Otto Conrady, Deutsche Literaturwissenschaft und Drittes Reich, in: Germanistik – eine deutsche Wissenschaft (Anm. 14), S. 71-109.

25 Alfred Baeumler, Einleitung zu: Manfred Schroeter (Hg.), Der Mythus von Orient und Occident. Eine Metaphysik der alten Welt aus den Werken von J. J. Bachofen (1815-1887), München 1926. Vgl. auch: Walther Linde, Umwertung der deutschen Romantik, Zeitschrift für Deutschkunde 47 (1933), S. 65-91, wieder abgedruckt in: Helmut Prang (Hg.), Begriffsbestimmung der Romantik, Darmstadt (Wissenschaftliche Buchgesellschaft) 1968, S. 243-275.

26 Doehlemann, Germanisten in Schule und Hochschule, S. 143f.

27 Ebd., S. 109.

28 Vgl. die entscheidenden Vorträge von Eberhard Lämmert von Karl Otto Conrady in: Germanistik – eine deutsche Wissenschaft (Anm. 14).

29 Theodor Steinbüchel (Hg.), Romantik. Ein Zyklus Tübinger Vorlesungen, Tübingen und Stuttgart 1948.

30 Ebd., S. 13f.

31 Ebd., S. 182, 194.

32 Ebd., S. 243ff.

33 Josef Körner, Einleitung zu: Friedrich Schlegel, Neue philosophische Schriften, erstmals in Druck gelegt, erläutert und mit einer Einleitung in Fr. Schlegels philosophischen Entwicklungsgang versehen von Josef Körner, Frankfurt/M 1935, S. 7.

34 Ebd., S. 114.

35 Ernst Behler, Zur Theologie der Romantik. Das Gottesproblem in der Spätphilosophie Friedrich Schlegels, Hochland 52 (1960), S. 339f.

36 Siehe: Volker Deubel, Die Friedrich Schlegel-Forschung 1945-1972, DVjs. 47 (1973), Sonderheft Forschungsreferate, S. 68.

37 Werner Kohlschmidt, Nihilismus der Romantik, Neue Schweizer Rundschau, Dez. 1953, dann in: W. K., Form und Innerlichkeit. Beiträge zur Geschichte und Wirkung der deutschen Klassik und Romantik, Bern 1955, S. 157; im vorliegenden Band unten S. 53ff.
38 Ebd., S. 158.
39 Werner Kohlschmidt, Der Wortschatz der Innerlichkeit bei Novalis, in: W. K., Form und Innerlichkeit, S. 154.
40 Emil Staiger, Die Zeit als Einbildungskraft des Dichters, Zürich 1939, Neudruck 1953, S. 74.
41 Ebd., S. 75.
42 Ebd., S. 74.
43 Ebd., S. 215f.
44 Emil Staiger, Grundbegriffe der Poetik, Zürich 1946, S. 24.
45 Ebd.
46 Emil Staiger, Clemens Brentano: „Die Abendwinde wehen", in: Gestaltprobleme der Dichtung (Günther Müller zu seinem 65. Geburtstag), Bonn 1957; wieder abgedruckt in: Jost Schillemeit (Hg.), Interpretationen: Deutsche Lyrik von Weckherlin bis Benn, Frankfurt/M (Fischer Bücherei) 1965, S. 162f.
47 Richard Alewyn, Eichendorffs Dichtung als Werkzeug der Magie, Neue Deutsche Hefte 4 (1957/58). Unter dem Titel: Ein Wort über Eichendorff, in: Paul Stöcklein (Hg.), Eichendorff heute. Stimmen der Forschung mit einer Bibliographie, München 1960, hier S. 17.
48 Ebd., S. 15.
49 Richard Alewyn, Eine Landschaft Eichendorffs, Euphorion 51 (1957); wieder abgedruckt in: Paul Stöcklein (Hg.), Eichendorff heute, hier S. 42; im vorliegenden Band unten S. 85ff.
50 Wilhelm Emrich, Dichtung und Gesellschaft bei Eichendorff, Aurora 18 (1958); wieder abgedruckt in: P. Stöcklein (Hg.), Eichendorff heute, hier S. 64.
51 Heinrich Henel, Arnims „Majoratsherren", in: Benno von Reifenberg und Emil Staiger (Hg.), Weltbewohner und Weimaraner. Ernst Beutler zugedacht, Zürich 1960; vom Autor durchgesehene und überarbeitete Fassung in: Jost Schillemeit (Hg.), Interpretationen: Deutsche Erzählungen von Wieland bis Kafka, Frankfurt/M (Fischer Bücherei) 1966, hier S. 176; im vorliegenden Band unten S. 145ff.
52 Theodor W. Adorno, Zum Gedächtnis Eichendorffs, in: T. W. A., Noten zur Literatur I, Frankfurt/M 1958, S. 105; im vorliegenden Band unten S. 103.
53 Ebd., S. 106; unten S. 103.
54 Ebd., S. 107; unten S. 104.
55 Ebd., S. 109; unten S. 104.
56 Hans Magnus Enzensberger, Brentanos Poetik, München 1961; dtv München 1973, hier S. 9.
57 Ebd., S. 108.
58 Echtermeyer/Ruge, Der Protestantismus und die Romantik, S. 37.
59 Ebd., S. 30.
60 Zu Brentano vgl.: Enzensberger, Brentanos Poetik, S. 12f. Zu E. T. A. Hoffmann vgl.: Hans Mayer, Die Wirklichkeit E. T. A. Hoffmanns, in: H. M., Von Lessing bis Thomas Mann. Wandlungen der bürgerlichen Kultur in Deutschland, Pfullingen 1959, S. 211; im vorliegenden Band unten S. 116ff. Zu Eichendorff vgl.: Friedrich Heer, Die Botschaft eines Lebenden, Hochland 50 (1957/58); wieder abgedruckt in: Paul Stöcklein (Hg.), Eichendorff heute, hier S. 60.
61 Hans-Joachim Mähl, Die Idee des goldenen Zeitalters im Werk des Novalis. Studien zur Wesensbestimmung der frühromantischen Utopie und zu ihren ideengeschichtlichen Voraussetzungen, Heidelberg 1965, S. 5.

62 Ebd., S. 4.

63 Ebd., S. 5f.

64 Vgl. Richard Samuel, Vorwort zum 2. und 3. Bande von: Novalis Schriften, Bd. 2, hg. von Richard Samuel in Zusammenarbeit mit Hans-Joachim Mähl und Gerhard Schultz, Stuttgart 1965, S. V-XIII. Der vierte Band der Ausgabe erschien 1975; 1976 ist auch der erste Band in veränderter Gestalt neu erschienen.

65 Wilfried Malsch, „Europa": Poetische Rede des Novalis. Deutung der französischen Revolution und Reflexion auf die Poesie in der Geschichte, Stuttgart 1965, S. VIII; im vorliegenden Band unten S. 198ff.

66 Wolfgang Frühwald, Stationen der Brentano-Forschung 1924-1972, DVja 47 (1973), Sonderheft Forschungsreferate, S. 235.

67 Wolfgang Frühwald, Die Frankfurter Brentano-Ausgabe, Jb. f. Intern. Germ., I, 2 (1969), S. 78.

68 Benno von Wiese (Hg.), Deutsche Dichter der Romantik. Ihr Leben und Werk, Berlin 1971, Vorwort, S. 9.

69 Hans Steffen (Hg.), Die deusche Romantik. Poetik, Formen und Motive, Göttingen (Kleine Vandenhoeck-Reihe) 1967, Vorwort, S. 3.

70 Georg Lukács, Die Romantik als Wendung in der deutschen Literatur, in: G. L., Fortschritt und Reaktion, Berlin (DDR) 1945; wiederabgedruckt in: G. L., Kurze Skizze einer Geschichte der neueren deutschen Literatur, Neuwied und Berlin 1963, S. 67. Im vorliegenden Band unten S. 40ff.

71 Ebd., S. 67, 83. Unten S. 50.

72 Claus Träger, Novalis und die ideologische Restauration. Über den romantischen Ursprung einer methodischen Apologetik, Sinn und Form 13 (1961), S. 623.

73 Ebd., S. 620.

74 Ebd., S. 646.

75 Ebd., S. 634.

76 Ebd, S. 636.

77 Ebd., S. 654.

78 Ebd., S. 636.

79 Erläuterungen zur deutschen Literatur: Romantik, Berlin (DDR) 1967, Vorwort, S. 6.

80 Georg Lukács, Eichendorff, in: G. L., Deutsche Literatur in zwei Jahrhunderten, Werke Bd. 7, Neuwied und Berlin 1964, S. 238.

81 Ebd., S. 245.

82 Ebd., S. 242.

81 Erläuterungen zur deutschen Literatur: Romantik, S. 250.

84 Ebd., S. 271.

85 Ebd., S. 269.

86 Bei Georg Lukács siehe: G. L., Deutsche Realisten des 19. Jahrhunderts. Vorwort, in: G. L., Deutsche Literatur in zwei Jahrhunderten, S. 190f. Und: G. L., Die Romantik als Wendung der deutschen Literatur, in: G. L., Kurze Skizze einer Geschichte der neueren deutschen Literatur, S. 86f.

87 Hans Mayer, Die Wirklichkeit E. T. A. Hoffmanns, in: H. M., Von Lessing bis Thomas Mann, S. 211f; im vorliegenden Band unten, S. 123f.

88 Ebd., S. 245; unten S. 143.

89 Hans Mayer, Fragen der Romantikforschung, in: H. M., Zur deutschen Klassik und Romantik, Pfullingen 1963, S. 265.

90 Ebd., S. 293f.

91 Werner Krauss, Französische Aufklärung und deutsche Romantik, in: W. K., Perspektiven und Probleme. Zur französischen und deutschen Aufklärung und andere Aufsätze, Neuwied und Berlin 1965, S. 279; im vorliegenden Band unten S. 168ff.

92 Ebd., S. 283; unten, S. 178.

93 Klaus Hammer, Henri Poschmann, Hans-Ulrich Schnuchel, Fragen der Romantikforschung. Zur Arbeitstagung in Leipzig vom 2. bis 4. Juli 1962, Weimarer Beiträge 9 (1963) I, S. 173-182.

94 Claus Träger, Ideen der französischen Aufklärung in der deutschen Romantik, Weimarer Beiträge 14 (1968), I, S. 176.

95 Ebd., S. 177.

96 Claus Träger, Ursprünge und Stellung der Romantik, Weimarer Beiträge 21 (1975) II, S. 45; im vorliegenden Band unten, S. 304ff.

97 Ebd., S. 59; unten, S. 322.

98 Ebd., S. 46; unten, S. 312!

99 Hans-Dietrich Dahnke, Einleitung zu: Geschichte der deutschen Literatur von 1700 bis zur Gegenwart; unter dem Titel: Literarische Prozesse in der Periode von 1789 bis 1806, Weimarer Beiträge 17 (1971) XI, S. 46-71.

100 Träger, Ursprünge und Stellung der Romantik, S. 66f; unten S. 328.

101 Ebd., S. 68f; unten, S. 330.

102 Hans-Dietrich Dahnke, Zur Stellung und Leistung der deutschen romantischen Literatur. Ergebnisse und Probleme ihrer Erforschung, Weimarer Beiträge 24 (1978) IV, S. 5.

103 Wolfgang Heise, Weltanschauliche Aspekte der Frühromantik, Weimarer Beiträge 24 (1978) IV, S. 44.

104 Ebd., S. 45.

105 Hannelore Schlaffer, Der Aufzug der neuen Romantiker, S. 25.

106 Siehe: Richard Brinkmann (Hg.), Romantik in Deutschland. Ein interdisziplinäres Symposion, Stuttgart (Sonderband der DVjs.) 1978.

107 Richard Brinkmann, Frühromantik und Französische Revolution, in: R. B. u. a., Deutsche Literatur und Französische Revolution, Göttingen 1974, S. 178f.

108 Heinz Schlaffer, Roman und Märchen. Ein formtheoretischer Versuch über Tiecks „Blonden Eckbert“, in: Helmut Kreuzer (Hg.), Gestaltungsgeschichte und Gesellschaftsgeschichte. Literatur-, kunst- und musikwissenschaftliche Studien, Stuttgart 1969, S. 237f.; im vorliegenden Band unten, S. 260.

109 Ebd., S. 240; unten, S. 262.

110 Gunter Grimm (Hg.), Literatur und Leser. Theorien und Modelle zur Rezeption literarischer Werke, Stuttgart 1975, Vorwort, S. 7.

111 Barbara Elling, Leserintegration im Werk E. T. A. Hoffmanns, Bern/Stuttgart 1973, S. 63.

112 Friedrich A. Kittler/Horst Turk (Hg.), Urszenen. Literaturwissenschaft als Diskursanalyse und Diskurskritik, Frankfurt/M 1977, Einleitung der Herausgeber, S. 23.

113 Ebd., S. 21f.

114 Ebd., S. 19.

115 Ebd.

116 Norbert W. Bolz, Über romantische Autorschaft, in: Kittler/Turk (Hg.), Urszenen, S. 46.

117 Friedrich A. Kittler, „Das Phantom unseres Ichs“ und die Literaturpsychologie. E. T. A. Hoffmann – Freud – Lacan, in: Kittler/Turk (Hg.), Urszenen, S. 149, im vorliegenden Band unten, S. 335.

118 Ebd., S. 152.

Die Romantik als Wendung in der deutschen Literatur

GEORG LUKÁCS

Die Romantik ist das umstrittenste Gebiet der deutschen Literatur. Von Anfang an kämpfen hymnisches Lob und erbittertes Verwerfen miteinander. Schon in den vierziger Jahren, als das reaktionäre Regime Friedrich Wilhelms IV. die Romantik politisch zu erneuern versuchte, war ihre scharfe Kritik im Lager des Fortschritts eine der Hauptfragen des ideologischen Kampfes. In der imperialistischen Epoche erleben wir ein neues weltanschaulich-politisches Wiedererwachen der Romantik. Diesmal ist der ideologische Widerstand im Lager der Fortschrittsfreunde viel schwächer als in der Mitte des Jahrhunderts. Ja, die Anfänge der Erneuerung stehen im Zeichen der Anschauung, man hätte die Romantik verkannt, nicht tief genug begriffen, wenn man sie weltanschaulich und politisch als reaktionär brandmarkte. Ricarda Huch, deren Bücher neben Aufsätzen Diltheys den wichtigsten Anstoß zur Wiedergeburt der Romantik gaben, erklärt geradezu, daß „keiner von den führenden Geistern der Romantik an eine Wiederherstellung vergangener oder gar mittelalterlicher Zustände gedacht" hätte. Freilich benutzen die ausgesprochen reaktionären Literaturhistoriker und -theoretiker diese Erneuerung sofort für ihre eigenen Zwecke. Romantik wird als die eigentlich und zutiefst deutsche Strömung in der Literatur gekennzeichnet; so nennt sie Adolf Bartels eine „germanische Renaissance", so erblickt Moeller van den Bruck in ihr einen „Willen zum Deutschtum". In der Nachkriegszeit entsteht dann eine Spaltung unter den Verehrern der Romantik. Die extremen Reaktionäre, vor allem Baeumler, wollen nunmehr nur die späte, ausgesprochen obskurantistische Romantik, die von Görres, Arnim und Brentano, als die eigentliche anerkennen; die Jenaer Periode der Schlegel und Novalis, in der noch Dilthey und Ricarda Huch den Mittelpunkt der romantischen Bestrebungen erblickten, betrachtet Baeumler als einen verspäteten Ausläufer des achtzehnten Jahrhunderts, als noch nicht echt romantisch. Diese scharfen Meinungsverschiedenheiten zeigen, daß die Romantik ein Hauptproblem der deutschen Ideologie und Literatur im neunzehnten und zwanzigsten Jahrhundert bildet.

Der Grundfehler in der Einschätzung und Bewertung der Romantik, der häufig auf beiden Seiten, sowohl bei Freunden wie bei Feinden, auftaucht, ist der, daß man in ihr eine feudale Bewegung erblickt. Wir werden freilich sehen, daß innerhalb der Romantik – im schroffen Gegensatz zur Aufklärung und Klassik – eine Verteidigung der feudalen Überreste Deutschlands, ja auch stilisierende Erneuerungsversuche der mittelalterlichen, der feudalen Ideologie entstehen. Die Feststellung dieser Tatsache darf uns aber nicht die klare Erkenntnis versperren, daß die soziale Grundlage der Romantik bürgerlich war. Dies ist nicht in dem Sinne zu verstehen, daß etwa die ideologischen Führer der Romantik überwiegend aus der bürgerlichen Intelligenz stammen – die Abstammung besagt hier sehr wenig: der bürgerliche Friedrich Schlegel wird zu einem Verteidiger der Metternichschen Reaktion, während der altadlige Chamisso in der Restaurationszeit zur Opposition gehört. Es geht vielmehr um die Frage, nach dem entscheidenden sozialen Inhalt der Romantik. Und dieser ist ein bürgerlicher. Das hat Heine im Kampf gegen die literarische und politische Romantik der vierziger Jahre als erster klar gesehen. Im letzten Barbarossa-Kapitel seines „Deutschland. Ein Wintermärchen" apostrophiert er den Hohenstaufenkaiser, den Idealhelden der romantischen Erneuerungsträume Deutschlands:

> Das Mittelalter, immerhin,
> Das wahre, wie es gewesen,
> Ich will es ertragen – erlöse uns nur
> Von jenem Zwitterwesen,
>
> Von jenem Gamaschenrittertum,
> Das ekelhaft ein Gemisch ist
> Von gotischem Wahn und modernem Lug
> Das weder Fleisch noch Fisch ist.
>
> Jag fort das Komödieantenpack
> Und schließe die Schauspielhäuser,
> Wo man die Vorzeit parodiert . . .

In diesen ironischen Strophen ist klar umrissen, um was es sich handelt. Auch die Romantik, auch die romantische Reaktion will die Umwandlung Deutschlands in ein modernes (und – was den meisten Vertretern damals nicht bewußt war – in ein kapitalistisches) Land, will sie jedoch *ohne* Vernichtung des Absolutismus, *ohne* Beseitigung der feudalen Überreste, der feudalen Vorrechte. Sie erstrebt also nicht eine Wiederherstellung der vorkapitalistischen Gesellschaftsordnung, sondern einen politisch und sozial reaktionären Kapitalismus, der die feudalen Überreste „organisch" in sich aufnimmt und so aufbewahrt. Man wird die deutsche Romantik nie verstehen, wenn man ihr soziales Wesen nicht klar erkennt. Sie geht von der Französischen Revolution aus, sie entstammt der nachrevolutionären Lage Europas, also der Auseinandersetzung Deutschlands mit jenem Weltereignis. Indem sie sich ideologisch findet als Reaktion gegen die Französische Revolution, wird ihre Feindschaft zur Aufklärung verständlich, erscheint ihre notwendige Abkehr von der deutschen Klassik ebenfalls als Ausdruck ihres Wesens. Deutsche Klassik und deutsche Romantik beschäftigen sich mit denselben Problemen, deren frühere Physiognomie durch den Sieg der Französischen Revolution entscheidend verwandelt wurde; die Romantik hat aber für die hier auftauchenden bedeutenden Fragen eine andere Antwort als die Klassik, eine ihr entgegengesetzte.

Aus diesen Gründen ist auch das moderne reaktionäre Suchen nach Ahnen der Romantik in der deutschen Aufklärung eine Geschichtsfälschung. Sie knüpft an widerspruchsvolle Gestalten wie Hamann und Herder an, die aber ideologisch *vor* jener Scheidung der Geister stehen, die der Sieg der Französischen Revolution hervorgebracht hat.

Ihre ideologische Verworrenheit hat zwar fortschrittliche und reaktionäre Absichten zugleich, aber ihre wichtigste Bestrebung lag dennoch in der unklaren Sehnsucht nach einer konkreten historischen Dialektik, nach jenem Denken und Gestalten, das seine Vollendung in Goethe und Hegel erhielt. Mit alledem stellen sie, wie wir gesehen haben, eine Opposition *innerhalb* der deutschen Aufklärung dar; dies ist, wie wir ebenfalls gesehen haben, bei Herder schon daran kenntlich, daß er sich zu den Anfängen der deutschen Aufklärung zurückwandte, als er die Bestrebungen Goethes und Schillers nicht verstand und ablehnte.

Das Verhalten der Romantik ist von Grund aus anders. Ihre Haupttendenz ist der Bruch mit der Aufklärung. Das trat freilich nicht sofort klar hervor. Die ältere Generation der Romantik ist noch unter dem Einfluß der Ideologie des achtzehnten Jahrhunderts, der vorrevolutionären Zeit aufgewachsen. Aber alles Dunkle in den Anfängen der Romantik hellt sich unschwer auf, wenn wir darüber im klaren sind, daß diese Anfänge eben einen Lösungsprozeß von der Aufklärung vorstellen. Dabei ist wichtig zu wissen, daß dieser Vorgang – teils zugleich mit dem Kampf gegen die Aufklärung, teils in seinen zwangsläufigen Folgen – die Loslösung von der deutschen Klassik bedeutet. In diesen ideologischen Kämpfen wird die Romantik sich ihrer selbst bewußt und gründet sich als geistige Strömung.

Die Sachlage wird noch klarer, wenn man die geschichtlichen Vorgänge der Epoche, die wir bisher nur allgemein behandelten, in ihren Einzelheiten näher betrachtet. Das erste entscheidende Datum ist 1794, der Sturz Robespierres und der Versuch, der Französischen Revolution eine plebejisch-demokratische Vollendung zu geben, das zweite 1799, der Sturz der französischen Interimsregierung, des Direktoriums, der Anfang der konsularischen Militärdiktatur Napoleons I. Zwischen diesen beiden Daten entsteht die Romantik als selbständige Bewegung. Diese Zeit ist zugleich die Periode der siegreichen militärischen Ausdehnung der Erben der Französischen Revolution. Was der Revolution selbst nur sehr beschränkt gelang (man denke an die Mainzer Katastrophe), erfüllt sich nun in immer größeren Ausmaßen. Vor allem werden Deutschland und Italien die Schauplätze von Krieg und Eroberung, aber auch von einer gewaltsamen – wenngleich nicht konsequenten – Beseitigung feudaler Überreste. Damit hört die bisherige historische Zuschauerrolle der Deutschen, vor allem der Intelligenz, gegenüber den welthistorischen Ereignissen, der Schicksalsgestaltung ihres Vaterlands auf. Das Jahr der Wende ist 1806, die Zerschmetterung des friederizianischen Preußens in der Schlacht von Jena. Von diesem Wendepunkt an wird erst praktisch und darum auch ideologisch in aller Schärfe sichtbar, wie unreif wie unvorbereitet die geistig hochstehende deutsche Intelligenz zum Handeln, zum politischen Entschluß gewesen ist.

Die Übergangszeit des Sichfindens der deutschen Romantik spiegelt sich am klarsten in der Entwicklung Friedrich Schlegels. (Die Beziehung August Wilhelm Schlegels zu Bürger ist fast rein literarisch, und Tiecks Verbindungen mit dem Berliner Nicolai-Kreis sind vielfach bloß geschäftlich.) Es ist auffallend, aber keineswegs zufällig, daß die Anfänge Friedrich Schlegels bei den Spitzenleistungen der deutschen Aufklärung liegen. Einerseits knüpft er bei Lessing, Winckelmann und Georg Forster an, anderseits bei Schillers Versuchen, aus dem Verständnis der Antike das Wesen der modernen Literatur zu bestimmen.

Der junge Schlegel scheint viel radikaler zu sein als Schiller. Wir finden bei ihm nicht nur eine schroffere Gegenüberstellung von Antike und Moderne (die Antike wird im Geist des Forsterschen klassizierenden Jakobinismus aufgefaßt), sondern auch eine energischere Betonung der Zwiespältigkeit der modernen Literatur. Während Schiller die tiefste, grundsätzlichste Problematik der modernen Literatur von einem säkularen Blickpunkt betrachtet, erscheinen beim jungen Schlegel vornehmlich ihre eigenartigsten, allerneuesten Züge. Was Schlegel gibt, ist vielfach eine Vorwegnahme der dekadenten Strömungen, die ein Jahrhundert später in ausgeprägterer Form auftauchen. Bei ihm wird das Problem des Häßlichen als Zentralfrage der modernen Literatur zum erstenmal aufgeworfen, als deren wesentliches Merkmal er hervorhebt „das totale Übergewicht des Charakteristischen, Individuellen und Interessanten . . . das rastlose, unersättliche Streben nach dem Neuen, Pikanten und Frappanten, bei dem dennoch die Sehnsucht unbefriedigt bleibt".

Diese allgemeine Charakteristik ist sicher nicht nur die seiner Gegenwart, sondern eine Vorwegnahme der Haupttendenzen der Dekadenz in der bürgerlichen Literatur. Schlegel überträgt aber zudem seine Beobachtung aus der Gegenwart auf die Vergangenheit, findet sie bei allen Größen der modernen Literatur, vor allem bei Shakespeare bestätigt; hier fängt jene „Modernisierung" der Vergangenheit an, die dann mit der Barbarisierung der Antike (durch die Entwicklung spätromantischer Bestrebungen über Nietzsche) im Faschismus gipfelt. So findet er das Kennzeichen von Shakespeares „Hamlet" in einem „Maximum der Verzweiflung"; in einem Jugendbrief schreibt er über den „Hamlet": „Das Innerste seines Daseins ist ein gräßliches Nichts, Verachtung der Welt und seiner selbst." Diese Betrachtung der modernen Literatur führt zu der Charakteristik F. H. Jacobis, den er damals noch vom aufklärerischen Standpunkt aus scharf kritisiert; aber diese Kritik läuft in eine Betrachtung des zwiespältigen Wesens der modernen bürgerlichen Literatur aus, in eine – unbewußte – Selbstcharakteristik. Er bekämpft an Jacobi „die Wut, einzig zu sein", die „Abgötterei", die er mit seiner eigenen Individualität treibt. Und der Abschluß des Artikels liest sich heute wie eine prophetische Vorwegnahme von Friedrich Schlegels eigenem Schicksal. Er spricht vom ewigen Schwanken Jacobis und seiner Helden „zwischen der verschlossenen Einsamkeit und der unbedingtesten Hingebung, zwischen Hochmut und Zerknirschung, zwischen Entzücken und Verzweiflung, zwischen Zügellosigkeit und Knechtschaft". Er stellt fest, daß diese Tendenz notwendig in einem „theoretischen Kunstwerk endigt, wie alle moralischen Debauchen endigen, mit einem Salto mortale in den Abgrund der göttlichen Barmherzigkeit".

In alledem ist eine sehr tiefe Einwirkung des Forsterschen Radikalismus spürbar, aber nur im Inhalt, nicht im Ton, nicht in der geistigen Atmosphäre. Der Jakobiner Forster vertritt ästhetisch einen konsequenten klassischen Objetivismus, die Kunstaussicht eines Revolutionärs dieser Epoche. Friedrich Schlegels „revolutionäre Objektivitätswut", wie er diese Periode später selbst bezeichnete, war die hysterische Überspanntheit eines extrem individualistischen Intellektuellen, bei dem zwar Geist und Wissen in Überfülle vorhanden waren, der aber nirgends wirklich tiefe Wurzeln hatte und darum – seinem eigentlichen Wesen nach überzeugungslos sein mußte. Daher unterscheidet sich Friedrich Schlegels Beurteilung der Moderne so stark von der Forsters: dieser gibt die scharfe Charakteristik eines Betrachters, während bei jenem die Verurteilung der modernen Literatur eine unbewußte Selbstdarstellung und Selbstkritik ist. Die Jacobi-Kritik enthält sogar eine Vorwegnahme des eigenen Schicksals, seiner späteren müden Flucht in die katholische Kirche.

Die Weltereignisse entschieden über Schlegels ideologisches Geschick. Die Wendung des Jahres 1794 ist ein Knotenpunkt in seiner Entwicklung, wie in der vieler seiner Zeitgenossen, wenn die Wirkungen dieser Begebenheit sich auch nicht immer Schlag auf Schlag einstellen. Je deutlicher das Ergebnis der Französischen Revolution, die moderne bürgerliche Gesellschaft, sich zeigte – zuerst in den Exzessen des befreiten Bourgeoistums in der Directoirezeit –, desto mehr trat in der deutschen Intelligenz die abstrakte Begeisterung zurück, und vorherrschend wurde die spießbürgerliche Angst vor den plebejischen Formen der Französischen Revolution. Die leer gewordene Stelle nehmen die Probleme der modernen bürgerlichen Gesellschaft ein.

Die Wirkung der französischen Ereignisse beherrscht naturgemäß die ganze deutsche Intelligenz. Die Richtungen jedoch, in denen die deutsche Intelligenz auf die Zeitereignisse reagiert, sind sehr verschieden, ja entgegengesetzt. Wir haben gesehen, wie diese Lage bei Goethe und Schiller die klassische Behandlung der großen und neuen gesellschaftlichen und historischen Probleme Deutschlands bewirkte. Anders bei der sozial wurzellosen neuen Intelligenz. Mit dem Thermidor und Directoire verschwindet das durch Selbstübersteigerung aufgezwungene, innerlich zutiefst unwahre Citoyen-Pathos und wird vom schrankenlosen Kultus des vollständig befreiten, allein auf sich gestellten Individuums abgelöst.

Die berühmte Zeitschrift der beiden Schlegel, das „Athenäum“, ist das führende Organ dieser Entwicklungsstufe der Romantik geworden. Hier tobt sich der romantische Individualismus am schrankenlosesten aus. Besonders bezeichnend ist die Forderung nach absoluter Freiheit des erotisch-sexuellen Lebens und die Selbstauflösung der Kunstformen durch die souveräne Hemmungslosigkeit der schöpferischen Subjektivität. In beiden Fragen ist die Jenaer Romantik ein wichtiges Vorspiel zur deutschen Ideologie des neunzehnten Jahrhunderts. In der Kritik der Unfreiheit des Liebeslebens steckt zweifellos etwas Fortschrittliches: vor allem im Kampf gegen die konventionelle und juristische Gebundenheit der Ehe, im Kampf für Freiheit und Gleichwertigkeit der Frau. Diese fortschrittlichen Bestrebungen erscheinen am klarsten in den Äußerungen Schleiermachers, sie schlagen aber, besonders bei Friedrich Schlegel, in eine thermidorianisch-libertinische Auflösung aller gesellschaftlichen Bande um. In dieser Form findet man sie vor allem in Friedrich Schlegels künstlerisch völlig mißratenem Roman „Lucinde“. Es ist für den bürgerlichen Charakter der Romantik bezeichnend, daß diese Bestrebungen später vom „Jungen Deutschland“, das die Romantik im allgemeinen als reaktionär ablehnte, wiederaufgenommen wurden.

Noch bezeichnender ist die romantische Kunsttheorie. Sie erstrebt bewußt die Auflösung aller Gattungen, das Niederreißen der Schranken, die sie voneinander trennen. In einem programmatischen Aphorismus Friedrich Schleges findet das Ziel prägnanten Ausdruck:

„Die romantische Poesie ist eine progressive Universalphilosophie. Ihre Bestimmung ist nicht bloß, alle getrennten Gattungen der Poesie wieder zu vereinigen und die Poesie mit der Philosophie und Rhetorik in Berührung zu setzen. Sie will und soll auch Poesie und Prosa, Genialität und Kritik, Kunstpoesie und Naturpoesie bald mischen, bald verschmelzen, die Poesie lebendig und gesellig und das Leben und die Gesellschaft poetisch machen, den Witz poetisieren und die Formen der Kunst mit gediegenem Bildungsstoff jeder Art anfüllen und sättigen und durch die Schwingungen des Humors beseelen."

Die Kunsttheorie des „Athenäum" geht aber noch darüber hinaus; auch die Grenzen zwischen Leben und Literatur sollen verschwinden. Die ästhetischen Kategorien sind hier nicht mehr Spiegelungen des Lebens, sondern sollen Aufbaukräfte des Lebens darstellen. Der Kampf gegen die heraufziehende Prosa der bürgerlichen Gesellschaft nimmt damit – scheinbar – sehr radikale, weit über die Forderungen der Klassik hinausgehende Formen an. Für die Klassik ging es darum, der Prosa des bürgerlichen Alltags durch Aufdecken der tiefsten Probleme der Wirklichkeit die Poesie der großen Perspektiven der Menschheitsentwicklung gegenüberzustellen, die Poesie ihres offenbar gemachten Wesens, ihrer sichtbar gewordenen Gesetzlichkeit. Und das geschah gerade mit Hilfe der reingehaltenen strengen Form, die eben der konzentrierte Ausdruck des Allgemeinsten und Wahrsten am Stoffe ist. In der Romantik soll dagegen diese bürgerliche Prosa durch die – angeblich – unwiderstehliche Magie der schöpferischen, der genialischen Subjektivität vernichtet werden.

Die Romantik übernimmt von der klassischen Philosophie und Dichtkunst den Grundsatz der Aktivität des Subjekts im Erkennen und Gestalten des Lebensstoffes, verwandelt ihn jedoch durch bewußte Überspannung ins Entgegengesetzte. Für die Klassik war der aktive Anteil der Subjektivität eben nur wichtiger Teil, ausschlaggebendes Moment eines Erkenntnis- oder Gestaltungsprozesses, dessen Ziel das getreue Erfassen und Herausstellen des Wesens der objektiven Wirklichkeit war. Dieser Grundsatz verwandelt sich in den Händen der Romantiker zu einem Selbstzweck. Um ihre schöpferische Rolle durchzuführen, muß nun die Subjektivität in der Romantik absolute Beherrscherin des Stoffes sein, sich souverän über ihn erheben, mit ihm – scheinbar nach Belieben – schalten und walten. Die Romantik versucht nun dieses Darüberstehen als Wesen des künstlerischen Schaffens (und der Lebenskunst) festzustellen und in den Mittelpunkt der Theorie und Praxis der Literatur (und der Moral) zu setzen. Jede dem Stoff organisch zugehörige Eigenart, jede Stoffechtheit wird damit zunichte gemacht. Die – angeblich – allmächtige Subjektivität kann hier aus allem alles machen; sie, ihre eigenmächtige Selbstbewegung, ist Alpha und Omega von Kunst und Lebensphilosophie.

Diese „Ironie", wie sie von der romantischen Theorie genannt wird, soll nun die allein vollgültige Überwindung der Prosa der bürgerlichen Gesellschaft sein. Und in der Tat: subjektiv, für den erlebten Augenblick scheint diese Aufhebung vollbracht zu sein. Ein bunter Traumschleier von Geist und Poesie bedeckt alles Schlechte und Häßliche, alles

Niedrige; es ist nicht wahrnehmbar geworden. Und wenn die selbstherrliche Subjektivität auch ahnen muß, daß sie nicht eine vorhandene, verborgene Poesie entdeckt hat, sondern von sich aus eine an sich unpoetische Welt mit eigener Poesie übergoldet – dies ist eine wesentliche Seite der Ironie –, so können dabei unbeschadet der ironischen Bewußtheit, Illusionen entstehen, als wäre diese Subjektivität der letzte ontologische Kern des Kosmos, als könnte dieses subjektive, mit magischen Motiven spielende Schöpfertum sich in wirklich tätige Magie verwandeln, als wäre die romantische Überwindung der bürgerlichen Prosa eben die Entzauberung einer verzauberten, verhexten Welt (Novalis).

Mit dieser Seite der romantischen Ironie hängt ihre zweite, aggressive, gegen die Philister gerichtete Seite aufs engste zusammen. Hier ist die Abkehr von Aufklärung und Klassik noch deutlicher sichtbar. Auch Aufklärung und Klassik haben gegen den deutschen Spießer gekämpft. Ihr Kampf war jedoch bloß der organische Teil eines größeren, weiteren Streites. Ihr Bestreben ging auf die Erweckung Deutschlands, auf die Erziehung von Menschen, die imstande sind, inmitten des deutschen Elends, inmitten der entwürdigenden Auswirkungen der kapitalistischen Arbeitsteilung die großen Ideale der Humanität, des vielseitig entwickelten, harmonischen Menschen in sich auszubilden und anderen weiterzugeben. Wir haben gezeigt, wie viele utopische Elemente dieser Plan in sich birgt. Wir haben auch die Schranken dieser Auffassung besonders in der Klassik aufgezeigt: daß sie mit ihrer Abkehr vom gesellschaftlich-politischen Handeln das wichtigste Mittel für die Überwindung der deutschen Spießerei, die Erweckung des Citoyen-Bewußtseins, vernachlässigt. In der romantischen Ironie entsteht eine verhängnisvolle weitere Verengerung und damit eine Verzerrung des Kampfes gegen das deutsche Spießertum. Für die Romantiker ist der Spießer einfach der Banause; das große politisch-soziale Kulturproblem schrumpft zu einem zirkelhaften Bildungsproblem, ja zum Problem eines ästhetischen Konventikelwesens zusammen. Die Verzerrung der Frage zeigt sich vor allem darin, daß die ironische Überbewußtheit der Romantiker sich dessen unbewußt bleibt, wie philisterhaft ihr eigener, raffinierter philosophischer und ästhetischer Kultus der souveränen Individualität im Sozialen und Menschlichen sein kann, sein muß. Der romantische Kampf gegen den ordinären Philister erzeugt den überspannten Philister.

Da alle Fragen der Zeit gerade damals in Goethes „Wilhelm Meister" ihren schärfsten Ausdruck fanden, zeigen sich die Absichten der Romantik am deutlichsten in den Auseinandersetzungen mit diesem Werke. Auch hier lassen sich verschiedene Stufen der Entwicklung verfolgen. Friedrich Schlegels Rezension von Goethes Roman ist noch eine begeisterte Verherrlichung und eine kluge und umfassende Analyse. Aber auch hier bezieht sich die Übereinstimmung vor allem auf die künstlerische Vollendung; diese Arbeit Schlegels ist ein Übergangsprodukt. Sehr bald treten die Unterschiede immer deutlicher hervor. Die jetzt entstehenden romantischen Romane unterliegen ausnahmslos dem Einfluß des „Wilhelm Meister", befinden sich jedoch ästhetisch wie moralisch in schroffem Gegensatz zu ihm: Tiecks „Sternbald", Novalis' „Heinrich von Ofterdingen", Friedrich Schlegels „Lucinde".

Dieser Lage entsprechend, schreibt Friedrich Schlegel ein Jahr nach seiner Kritik „Wilhelm Meisters" über den „Sternbald": „Es ist der erste Roman seit Cervantes, der romantisch ist und darüber, weit über ‚Meister'." Und Schleiermacher spielt in seiner Verteidigung der „Lucinde" den Roman Schlegels, wenn auch ohne Nennung Goethes, gegen den „Wilhelm Meister" aus, der wegen seines empirischen Wesens nur eine Novelle sei, während er in der ideenhaften Dichtung Schlegels einen echten Roman erblickt. Wie in allen romantischen Kontroversen tritt Novalis auch hierin am klarsten, offensten und radikalsten auf. Wir geben nur einige der bezeichnendsten Stellen aus seiner Kritik des „Wilhelm Meister":

„Wilhelm Meisters Lehrjahre sind gewissermaßen durchaus prosaisch und modern. Das Romantische geht darin zugrunde, auch die Naturpoesie, das Wunderbare. Er handelt bloß von gewöhnlichen menschlichen Dingen, die Natur und der Mystizismus ist ganz vergessen. Es ist eine poetisierte bürgerliche und häusliche Geschichte. Das Wunderbare darin wird ausdrücklich als Poesie und Schwärmerei behandelt. Künstlerischer Atheismus ist der Geist des Buchs. Sehr viel Ökonomie; mit prosaischem, wohlfeilem Stoff ein poetischer Effekt erreicht . . . Es ist im Grunde ein fatales und albernes Buch . . . Es ist eine Satire auf Poesie, Religion und so weiter . . . Die ökonomische Natur ist die wahre, übrigbleibende . . . Wilhelm Meister ist eigentlich ein Candide, gegen die Poesie gerichtet."

Hier ist der Gegensatz der Romantik zu Goethe bereits ganz klar ausgesprochen. Die Pläne von Novalis zum zweiten Teil seines „Ofterdingen" zeigen, worin das Positive, das Praktische seiner Absicht liegt. Die Poetisierung der Welt geht dort offen in Magie über. Ästhetisch wird der Roman von der Romantik in Stimmungs- oder Ideenlyrik, in willkürliche Märchenphantastik aufgelöst.

Novalis ist die wichtigste Gestalt für die vollendete Trennung von Goethe, wie Friedrich Schlegel die für den Übergang war. Mit der Kühnheit des echten Dichters geht Novalis seine gefährlichen und falschen Wege zu Ende. Eine für die deutsche Literatur schicksalhafte Dichtung waren seine „Hymnen an die Nacht". Es geht dabei nicht um das lyrische Motiv der Nacht unter oder neben anderen Motiven – das wäre literarisch nichts Neues –, sondern um einen weltanschaulichen Gegensatz. Die Nacht ist hier ein metaphysischer Gegenpol zum Tag, zum Licht, zur intellektuellen Durchleuchtung des Lebens. (In der Ablehnung des „Wilhelm Meister" durch Novalis ist der Gedanke wichtig, daß Goethes Roman ein „Verstandesprodukt" sei.)

Novalis treibt mit dem Kultus der Nacht einen Kult des dunklen Untergrundes, des Unbewußten, des nur Instinktiven und Spontanen. Was in der „Lucinde" frivol und weltlich gepredigt wurde, erscheint hier echt poetisch, tief empfunden lyrisch: die Zerstörung jener geistig erhellten Universalität, die von Lessing bis Goethe den besten Teil des deutschen Lebens beherrscht hat. Nacht und Tag sind philosophische Symbole und erhalten ihre Ergänzung in Tod und Leben, in Krankheit und Gesundheit. Das alles ist bei Novalis von individuellen Erlebnissen ausgelöst und besitzt darum lyrische Echtheit und Suggestionskraft. Aber der letzte Grund der weltanschaulichen Wendung liegt tiefer und ist allgemeiner. In den Geburtswehen einer neuen Zeit, besonders im zurückgebliebenen, von der vielfältigen Krise des Alten und des Neuen aufgewühlten Deutschland, mußte notwendigerweise das eigentlich krisenhafte, das krankhafte Element des Übergangs stark auf feinfühlige Menschen wirken. Es kam alles darauf an, ob das Krankhafte als notwendige Stufe der Entwicklung oder als sich jetzt offenbarende letzte Substanz aufgefaßt wurde. Der romantische Kult des Unmittelbaren und Unbewußten führt notwendig zu einem Kult von Nacht und Tod, von Krankheit und Verwesung. Novalis sagt: „Wie der Mensch Gott werden wollte, sündigte er. – Krankheiten der Pflanzen sind Animalisationen, Krankheiten der Tiere Rationalisationen, Krankheiten der Steine Vegetationen ... Pflanzen sind gestorbene Steine, Tiere gestorbene Pflanzen."

Von hier aus findet Novalis den Weg zur Religion, zum Mittelalter: „Liebe ist durchaus krank, daher die wunderbare Bedeutung des Christentums." Sein Aufsatz „Die Christenheit oder Europa", der im „Athenäum" erscheinen sollte, jedoch auf Goethes Rat nicht gedruckt wurde, ist die geschichtsphilosophische Programmschrift der romantischen Reaktion. Das feudale Mittelalter erscheint als die harmonisch vereinigte Menschheit, Reformation und Französische Revolution als zerstörende Prinzipien. (Man denke an die Etymologie des romantischen Philosophen Baader: das Wort Sünde kommt von Sondern.) Die Nacht Novalis' ist ein Untertauchen in eine als vollendet geträumte Gemeinschaft. Die äußerste Zuspitzung des Subjektivismus, die Loslösung aus allen gesellschaftlichen Bindungen erlebt hier ihren Umschlag ins Entgegengesetzte. Aber beide Extreme gehören sozialpsychologisch zusammen. Auf den Rausch des extremen Alleinseins im Subjektivismus folgt zwangsläufig der Rausch des ebenso extremen Sichaufgebens, der vollendeten Hingebung an Krankheit, Nacht und Tod, der Salto mortale in die Religiosität. Hier hat sich der Schlußgedanke von Friedrich Schlegels Jugendaufsatz rasch erfüllt.

Aus solchen Quellen entsteht die religiöse Wendung der Romantiker. Sie ist zuweilen vorwiegend ästhetisch (August Wilhelm Schlegel, Tieck); sie kann Ausdruck eines modernen, sich rein aufs Individuell-Private zurückziehenden subjektivistischen Innenlebens sein (Schleiermachers „Reden über die Religion"); sie kann Zufluchtsstätte der müde gewordenen Haltlosigkeit sein (Friedrich Schlegels Übertritt in die katholische Kirche); sie kann endlich tief und ehrlich erlebte Dekadenz und Reaktion sein wie bei Novalis.

So weit gelangte Theorie und Praxis der Romantiker, als sie infolge der Schlacht bei Jena aus ideologischen Zuschauern zu Personen der Handlung wurden, als ihre philosophischen und ästhetischen Gegensätze in politische Gegnerschaften mündeten. Wir müssen freilich wiederholen: auch diese Wendung ist echt deutsch, d. h. unreif und im politischen Sinne dilettantisch. Vor allem deshalb, weil die eigentlichen politischen Entscheidungen nicht von wirklichen Volksbewegungen bestimmt wurden, weshalb denn auch die intellektuelle Zuschauerrolle der ideologischen Teilnehmer vielfach gewahrt blieb. Die Unreife zeigt sich schon in der Wahl, vor welche die Intelligenz sich jetzt gestellt sah: ob man die Beseitigung der feudalen Überreste in Deutschland von der „Rheinbundisierung", von Napoleon zu erwarten habe, oder ob eine nationale Befreiungsbewegung mit dem Abschütteln des Napoleonischen Jochs auch eine innere Befreiung oder wenigstens gewisse innere Fortschritte bringen würde – und es fehlten doch für die zweite Möglichkeit die subjektiven Bedingungen so gut wie vollständig.

Den ersten Weg haben die Klassiker und die Nachfahren der Aufklärung gewählt. Hegel erwartet die Erneuerung Deutschlands vom „großen Staatsrechtslehrer in Paris"; auch der alte Aufklärer Voß nennt Napoleon gelegentlich „unseren Bundesgenossen". Goethe war nicht nur ein Anhänger Napoleons, sondern auch nach dessen Sturz äußerst skeptisch gegenüber den Ergebnissen der Befreiungskriege. In einem Gespräch mit dem Historiker Luden spricht er von „Befreiung, nicht vom Joche der Fremden, sondern von einem fremden Joche", womit er in seiner vorsichtigen Art andeutet, daß nur der geographische Charakter der Fremdherrschaft und auch der nicht zugunsten des Fortschritts sich veränderte.

Es ist klar, daß die Romantiker auf der anderen Seite stehen mußten. Die so entstehende tiefe Spaltung der Geister spiegelt sich in allen literarischen und philosophischen Kämpfen der Zeit. Wie die Begeisterung für die Antike früher auf die Französische Revolution zielte, freilich bei den verschiedenen Schriftstellern in verschiedenen Nuancen, so war sie jetzt der ästhetische Ausdruck des Napoleonischen Weges. Die Schwärmerei für das Mittelalter war dagegen das Symbol des Anschlusses an die Restauration des feudalen Absolutismus. Hier erschien das „organische Wachstum" als Fetisch, als Verbot für das Volk, seine Institutionen selbsttätig zu ändern; die blinde Verehrung für das „historisch Gewordene" bis zur deutschen Kleinstaaterei, bis zum Feudalabsolutismus, ja bis zur Leibeigenschaft und zum Zunftwesen wird zum Dogma; dabei erwächst ein bornierter Glaube an die „Weltmission" Deutschlands, ein chauvinistischer Haß gegen Frankreich als Verkörperung des politischen Fortschritts. Hinter den Manifesten von Goethe-Meyer gegen die christlich-deutsche patriotische Kunst, von Voß gegen die Versuche, die Antike zu „romantisieren" und damit zu barbarisieren, steht die Ahnung, freilich zumeist nur die Ahnung der Gefahren, die aus der romantischen Stellungnahme Deutschlands Zukunft bedrohen.

Aber damit ist das Problem noch nicht hinreichend bestimmt, denn der Kampf gegen Napoleon war, wie Marx sagte, „eine Regeneration, die sich mit Reaktion paart". Diese Doppelseitigkeit der Bewegung ist bei den politischen und militärischen Führern der Reformbestrebungen, bei Stein und Schön, bei Hardenberg und Humboldt, bei Scharnhorst und Gneisenau deutlich zu sehen. Wenn man aber die eigentlichen Dichter und Ideologen der Romantik sucht, so findet man sie auffallend selten in diesem Lager. Heinrich von Kleist, die größte Gestaltungskraft der deutschen Romantik, hat zusammen mit dem korrupten Abenteurer Adam Müller das Organ der feudalen Opposition gegen Hardenberg geleitet; Friedrich Schlegel wurde zum journalistischen Handlanger Metternichs usw. Manche Romantiker bekundeten auch jetzt offen ihre dekadent-literatenhafte Einstellung. So schreibt Clemens Brentano an einen Freund: „Ich kann mich mehr für Deinen Eifer für die Dinge als für die Dinge selbst interessieren; es würde mir leid tun, z. B. wenn Du Dein Vaterland weniger liebtest, als wenn Bayern zugrunde ginge." Den wirklich volkstümlichen Ausdruck für die vorhandenen Massenstimmungen in der jungen deutschen Intelligenz traf eine Epigone der Klassik: Theodor Körner.

Erst als die Kämpfe gegen Napoleon mit der Herrschaft der Restauration endeten, wurde die Romantik zur führenden Ideologie einer Zeit des finstersten Obskurantismus. Die „mondbeglänzte Zaubernacht" der Restauration des Feudalabsolutismus war die

Zeit der tiefsten und folgenschwersten Verdüsterung im Volk der „Dichter und Denker". Sie war nicht nur die Zeit der erniedrigendsten Unterdrückung, sondern zugleich die der drückendsten Vorherrschaft des Spießertums. Die falsche, ästhetenhafte Richtung des romantischen Kampfes gegen den Spießer zeigt sich sozial darin, daß keine Weltanschauung oder Kunstrichtung den deutschen Spießer so stark erfaßte und so nachhaltig beeinflußte wie gerade die Romantik. Von der mittelalterlichen Kaiserherrlichkeit, von der pseudopoetischen Verklärung der sozialen und politischen Ketten, der „organisch" erwachsenen historischen Macht, bis zur Verherrlichung des „Gemütslebens", bis zum verstandesfeindlichen quietistischen Versinken in die Nacht eines beliebigen Unbewußten, einer beliebigen „Gemeinschaft", bis zum Haß gegen Fortschritt und freiheitliche Selbstverantwortung – erstrecken sich die Folgen des Sieges der romantischen Ideologie, die bis heute an der deutschen Psyche spürbar sind.

Die neueren Literaturhistoriker wollen in die deutsche Literaturgeschichte eine Periode des „Biedermeiers" einschalten. Was ist aber das Biedermeier anderes als die Vorherrschaft der romantischen Ideologie in der Masse, als das Eindringen der Romantik in das deutsche Spießertum? So entstand die folgenschwerste Verdunkelung des deutschen Geistes, denn gerade die romantische Ideologie, die nur zeitweilig um die Mitte des neunzehnten Jahrhunderts zurückgedrängt wurde, beherrschte am stärksten die deutsche Intelligenz – entsprach doch die Romantik am meisten der Stellung der Intelligenz inmitten der deutschen Misere, ihrer Wurzellosigkeit einerseits und den Versuchen anderseits, auf dem Wege einer objektiv falschen, gesellschaftlich gefährlichen „Tiefe" dies Elend zu überwinden.

Darum ist die Kritik der Romantik eine höchst aktuelle Aufgabe der deutschen Literaturgeschichte. Diese Kritik kann niemals tiefschürfend und scharf genug sein. Es ist wahr, daß die meisten Werke der bekannten Romantiker schon seit langer Zeit nur noch von den Literaturhistorikern gelesen werden (Tieck, Brentano, Arnim, Zacharias Werner u. a.). Aber die größte dichterische Begabung der Romantik, Heinrich von Kleist, ist schon lange eine lebendige literarische Macht. Er erscheint vielen als der eigentliche deutsche Dramatiker, der aus den Irrwegen Lessings, Schillers und Goethes zum „arteigenen" germanischen Drama führen soll. Und „arteigen" ist die Dramatik Kleists wirklich. Sie zeigt die glänzendsten Verführungen der Deutschen auf die gefährlichsten Irrwege, in den Sumpf der hemmungslosesten Reaktion. Von der knechtischsten Unterwürfigkeit, von der Hysterie der machtgierigen Haßliebe bis zum wildfanatischen Fremdenhaß und zur Verklärung der Hohenzollernherrlichkeit finden wir bei Kleist die dichterische Verherrlichung von allem, was in der deutschen Geistesentwicklung gefahrdrohend und verwerflich ist. Daß all dies bei ihm nicht zum spielerischen Formexperiment wurde, wie bei seinen romantischen Zeitgenossen, sondern eine machtvolle, zuweilen geniale Gestaltung erfuhr, erhebt Kleist zum gewaltigen Symbol des Irrweges der deutschen Literatur und Ideologie, macht die kritische Auseinandersetzung mit ihm, geistig wie ästhetisch, zu einer Forderung des Tages. (Zu einer ausführlichen kritischen Würdigung Kleists, die hier nicht einmal in ihren Umrissen angedeutet werden kann, gehört das Abtragen jener Verzerrungen, die an ihm Gundolf und andere vollzogen haben, die bedingungslos alles Reaktionäre bejahen, während die wenigen Siege des Realismus über romantische Voreingenommenheit, der Gesundheit über Hysterie, wie etwa der „Zerbrochene Krug", als unwesentliche „Nebenprodukte" abgetan werden. Ebenso muß die Frage in bezug auf die „Kohlhaas"-Novelle gestellt werden.)

Schon diese Fragestellung deutet Art und Richtung einer wirklichen Kritik an den inneren Gegensätzen der Romantik an. Über dem Feststellen und Brandmarken von Reaktion und Dekadenz darf man allerdings nicht übersehen, daß in der Romantik doch der Reflex der ersten – wenn auch noch so verworrenen und schwachen – Volksbewegung in Deutschland seit dem Bauernkrieg erscheint: daher die starke Rückwendung zum Volksleben, zur Volkskunst, wobei die Herderzeit der deutschen Aufklärung in verstärkter Form erneuert wird. In diesen Rückwendungen steckt freilich nicht wenig artistische Spielerei, zugleich aber werden Tore geöffnet für eine echte, volkstümliche Poesie. Vor allem ist dabei an Sammlungen wie „Des Knaben Wunderhorn" und Grimms Märchen zu denken. Aber die Entwicklung beschränkt sich nicht auf eine bloße Sammlung vorhandener Schätze der Volkspoesie. Neben der fast unerträglichen Künstelei im Hauptstrom der romantischen Lyrik entsteht auch eine echte, volksliedhafte Wiederaufnahme der dichterischen Betrebungen des jungen Goethe (solche Volkspoesie liegt in der allgemeinen Richtung der Zeit und entsteht oft ganz unabhängig von der Romantik, so bei Hebel); neben rein artistischen Kunstmärchen und raffiniert formlosen Novellen erwächst auch eine wirklich volkstümliche Erzählungskunst. Beide Tendenzen sind am stärksten bei Eichendorff ausgeprägt, dessen beste Werke auch heute mit Recht lebendig wirken.

Ein weiterer Widerspruch im Bilde der Romantik (und zugleich eine Unterstreichung ihres bürgerlichen Charakters) zeigt sich darin, daß die Verteidigung des Alten, des „organisch" Gewachsenen nicht immer und unbedingt eine Unterstützung der Reaktion bedeutete. In einzelnen Staaten Deutschlands, vor allem in Württemberg, wo die ständischen Überlieferungen noch nicht vom Absolutismus ausgerottet waren, konnte die Verteidigung der „alten Rechte" eine Sammlung der oppositionellen Kräfte, eine Kampfparole gegen die Herrschaftsansprüche des Absolutismus werden. Auf diesem Boden entsteht eine liberale Romantik. Ihr größter dichterischer Vertreter ist Uhland. Die deutsche Misere zeigt sich freilich auch hier; die Verteidigung erstreckt sich auf allzu vieles, was keines Schutzes würdig ist; aus dem Appell an die „alten Rechte" erwächst eine zaghaft spießbürgerliche Form des Kampfes gegen den Absolutismus. Diese schwachen Seiten der liberalen Romantik sind schon bei Uhland selbst klar zu sehen; noch stärker und erniedrigender treten sie unter seiner Anhängerschaft, in der „Schwäbischen Schule", hervor, der gegenüber die vernichtende ironische Kritik Heines berechtigt war.

Am stärksten zeigen sich die Widersprüche der Romantik in ihrer größten Gestalt, in E. T. A. Hoffmann. Er unterscheidet sich von den anderen schon im Leben. Als preußischer Richter in der Zeit der Demagogenverfolgung nach dem Wartburgfest und dem Sandschen Attentat auf Kotzebue widersteht Hoffmann mutig den reaktionären Forderungen der preußischen Regierung. Auch ist der polemische Gehalt seiner Schriften im Grunde scharf von der Romantik zu scheiden. Wie die Romantik bekämpft Hoffmann den Philister mit direkter und indirekter Satire, läßt dessen Eigentümlichkeiten karikaturistisch-unheimlich ins Dämonische und Gespenstische hinüberwachsen. Aber das Philistertum, gegen das er unermüdlich und unerbittlich kämpft, ist die Erscheinungsform der Entrechtung und Entwürdigung des Menschen durch die deutsche Misere unter den Bedingungen des aufkommenden Kapitalismus. Er kehrt damit vom eng ästhetischen Standpunkt der eigentlichen Romantiker zu den großen Gesichtspunkten der demokratischen Umwälzung zurück. Aber all dies erscheint bei ihm auf einer höheren Stufe als bei seinen Vorgängern. Auch er gehört, wie die Romantiker, der nachrevolutionären Zeit an; der Stoff, den er gestaltet, ist also bereits die neue bürgerliche Gesellschaft, und seine Formen erwachsen aus der Kritik an ihr. (Hier liegt der gemeinsame Boden Hoffmanns und der Romantik.) Da er aber ein wirklich großer Realist ist, handelt es sich bei ihm um die neue Gesellschaft in ihren elenden deutschen Formen. Eben deshalb wird bei ihm das Neue ins Gespenstische gesteigert, auch vor allem in der kleinlichsten deutschen Erscheinungsweise der modernen Welt, und umgekehrt sieht er das Gespenstische in der Umwandlung des Deutsch-Spießerhaften durch die gesellschaftlichen Weltereignisse. In der Art seiner Gestaltung ist auch Hoffmann ein Romantiker. Jedoch – freilich auf deutschem Boden, mit deutschen Mitteln – ein europäischer Romantiker. Er erfaßt im Maßstabe seiner Persönlichkeit – aber ebenso eindringlich wie vor ihm Goethe und nach ihm Balzac – die wesentlichen Entwicklungstendenzen der Periode und stellt sie mit neuartig suggestivem Realismus dar. So ist er zwischen Goethe und Heine der einzige deutsche Schriftsteller, dem eine internationale Wirkung zufiel. Von Balzac bis zu Gogol und Dostojewskij ist sein Einfluß überall fühlbar. Die Erkenntnis und das Herausarbeiten von Hoffmanns Eigenart, das Aufzeigen dessen, was ihn von der eigentlich deutschen Romantik trennt, unbeschadet der künstlerischen Gemeinsamkeiten infolge des gemeinsamen historisch-sozialen Bodens, ist eine wichtige Aufgabe der deutschen Literaturgeschichte.

Nihilismus der Romantik

WERNER KOHLSCHMIDT

Das Thema wird manchen überraschen, manchem geradezu als Paradoxie erscheinen. Denn im allgemeinen verbinden wir mit dem Begriff der Romantik sehr positive Wirklichkeiten: Fülle des Gefühls, Reichtum der Träume, Tiefsinn des Gedankens, eine starke Fähigkeit zum spekulativen und emphatischen Aufschwung im Religiösen, ein ungemein differenziertes Organ für alles Geschichtliche. Diese Gesichtspunkte sind es dann auch, die die Wissenschaft ganz überwiegend am Phänomen der Romantik verfolgt und dargestellt hat. Die Stimme des ersten, der mit unbestechlichem Blick, vielleicht aber auch aus der Haßliebe des Nicht-mehr-Romantikers die nihilistische Seite an der Romantik wahrnahm: die Stimme Sören Kierkegaards wurde bis vor wenigen Jahrzehnten nahezu überhört. Ihre Wirkung blieb esoterisch im Bereich der Theologie und Philosophie. Nietzsches Romantikkritik war zwar scharf genug und fand eine breite Resonanz, vor allem in der kulturkritischen Literatur, aber sie ging in anderer Richtung; denn sie wurde von einem Nihilisten vorgetragen, der sich denn doch nicht wohl in der Kritik seiner eigenen Grundlagen selber mitaufheben konnte. Es ist wohl erst die Wirkung der Kulturkrise unserer Tage, die auch eine so überraschende neue Welle der Wirkung Kierkegaards mit sich gebracht hat, die den Blick erschlossen hat für die negative Seite der Romantik. Aber dieser Prozeß ging wiederum noch kaum im Bereich der eigentlichen Literaturwissenschaft vor sich oder wurde doch von ihr für ihre Fragestellungen nicht genug ausgenützt, zumal die Romantikrenaissance nach der Jahrhundertwende (unter dem Eindruck von Neuromantik, geistesgeschichtlicher Strömung und Jugendbewegung) den Blick der Forschung von neuem auf die positiven Seiten des romantischen Weltanschauens und Dichtens gelenkt hatte. So findet sich sogar noch in einer erst wenige Jahre zurückliegenden Gemeinschaftsveröffentlichung über die Romantik bezeichnenderweise nur bei dem philosophischen Mitarbeiter ein deutlicher Hinweis auf das Problem des Nihilismus in der Romantik.[1]

Heute sind wir in einer Lage, in der das Urteil über die nihilistischen Tendenzen der Romantik sich stärker hervorwagt, und zwar auf Grund der Erkenntnis, daß sie einen erheblichen Anteil hat an der inneren Vorgeschichte der deutschen Katastrophe, die ja auch eine europäische Katastrophe wurde. Dichterisch und essayistisch hat Thomas Mann seit dem *Zauberberg* dieses Motiv kulturkritisch wohl radikaler verfolgt als irgend jemand anderes. Er war dazu legitimiert durch seinen eigenen Werdegang und die ihm von daher aufgezwungene kritische Auseinandersetzung mit Nietzsche und Wagner. Im *Doktor Faustus* hat er das Leiden an seiner eigenen geistigen Herkunft wie auch an dem nihilistischen Ausschlag der deutschen Geschichte wohl am radikalsten als entscheidende Mitwirkung der romantischen Tradition in Deutschland dargestellt (vielleicht zu radikal, aber dies kann hier nicht erörtert werden). Nicht zufällig hat fast zu der gleichen Zeit, wie der *Doktor Faustus* erschien, einer der Biographen Thomas Manns, Ferdinand Lion, ein ganzes Buch dieser fragwürdigen Seite der Wirkungsgeschichte der deutschen Romantik gewidmet.[2] Man darf den Wandel des Urteils, der sich bei Mann und bei Lion unter dem Eindruck politischer Erfahrungen kundtut, vielleicht auf die einfache Formel bringen, daß nun die Romantik weitgehend als ein Danaergeschenk und nicht mehr wie früher nur als eine selbstverständliche Bereicherung der deutschen Geistesgeschichte erkannt wird.[3] Naturgemäß geht dies über die Vorbehalte weit hinaus, die seit jeher vom Fundament der klassischen Ästhetik und Ethik im Romantikurteil der Wissenschaft aufklangen: so etwa schon bei Rudolf Haym, dem großartigen enzyklopädischen Darsteller der Romantik im vorigen Jahrhundert, oder, vom Klassizismus Georges aus, in Friedrich Gundolfs Darstellungen von Romantikern. Bei diesen handelte es sich um ein vergleichsweises Abwerten vor allem in ästhetischer Hinsicht, nicht eigentlich um den ambivalenten Kern, um die zerstörerische Aktivität im romantischen Phänomen.

Beides: die Betonung der abendländischen Funktion der Klassik (und damit die Selbstidentifikation mit dieser) und die Einsicht in die grundsätzliche negative Ausschlags- und zerstörerische Wirkungsmöglichkeit der Romantik hat in bekenntnishafter Form Fritz Strich in dem Vorwort zu der vierten Auflage seines in unserer Wissenschaft so wirkungsmächtigen Buches *Klassik und Romantik*[4] zugleich herauszustellen gesucht. Indem er den prekären inneren Anteil der Romantik an den Katastrophen der jüngsten Geschichte hervorhebt, legt er wie Thomas Mann ein entscheidenderes Gewicht auf die destruktive Seite ihres Wesens und ihrer Wirkung. Wenn er sich freilich – unter ausdrücklicher Aufhebung der früheren Gleichwertigkeit seines Begriffspaares Klassik: Romantik – dabei vor allem auf den Vorrang des griechischen Erbes für die abendländische Geschichte beruft, scheint er mir die christliche Komponente zu unterwerten, die ja in einem kulturkritischen Spannungsverhältnis auch zum Griechentum steht und gerade dadurch das, was wir heute Abendland nennen, in steter lebendiger Auseinandersetzung mit der Antike gebildet hat. Mir scheint, es geht bei dem Nihilismusproblem in der Romantik auch gerade um die Blickschärfe, die der radikale Kulturkritiker Kierkegaard allein aus seiner Theologie gewann. Gleichwohl dürfte gerade von Strichs Begriffspaaren aus ein Weg auch zu unserem Thema führen: *Klassik und Romantik oder Vollendung und Unendlichkeit* lautet ja der vollständige Titel. Wo aber „Unendlichkeit“ im unbedingten Sinne vorhanden ist, da ist in der Dialektik der Wirklichkeit auch Null und Nichts ganz nahe. Das lehrt zum Beispiel die Geschichte der Mystik auf das eindrücklichste; jener Geistesströmung nicht abendländischer Herkunft (aber abendländischer Adoption), in der sich die Begriffsbildung des Nihilismus vollzieht.

1. Der spekulative Nihilismus der Frühromantik

So liegt denn nichts näher, als daß bei einer so sehr in gedanklicher Dialektik und emotionaler Gegensätzlichkeit sich bewegenden Erscheinungen dem All das Nichts als Korrelat, als andere Erscheinungsseite derselben Wirklichkeit, an die Seite tritt. So ist es schon in der mittelalterlichen Mystik gewesen, so zeigt es sich später in der wechselnden Interpretation Spinozas bald als Pantheisten, bald als Materialisten. So verhält es sich auch in der eigentümlichen Zwischensphäre des 18. Jahrhunderts, die sich in der Berührung von Pietismus, Alchimie und extremer Freigeisterei herausgebildet hat und aus der wechselweise und unberechenbar mystisch fromme oder extrem atheistische Erscheinungen das Zeitalter beunruhigten. Innerhalb solcher durch die Dialektik der Extreme zum Ausschlag nach dem All oder nach dem Nichts gleich fähigen Bewegungen, ambivalent in ihrem Kerne, muß man aber auch die Romantik sehen. Die Belege hierfür finden sich vor allem in den Spekulationen der Fragmente des Novalis und Friedrich Schlegels (minder provozierend in denen Wilhelm Schlegels und Schleichermachers), das heißt in der hohen Zeit der Frühromantik. Historisch gesehen, handelt es sich bei diesen Fragmenten um ein wunderliches Gemisch von originellem schöpferischem Witz und einer Kombination von Anregungen neuplatonischer, spinozistischer, Hamannscher und Jacobischer, schließlich Fichtescher und Schellingscher Herkunft. Die Neuheit oder Originalität der Inhalte ist gerade innerhalb dieses Bereichs absolut abhängig und untrennbar von der dialektischen Denkform und ihrem Ausdruck, der Wortspielfreude, die in diesem mehr oder weniger unverbindlichen, aber kecken und überaus selbstbewußten Spekulationen geradezu ihre Triumphe feiert. Fr. Schlegels Theorie der Ironie und des Witzes liefert die programmatische Grundlage für diese geistige Revolution in Aphorismen, die möglichst nichts unangetastet läßt und möglichst viele überlieferte Werte auf den Kopf stellt. Es dürfte einleuchtend sein, wie geeignet diese Atmosphäre und Form, deren Gegenstand das Revolutionäre um des Revolutionären willen ist und deren Denkmethode ein dialektisches Spielen mit den Gegensätzen im steten antithetischen und identifizierenden Austausch der höchsten und niedersten Werte, dem Umschlag religiöser Spekulationen in nihilistische förderlich ist. Dies liegt einfach schon in der Freude am Extrem, für die Schaffen und Vernichten in einem Augenblick als Antithesen und im nächsten als Identitäten erscheinen. Nicht umsonst hat diese frühromantische Spekulation die alte mystische Complexio oppositorum wiederum auf ihre Fahnen geschrieben. Daher aber begegnet auch in diesem Bereich trotz des Auftauchens des Begriffes Nihilismus (bei Novalis) keineswegs eine dem modernen Begriff verwandte Form nihilistischer Angst oder Verzweiflung, da im Grunde die begriffliche Auffangbarkeit der Negationen und Annihilationen jederzeit klarsteht. Wie das höchste Wissen für Friedrich Schlegel dem höchsten Nichtwissen oder vielmehr dem Wissen des Nichtwissens gleichsteht, so ist Ironie zugleich radikaler Werteabbau und eminent schöpferisches Verhalten in einem. Der Begriff des Atheismus verliert seine radikal negierende Note, wenn er in Verbindung mit der Bemerkung auftaucht, daß es Theisten im höchsten Sinne noch gar nicht gegeben habe. Immer dreht es sich also letztlich um die schöpferischen Möglichkeiten, die nur eine Reduktion des Vorhandenen auf das pure nihil entbinden. Das heißt: wie in der Ironie die freie Bewegung des Geistes schlechthin (auf Grund eines radikalen Entwertungsprozesses) sich bezeugt, so ist auch im Weltanschaulichen das nihil um des pan willen im Spiele. Hier ist subjektiv noch nichts von Verzweiflung spürbar, sondern auch wo die Hohlform einer radikal negierenden Begrifflichkeit uns anblendet, die trunkene Entdeckungs- und Abenteuerfreude, die später der Romantik verlorengeht, in dem gleichen Maße, wie Schwermut und Genuß der Sentimentalität überhandnehmen. Aber wenn auch die Weltangst im spekulativen Nihilismus der Frühromantik nicht ins Bewußtsein tritt, so schafft man in diesem Bereich doch die unmittelbare innere Voraussetzung dafür. Im dialektischen Spiel mit dem Chaos, dem Nichts, in der Radikalität des In-Frage-Stellens durch die Ironie, die man noch genießt, schwinden die Werte, und vor allem verliert sich der metaphysische Raum. Das Bewußtsein der Geborgenheit des Menschen in einem Sinn beginnt sich zu zersetzen.

Das Produkt dieses spekulativen Nihilismus ist auch Fr. Schlegels *Lucinde,* die man kaum als Roman nehmen kann, sondern vielmehr als ein Konglomerat von Aphorismen ansehen muß. Die Juliusgestalt dieser Bekenntnisse ist der Typus eines geistigen Wollüstlings, der sich in die Sensationen der eigenen Sinnlichkeit verliert. Die Folge ist eine Entleerung der Welt, die sich schon im ersten Satz ankündigt: „Die Menschen und was sie wollen und tun, erschienen mir, wenn ich mich daran erinnerte, wie aschgraue Figuren ohne Bewegung: aber in der heiligen Einsamkeit um mich her war alles Licht und Farbe."[5] Die Entleerung der Welt durch die ästhetische Innerlichkeit liegt auf der Hand. Ein wirkliches Gegengewicht ist nicht vorhanden. Denn die Einsamkeit ist keins. Es liegt auch nicht in dem später beschworenen freien Eros, denn ein Julius kann nicht in einem Du aufgehen ohne das Bewußtsein: was trage *ich* für eine Erweiterung davon? Die entleerte Wirklichkeit wird nicht wie bei Novalis durch eine echte Innerlichkeit aufgewogen. Der eigentlich nihilistische Zug in Julius ist der der Bewußtheit auch im höchsten Genuß: „Dennoch lauschte ich mit kühler Besonnenheit auf jeden leisen Zug der Freude, damit mir auch nicht einer entschlüpfe und eine Lücke in der Harmonie bleibe. Ich genoß nicht bloß, sondern ich fühlte und genoß auch den Genuß." Das ist reiner Ausdruck nihilistischer Subjektivität, für die Menschen und Welt keinen andern Sinn mehr haben als den, dem Ich Sensationen zu liefern. Das Ich selbst aber ist so arm, daß es Freude und Harmonie registrieren muß unter steter Kontrolle des Bewußtseins. In ihm selbst liegt die Leere, aber keine Gegenwart mehr.

In diesem Zusammenhang muß man sich klarmachen, daß bei Novalis und Schlegel die Subjektivität überhaupt mit allen Attributen Gottes ausgestattet wird. Wörtlich findet sich die Bezeichnung des Menschen als allwissend, allmächtig, Messias, Offenbarung im Fleische, ja sogar als Weltschöpfer. Es liegt auf der Hand, daß der Gottesbegriff selber dadurch ausgehöhlt und entwertet wird. (Zum Teil war dies auch das Danaergeschenk Fichtes an die Romantik.) Man darf Novalis' Abendmahlshymne als sprechendes Zeugnis solcher Aushöhlung des Göttlichen bezeichnen. Ihr Zentrum ist das Sinnliche. Sie ist ein ins Theologische aufgehöhtes Bacchanal. Wenn aber Gott schwindet und das menschliche Ich zum Erben seiner Eigenschaften wird, so ist die Frage, was geschieht, sobald Zweifel oder Überdruß an der nur immer sich selbst ausstrahlenden und wieder empfangenden narzißhaften Subjektivität sich anmelden. Die Gottheit ist entleert. Auf spekulativem Wege ist sie so nicht wiederzugewinnen. Die Rückkehr zu ihr auf dem Erwekkungswege ironisiert Friedrich Schlegel selber an Jacobi als einen „salto mortale in den Abgrund der göttlichen Barmherzigkeit", als „moralische débauche". Wird sich dann der Erbe Gottes, der Mensch, im fortdauernden Selbstgenuß selber fragwürdig, so ergibt sich von hier aus ein gerader Weg zum Nihilismus, das heißt zum Gefühl der Sinnlosigkeit der Welt. Friedrich Schlegel hat mit seiner späteren Konversion für sich beglaubigt, daß er an diesem Ende angekommen war. Novalis brauchte seines frühen Todes wegen die Erfahrung nihilistischen Folgerungszwanges an sich nicht mehr zu machen. Bei Schleiermacher waren die Spekulationen der Athenaeumszeit ohnehin nicht echte Existenzanfechtungen, sondern hauptsächlich Bildungsexperimente. Damit ist der spekulative Nihilismus der Frühromantik in keiner ihrer führenden Persönlichkeiten voll zum Austrag gekommen. Aber er liegt trotzdem in ihr als eine unmittelbare Ausschlagsmöglichkeit. Die eigentliche Dichtung bestätigt das nicht nur hinterher, sondern bereits gleichzeitig und sogar vorher. Das ist schon beim jungen Tieck und Wackenroder aufzuspüren. Was bei Friedrich Schlegel noch „Idylle vom Müßiggang", ist, wird bei ihnen zum Nihilismus der Zeitangst, der aus dem Überdruß am selbstgenießenden Müßiggang erwächst. Das wird zu zeigen sein.

2. Der Nihilismus der Zeitangst bei Wackenroder und Tieck

Nihilismus als Lebensstimmung hat es apriori mit der Zeit zu tun. Treffend hat von philosophischer Seite Walter Bröcker in einem Vortrag, den er „Im Strudel des Nihilismus" genannt hat, diese Zeitbeziehung folgendermaßen formuliert: „Die beste Definition aber, die mir heute zu geben möglich scheint, ist die, daß der Nihilismus der Zustand des Menschen ist: daß für ihn im Grunde alles langweilig ist."[6] „Zustand der Langeweile" ist für Bröcker gleichbedeutend mit dem, was Heidegger „Grundstimmung" nennt. Langeweile ist Zeitleere. Zeitleere aber ist begleitet von Angst.

In einem bisher immer Wackenroder zugeschriebenen Stück aus den *Phantasien über die Kunst*, dem *Fragment aus einem Briefe Joseph Berglingers*, findet sich folgendes: Berglinger, die aus den *Herzensergießungen* bekannte Gestalt des am Übermaß des Gefühls zugrunde gehenden musikalischen Genies, wird auf einem Sonntagsspaziergang in die allgemeine Freude an dem schönen Sommertag hineingerissen. Aber der Abend bricht an: „Das Schauspiel der Welt war für diesen Tag zu Ende, – meine Schauspieler nach Hause gegangen ... Denn Gott hatte die lichte, mit Sonne geschmückte Hälfte seines großen Mantels von der Erde hinweggezogen, ... und nun schliefen alle seine Geschöpfe ...

Alles hatte nun Waffenstillstand, um morgen von neuem wieder loszubrechen: – und so immer fort, bis in die fernsten Nebel der Zeiten, wo wir kein Ende absehen. – Ach! Dieser unaufhörliche eintönige Wechsel der Tausende von Tagen und Nächten, – daß das ganze Leben des Menschen, und das ganze Leben des gesamten Weltkörpers nichts ist, als so ein unaufhörliches, seltsames Brettspiel solcher weißen und schwarzen Felder, wobei am Ende keiner gewinnt als der leidige Tod, – das könnte einem in manchen Stunden den Kopf verrücken."[7] Dies ist genau das, was ich den Nihilismus der Zeitangst nannte und was Bröcker mit der auf die Zeit bezogenen Definition des Nihilismus als Langeweile bezeichnet. Er ist die notwendige Folge der unweigerlichen Selbstabnutzung der romantischen Subjektivität. Das Ich, mit der Vergänglichkeit des einzigen Haltes, des ästhetischen Genusses, immer wieder in der Erfahrung konfrontiert, wird zwangsweise in eine nihilistische Zeitbeziehung versetzt. In eine totale Zeitangst, in der das öde Einerlei eines unendlichen Wechsels von erfüllten und enttäuschten Augenblicken den Sinn des Daseins in Frage stellt. Das zeigt sich auch noch an anderer Stelle bei Wackenroder in erschütternder Weise, nämlich in dem wunderbaren morgenländischen *Märchen von einem nackten Heiligen.* Hier ist die totale Zeitangst Grundstimmung einer dichterischen Gestalt geworden. Dieser sonderbare Heilige ist ihr Opfer. Es wird von ihm gesagt, daß er „Tag und Nacht keine Ruhe hatte, ihm dünkte immer, er höre unaufhörlich in seinen Ohren das Rad der Zeit seinen sausenden Umschwung nehmen."[8]

Dieses Rad der Zeit ist „fürchterlich", es ist von der „gewaltigen Angst" die Rede, die den Armen nie losläßt. „Wie ein Wasserfall von tausend und aber tausend brüllenden Strömen, die vom Himmel herunterstürzten, sich ewig, ewig ohne augenblicklichen Stillstand, ohne die Ruhe einer Sekunde ergossen, so tönte es in seine Ohren, und alle seine Sinne waren mächtig nur darauf hingewandt, seine arbeitende Angst war immer mehr und mehr in den Strudel der wilden Verwirrung ergriffen und hineingerissen . . ." In dieser Lage kann der Heilige es nicht ertragen, daß andere ruhig hin und wieder gehen und miteinander sprechen können. „Er zitterte vor Heftigkeit, und zeigte ihnen den unaufhaltsamen Umschwung des ewigen Rades, das einförmige, taktmäßige Fortsausen der Zeit; er knirschte mit den Zähnen, daß sie von dem Getriebe, in dem auch sie verwickelt und fortgezogen würden, nichts fühlten und bemerkten . . ."[9] Wer so etwas erfinden kann, muß es erfahren haben. Auch stimmt es ja genau zu der Zeitangst Joseph Berglingers. Diese Zeitangst aber ist nichts als die existentielle Verdichtung der nihilistischen Langeweile, Ausdruck des Schwundes jedes metaphysischen Trostes, der Ausgeliefertheit des Ichs an eine dämonische Ewigkeit, deren Kennzeichen die Einförmigkeit des Ablaufs ist. Der Nihilismus dieser Zeitangst liegt darin, daß die Subjektivität nicht mehr der Zeit habhaft ist, sondern daß die Zeit ihrer habhaft ist. Dieses romantische Ich ist eine Beute der Zeit. Seine Zeitlichkeit ist zugleich seine Vernichtung. In diesen Beispielen so radikaler Zeitangst gibt es nun allerdings eine Erlösung: die Erlösung durch die Kunst. Aber das ist in Wirklichkeit keine Durchbrechung des Zirkels. Denn der kairos des künstlerischen Genusses und Schaffens ist in Wackenroders Berglinger-Motiv allzu deutlich selber der Zeitlichkeit unterworfen. Der ästhetische Augenblick vermag höchstens den Zeitrhythmus zu gliedern, aber in seiner Abnutzbarkeit, das heißt Vergänglichkeit, und seinem Kontrast zur Lebenswirklichkeit das ewige Einerlei nur zu bestimmen als eine Abfolge von Selbstgenuß und um so tieferer Enttäuschung, die das Ich immer wieder der Erfahrung der Sinnlosigkeit aussetzt.

Das Offenbarwerden nihilistischer Konsequenzen bei Wackenroder (*wenn* wir es hier mit einem unverfälschten Wackenroder-Stück zu tun haben) ist ohne Zweifel der Wirkung Tiecks zuzuschreiben. Von den beiden Freunden war er der Partner, der durch seine an Hofmannsthal erinnernde Frühreife schon alle Voraussetzungen für einen vorzeitigen Selbst- und Weltüberdruß in sich trug. Als Primaner schon mitten im Literatengetriebe des damaligen Berlin durch allzu frühe Aufträge veranlaßt, alle erdenklichen Sensationen vorzeitig aus sich herauszuholen, war Tieck ein vollkommener Routinier des Gefühls in einem Alter, in dem andere erst zu erwachen beginnen. Aller Register schauriger und sentimentaler Motive kundig, wurde er von Ekel und Grauen vor dem Leben und von Verzweiflung an der eigenen Lage im Leben gepackt, und sein Anschluß an die Romantik war nicht arglos, sondern der eines tödlich Versehrten, der Heilung in einer Wundertinktur sucht (ein Begriff seines Wortschatzes). Das Ergebnis dieser nihilistischen Verzweiflung, die an einem so jungen Menschen um so ergreifender berührt, waren das erste ausweglose Schicksalsdrama der deutschen Literatur und der Briefroman *William Lovell.* Tieck begann dies Werk als 19jähriger und schloß es vier Jahre später ab. Das heißt vor der Zeit der produktiven Gemeinsamkeit mit Wackenroder und vor Schlegels *Lucinde.* Aber hier ist auf ganz unspekulativer Grundlage die Geschichte eines Spiegelmenschen bis zur bittersten Konsequenz den spekulativen Frühromantikern schon vorweggenommen. William Lovell ist die Figur des Bewußtseinsmenschen, der in der Reflexion auf sich selbst und die Welt alles auflöst. Sein äußeres Schicksal, wie er vom Knaben zum Weltmann, als solcher zum Verführer und Spieler und schließlich zum gewöhnlichen Verbrecher wird, ist nur der Spiegel für sein Inneres. Nehmen wir aber Lovells Ausgangspunkt, so sehen wir, daß er als reiner romantischer Schwärmer sein Leben beginnt. Als einer, der nach der eigenen Formel von „süßer Schwermut"[10] beherrscht wird. Und nun findet sich schon hier das, was als nihilistische Seite der Juliusgestalt in der *Lucinde* wahrzunehmen ist: Der im Genuß süßer Schwermut Befangene ist gar nicht echt befangen. Wie ein kühler Rechner fragt er: „Aber soll in dieser Sehnsucht nicht selbst ein Gewinn für uns liegen?"[11], und schon im Anfang heißt es: „Ich behorchte in mir leise die wehmütige Melodie meiner wechselnden Gefühle."[12] Das ist das Ich, das sich zum Weltmittelpunkt geworden ist, indessen im Innersten selber leer ist. Daß dieser Jüngling später in Paris alle Schulen der Sinnlichkeit durchläuft, dabei immer kälter und verzweifelter wird und zum absoluten Zyniker, braucht wohl kaum zu überraschen. „Ob ich mit Worten oder Karten, Definitionen oder Würfeln oder Versen spiele, gilt das nicht alles gleich?"[13] Einen unzweideutigeren Ausdruck nihilistischer Grundstimmung kann es kaum geben. Denn dies ist die Sinnlosigkeit des Lebens und der eigenen Stellung darin. Daß Tieck in seinem *Lovell* auch das Denken und die Kunst in die allgemeine Sinnlosigkeit einbezieht, gibt besonders zu denken.

Und bereits hier finden wir auch die Entwicklung des Zeitbewußtseins zum folgerichtig nihilistischen. Zuerst vertuscht Lovell sich die Leere der Zeit dadurch, daß er die ganze

Zeitwirklichkeit in den Traumbereich versetzt und damit verflüchtigt. Dann begegnen wir dem verzweifelten Versuch, eine Position zur Zeit im Gedanken der Veränderung zu finden: „Veränderung ist die einzige Art, wie wir die Zeit bemerken.“[14] Darin liegen schon Zeitleere und Langeweile. Und Lovell endet auch in dem dumpfen Bewußtsein, gerade dann durch die Zeit gerichtet zu sein, wenn er sie krampfhaft auskosten, ja auspressen möchte im Genuß. Man sieht, wie hier eine tödliche Gefährdung der Romantik sich schon in ihrem Frühstadium und ganz unreflektiert entlarvt. Es fällt von hier ein eigentümliches Licht auf die Rolle der Liebe wie die der Kunst in der Romantik. Sowohl die Berufung der Liebe in der *Lucinde* wie die der Kunst in den *Herzensergießungen* und *Phantasien* können dann als krampfhaftes Umgehen der letzten nihilistischen Konsequenzen erscheinen, die der junge Tieck indessen schon gezogen hatte (weil er auch als Person das Ästhetische zu früh erfahren und abgenutzt hatte, um es noch zur Gott ersetzenden Idee zu stilisieren). Wir erkennen nun die Herkunft des Nihilismus der Zeitangst im *Morgenländischen Märchen* und im *Berglinger-Brief*. Sie ist vom Geiste des *Lovell* und ohne Zweifel der ursprünglich argloseren Kunstbegeisterung Wackenroders durch Tieck zugesetzt. Indessen bedeutet sie nichts als den offenen Ausdruck unbewußterer Ängste, die überhaupt der Erhebung der Kunst zum Heiligtum in der Romantik zugrunde liegen. Vermutlich ist auch Schellings Kunstphilosophie hiervon nicht auszunehmen. In der Dichtung ist es sichtbarer, weil hier die Erfahrung der Abnutzbarkeit auch des Ästhetischen immer wieder durchbricht und damit dem vollkommenen Nihilismus die Türe öffnet. Ließe sich das doch sogar an Tiecks *Sternbald* zeigen, dem Malerroman, der als letztes Zeugnis den verzweifelten Versuch Tiecks anzeigt, sich an Wackenroders Kunstbegeisterung einen neuen innern Halt gegen die Entleerung der Welt zu schaffen. Aber auch im *Sternbald* findet sich der Schüler Dürers und Lucas v. Leydens schließlich in Italien in der Lage, auch den einzigen Lebensinhalt, die Kunst, als Sinn in Frage stellen zu müssen.

3. Nihilistische Zersetzung des Menschen in der jüngeren Romantik

Daß Tieck nur etwas in der romantischen Grundstimmung Beschlossenes besonders deutlich verrät, kann man an der Gestaltenwelt der romantischen Prosadichtung erkennen. Niemals vorher und auch nachher vielleicht nur innerhalb unserer eigenen Epoche ist eine so verräterische Fülle von nihilistischen Existenzmöglichkeiten in der deutschen Dichtung erfunden und gestaltet worden wie in der Romantik. Auch Jean Paul formt gleichzeitig mit Tieck-Wackenroders *Phantasien* im *Titan* die Gestalt des Roquairol, des zugleich glühenden und eiskalten Schauspielers des Daseins, dessen Mitte die Zeitleere, die Langeweile ist, und der folgerichtig auch mit seinem und seiner Nächsten Leben ein frevlerisches Spiel treibt, das zum Untergange führt. Nach dem *Lovell* die geschlossenste Erfindung nihilistischer Existenz. Von der *Lucinde* und vom *Lovell* führt eine Linie zu Brentanos *Godwi*, wo die Vatergestalt geradezu eine Wiederholung der Lovell-Existenz ist, die des Sohnes und des Dichters Maria (Brentano selber) Synthesen aus dem Julius der *Lucinde*, Lovell, Berglinger und Sternbald. Der Nihilismus der Zeitangst zieht sich auf diesem Wege zum Bewußtsein einer dumpfen Ausgeliefertheit an ein unentrinnbares und erbarmungsloses Schicksal zusammen, das die Erfahrung der Unzulänglichkeit des ästhetischen Haltes der Kunst, die immer häufiger die ihr Verfallenen zerstört, gleichsam zu erklären hat. Der reinste Ausdruck dieser Entwicklung wird dann die Dichtung E. T. A. Hoffmanns. Seine Figuren des Kapellmeisters Kreisler oder des Bruders Medardus setzen über die nihilistische Angefochtenheit Berglingers und Sternbalds durch die Kunst eine dumpfe Ausgeliefertheit an ein Schicksal, in der auch die menschliche Freiheit ihren Sinn verliert. Diese Genies sind nicht mehr von Apoll geschlagen, sondern von einer dämonischen Macht, die ihre Zeitlichkeit vorherbestimmt, die Romanfigur manchmal wie ein Netz umspinnt. Der letzte große Vertreter dieses Typs ist wohl noch Mörikes *Maler Nolten*. Und eine Zeitlang wird auch das Drama geradezu beherrscht vom Gedanken der Vernichtung jedes menschlichen Sinnes in der Welt. Ich meine die berüchtigte Gattung der romantischen Schicksalstragödie. Sie ist ein konsequentes Ergebnis der totalen Entleerung der Welt.

Ein symbolischer Ausdruck der geheimen Weltangst, die hinter der romantischen Apotheose der Kunst als Sicherung vor den letzten nihilistischen Konsequenzen steckt, sind auch die Motive des Doppelgängers und der Automate. Sie gehören wie das des sich selbst verzehrenden Genies zu den Formen, die die nihilistische Angefochtenheit der Romantik hervorgetrieben hat. Auch hier darf man sich als auf den wohl bekanntesten Bereich auf das Werk E. T. A. Hoffmans beziehen. Man denke an die Rolle des „Brüderleins", des Grafen Viktorin in den *Elixieren des Teufels*. Er ist der Doppelgänger des Medardus, der ihm immer wieder – und bezeichnenderweise gerade in Augenblicken der Entscheidung – begegnet und ihm seine Entscheidung abnimmt, indem er sie ihm vormacht. Auch dies ist Ausdruck der Sinnlosigkeit des menschlichen Daseins, Symbol seiner Verfallenheit. Der Mensch, der sich selber im Doppelgänger immer wieder begegnet, findet sich auf eine besonders zynische Weise von einem dämonischen Schicksal in der Welt entmachtet und entrechtet. Er weiß sich überflüssig. Er weiß sich von sich selber verfolgt. So ist das Doppelgängermotiv eines der komprimiertesten Symbole nihilistischer Weltangst. Das Bild des abgelösten Schattens, wie es aus Chamissos *Peter Schlemihl* bekannt ist, ist nur eine Variante dieses Komplexes. Und nicht anders verhält es sich mit dem der Automate, für das die Romantik ein so verdächtiges Interesse entwickelt. Das Ich, das sich selbst vollkommen sinn- und heimatlos in der Welt vorkommen muß, wenn es sich selber schon darin vorfindet, zeigt seinen tiefsten Zweifel an sich selbst vielleicht in dem verräterischen Genuß, den es daran findet, sich selbst in einer mechanischen Nachkonstruktion zu begegnen. Zwar empfindet es diese noch als dämonisch oder als Dämonenwerk, aber in das geheime Grauen mischt sich das verzweifelte Rechnen mit der Möglichkeit, ersetzbar zu sein. Dies ist nur eine andere Form des Zweifels am Sinn des Menschen und der Welt, als sie sich im Doppelgängermotiv offenbart. Auch sie macht den Menschen in der letzten Konsequenz heimat-, sinn- und rechtlos im Dasein. Ein weiterer Schritt auf diesem Wege ist übrigens die Überführung des menschlichen Ichs selber in das mechanische. Und es ist bezeichnend, daß dieser Prozeß nicht etwa der Dichtung des aufkommenden materialistischen Zeitalters zuzuschreiben ist, sondern mitten in diesen Zusammenhängen der Romantik selber seinen Ort hat. Schon im Peter-Schlemihl-Motiv begegnet er, wo der Schatten wie ein Kleidungsstück „anzupassen" oder „aufzurollen" ist. Und eine großartige Versinnbildlichung hat dies Motiv noch einmal in der Spätromantik gefunden, in Wilhelm Hauffs Märchennovelle *Das kalte Herz*. Denkt man daran, welcher Mittelpunktsbegriff der Subjektivität das „Herz" etwa in der Sprache des Novalis ist, so erschrickt man beim Gedanken der bloßen Möglichkeit der mechanischen Austauschbarkeit des Innersten im Menschen gegen ein lebloses Kristall, mag es sich immerhin auch nur um ein sinnbildliches Märchen handeln. Der Vorstoß nur in diese Möglichkeit ist ein Akt der seit E. T. A. Hoffmann ganz offenbaren nihilistischen Zersetzung der Subjektivität.

Kein Wunder, daß besonders in der Lyrik die Schwermut eine solche Rolle spielt. Die Schwermut ist nicht nur als Vertiefung und Verinnerlichung anzusprechen. In ihr verdichtet sich häufig vielmehr auf erschütterndste Weise die Ausweglosigkeit nihilistischer Anfechtung. Wie weit sie reicht, braucht man nicht nur an bewußt atheistischen Beispielen wie Lenau sich zu vergegenwärtigen. Man kann sie auch da bis zum offen Nihilistischen getrieben sehen, wo Glauben und Liebeswille noch als Gegengewicht zur Verfügung stehen. Ein Beispiel:

„Tief in düstre Trauer hingesunken / Saß ich brütend über mir allein, / Zehrend an des Lebens letztem Funken; / Niemand ahnte meines Herzens Pein. / Was sich still und langsam nur noch in mir regte, / Ohne Hoffnung sterbend sich nur noch bewegte: / Schwarz und schwärzer sich / In den Busen schlich / Der Vernichtung Grausen, Hölle! Die Gewalt, / Die du grinsend zeigst an jeder Erdgestalt."[15] Das Ich, das in dieses hoffnungslose Bewußtsein des Nichts geworfen ist, sucht sich dann im vergeblichen Anlauf in der Vergegenwärtigung der Geliebten und der Lust des Lebens zu fangen. Die Möglichkeit, daß auch diese hinfällig sind, preßt ihm weitere erschütternde Verse aus: „Bodenlos der Abgrund, keiner Lebenslust / Schwächster Funken übrig in der öden Brust." Und dann: „Wozu bin ich denn gemacht? – Daß ich vergeh, /Und im Leben schaudernd nur den Abgrund seh?" Das Gedicht findet schließlich doch über Gott und die Geliebte zur Welt zurück, aber eben auf dem Wege des von Friedrich Schlegel ironisierten salto mortale. Was es aber in seiner ersten Hälfte an nihilistischer Hoffnungslosigkeit und Existenzangst erfährt, das kann auch im Wortschatz kaum von einem modernen Nihilisten übertroffen werden. („Ohne Hoffnung", „Der Vernichtung Grauen", „kalt und tot mein Sinn, bodenlos der Abgrund", „wozu bin ich denn gemacht? daß ich vergeh und im Leben schaudernd nur den Abgrund seh?") Sogar die Anfechtung, das Leben fortzuwerfen, fehlt nicht. Nun aber darf verraten werden, daß das Gedicht von niemand anderem als Philipp Otto Runge ist. Es zeigt sich gerade daran, worauf hier am Anfang verwiesen wurde: wie nahe Null und Unendlich, Nihilismus und Frömmigkeit beieinanderliegen und daß eines aus dem andern wie ein Funke herausschlagen kann. Übrigens zeigt sich hier wie bei Novalis auch der Zusammenhang zwischen dem Vernichtungsgefühl des Pietismus und dem Vernichtungsbewußtsein der romantischen Schwermut, die unter dem Zeichen tieferer Weltangst steht.

4. Weltanschaulicher Nihilismus in den *Nachtwachen. Von Bonaventura*[16]

So braucht es schließlich auch nicht zu verwundern, daß das, was wir als Anlage, Gefahr oder gelegentlichen Verzweiflungsausbruch in so vielen Werken und Motiven der Früh- wie der Spätromantik wahrnahmen, sich auch einmal ganz offen in einem nihilistischen Gesamtkunstwerk niedergeschlagen hat. Es sind dies die *Nachtwachen von Bonaventura* (einem bis heute nicht erhellten Pseudonym). Auf den langen Streit um den Verfasser soll hier nicht eingegangen werden. Aber sei es nun Schelling selber, der die Verfasserschaft nie in Abrede gestellt hat, oder Friedrich Gottlob Wetzel, der sonst zweitrangige Literat, der sie nie in Anspruch genommen hat, so lange er lebte: dieses Prosanachtstück ist eines der größten dichterischen Werke der Romantik. Und schon dieses Ranges wegen dürfte es interessant genug sein, festzustellen, daß es ein nihilistisches Gesamtkunstwerk ist, neben dem *Lovell* das reinste dieser Art. Ganz anders als der *Lovell* übrigens, mit dem die Reihe der romantischen roués des Gefühls beginnt. Die innere Form ist hier vielmehr die der Ironie. Das schon schließt die *Nachtwachen* an die spekulativen Frühromantiker an. Denn die Ironie ist total im Sinne der Athenaeumsfragmente und läßt nichts unangetastet, auch die Romantik selber nicht, die sie ebenso wie andere Werte erbarmungslos parodiert. Höchst spannend aber ist nun, in welcher Offenheit hier das Fazit gezogen wird. Die Grundform der *Nachtwachen*, die zeitlich etwa in der Mitte zwischen der Jenenser Romantik und dem ersten literarischen Auftreten E. T. A. Hoffmanns liegen, ist die des Tagebuchs. In einer Reihe von sechzehn *Nachtwachen*, die Johannes Kreuzgang aufgezeichnet hat. Findelkind – daher sein Name –, Schauspieler, Bänkelsänger, schließlich Nachtwächter, entfaltet der Schreibende nach rückwärts seine Lebensgeschichte in steter Mischung mit Träumen, Reflexionen und gegenwärtigen Erlebnissen seines Amtes. Wir haben in dieser Figur die großartigste und konsequenteste Verkörperung des Narrenmotivs in der Romantik vor uns, der an Rang in der deutschen Überlieferung nur Grimmelshausens *Simplicissimus* gleichkommen dürfte. Der tiefsinnige Narr Shakespearescher oder auch Cervantesscher Herkunft war für die Romantik überhaupt *die* Figur der Umwertung aller Werte in der Ironie. Fast immer, bei Tieck, bei Arnim, bei Brentano bis hin zu Büchners Valerio in *Leonce und Lena* verkörpert der Narr dichterisch die ironische Verlegung der eigentlichen menschlichen Wirklichkeit in den Bereich des außerbürgerlichen Daseins, in den Bereich des schöpferischen Spiels der (anscheinenden) Unvernunft mit der Vernunft. Das Narrenbild ist damit zugleich eine sinnbildliche Variante des romantischen Künstlerbildes, zu dem ja das Motiv des Wahnsinnes und der Verrückung untrennbar gehört. Gerade aber in dieser reinen Form der Vertauschung der Werte – denn der Narr ist nur für den Philister unvernünftig, für den Romantiker aber Verkörperung von Tiefsinn und Genie – ist der Narr auch Symptom des romantischen Nihilismus, dem hier nachgefragt wird. Seine Existenz ist, anders als bei Grimmelshausen, sozusagen Anti-Existenz. Sie bildet sich aus den Gegensätzen zum Bürgerlichen, zum Kleinlichen, Begrenzten, Normalen, Ordentlichen. Ihre Position kann höchstens in der Freiheit des phantastischen Daseins liegen, das aber zugleich Unverbindlichkeit nach allen Seiten hin ist. Daher kann der Narr nur Gegensätze vertreten, indem er sich über alles lustig macht mit dem Willen, es ad absurdum zu führen. Aber er kann nicht auf Inhalte verweisen. Denn das würde seinen Charakter durchbrechen, da er ja mit diesen Inhalten etwas ernst nehmen müßte. (Der Künstler, als Narr gesehen, nimmt seine Kunst nur allzu ernst und geht daran zugrunde.) Genau so verhält es sich nun mit der Selbstbiographie des Nachtwächternarren. Hier ist die Parodierung der Welt weiter und folgerichtiger vorgetrieben als irgendwo anders in der Romantik. Überlegt man sich, was alles parodiert wird: romantische Form, nämlich die absichtliche Verwirrung, die die Romantik von Jean Paul hat und die die zeitliche Reihenfolge der Handlung durcheinanderwirft – romantische Motive wie die des Nachtwandlers, des Teufels, des Automaten; romantische Sentimentalität, poetisches Pathos überhaupt, bürgerliche Literatur, Ehe, Rechtsverhältnisse, Staat und Kirche: dann bleibt eigentlich wenig mehr übrig. Es bleibt übrig der offensichtliche Respekt gegenüber der Eindeutigkeit des Freigeistes und des Kriegsmannes, im Künstlerischen die Hochschätzung der Musik. Im übrigen finden wir in der achten Nachtwache ganz allgemein einen ironischen Absagebrief an das Leben (gefolgt von dem *Prolog des Hanswurstes zu der Tragödie: der Mensch*) und in der zwölften Nachtwache eine nicht minder ironische *Apologie des Lebens.* Wir finden uns also in einem Bereich radikaler Entwertung, einer bitteren Satire auf das Leben und in ihm auf die *Tragödie:* der Mensch. Daß in Wahn und Traum sich die eigentliche Wirklichkeit verberge, ist barock, wie denn die Beziehung der *Nachtwachen* zum Barock überhaupt auf der Hand liegt: zu Grimmelshausen wie zu Jacob Böhme. Aber wo im Barock mindestens noch ein mystisches Gottesverhältnis das Vakuum füllt, sehen wir hier offensichtlichen Atheismus und unter dem Scherbenberg kaum mehr als das unangetastete Bild des Freigeistes. Kein Wunder, daß Varnhagen in seinem Tagebuch notierte: „Ich lese den Roman von Schelling, *Nachtwachen von Bonaventura,* und habe ganz den Eindruck davon, als läse ich ein Buch des jungen Deutschland.“[17] In der Tat, dieser Eindruck ist nicht so unrichtig, wenn man auf den für eine Weltanschauung verbleibenden Rest hinsieht. Und doch ist das Buch 1804 (1805) erschienen, in der hohen Zeit der Romantik, aus ihrer Mitte heraus und in der dichterischen Form eines ihrer geschlossensten Zeugnisse. Und in dieser seiner geschichtlichen Bedeutung läuft dies Werk wörtlich in das „Nichts“ aus. Die phantastische letzte Nachtwache zeigt den Nachtwächter im nächtlichen Dom, bemüht, seinen nie gesehenen Vater wenigstens noch im Zerfall im Sarge zu erblicken. Bevor er den Deckel hebt, hält er einen Monolog über die Vergänglichkeit, der in die Worte ausläuft: „Ich will ergrimmt in das Nichts schauen, und Brüderschaft mit ihm machen ..." Dies könnte noch titanischer Trotz sein, in dem sich gerade die Freiheit bezeugte. Aber dann geht es weiter: „Ich war jetzt stark und wild genug den Deckel zu heben, ob ich gleich fühlte, daß dieser Grimm und Zorn, wie alles übrige, auch mit zum Nichts gehöre." Und als der Deckel sich auftut und den alten Alchimisten unverwest zeigt, aber mit zum Gebet gefalteten Händen, bricht der Sohn in eine mehr als atheistische, in eine vollkommen nihilistische Zornrede aus: „O wie sie alle ... nach Licht wimmern und nach einem großen Herzen über den Wolken ...! Wimmert nicht länger – diese Myriaden von Welten sausen in allen ihren Himmeln nur durch die gigantische Naturkraft, und diese schreckliche Gebärerin, die alles und sich selbst mit geboren hat, hat kein Herz in der eigenen Brust, sondern formt nur kleine zum Zeitvertreib, die sie umher verteilt."[18]

Ist die herzlose „schreckliche Gebärerin", die „zum Zeitvertreib" kleine Herzen wahllos „umher verteilt" aber eigentlich etwas anderes, als was Nietzsches nihilistisches Gedicht auszusagen hat?:

Weltrad das rollende
Streift Ziel auf Ziel:
Not – nennt's der Grollende,
Der Narr nennt's Spiel!
Welt-Spiel das herrische,
Mischt Sein und Schein: –
Das Ewig-Närrische
Mischt uns hinein! ...

Und da der Nachtwächter Bonaventuras mit Nietzsche den Gedanken teilt, daß Gott tot sei und ein Schicksal ohne Herz und Sinn die Bedingung der Wirklichkeit, zieht er auch für sich eine ähnliche Konsequenz, wie sie nach ihm die Nihilisten Nietzsche und Ernst Jünger, unsern Tagen näher, gezogen haben: „Ich will nicht lieben und recht kalt und starr bleiben, um wo möglich dazu lachen zu können, wenn die Riesenhand auch mich zerdrückt!" Und so wird man die *Nachtwachen* als den unverhohlensten Ausdruck der nihilistischen Seite der hohen Romantik nehmen müssen. Der Nihilismus ist hier nicht eigentlich spekulativ. Er ist auch nicht existentiell in der Lebensform des Helden oder der Sinnbildlichkeit des Motivs beschlossen. Er ist hier sozusagen programmatisch da. Und das in einem Werk, dessen Abstammung aus der Jenaer Romantik unbestritten ist, wen man auch als Verfasser ansehen möge. Dies müßte als Abschluß dessen, was hier über das Thema Nihilismus der Romantik zur Überlegung gestellt wurde, zu denken geben. Wächst hier doch bewußter Nihilismus aus der Mitte romantischen Lebensgefühls und in reiner romantischer Form. Wenn dies alles aber möglich war, so hätte der von Haß und verborgener Liebe zugleich bestimmte Scharfblick Kierkegaards und Nietzsches frühzeitig diese Seite der Romantik richtig erkannt, die uns Heutigen durch prekäre geschichtliche Erfahrungen sich mehr erschlossen hat als durch die Romantikdeutung der Literaturwissenschaft. Dieser bleibt, wie hier vielleicht deutlich gemacht werden konnte, auf diesem Felde noch vieles zu leisten. Sie wird sich dabei nicht mit etwas Antiquarischem zu befassen haben. Die Anfechtung unserer Zeit da zu erkennen, wo sie ihren fragwürdigen Siegeslauf in der deutschen Geistesgeschichte antritt, ist keine nur historische Angelegenheit: tua res agitur.

ANMERKUNGEN

1 Romantik, ein Zyklus, Tübinger, Vorlesungen, Tübingen/Stuttgart 1948.
2 Ferd. Lion, Romantik und deutsches Schicksal, 1947. –
3 Es darf als eine Ironie der Literaturgeschichte gewertet werden, daß der Verdacht gegen nihilistische Tendenzen und Wirkungen der Romantik sich bereits zwischen den Weltkriegen ausbildete, und zwar damals auf der Seite des konservativen Nationalismus z. B. bei Carl Schmitt, Ernst Jünger, am deutlichsten in E. J. Obenauer, Die Problematik des ästhetischen Menschen in der deutschen Literatur, München 1933.
4 Fr. Strich, Klassik und Romantik, 4. Auflage, Bern 1949.
5 Ausgabe Insel-Verlag, hg. v. Oskar Walzel, S. 5/6.
6 Walter Bröcker, Im Strudel des Nihilismus, Kieler Univ.-Reden 1952.
7 Werke und Briefe von Wilhelm Heinrich Wackenroder, hg. v. Lambert Schneider, Berlin 1938, S. 217.
8 Ebd., S. 197ff.
9 Ebd., S. 197ff.
10 Zitate nach: Ludwig Tiecks Schriften, XXIIX Bde., Berlin 1828–54.
11 Ebd., V S. 33. Vgl. auch Tiecks eigene Schilderung der Krise der Lovell-Zeit im Vorbericht zur 2. Lieferung XIV.
12 Ebd., V S. 24.
13 Ebd., VI S. 230.
14 Ebd., VI S. 7.
15 Zitiert nach: Geschichte der deutschen Romantik, hg. v. Michael Brink, Heidelberg 1946, S. 161.
16 Zitate nach: Nachtwachen. Von Bonaventura. Nach Rahel Varnhagens Exemplar, hg. v. Raimund Steiner, Weimar 1916.
17 Ebd., Nachwort, S. 310.
18 Ebd., S. 291ff.

Der Wendepunkt Friedrich Schlegels

Ein Bericht über unveröffentlichte Schriften Friedrich Schlegels in Köln und Trier

ERNST BEHLER

Jeder, der sich der geistigen Gestalt Friedrich Schlegels als einer Einheit zuwendet und sich darum bemüht, die großen Entscheidungen seines Lebens als Sinnzusammenhang zu verstehen, sieht in Schlegels Frankreichaufenthalt von 1802 bis 1804 den eigentlichen Wendepunkt seines Lebens. Schlegels plötzliche Reise nach Paris im Jahre 1802, sein abrupter Bruch mit dem Jenaer Geistesleben und sein Bestreben, in Frankreich neue Formen der Bildung zu suchen, erscheinen unter diesem Gesichtspunkt als die größte Krisensituation seiner inneren Entwicklung. Aus ihr gehen alle späteren Entscheidungen, die das literarische Deutschland noch schockieren sollten, mit einer gewissen Folgerichtigkeit hervor.

Diese Tatsache ist erst sehr spät erkannt, und die Pariser Zeit Schlegels ist viel zu spät gewürdigt worden. Auch dies ist ein Grund für die vielen Mißdeutungen seiner Existenz, für die Aufspaltung seines Lebens in zwei Phasen und die völlige Verkennung der späten Lebensepoche, was die Schlegelforschung bis heute so behindert und fast festgefahren hat.

In der letzten Zeit hat sich glücklicherweise eine neue Bewertung und eine neue Analyse dieses Frankreicherlebnisses angebahnt. Den bedeutendsten Anstoß hierzu gab wohl Josef Körner mit zahlreichen Publikationen aus Schlegels Nachlaß. Denn das Argument des Editors ist das zwingendste. Aber auch andere Ansätze der Forschung führten zu demselben Postulat.

Beginnen wir gleich mit einem scheinbar sehr entlegenen Punkt, mit dem Hinweis auf die parallele Entwicklung der frühidealistischen Philosophien: Schlegels Reise nach Paris von 1802 findet eine deutliche Entsprechung in Schellings Aufbruch nach München, der 1806 begann. Fast alles, was sich für die Neuorientierung des Schellingschen Weltbildes in der mittleren Übergangsepoche des Idealismus an Charakteristischem aufzählen läßt: die Abkehr vom Pantheismus und die Entscheidung zu einem im Sinne der Transzendenz-Immanenz-Symbiose aufgefaßten Theismus, die Neufassung des frühromantischen Schlüsselbegriffs „Mythologie“ in Relation zur Offenbarung, die Entdeckung der geschichtlichen Welt und das urphilosophische Ringen um die Lösung des Dualismus von Gut und Böse, aber auch weniger imposante Ereignisse wie die Ersetzung Spinozas durch Böhme, die Vorliebe für gewisse okkulte Randerscheinungen des Seins und eine bestimmte Neigung zu Gnostik und Theosophie, – alles dies sind auch Wesensmerkmale des Schlegelschen Wandlungsprozesses, mit dem einzigen Unterschied, daß sich Schellings Wandlung auf dem Boden der Naturphilosophie vollzog, während bei Schlegel der

Anstoß zu neuen Entscheidungen im Gebiet der Kultur- und Staatsphilosophie erfolgte. Realistischer Spiritualismus – so möchte man die neue Geisteshaltung beider nennen.

Wie selbständig und unbeeinflußt beide diese parallelen Geistesbahnen gewählt haben, manifestiert sich uns am deutlichsten und schönsten in der eigenartigen Beziehung und Abhängigkeit zwischen den Werken, die der erste Ausdruck ihres neuen Ringens sind; gemeint sind Schlegels „Sprache und Weisheit der Indier" (1808) und Schellings „Philosophische Untersuchungen über das Wesen der menschlichen Freiheit" (1809). – Gewiß haben sich beide damals kräftig mißverstanden, denn Schlegel nahm sich, nichtsahnend von Schellings Metamorphose, dessen frühe philosophische Position zum Modell für eine Abrechnung mit dem Pantheismus.[1] Schelling seinerseits schoß in dem Verständnis Schlegels aber auch erheblich daneben, denn er schloß aus dem Kapitel „Die Lehre von zwei Prinzipien", das den indischen Dualismus positiv würdigt, Schlegel sei auf dem Wege zu seinem neuen System zum Manichäer geworden: „Die Privatmeinung Fr. Schlegels ist ein Alles zerreißender Dualismus, ein eigentlich böses Grundwesen, das über das böse Prinzip im Christentum noch weit hinausgeht."[2] Dennoch zeigen diese direkten Mißverständnisse indirekt und im übertragenen Sinne, wie sehr beide in ihrem neuen Ringen übereinstimmen: in der Überwindung des Pantheismus (Schlegel vermeintlich gegen Schelling) und in der Lösung des Dualismus und des Problems der Freiheit (Schelling vermeintlich gegen Schlegel).

Weder für die geistige Entwicklung Schellings, noch für die Evolution der Schlegelschen Gedankenwelt bringt diese große Wende eine Abschwörung der Jugendphilosophie mit sich. Auch Schellings Wandlung hat man mit der These abzuwerten versucht, er sei angesichts des unbefriedigenden Jugendsystems in die christlich-theistische Philosophie geflohen. Die große Bedeutung dieser Entscheidungen von 1808 und 1809 erschließt sich uns aber gerade nur bei Einbeziehung der Frühpositionen. In diesen Jahren vollzieht sich kein Bruch, sondern eine Erweiterung des allzu früh geschlossenen Jugend-Systems um neuentdeckte Seinsbereiche und damit gleichzeitig ein verstärktes Ringen um die Bewältigung der Jugendaufgabe, das Ganze der Welt in ein System zu fassen. Das ergibt sich eindeutig aus einer Vergleichung der progressiven Gedankenbewegungen Schellings, Schlegels und auch Görres'.

Es ist der Gedanke der inhaltlichen Umbildung bei äußerer Kontinuität, der Metamorphose einer früh gefaßten Leitidee durch die ganze Spanne eines Lebens und einer Epoche, der das beste Verständnis dieser progressiven Philosophien ermöglicht. Stilkritische Unterscheidungen und Versuche, mit der Weltanschauungstypologie allein arbeiten zu wollen, führen nur zu ungerechten Aufspaltungen einer in sich sinnhaften Evolution, die zwar Wandlungen und neue Aufbrüche kennt, die sich uns aber in ihrem höheren Sinn nur als ein einziger großer Gedankenvollzug erschließt. Um diese Aufgabe einer ganzheitlichen Schlegelerfassung zu bemeistern, wird es Zeit, nun diese mit Erfolg bei Schelling und Görres erprobte Methode des progressierenden Mitdenkens auch bei Schlegel anzuwenden. Denn hier steht die Schlegelforschung heute immer noch vor der unerfüllten Aufgabe.

Es ist nur zu bekannt, wie selten dieses ganzheitliche Verständnis Fr. Schlegels angestrebt wurde. Ganze Jahrzehnte, ja fast ein Jahrhundert hindurch hat sich die Schlegeldeutung damit begnügt, aus dem Lebensweg dieses Denkers und Sprachkünstlers die Jugendphase herauszulösen und diese in sich isoliert zu betrachten. Die Rechtfertigung dieser biographisch zumindest ungewöhnlichen Beschränkung wurde mit der Verkündigung eines bestimmten Schlegelbildes versucht, das sich in den verschiedenen Abteilungen der Geistesgeschichte außerordentlich seßhaft und zäh etabliert hat. Kurz beschrieben kennzeichnet sich diese beinahe schon zum literaturhistorischen Dogma gewordene Schlegelauffassung durch den Dualismus von zwei völlig verschiedenen Fr. Schlegel, die nicht einmal mehr im Grade der geistigen Verwandtschaft zueinander stehen. Denn der junge Schlegel wird, wenn auch nicht als originärer Denker und Künstler, so doch als der große Programmatiker, Anreger und kühne Kombinator der frühromantischen Epoche gewürdigt, der Meister der kleinen Form, der individuellen Charakteristik und des witzigen Einfalls, der aber im Streben zum Ganzen, zum System und Gedankengebäude „zum Schelm" wird, weil er „zu viel unternimmt" (Goethe zu Sulpiz Boisserée am 9. Mai 1811). Demgegenüber ist der alte Schlegel eigentlich nur durch die Negation dieser einzig möglichen Daseinsform Fr. Schlegels, das enfant terrible der deutschen Literatur zu sein, gekennzeichnet und angeblich in restaurativer Bürgerlichkeit, offensichtlicher Faulheit und aufreizend bequemer Frömmigkeit untergegangen.

Eine derart auf die Spitze getriebene Phaseneinteilung, die schließlich zu zwei völlig verschiedenen Schlegelbildern führte, läßt sich heute nicht mehr halten. Unter dem Gewicht neuentdeckter unveröffentlichter Schriften und unter dem Eindruck philosophischer Untersuchungen über das nur philosophisch zu verstehende Spätsystem hat sie sich als ein falsches Suchbild erwiesen, das die Schlegelforschung lange Zeit in die Irre geleitet hat. Heute geht es wieder um den Aufweis der Einheit und Sinnhaftigkeit dieses geistigen Weges. Die Analyse von Schlegels Frankreicherlebnis steht mit dieser Frage durchaus in Zusammenhang; denn sie schließt die klaffende Lücke zwischen der nur scheinbar getrennten Früh- und Spätzeit und ermöglicht so die Lösung der Antinomie zwischen den Bildern des jungen und alten Schlegel, wie gleich noch darzulegen sein wird. Aber zuvor muß noch ein zweites falsches Suchbild der Schlegeldeutung zur Sprache kommen.

Auch dieses beruht auf dem Zusammenhang von Methode und Ergebnis: Bis heute findet sich kaum ein Versuch, das vielgestaltige und durch die Reichhaltigkeit seiner Themen gekennzeichnete Werk Schlegels in seinem Aufbau und seiner indirekten Systematik zu erfassen und die Sinnbezüge zwischen den oft weit auseinanderliegenden Studienobjekten aufzuweisen. Es fehlt, kurz gesagt, ein Aufriß des Schlegelschen Systemprogramms. Statt dessen hat die selten nachgeprüfte Behauptung, diesem Denker sei das System unter dem Fluß der Anregungen seiner Phantasie entglitten, zu einer Fülle von zum Teil hervorragenden Monographien über bestimmte Gebiete seiner geistigen Wirksamkeit geführt, bei denen die literaturhistorischen Untersuchungen besonders überwiegen. Auch diese Einsicht, daß die Wesensmitte seines Geistes die Philosophie ist, hat sich erst sehr spät Bahn gebrochen. So gibt es bedeutende Bücher und feinsinnige Analysen, die uns mit Schlegels Leistungen und Künsten auf den verschiedensten Gebieten in mehr oder weniger kritischer Darstellung bekannt machen. Aber sie stehen nur allzu häufig in großer Beziehungslosigkeit, und eine systematische Gesamtanschauung seines Denkens ergibt sich aus ihnen noch nicht.

Bei einer vergleichenden Betrachtung der Schlegelschen Werke scheint es jedoch, als hätte man auch bei dieser Frage zu früh kapituliert. Drei große Themen beschäftigen ihn zeit seines Lebens in immer neuen Versionen und unter immer neuen Benennungen: Philosophie, Poetik und Politik (oder Historie). Der Intention nach sind sie die Glieder eines Systems, das den gesamten Bereich der Erfahrung umspannen soll. Und gerade dieses Streben nach systematischer und lebendiger Daseinserfassung, wo die Einheit die Freiheit und Fülle nicht unterdrücken darf, ist die große Leitidee Friedrich Schlegels, die in allen seinen Werken lebendig ist, wenn sie auch in dieser antinomischen Formulierung eine wenig glückliche Systemidee sein mag. Schon bei Gelegenheit seiner Studien zum klassischen Altertum erwächst ihm aus der Anschauung der „bewunderungwürdigen Totalität aller Kräfte des Gemüts" bei den Griechen – diesen „Menschen höheren Stils" – das Projekt, „Fülle in freier Einheit", „freieste Regsamkeit und höchste Energie der menschlichen Natur" systematisch zu fassen. Zwölf Jahre später sieht er die Aufgabe seines philosophischen Systems darin, „Tätigkeit, Leben und Freiheit allein als das wahrhaft Wirkliche" anzuerkennen. Und abermals nach zwölf Jahren entwirft Schlegel das Programm einer das praktische und theoretische Leben umgreifenden, aus dem Leben selbst geschöpften Philosophie des Lebens und spricht damit die zwiespältige Sehnsucht und den inneren Widerstreit aller Lebensphilosophen aus, den Reichtum des Lebens systematisch gestalten zu wollen.

Diese Schlegels Werk als System verstehende Betrachtung stößt vor zwei große Schwierigkeiten: Zunächst werden diese drei Themen – Philosophie, Poetik und Politik (Historie) – von Schlegel nicht in einem großen Rahmen des Systems, sondern meist sukzessiv und oft sogar zeitlich weit auseinanderliegend behandelt. Die Bewertung und Nuancierung dieser Disziplinen ändert sich fortlaufend, ebenso wie auch der weltanschauliche Boden, von dem Schlegel formuliert. Es handelt sich ja um ein System in progressiver Gestalt. Ferner wird auch die literarische Form der Darstellung ständig variiert.

Um zuerst von der zweiten Schwierigkeit, der literarischen Form, zu sprechen: Der angestrebten Lebendigkeit seines Systems zuliebe hat sich Schlegel zeitlebens darum bemüht, die verschiedensten schriftstellerischen Ausdrucksmöglichkeiten und Kunstformen anzuwenden. Das ging so weit, daß er im Jahre 1808 plante, seine neuen Ansichten über politische Verfassung und die abendländische Reichsgeschichte in einem Drama „Karl V." zu gestalten. Schlegels Tagebuchaufzeichnungen aus den Jahren 1802 drehen sich fast ausschließlich um das Thema der Variation des literarischen Ausdrucks, wie bei der Erörterung des Trierer Nachlasses noch näher auszuführen sein wird. Einige dieser literarischen Formen waren Schlegel besonders gelegen, wie z. B. das Fragment, die kurze Charakteristik, der zeitpolitische Aufsatz oder auch das gesprochene Wort, die Vorlesung. Andere Gestaltungsmöglichkeiten entsprachen weniger seinem Naturell: das vaterländische Gedicht, das historische Drama, der Roman oder das lyrische Poem. Aber alle diese Formen hat er höchst bewußt variiert und bei der Gestaltung mehr oder minder erfolgreich benutzt.

Wenn sich die äußere Form des Schlegelschen „Systems" im Sinne eines indirekten Verständnisses durchschauen läßt, sollte es nicht unmöglich sein, auch das zweite Problem einer Gesamterfassung Fr. Schlegels, die Frage nach der progressiven Entwicklung des Systems, wenigstens im Überblick zu lösen. Dabei stellt sich heraus, daß dieses „System" mit den drei Gliedern Philosophie, Poetik und Politik genau dreimal gewonnen wird. Dreimal erscheint es in vollendeter, wenn auch sukzessiver Gestalt – dem jeweiligen Stand der Schlegelschen Einsichten entsprechend. Das erste System spiegelt die frühromantische Welt des pantheistischen Naturerlebens und der republikanischen Staatsanschauung. Die große Leistung dieser Frühphilosophie besteht in der Entdeckung der höchsten Spontaneität und Freiheit des Geistes in der künstlerischen Produktion, und ihr eigener Reiz liegt in den unvergeßlichen Fragementen. Diese bilden die spezifische Form dieses ersten Systems, das Schlegel selbst ein „System in Fragmenten" nannte. Es beginnt mit der Poetik, mit der Erforschung der transzendentalen Einbildungskraft schon in den Arbeiten über die griechische Poesie, und es schließt in den Jenenser Vorlesungen von 1801 mit der Theorie des werdenden Gottes, der sich zur Welt entfremden muß, um über die Stufen des Minerals, der Vegetation und Animalität im Menschen wieder zu sich selbst zu kommen. – In dem zweiten System fällt die große Entscheidung vom Pantheismus und Emanatismus über den Dualismus zu einem theistischen Weltbild der realen Scheidung von Gott, Mensch und Natur. An die Stelle der bloß republikanischen Freiheit von Gnaden des Staates tritt die Erkenntnis von der Eigengesetzlichkeit der großen Lebensmächte in dem lockeren und milden Herrschaftsverband des „wahren Kaisertums". Und die Theorie der poetischen Vernunft krönt Schlegel mit der großen Weltliteraturgeschichte von 1812. – Das Spätsystem ist Ausdruck eines mystischen Realismus oder realistischen Spiritualismus. Es liegt uns in den drei großen Vorlesungszyklen „Philosophie des Lebens" (theoretische Vernunft), „Philosophie der Geschichte" (praktische Vernunft) und „Philosophie der Sprache und des Wortes" (symbolische Vernunft) in zusammenhängender Darstellung vor. – Wie absichtlich diese progressierende Gedankenentfaltung verläuft, wenigenstens in der Absichtlichkeit des unbewußten Schaffens, beweist eine Äußerung Friedrichs an seinen Bruder Wilhelm vom 10. Februar 1794: „Daß ich in dem Entwurfe meines Lebens mit der Kunst den Anfang mache, das ist so tief in meiner Natur und in meinen Absichten gegründet, daß vielleicht nur ich selbst den Grund davon einsehen kann."

Dennoch ist die Behauptung, Schlegel sei das System nicht gelungen, nach dem er sein ganzes Leben gestrebt habe, nicht ohne ein gewisses Recht. Denn diese drei Systeme sind auch in der Zusammenschau keine fertigen und in sich geschlossenen Größen, sondern eher Stadien einer einzigen großen Gedankenentwicklung, die immerfort in Bewegung ist. Schon im Jahre 1801 hat Schlegel in den Jenenser Vorlesungen selbst die Prinzipien zum Verständnis seines Denkens angegeben und für sein Philosophieren zwei wesentliche Elemente in Anspruch genommen: die Skepsis als negativen und auflösenden Faktor, der das System immer wieder in Frage stellt, und den Enthusiasmus als positiven und verbindenden, der stets zur begeisterten Suche des Unendlichen treibt. Schon damals hat Schlegel die Idee des vollendeten Systems mit der Feststellung relativiert, daß das absolute

Wissen, das die Philosophie anstrebt, nicht mit einem einzigen System, sondern nur durch die unendliche Progression einer Vielzahl von Systemen zu gewinnen und daß jedes System nur Approximation sei. Seine Spätphilosophie hat als zentralen Gedanken den der Systemkritik, der sich gerade gegen den absoluten Wissensanspruch des Systems richtet; hier zwar nicht mehr auf eine „unendliche Progression von Systemen", sondern auf bestimmte Systemtypen bezogen. So kennzeichnet sich das Schlegelsche Philosophieren als bewegliches, progressierendes und nur im Sinne zyklischer Systematik fixierbares Denken.

Das beste Bild für diese echt idealistische Form der Gedankenbewegung, die Schlegel selbst „progressiv-zyklisch" nennt, ist das der Spirale: Alles kehrt umgebildet und neu immer wieder. Und der Fehler der bisherigen Schlegelinterpretation lag darin, daß sie die Umkehrphasen der spiralenförmigen Entwicklung nicht als Wendepunkte erkannte, sondern für ein Abweichen vom gesetzten Ziel, für ein Scheitern und für eine Flucht hielt. Für eine Gesamterfassung Schlegels sind diese Etappen der Wandlung und Neubesinnung natürlich besonders interessant. Es gibt deren zwei: die, welche zwischen dem ersten und zweiten „System" liegt, die Pariser Zeit von 1802 bis 1804; und die, welche zwischen der Kölner Epoche und der Wiener Spätzeit Schlegels liegt. Diese letzte ist auch von großer Bedeutung: Der aus Selbsttäuschung Politiker gewordene Schlegel wird in dieser Zeit wieder auf seine eigentliche Lebensaufgabe zurückgezwungen: die vita contemplativa. Die wichtigste ist aber die Pariser Zeit, und damit kommen wir von einer Gesamtbetrachtung Schlegels wieder auf sein Frankreicherlebnis zurück.

Die Schwierigkeit einer umfassenden und vollständigen Analyse dieses Frankreicherlebnisses liegt darin, daß gerade für diese Periode die überlieferten Quellen so unvollständig sind. Gewiß verfügen wir über die „Europa" als der bedeutendsten Publikation dieser Epoche. Aber die „Europa" ist nach Schlegels eigenen Intentionen die exoterische Explikation seiner Gedankenwelt und zudem unter dem Gesichtspunkt der indirekten Mitteilung verfaßt[3], während es doch für das rechte Verständnis dieser Philosophie hauptsächlich auf den esoterischen Entwurf ankommt.

Sodann haben wir die zweibändige Ausgabe von Schlegels allerdings erst in Köln gehaltenen philosophischen Vorlesungen aus den Jahren 1804-1806 zur Hand[4], die einen Rückschluß auf die Pariser Zeit erlauben könnten. Aber auch gegen diese Quelle erheben sich einige gewichtige Einwände: Zunächst stammt sie aus zweiter Hand. Ferner muß man sich auch fragen, warum auf Schlegels eigenen Wunsch die Kölner Vorlesungen nicht in die Gesamtausgabe aufgenommen wurden.[5] Diese Auslassung hat natürlich an sich nicht viel zu sagen, wenn man diese Philosophie unter dem Gesichtspunkt der Systemmetamorphose verstehen will. Denn was liegt näher, als daß die frühen Systeme von einem späteren Standpunkt verleugnet werden. Aber der Zweifel an dem Quellenwert dieser Vorlesungen gründet noch tiefer. Sie entsprechen nämlich gar nicht der geistigen Position Schlegels von 1806, wenigstens nicht in allen ihren Büchern. Es ist außerordentlich schwer, mit einem stilkritischen Typenbegriff die Weltanschauung dieser Vorlesungen zu treffen. Dem subjektiven Idealismus der ersten Bücher steht der Pantheismus des fünften Buches („Theorie der Natur") mit der Konstruktion der Natur und des Menschen aus der Sehnsucht des Welt-Ichs allzu deutlich entgegen, wenn auch dieser Pantheismus an manchen Stellen in einen Böhmeanisch verstandenen Theismus umschlägt. Dabei hatte Schlegel in dieser Zeit den Pantheismus längst überwunden. Es scheint manchmal, als hätte er in diesen Vorlesungen weiterhin das pantheistische Dogma verkündet, solange alle Konsequenzen dieser Entscheidung noch nicht verarbeitet waren, – ähnlich wie auch Kant aus anderen Gründen die herrschende Schulphilosophie weiter vortrug, als er sie durch seine Kritik schon hinter sich gelassen hatte.

Das klarste Bild über Schlegels Weltanschauung in diesen Jahren bietet die 1808 erschienene Schrift „Über Sprache und Weisheit der Indier". Kein anderer als Goethe hat das sofort erkannt, als er nach mehrtätigem und zweimaligem Studium dieses Buches, allerdings in erbosten Worten und in den neuen Geist Schlegels wenig treffenden Sätzen, am 22. Juni 1808 von Karlsbad aus an Graf Reinhard schrieb: „Seit gestern habe ich das Schlegelsche indische Werk wieder angesehen, und finde darin völlig dasselbige Benehmen, das Sie von seinem Umgange bemerken. Er verbirgt seine Gesinnungen nicht, ja er läßt sie nicht einmal erraten, sondern spricht sie ganz deutlich aus; doch weiß er sie rhetorisch gewandt mit allgemeineren historischen, kritischen Ansichten und Überzeugungen zusammenzuflechten, daß man recht aufpassen muß, um genau zu unterscheiden, wo man mit ihm einig sein kann, oder wo man ihn muß fahren lassen. Eben habe ich erst heute S. 201 die alleinseligmachende katholische Kirche entdeckt. Vielleicht schicke ich Ihnen nächstens die Konfession des Augustinus im Auszuge."

Bei diesem mageren Bestand an direkten Überlieferungen aus der Pariser Zeit haben nun glücklicherweise zahlreiche Briefe Friedrichs und Dorotheas und auch einige Hinweise in der Memoirenliteratur von Zeitgenossen Schlegels die Hoffnung auf neue Quellen nicht untergehen lassen. Immer wieder ist in diesen Briefen[6] und in dieser Literatur von Vorlesungen Friedrich Schlegels in Frankreich die Rede, genauer gesprochen von drei großen Vorlesungsreihen: 1. Über deutsche Literatur (Paris 1802/03), 2. Geschichte der Literatur (Paris 1803/04), 3. Philosophie transcendentale (Aubergenville, Oktober 1807). Das französische Manuskript dieser letzten Vorlesungen ist inzwischen schon von J. Körner im Nachlaß und in der Handschrift Sulpiz Boisserées wiederentdeckt und im Jahre 1935 publiziert worden. Dagegen scheint die Partitur der Vorlesung „Über deutsche Literatur" von 1802/03 endgültig verschollen zu sein. Als deren Einsatz und Zusammenfassung kann uns aber der Aufsatz „Litteratur" im ersten Teil der „Europa" dienen.

Günstiger steht es um die zweite Pariser Vorlesungsfolge „Geschichte der Literatur" von 1803/04. Diese Vorlesungen fanden im kleinsten Kreise statt, und die Hörer, an die sie sich richteten, waren die rheinischen Kaufmannssöhne Sulpiz und Melchior Boisserée und der Rechtsgelehrte Bertram.[7] Diese drei jungen Männer erschienen an einem Tage des Jahres 1803 in Schlegels Pariser Wohnung und bewogen den hier an seiner neuen Aufgabe ringenden Philosophen, ihnen Privatlektionen in Philosophie und Literaturwissenschaft zu geben. Für beide Gruppen, für Friedrich und Dorothea, wie auch für die Brüder Boisserée und Bertram sollte diese gewiß nicht zufällige Begegnung eine große Bereicherung bedeuten. Sie führte zu jener kunstgeschichtlichen Bewegung, welche man die rheinische Restauration nennt. Schlegel selbst öffneten sich die Augen für die Kathedralen des Mittelalters; und der große Bildungseindruck, den diese Pariser Monate auf Sulpiz Boisserée ausübten, klingt noch in den Gesprächen dieses aufrechten Mannes mit Goethe nach.

Auch diese Vorlesungen hat Josef Körner wiederentdeckt. In bedeutenden Fundberichten hat er die Wissenschaft schon seit 1913 auf die große Fülle der unveröffentlichten Handschriften Friedrich Schlegels aufmerksam gemacht, die er an den verschiedensten Stellen aufgefunden hatte.[8] Eine dieser neuen Quellen ist das Manuskript von Friedrich Schlegels Vorlesungen für die Brüder Boisserée. Es ist von Sulpiz und Melchior Boisserée ausgearbeitet, und Körner entdeckte es im Kölner Stadtarchiv.[9] Weitere Handschriften Schlegels, die zum Teil ebenfalls aus dieser Zeit seines ersten Wendepunktes stammen, fand Körner in der Trierer Stadtbibliothek. Über beide Schriftensammlungen soll hier nun berichtet werden, um von ihnen neue Aufschlüsse über Schlegels Wandlung im Jahre 1803 zu erlangen.

1. Friedrich Schlegel: Geschichte der Literatur. Paris 1803

Dieses Manuskript hat einen Umfang von 145 Blatt. Es trägt die Überschrift „Friedrich Schlegel. Geschichte der Literatur (in 45 Vorlesungen privatissime zu Paris vom 25. November 1803 bis 11. April 1804) mit Veränderungen und ohne die Geschichte der griechischen Philosophie (wiederholt in Kölln in 36 Vorlesungen vom 28. Juny bis 18. September 1804)". – Die Vorlesungen beschränken sich auf die europäische Literaturgeschichte und umgreifen die Zeitspanne von der griechischen bis zur altdeutschen Literatur. Sie haben folgenden Aufbau:

Einleitung
Allgemeine Bemerkungen über Europa

1. Die Griechen

Die griechische Mythologie
Geschichte der griechischen Literatur
Das epische Zeitalter
Das lyrisch-dramatische Zeitalter
Die lyrische Poesie
Die dramatische Poesie

2. Literatur der christlichen Zeit

Neulateinische Literatur
Altfranzösische Literatur
Italienische Literatur
Spanisch-portugiesische Literatur

Altenglische Literatur
Nordische Literatur
Altdeutsche Literatur.

Gewiß kann es bei diesem Bericht nicht darum gehen, den gesamten Inhalt der Schlegelschen Vorlesungen wiederzugeben. Das sei einer späteren Publikation vorbehalten. Aber der neue Geist, der Schlegels philosophische Gedankengänge um 1803 durchdringt, soll doch wenigstens Gegenstand einer kurzen Betrachtung sein.

Schon auf den ersten Seiten des Manuskriptes stoßen wir auf den interessanten Versuch, mit transzendentaler, apriorischer Methode aus dem „Organismus des Menschen selbst" die Wissens- und Lebensformen der richtigen Rangordnung zu deduzieren und diese zu einem allumfassenden System der Bildung und Kultur zu kombinieren. Um schnell zu diesem bedeutenden Einleitungsabschnitt der Vorlesungen vorzudringen, müssen wir es uns versagen, auf die gefälligen Sätze einzugehen, mit denen Schlegel im Geiste schönster Sokratischer Pädagogik den Boisserées und Bertram das Bleibende und Allgemeine echter geistiger Bildung als „Entwicklung und Ausbildung der höheren Kräfte und Fähigkeiten" darlegt und diese von der Abgeschliffenheit und Oberflächlichkeit bloßer Interessantheit abhebt. Schon bald spricht Schlegel selbst von seinem neuen Anliegen, das fast zur gleichen Zeit von Schleiermacher durchdacht wurde: dem richtigen System der Bildung und der vollständigen Deduktion der menschlichen Wissens- und Lebensformen. Ein Zweig dieser universellen Bildung ist die Literatur.

Schlegels Begriff der Literatur ist zu bekannt, als daß er hier ausführlich wiedergegeben werden müßte. Er umfaßt, um ihn wenigstens kurz zu charakterisieren, die vorzüglichsten Werke der schon genannten Disziplinen Philosophie, Poesie und Historie. Aber diese Bestimmung ist arg formal angesichts der plastischen Aufteilung des großen Reiches des Bewußtseins in diesen Vorlesungen. Die geistige Welt ist für Schlegel ein Abdruck der höchsten Geisteskräfte des Menschen: Verstand, Phantasie und Gefühl, ihr Inhalt sind die schönsten Schöpfungen dieser Fakultäten des menschlichen Geistes in Poesie, Beredsamkeit, Geschichte, Sittenlehre, Gelehrsamkeit und Philosophie. So umspannt die Literatur alle Wissenschaften und Künste, ihr Geist ist Enzyklopädie. Die beiden Hauptglieder sind aber Philosophie und Poesie; jene als allgemeinste Wissenschaft: die Wissenschaft sämtlicher Wissenschaften, diese als allgemeinste Kunst: die Kunst aller Künste. Beide wenden sich vom niederen und bedürftigen Leben ab und streben dem Reinen und Höheren zu: dem „absolut rein Guten und Schönen, der Gottheit, Welt, Natur, Menschheit". Aber die Bildungsaufgabe des Menschen ist mit dieser Erklärung oder Darstellung der erhabeneren Stufen des Seins noch nicht gelöst. Nur die höheren Potenzen des Menschen, die man mit Schleiermacher die symbolisierenden Vernunfttätigkeiten nennen möchte, sind in Aktion getreten, während die Bedürftigkeit, wie auch das Verlangen nach dem Recht noch ungelöscht sind.

In Symmetrie zum Aufbau der Literatur gliedert Schlegel diese Niederungen des menschlichen Geistes, die man ebenfalls mit Schleiermacher organisierende Vernunfttätigkeiten nennen kann, in die Begriffe Ökonomie und Politik. Zur Ökonomie rechnet er alles, „was auf den Aufbau, d. h. die Bearbeitung der Natur zu unseren Bedürfnissen und auf die Besiegung der Hindernisse geht, die sie uns in den Weg legt; zu letzterem aber alle diejenigen Zweige, die darauf gerichtet sind, die Störungen und Schwierigkeiten zu verhindern, die die Menschen sich selbst unter sich machen, und jedem den Besitz der irdischen Güter und den freien Gebrauch aller Hilfsmittel sichern".

Damit sind jedoch nur die profanen Wissenschaften deduziert. Über allen diesen, über Theorie und Praxis, über Literatur und Wirtschaft thront zuhöchst die Religion, welche die „Erreichung der höchsten Bestimmung des Menschen positiv befördern und herbeiführen soll" und aus welcher „alle Wissenschaften und Künste fließen". So ergeben sich die verschiedenen Bildungsformen des Menschen in der richtigen Rangordnung:

Religion
Literatur (Philosophie – Poesie)
Politik
Ökonomie.

Aber es sind nicht nur vier originäre Bildungs- und Wissensformen, Weltanschauungen und Ethiken, die Schlegel „aus der Kenntnis unseres eigenen und des menschlichen Bewußtseins überhaupt construirt", sondern die Rangordnung der Lebensmächte von der Wirtschaft über den Staat zur Schule (Akademie) und Kirche ist in dieser Konstruktion schon mitenthalten, wenn sie auch in den Pariser Vorlesungen noch keine ausdrückliche Erwähnung findet. Es ist kurz die Idee einer umfassenden Kulturphilosophie die sich hier mit apriorischer Methode aus einem kühnen Einblick in die Architektur der menschlichen Geistorganisation ergibt und die in einer verblüffenden Übereinstimmung mit dem Gedankengut der Diltheyschule und der Lehre von den Wissensformen Max Schelers steht.

Dieser Gedanke der Kulturphilosophie ist es aber nicht allein, was den neuen Geist Schlegels charakterisiert. Schon nach ein paar Seiten stoßen wir auf eine weitere neue Idee, auf das neue Zauberwort dieser Epoche: Europa. Diese Europaidee ist zu dem vorangehenden kulturphilosophischen Entwurf nicht ohne Beziehung. Europa stellt in Schlegels Augen offenbar das Modell für das reichhaltige und allumfassende Kulturleben dar, wie es aus der menschlichen Natur entsprießen kann, und zwar nicht nur in den vergangenen Jahrhunderten der europäischen Literaturgeschichte, die ja das Thema dieser Vorlesungen sind. Gerade für die menschliche Bildungsgeschichte der Zukunft wird Europa die Mission zugewiesen, eine neue große Kulturnation zu werden, wie wir aus anderen Verlautbarungen Schlegels wissen.

Warum nun gerade Europa von den Romantikern zu dieser Aufgabe, der vollkommene Kulturstaat zu werden, ausersehen wurde, geht am besten aus diesen literaturhistorischen Vorlesungen Schlegels hervor. Deren Kapitel „Allgemeine Bemerkungen über Europa" enthält eine Schilderung der landschaftlichen und geistigen Besonderheiten dieses Erdteils, die ein Glanzstück der spezifisch Schlegelschen Kunst der Charakteristik darstellt. Diese Fähigkeit, Individuen zu charakterisieren, wird auf einen ganzen Erdteil angewandt und zu einer besonderen Deutungskunst der Nation- und Kulturindividualität geführt, die später ihre kongeniale Entsprechung in Nietzsches Aphorismen über die Eigenarten der europäischen Völker oder in Schelers Phänomenologie der „Nationalideen der großen Nationen“ fand. Dieses große europäische Individuum zeichnet sich für ihn durch die Vielheit und den Reichtum seiner Kultur, durch „Mannigfaltigkeit und Veränderlichkeit“ aus. Der Geist des Menschen hat sich hier ins Unendliche differenziert und ist darüber zu manchem fähig geworden, wozu er es in der Einheit nicht bringt. Diese Trennung in Nationen, Weltanschauungen und Religionen verleiht diesem Erdteil ein einmalig vielfältiges Erscheinungsbild im Gegensatz zu Asien: zwar dem Land der „Geburtsstätte des höheren Menschen und die Wiege aller höheren Kultur, der Sprache, Religion, Künste und Wissenschaften“, aber der Einförmigkeit, entweder eines „schläfrigen Friedens“ oder einer „despotischen Politik“.

Dennoch ist dieses Preislied auf den europäischen Geist nicht ohne Ansatz zur Kritik. Denn die Tendenz zur Trennung, welche zwar der Ursprung der Reichhaltigkeit des europäischen Erscheinungsbildes ist, macht potenziert und auf die Spitze getrieben Europa zum „Sitz des Streites“, zu einem Ort, wo politische, militärische und geistige Machtkämpfe toben. Und weil dieser Charakter Europas nun immer mehr zum Vorschein kommt und sich mit ihm ein allmähliches Erstreben der höheren Erkenntnisorgane und eine „zunehmende Unfähigkeit“ zur höchsten Blüte der Kultur und zur Religion verbindet, fordert Schlegel in seiner Pariser Zeitschrift Europa auf, sich aus diesem Chaos der Kämpfe um die Vorherrschaft zu erheben und sich auf seine Kulturprinzipien zu besinnen. So gehört er mit Kierkegaard zu den großen Rufern des 19. Jahrhunderts, die das schlafende Europa wecken wollen zur geistigen und religiösen Wiederherstellung des Bewußtseins.

Aber Schlegel war in diesem Jahre 1803 nicht nur der europäischen Literaturgeschichte, sondern gerade auch orientalischen Studien zugewandt. Und diese orientalischen Studien, die ihn nun schon seit einem Jahr beschäftigen, bewegen ihn zu Beginn der Vorlesungen zu einem neuen Gedankengang, der um den Begriff der Mythologie kreist. Gewiß ist das Denken Schlegels schon seit 1794 durch diese Idee bestimmt gewesen. Aber hier in Paris tut sich eine bemerkenswerte Wandlung dieses Begriffes kund, die vielleicht den deutlichsten Aufschluß über die Veränderung des Schlegelschen Weltbildes gibt.

Schon von früh an sind Schlegels Arbeiten durch den Versuch gekennzeichnet, dem Gang der menschlichen Kultur und den Stationen der Geschichte des Bewußtseins auf die Spur zu kommen, ein „Newton der Geschichte der Menschheit“ zu sein. Ein wichtiger Begriff dieses geistesgeschichtlichen und typologischen Denkens beim jungen Schlegel heißt Mythologie oder mythisches Denken, das in sinnbildlichen Geheimlehren über das unbegreifliche Wesen der Natur in Mysterien und Kulten seinen Ausdruck findet. Die ersten Schriften Schlegels sind erfüllt von einem Preis dieses mythischen Denkens bei den Alten und der mystischen Poesie voll Kraft und Herrlichkeit, gegenüber der die spätere Philosophie nur als vernunftmäßig umgedeutete Götterlehre erscheint. Hören wir doch wenigstens einige der begeisternden Sätze aus Schlegels unwillkürlich an den jungen Nietzsche erinnernden Aufsatz „Orphische Vorzeit“: „Mag die Ahnung des Unbedingten noch so dunkel, mag der Ausdruck des Geahnten noch so sinnlich sein:

es ist der erste Schritt in eine ganz andere Welt, der Anfang einer neuen Bildungsstufe. Die Tänzer, welche um das Bild der Artemis zu Ephesus enthusiastische Waffentänze feierten, deren Stiftung man den Amazonen andichtete, der Priester, welcher die Artemis zur Natur umdeutete, der Künstler, welcher sie auf die bekannte Weise allegorisch bildete, der Dichter, welcher sie als solche besang, Herakleitos, der seine Schrift von der Natur im Heiligtume der großen Göttin niederlegte, sie alle, so verschieden auch die Art ihrer Mitteilung und die Deutlichkeit ihrer Begriffe sein mochte, waren von einem und demselben Gegenstande begeistert. Sie waren voll von der lebendigen Vorstellung einer unbegreiflichen Unendlichkeit. Ist nun diese Vorstellung Anfang und Ende aller Philosophie und äußert sich die erste Ahnung derselben in bacchischen Tänzen und Gesängen, in enthusiastischen Gebräuchen und Festen, in allegorischen Bildern und Dichtungen, so waren Orgien und Mysterien die ersten Anfänge der hellenischen Philosophie, und es war kein glücklicher Gedanke, die Geschichte derselben mit dem Thales anzufangen und sie plötzlich wie aus Nichts entstehen zu lassen. Wir sollten die hellenischen Orgien und Mysterien also nicht als fremdartige Flecken und zufällige Ausschweifungen, sondern als wesentlichen Bestandteil der alten Bildung, als eine notwendige Stufe der allmählichen Entwicklung des hellenischen Geistes mit Ehrfurcht betrachten."[10]

Hier ist die Mythologie der mütterliche Boden, aus dem alle Poesie und Philosophie erwachsen. Sie ist der feste Halt und der Mittelpunkt des Bewußtseins, der alles Gedachte und Gedichtete zusammenschließt, so daß kraft der Mythologie sich alles zu einem Ganzen, zu einem „einzigen, unteilbaren, vollendeten Gedicht" fügt. Aber Schlegels Zuwendung zu den Griechen galt in Wirklichkeit der eigenen Zeit. Von anfang an war er ein „rückwärts gekehrter Prophet", der das goldene Zeitalter der Künste und Wissenschaften, wo alles in freier Einheit gebildet ist, für die eigene Epoche zu erringen trachtete. Und bei diesem Bestreben wurde er zum erstenmal zum Zeitkritiker. Denn eine Mythologie als Mittelpunkt des Bewußtseins und der Poesie, eine „Blüte der Phantasie, sich unmittelbar anschließend und anbildend an das Nächste, Lebendigste der sinnlichen Welt" – das ist es, woran es der modernen Zeit in seinen Augen kümmerlich gebricht. Und so entsteht ihm die Aufgabe, der eigenen Zeit einen neuen Mythos zu entwerfen: die „Ordnung des Chaos, welches nur auf die Berührung der Liebe wartet, um sich zu einer harmonischen Welt zu entfalten".

Aber hierbei gewinnt der Begriff Mythologie einen neuen Sinn. Der neue Mythos kann sich nur auf dem umgekehrten Wege wie der antike bilden. Jener stand am Anfang als der Urgrund, aus dem Wissenschaft und Kunst erquollen; dieser kann nur am Ende einer Differenzierung stehen, die wieder zur Einheit umschlägt, er muß sich „aus den Tiefen des Geistes herausarbeiten"; jener ist das Nächste und Lebendigste, dieser das „künstlichste aller Kunstwerke". Wo könnte er gefunden werden, wenn nicht in jener Bewegung, die auch ein Kunstwerk des Geistes ist, die sich auch aus der innersten Tiefe des Geistes von selbst herausgearbeitet hat: in dem „großen Phänomen des Zeitalters", in dem Idealismus. Diesem wird jetzt die Aufgabe zugesprochen, welche die alte Mythologie ohne Anstrengung bewältigt hatte, nämlich Poesie und Philosophie zu vereinigen, die Kunst zur Wissenschaft und das Leben zur Kunst zu machen, die neue Religion zu sein.

Und so läßt Schlegel in seinem poetischen Symposion den Ludoviko verkündigen, daß „der Idealismus in praktischer Hinsicht nichts anderes ist als der Geist jener Revolution, die große Maxime derselben", wenn auch nur ein Zweig.[11] Spinoza, die neue Physik in mythischer Sprache – alles dies ist nichts anderes als „ein hieroglyphischer Ausdruck der umgebenden Natur in der Verklärung von Phantasie und Liebe". Es ist Weltbilddichtung in der zweiten Potenz, ein systematisches Begreifen der Welt mit anschließender Übersetzung in die poetische Sprache der Offenbarung der Natur.

Noch im Jahre 1802 vertritt Schlegel in Paris diese Auffassung von der idealistischen Philosophie und romantischen Poesie in ihrer Hinordnung zur Mythologie. Dort trifft er die wichtige Unterscheidung zwischen der exoterischen und der esoterischen Poesie[12], welche den Schlüssel zum Verständnis dieses frühidealistischen und frühromantischen Mythologiebegriffes bildet. Die exoterische Poesie ist die klassische, gewissermaßen die kleine Poesie, welche die Welt verkünstlicht und sich bei der Darstellung des Schönen an die Formproportionen hält, welche das menschliche Auge gewöhnt ist. Die esoterische Poesie geht über den Menschen hinaus und sucht Natur, Welt und Mensch im ganzen zu umfassen und in einem neuen Mythos zu synthetisieren. Da dieser nicht mehr ursprünglich vorhanden ist, stellt sie die Forderung zu einer höheren Kombination desselben mit dem Ziel, „die eigentlich unnatürliche und verwerfliche Trennung der Poesie und Wissenschaft" in diesem neuen Mythos, dieser neuen Religion aufzuheben. Den Anfang dazu erblickt Schlegel in der neuen Kunstsprache der Physik, die Vollendung wäre ein großer mythischer Roman; aber nicht mehr nach Art des Wilhelm Meister, der ja das Produkt künstlicher, poetischer Poesie ist, sondern ein Roman im Stile des Heinrich von Ofterdingen von Novalis, der auch in der Sphäre dunkler, geheimnisvoller Urgründe des Seins vertraut ist. Das ist wohlgemerkt noch seine Auffassung im Jahre 1802, aber schon in dieser Zeit machen sich Spuren einer gewaltigen Änderung in der Auffassung dieser zur Religion erhobenen Mythologie bemerkbar.

Bis zu diesem Zeitpunkt zeigt sich wiederum eine erstaunliche Parallele zwischen den Schlegelschen und Schellingschen Auffassungen der Mythologie. Auch Schelling hatte in seinen frühen Schriften im Mythos den Ausdruck der poetischen Wahrheit gesucht, die andere Sprache der Weltbilddarstellung neben der wissenschaftlichen. Auch Schelling war über die rationalistisch-historische Mythenerklärung, welche den Mythos zum Notbehelf und zur Vorform der Wissenschaft degradiert, weit hinaus und sah ebenso wie Schlegel im Mythos die urbildliche Welt selbst aufgefaßt, und zwar in einem höheren, symbolischen Denken, bei dem Sein und Bedeutung ineinander fließen. Ferner huldigte auch Schelling der Idee des neuen Mythos, der damit beginnt, die Erkenntnisse der höheren Physik zu poetisieren und der insgesamt nach einer neuen, symbolischen Weltbilddichtung strebt.

Später jedoch, nach der großen Wandlung, welche der Aufbruch nach München und der Einfluß Baaders einleiten, wird die Idee des Christentums zu einem zentralen Erlebnis Schellings und zum Anstoß für neue geistige Einsichten und Entscheidungen. Diese Entdeckung verbindet sich mit einer Relativierung der früher zur Religion erhobenen Mythologie. „Mythologie und Offenbarung" werden jetzt zu gegensätzlichen Begriffen, oder doch zu sukzessiven Gliedern des „theogonischen Prozesses", der ein Werden Gottes im Bewußtsein ist. Und der höchste Zusammenhang, von dem nun die Mythologie als Vorahnung der christlichen Religion und die Mythen als Manifestationen göttlicher Potenzen in ihrer Getrenntheit und in ihrem Gegeneinander verstanden werden können, ist die Philosophie der Offenbarung, für welche die Philosophie der Mythologie die notwendige Vorbereitung darstellt. In seinem späten System der positiven Philosophie hat Schelling diesen Gedanken am deutlichsten ausgeführt. Das Ziel des universellen und philosophischen Verständnisses wirklicher Religionen führt ihn hier mit der Analyse des Hauptbegriffs Monotheismus zu einem geistig philosophischen Durchdringen und höchsten Begreifen der einzelnen Faktoren des Mythologie erzeugenden Prozesses, so daß die Mythologie in ihren verschiedenen Stadien konstruktiv erklärt werden kann und im Übergang zum philosophischen Begreifen der Offenbarung die philosophische Religion entsteht, welche die Faktoren der wirklichen Religionen als begriffene und verstandene in sich hat und also frei ist.

Es ist nun verblüffend und für den Versuch, mit der historisch-vergleichenden Methode den Sinnzusammenhang in der Entwicklung dieser gesamten Geistesepoche zu erforschen, bedeutet es einen großen Fund, wenn im vierten Kapitel der Schlegelschen Literaturgeschichte von Paris und also schon im Jahre 1803 das Postulat erhoben wird, die Mythologie philosophisch zu deuten und „aus der Wahrheit selbst, aus der wahrhaften, einfachen Religion" zu erklären; und wenn dann weiter die Idee der Offenbarung gewonnen und der Mythologie entgegengesetzt wird und sich so jenes philosophische, an der Wahrheit orientierte Verstehen der Mythen Bahn bricht, das Schlegel wiederum „Charakteristik" nennt und das in „Sprache und Weisheit der Indier" endgültig zur Absage an den Pantheismus, an den Künstler- und Spieler-Gott und an das Pulsieren der Weltseele führt. Ebenso wie später bei Schelling rückt schon jetzt bei Schlegel die Offenbarung an die Stelle, welche früher der Mythologie vorbehalten war, allerdings mit dem wichtigen Unterschied, daß Schlegel bei diesem philosophischen Begreifen der Mythengeschichte keine theogonischen und mythologischen Prozesse der geistigen Läuterung und progressiven Annäherung an den Monotheismus kennt. Sein Prinzip der philosophischen Durchdringung dieser mythischen Bewußtseinsformen ist das der „Uroffenbarung des Gefühls", in welcher dem Menschen ursprünglich das Wesen des unendlichen Geistes als des Einen, im Bilde des Vaters und Königs kundgetan ist. So steht der Monotheismus für Schlegel am Anfang der Entwicklungsgeschichte des Bewußtseins, und die polytheistischen Mythen, sofern sie sich nicht durch Einordnung der Untergottheiten doch noch mit dem Monotheismus versöhnen lassen, sind, ebenso wie die pantheistischen, philosophisch als mißverstandene Uroffenbarung zu begreifen. Für Schlegel gibt es also keinen Bewußtseinsprozeß, bei dem aus der mythischen Erklärung von realiter erlebten Naturmächten in gesetzlicher Aufeinanderfolge der göttlichen Potenzen sich der richtige Begriff des Monotheismus progressiv entwickelt. Will man dennoch bei ihm von einem gewissen gesetzlichen Prozeß des Bewußtseins in Hinsicht auf die Gotteserfahrung sprechen, dann nur in dem Sinne, daß auf den Monotheismus der Uroffenbarung der nicht mehr mit diesem Monotheismus zu vereinende Polytheismus hypertrophierter Untergottheiten folgen kann, der sich dann aber unter dem Eindruck der drei Offenbarungen der Natur, der Geschichte und der Schrift in ihrer Konvergenz zum richtigen Verständnis der göttlichen Einheit als Dreiheit in der Aequalitas spekulativ erheben kann. So scheint in diesem Punkte die geistige Verwandtschaft Schlegels mit Görres die größere zu sein.

Mit der Erörterung dieser drei Ideen – der universellen Kulturphilosophie, des richtig konstruierten Kulturstaates Europa und der aus der Offenbarung philosphisch verstandenen Mythologie – schließen wir die Charakteristik des Pariser Vorlesungsmanuskriptes ab. Diese Ideen drücken am deutlichsten die Erkenntnisse aus, welche Schlegel in dieser Zeit seines Wendepunktes gewonnen hat und die ihn schon bald danach zu neuen Einsichten führen. Wie diese geistige Entwicklung in Fluß gekommen ist und sich dann weiter vollzieht, vergegenwärtigt uns der Trierer Nachlaß Schlegels noch einmal unter einem anderen Gesichtspunkt.

2. 17 Hefte Friedrich Schlegels zur Poesie, Literatur, Philologie und zur griechischen Poesie von 1794-1812

Wir sind in der glücklichen Lage, hier auf weitere unveröffentlichte Quellen aufmerksam machen zu können, die uns die Neubesinnung des Schlegelschen Denkens in diesen kritischen Übergangsjahren von 1802/03 noch einmal vor Augen führen, die uns noch plastischer und direkter in die innere Problematik des frühidealistischen und frühromantischen Ringens einblicken lassen und die noch einmal das Exemplarische und Typische dieser Denkbewegung darstellen. Es handelt sich dabei um einige Notizhefte, die private Aufzeichnungen, Pläne und Entwürfe Schlegels enthalten. Auch sie stammen aus den Jahren 1802/03.

Sie bilden den Teil einer umfassenderen Schriftensammlung, die in der Trierer Stadtbibliothek liegt. Diese vermittelt ein Gesamtbild der poetischen Anschauungen Schlegels von 1794-1812. Im einzelnen enthält dieser große Nachlaß folgende Schriften:

1. Geschichte der attischen Tragödie (12 Blatt)
2. Von den Zeitaltern, Schulen und Stilen der griechischen Poesie, 1795 (32 Blatt)
3. Von der Schönheit in der Dichtkunst, I und II (23 Blatt)
4. Von der Schönheit der Dichtkunst, III (16 Blatt)
5. Geschichte der lyrischen Dichtkunst unter den Griechen, I (20 Blatt)
6. Vom Ursprung der griechischen Dichtkunst (4 Blatt)
7. Charakteristik der griechischen Tragiker (12 Blatt)
8. Von den Organen der griechischen Poesie (13 Blatt)
9. Zur Philologie (24 Blatt)
10. Zur Philologie (25 Blatt)
11. Zur Poesie, I, Paris 1802, Jul. (24 Blatt)
12. Zur Poesie, II, Paris 1802, Dezember (24 Blatt)

13. Zur Poesie, anno 1803 (23 Blatt)
14. Zur Poesie 1803, II, Julius (23 Blatt)
15. Zur Poesie und Literatur, 1808, I (36 Blatt)
16. Zur Poesie und Literatur, 1810, I (36 Blatt)
17. Zur Poesie und Literatur, 1812 (48 Blatt).

Diese Trierer Manuskripte sind für die Erforschung der Geistesgeschichte des frühen 19. Jahrhunderts und für den Versuch einer umfassenden Schlegeldeutung von unschätzbarem Wert. Ihre Bedeutung liegt nicht allein darin, daß sie in ziemlicher Vollständigkeit die sukzessive Gedankenfolge aus einer derart wichtigen und langen Zeitspanne enthalten. Der Wert dieser Schriften gründet sich ebensowohl auf ihr Thema, die Theorie der Poesie und Literatur.

Schlegels große Wandlung im politischen und kulturhistorischen Denken ist uns in ihren Grundzügen wenigstens schon bekannt geworden. Sein philosophisches Itinerarium von 1796-1806 als Weg von Kant und Fichte zu einem neubelebten und aus der idealistischen Philosophie neu verstandenen Christentum ist uns heute mit dem Fund der „Philosophischen Lehrjahre" Schlegels auch wieder zugänglich geworden. Fehlte nun noch die entsprechende Geschichte seiner Bildung im poetischen und literarischen Bereich. Mit diesen Trierer Schriften steht auch diese der Forschung wieder zur Verfügung. Sie zeigen auf das anschaulichste, wie das Streben dieser Epoche, das Ganze der Welt in einem pantheistischen und neuartigen System mythischer Symbolik zu fassen, nun plötzlich unter dem Zwang des richtigen Denkens umschlägt und wie aus der Kritik und dem Vergleich typischer Arten der Systembildung eine neue, universalere Weltanschauung gewonnen wird, in der die frühen Bestrebungen in einem neuen Geist fortleben. Diesen Umschlag des Denkens in der poetischen Disziplin des Weltsystems in einzlenen Etappen und suchenden Schritten aufzuweisen – darin liegt der große Wert und die exemplarische Bedeutung der Trierer Handschriften. Sie stellen dar, wie aus dem Ziel, eine neue Religion zu stiften, der Zeit einen neuen Mittelpunkt, einen neuen Mythos zu geben und das Bewußtsein mit der Vereinigung von Poesie und Philosophie zu renovieren, allmählich die Erkenntnis heranreift, daß diese Religion als universales Lebensprinzip und diese große, Sein und Werden, Natur und Geschichte umfassende Weltanschauung im Christentum schon vorhanden ist und daß es nicht darum geht, eine neue Religion zu konstruieren, sondern nur darum, die vorhandene richtig zu verstehen. In diesem Sinne sagt Schlegel in einem Fragment aus dem Jahre 1805: „Jede mögliche Religion ist im Christentum schon a priori mitumfaßt; daher ist es Torheit, eine neue Religion stiften zu wollen. – Die subjektive (formlose) Religion des Gefühls ist [so] irreligiös, als individuell und egoistisch, läßt sich daher leicht widerlegen. – Das Christentum ist eine universelle Religion; daher auch die Mischungsversuche überflüssig."

Das ist der große Gesichtspunkt zum Verständnis dieser Hefte. Wendet man sich einmal dem Wendepunkt dieses Denkens, den Notizen aus der Zeit von 1802 zu, dann tritt man gleichsam in die Werkstatt von Schlegels geistigem Schaffen. In keinen Heften macht sich so wie in diesen, schon der äußeren Form nach, der Übergangscharakter bemerkbar.

Gewagteste Kombinationen, ja oft überspannt und peinlich scheinende Versuche, die ständig widerrufen und durch noch tollere Einfälle ersetzt werden, bilden ihren hauptsächlichen Inhalt. Dabei geraten die scheinbar fest gefügten Absichten und Begriffe der romantischen Bewegung und idealistischen Philosophie erneut in Fluß und alles wird wieder in Frage gestellt. Mit den Namen großer historischer Persönlichkeiten verbinden sich sofort kühne Pläne für zukünftige Epen, Dramen oder Romane; die einzelnen Kunstformen werden selbst auch wieder variiert; Shakespeare, Cervantes sollen umgedichtet, eine neue Bibel soll geschrieben werden; kurz, es ist der Eindruck allgemeiner Konfusion, der bei der Lektüre dieser Hefte von 1802 entsteht.

Sie zeigen Schlegel auf der Suche nach einem neuen Weg. Dabei geht es ihm zunächst um die Erfassung der rechten Grundquelle der Kombinatorik, die er in der Poesie sieht, in der Kunst als solcher, in der sich das ganze Leben überhaupt spiegelt und die in ihren Formen vielgestaltig wie das Leben ist. Bacchus, Herkules, Salomo, Genoveva, Magdalena, Rosamunde, Celestine usw. erscheinen ihm als Urphänomene der Dichtung und des Lebens, die mit den anderen geplanten Werken: den orientalischen Gedichten, den indischen Legenden, Hieroglyphen über die Natur der Dinge, Märchen, nordischen Romanzen und wie sie alle heißen mögen in den verschiedensten Kunstformen der Elegien, Romanzen, Dramen, Romane usw. integriert werden sollen zu einem poetischen System der gesamten Erfahrung, zu einer poetischen Wissenschaftslehre über den philosophischen und politischen Republikanismus. Dabei soll dieses poetische System noch 1802 rein von der ästhetischen Immanenz aus konstruiert werden: die Poesie steht am Anfang und dehnt sich auf die gesamte Wirklichkeit aus. Es ist ein rein „ästhetisches Ganzes", zu dem Schlegel hier strebt, die „innere Natur" bildet die Form.

Wie sich nun aus diesem allgemeinen Chaos von 1802 eine neue Form entwickelt, wie an die Stelle des Mythos das Christentum tritt, wie sich aus der kühnen Verbindung der philosophischen mit der poetischen Weltanschauungskritik („Der weltanschauliche Kreislauf der Poesie ist der gleiche wie bei der Philosophie") eine neue Einheit des Weltbildes ergibt, wie schließlich an die Stelle des goldenen Zeitalters der romantischen Wissenschaften und Künste das christliche Reich der spiritualis intelligentia, eines völlig neuen mystischen und symbolischen Verstehens aller Dinge und Vorgänge tritt, – davon geben einige Beispiele aus dieser Fragmentensammlung den besten Eindruck. [. . .]

ANMERKUNGEN

1 Dieser, für die Geschichte der idealistischen Philosophie hochbedeutsame Zusammenhang ist von Horst Fuhrmanns genauestens erforscht worden. (Schellings Philosophie der Weltalter, Düsseldorf 1954, S. 166 ff.).

2 Zitiert nach Fuhrmanns, S. 170.

3 Friedrich Schlegels Briefe an seinen Bruder August Wilhelm, hsg. von O. Walzel, 1890, S. 501 ff.

4 Friedrich Schlegels philosophische Vorlesungen aus den Jahren 1804-1806, hsg. von C. H. J. Windischmann, Bonn 1836.

5 Friedrich von Schlegels sämtliche Werke, 1. Band, Wien 1846, Vorwort des Verlegers.

6 Friedrich Schlegels Briefe an seinen Bruder August Wilhelm, hsg. von O. Walzel, S. 501. Dorothea von Schlegel und deren Söhne. Briefwechsel, hsg. von J. M. Raich, I, S. 110.

7 Helmina von Chézy, Unvergessenes, Leipzig 1858, I, S. 247ff.; J. Fr. Reichardt, Vertraute Briefe, aus Paris, Hamburg 1805, I, S. 443f.

8 J. Körner, Die Urform der Lucinde. (Das literarische Echo, XVI, Jg., Heft 14, Sp. 949/54, 1914.); J. Körner, Neues vom Dichter der Lucinde. (Preußische Jahrbücher, Bd. 183/84. Jg. 1921, S. 309ff.); J. Körner, Romantiker und Klassiker, Berlin 1924; Fr. Schlegel, Neue philosophische Schriften, hsg. von J. Körner, Frankfurt 1935.

9 J. Körner, Romantiker und Klassiker, S. 9. Ein weiteres Vorlesungsmanuskript, ebenfalls im Kölner Stadtarchiv, trägt den Titel: „Über deutsche Sprache und Literatur. 21 Vorlesungen von Friedrich Schlegel vom 12. Juny - 21. August 1807 in Kölln uns privatissime gehalten." Dieses Manuskript ist von der Hand Sulpiz Biosserées.

10 Fr. Schlegel, Orphische Vorzeit, in: Geschichte der Poesie der Griechen und Römer, F. Unger, Berlin 1798.

11 Fr. Schlegel, Gespräch über die Poesie, Athenäum, 3. Band., 1. Stück, Berlin 1800.

12 Friedrich Schlegel, Litteratur, Europa, 1. Teil.

Eine Landschaft Eichendorffs

RICHARD ALEWYN

Draußen aber ging der herrlichste Sommermorgen funkelnd an allen Fenstern des Palastes vorüber, alle Vögel sangen in der schönen Einsamkeit, während von fern aus den Tälern die Morgenglocken über den Garten herauf klangen. [1]

Niemand wird sich leicht dem Zauber entziehen, der von einer solchen Landschaft Eichendorffs ausgeht. Man könnte nach dichterisch beflügelten Worten suchen, um das Frische, das Freudige, das Feierliche zu beschreiben, das in ihr zu walten scheint, – wie dies denn auch oft geschehen ist – und sich damit von ihr ergriffen bezeugen, ohne freilich zu ihrer Erkenntnis etwas beigetragen zu haben. Man kann sich indes auch dem Zirkel der tautologischen Paraphrasen entziehen und sich um die Erkenntnis ihres Wesens bemühen. Soweit dies der Mühe wert gefunden worden ist[2], hat man sich dabei an die Bestandteile gehalten, aus denen Eichendorffs Landschaft zusammengesetzt scheint, wobei man freilich häufig Anlaß zur Klage über ihren Mangel an Kontur und Körperlichkeit gefunden zu haben glaubt.

Unbestreitbar, ein Sommermorgen, ein Palast in einem Garten, singende Vögel, Täler, Glockenklänge – dies alles sind Vorstellungen, die als solche schon so mit Poesie erfüllt sind, daß es genügt, sie aufzurufen, um einen günstig disponierten Leser in Stimmung zu versetzen. Immerhin hätte es sich gelohnt zu fragen, welchen Eigenschaften schon die einzelnen Bestandteile einer solchen Landschaft die evokativen Werte verdanken, die sie zu Trägern romantischen Naturgefühls macht. Aber dies gehört in eine Untersuchung der romantischen Symbolwelt, die uns hier nicht zu beschäftigen braucht. Es scheint nämlich, daß auch mit einer Ausdeutung ihrer stofflichen Inhalte das Wesen der Eichendorffschen Landschaft nicht erschöpft wäre, daß also etwa die Landschaft, mit der wir diese Betrachtung eröffnen, noch mehr enthält als die Summe ihrer Teile, ja, daß sie aus einem solchen Element, das zu ihren Teilen hinzutritt und sie verwandelt, überhaupt allererst entsteht. Um uns dessen zu vergewissern, wollen wir einige Landschaften von anderer stofflicher Zusammensetzung aufsuchen.

Ein leichter Wind ging rauschend durch die Wipfel des einsamen Gartens, hin und wieder nur bellten Hunde aus entfernteren Dörfern über das stille Feld (II, 66). Hier ist in der Stimmung vieles verändert: Es ist Nacht geworden, die sichtbare Welt ist versunken, und nur an das Ohr noch drängt die Landschaft heran. Dabei erkennt man manche Bestandteile der ersten Landschaft unschwer wieder: den Garten, auch die Einsamkeit, die diesmal dem Garten zugeteilt wird, vielleicht auch die Dörfer, die in der ersten Landschaft aus den Morgenglocken zu erschließen waren. Auch hier ist alles übrige: der Wind und die rauschenden Wipfel, der einsame Garten und das stille Feld schon als bloße Vokabel „poetisch". Es scheint keiner Kunst zu bedürfen, aus diesen Ingredienzien „Stimmung" herzustellen. Aber bellende Hunde sind alles andere als ein „poetisches" Motiv. Das Merkwürdige an Eichendorffs Landschaft ist aber nun, daß das Hundebellen mit dem Wipfelrauschen so dissonanzlos zusammenstimmt, mehr noch, daß es etwas Unentbehrliches zur Landschaft beiträgt. Man mache nur den Versuch, es wegzudenken, und man wird erfahren, daß dann die ganze Landschaft in sich zusammenstürzt.

Ein anderes Beispiel soll diese Beobachtung bestätigen: [Er] *war an den Abhang des Gartens getreten und schaute in das dunkle Tal hinaus; man unterschied nur noch einzelne Massen von Wald, Feldern und Dörfern, durch die weite Stille kam der dumpfe Schlag eines Eisenhammers herüber* (IV, 159). Auch hier sind gewisse Elemente der vorigen Landschaften wiederzuerkennen: Der Garten am Abhang, das Tal, die Dörfer. Auch hier hat die Nacht die Gestalten ausgelöscht und die Geräusche geweckt. Aber an der Stelle der Glocken und des Hundebellens ist es nun der Schlag eines Eisenhammers, der das Ohr erreicht. Maschinenlärm aus einer Fabrik – denn um nichts anderes handelt es sich – etwas weniger Romantisches ist schwer zu denken. Kein Motiv würde man Eichendorff weniger zutrauen, und doch hat er es, ebenso wie das Hundebellen, nicht nur einmal, sondern viele Male in seine Landschaft verwoben, ohne daß bisher irgend jemand daran auch nur Anstoß genommen hätte. Es gibt keinen besseren Beweis dafür, wie widerspruchslos sich auch das mechanische Erzeugnis in die Landschaft einfügt. Mehr noch, der Hammerschlag hier und das Hundebellen vorher versehen an ihrer Stelle die gleiche Funktion wie das Glockenläuten in der sonntäglichen Landschaft des Anfangs. Welche dies ist, kann sich erst am Ende der Untersuchung ergeben.

Wenn also durch und durch „unromantische" Erscheinungen, denen kein poetischer Reiz abzugewinnen wäre, ihre „prosaische" Natur soweit abstreifen können, daß sie Bestandteile von Eichendorffs Stimmungslandschaft werden können, ja, wenn sie, wie uns zunächst ein unbestimmtes Gefühl sagt, in ihrem Aufbau eine entscheidende Rolle spielen können, dann wird die Zerlegung in ihre Bestandteile nicht ausreichen, um dem Geheimnis von Eichendorffs Landschaft auf die Spur zu kommen. Es empfiehlt sich daher, einmal eine einzelne Landschaft Eichendorffs als ganze Gestalt zu befragen.

Unsere Probe steht in „Viel Lärmen um Nichts" (1832), einer der geringeren Erzählungen Eichendorffs, in der sich Dichterisches und Satirisches zu einer Mischung verbindet, deren man nicht recht froh wird. Ihr Fundort ist aber auch belanglos. Sie könnte an dieser Stelle fehlen, ohne eine Lücke zu hinterlassen. Sie könnte umgekehrt an hundert anderen Stellen von Eichendorffs Werk auftreten und wäre dort nicht weniger am Platz. Und in der Tat – auch beim flüchtigsten Blättern wird man bei Eichendorff Landschaften begegnen, die nichts als eine Versetzung ihrer Elemente darzustellen scheinen. An der Stelle der *Morgenglocken* ertönen die Nachtigallen oder die rauschenden Wälder, aber statt *aus den Tälern* hört man sie von den Bergen, und statt *über den Garten* heißt es wohl auch über das stille Feld. Je weiter man umschaut, desto mehr entdeckt man, daß Eichendorffs Landschaften nur aus wechselnden Kombinationen einer beschränkten Zahl von Elementen bestehen, kurz, daß sie nichts darstellen als die Abwandlungen einer einzigen Urlandschaft, die den Hintergrund seiner Erzählungen bildet und in ihnen ständig gegenwärtig ist wie eine leise Musik.

Damit ist aber auch schon ausgedrückt, daß die einzelne Landschaft meist ohne Beeinträchtigung aus ihrem Zusammenhang gelöst werden kann. Die freie Natur ist zwar der Schauplatz der überwältigenden Mehrzahl der Vorgänge in Eichendorffs Erzählungen, und auch, wo diese ausnahmsweise einmal unter einem Dach einkehren, bleibt sie wenigstens durch das Fenster stets erreichbar. Aber selten nur ist eine bestimmte Landschaft untrennbar mit einer bestimmten Begebenheit der Handlung oder der Empfindung einer Person verknüpft. Insbesondere kann keine Rede davon sein, wie von ungenauen Lesern behauptet wird – und kein Dichter hat ungenauere Leser gefunden als Eichendorff –, daß es „subjektive" Landschaften seien, die bestimmt seien, die Gefühle der Personen oder des Verfassers widerzuspiegeln, wie dies etwa die Landschaften Jean Pauls tun.

Es wäre daher auch in unserem Falle recht gleichgültig zu wissen, daß an dem fraglichen Sommermorgen im Palast der eitle Prinz Romano sich vor allen anderen Bewohnern erhoben hat, um sich ungestört seiner Morgentoilette widmen zu können, wenn nicht das *Draußen* wäre, mit dem unsere Landschaft einsetzt – und das voraussetzt, daß die Erzählung bis dahin im Inneren verweilt hat – und wenn nicht das folgende *aber* anzeigte, daß mit dem Wechsel des Schauplatzes auch ein Wechsel der Stimmung eingetreten ist. Dies kann der Landschaft selbst nicht entnommen, es muß aus der Kenntnis des Zusammenhanges berichtet werden. Die Heimlichkeit des alternden Gecken mit seinen kosmetischen Utensilien, den *Kämmen, Flaschen und Büchschen, die auf allen Stühlen herumlagen* (IV, 262), zu belauschen, war durch und durch unerquicklich gewesen. Die Veränderung des Schauplatzes wirkt demgegenüber wie eine Befreiung. Dabei handelt es sich hier zwar auch um den Gegensatz zwischen Natur und Unnatur, aber dieser Gegensatz deckt sich nicht nur zufällig mit dem Gegensatz zwischen der freien Landschaft und dem Zimmer, wie sich durch zahllose Parallelen belegen läßt. Es ist nicht zu sagen, wie oft bei Eichendorff ein solches „Draußen" oder gar ein „Draußen aber" einen Übergang ins Freie einleitet. Beinahe ebenso oft aber ist dieser Wechsel begleitet von einem Gefühl der Erleichterung, – eine Verlockung, der auch der Prinz Romano an dieser Stelle nicht wird widerstehen können.

Damit haben wir unvermutet schon zwei vorläufige Bestimmungen der Eichendorffschen Landschaft gewonnen, die freilich zufällig sein können. Sie unterscheidet sich als freier vom geschlossenen Raum, und sie vermittelt das Gefühl der Freiheit, eine Bestimmung, deren Ergiebigkeit sich freilich hier nicht erschöpfen läßt.

Wozu aber sind wir ins Freie geholt worden? Wenn wir – ein nominalisierendes Geschlecht – zunächst den Hauptwörtern die Auskunft abzufragen suchen, bietet sich uns das Subjekt des ersten Satzes: *Sommermorgen,* – eine Tageszeit in einer Jahreszeit, wenn auch mehr als nur ein astronomischer Begriff. Eine ganze Anzahl von durchaus zulässigen, wenn auch nicht klar abgrenzbaren Assoziationen stellt sich ein, wie: grünende Natur, Sonnenschein, ungebrochene Frische usw., zu denen das Adjektiv „herrlichster" noch eigens ermutigt. Aber Eichendorff sagt nicht „Draußen war der herrlichste Sommermorgen", sondern: er *ging vorüber,* das heißt also, er schreibt dieser so dehnbaren Vorstellung ein Verhalten zu, das wir nur wirklichen Körpern zuzugestehen gewohnt sind, eine Bewegung. In solchen Fällen sprechen Stillehren von „Personifikation" und setzen – gleichsam als Entschuldigung – hinzu, daß sie der „Veranschaulichung" dienen. Nun, wenn Eichendorff nur geschrieben hätte: „ging am Palast vorüber", dann könnte man sich mit Hilfe einer Schwindschen oder Richterschen Phantasie einen rotwangigen Jungen vorstellen, der pfeifend und die Hände in den Hosentaschen am Gartenzaun entlangschlendert. Solche Personifikationen von Tages- oder Jahreszeiten sind Eichendorff nicht fremd. Sie haben stets den Zweck, diese als Bewegung durch die Landschaft darzustellen. Eichendorff hätte dann freilich besser getan, auf das Atribut *herrlichste* zu verzichten, das zu farblos ist, um zur Anschaulichkeit beizutragen, und dessen Superlativierung den „schmückenden" Charakter nur noch unterstreicht, das sich jeder bestimmteren Vorstellung jedoch völlig in den Weg stellt.

Woran aber ein solcher Versuch geradezu scheitern muß, ist das *funkelnd,* wobei es dahingestellt sein soll, ob wir dieses Partizip mehr adjektivisch als eine Eigenschaft oder mehr verbal als eine Tätigkeit des Sommermorgens auffassen sollen. „Funkeln" nennt man das Spiel des Lichts, besonders das Spiel von Reflexen auf einer spiegelnden Fläche. Eichendorff liebt die Spiegelungen des Lichts auf Gewässern, Metallen, Steinen und Gläsern. Er beobachtet auch gern den Widerschein der Sonne auf Fenstern. Gleich nach unserer Stelle läßt er dieselben Schloßfenster noch einmal nach einer anderen Seite des Gartens *herüberleuchten* (IV, 264), so wie sie auch schon kurz vorher in der Abendsonne beschrieben worden waren, mit *den spiegelnden Fenstern noch hell herüberleuchtend* (IV, 259). Diese Stellen sind sogar bezeichnender als die unsrige für das Verhalten des Lichts in Eichendorffs Landschaft, das nicht so häufig als die Tätigkeit einer Lichtquelle oder die Beschaffenheit eines Gegenstandes aufgefaßt wird wie als räumliche Bewegung. Als Quelle des Lichts ist natürlich auch hier die Sonne zu denken, aber sie wird nicht genannt, und dies steht in Einklang mit Eichendorffs sonstigem Gebrauch. Die Sonne (wie auch der Mond) ist bei Eichendorff nur ausnahmsweise als Himmelskörper beschrieben, vielmehr sind es die Strahlen, die von ihr ausgehen, oder die Reflexe, die von ihr überall in der Landschaft geweckt werden, die zu Eichendorffs Landschaft einen Beitrag leisten, der allerdings wichtiger ist, als sich hier angeben läßt. Bei genauerer Besichtigung erweist sich nun auch das „Funkeln" als in Bewegung befindlich. Denn es sind nicht die Fenster, denen es zugeteilt wird, sondern der Sommermorgen, und dieser wird zugleich als „vorübergehend" beschrieben, und das Funkeln ist dem Vorübergehen adverbiell zugeordnet. Es sind hier im Grunde die zwei Prädikate des Sommermorgens, Licht und Bewegung, auf zwei Verben verteilt, die sehr wohl und für Eichendorff nicht zu kühn zu einem einzigen „Vorüberfunkeln" zusammengezogen werden könnten.

Damit aber, daß dem Sommermorgen ein Funkeln zugeschrieben wird, ist die zunächst erwogene anthropomorphe Vorstellung völlig ausgeschlossen. Wir können in dem Sommermorgen kein körperliches Wesen sehen sondern nur eine ungreifbare Lichterscheinung, und es ließen sich für eine solche Auffassung der Tageszeiten bei Eichendorff die Belege häufen: *Der Morgen blitzte herrlich über die ganze Gegend* (II, 30f.), *der Morgen schien ihnen, in langen goldenen Strahlen über die Fläche schießend, gerade entgegen* (III, 128) usf. Auch in diesen Beispielen befindet sich nun das Licht, wie in unserem Musterfalle in Bewegung. Es wird gesagt: Der Sommermorgen ging vorüber. Sofern es sich dabei um die metaphorische Übertragung einer zeitlichen Veränderung in räumliche Bewegung handelt, ist dies dem alltäglichen Sprachgebrauch geläufig. Wir sagen auch: „Der Morgen ging vorüber" und denken uns nichts dabei. Eine verblüffende Wirkung entsteht jedoch, wenn Eichendorff hinzusetzt: *an allen Fenstern.* Damit ist die Redensart beim Wort genommen. Das „Gehen" ist dadurch, daß es auf einen bestimmten Ort bezogen ist, aus einer verblaßten metaphorischen zu seiner ursprünglichen räumlichen Bedeutung erweckt.

Bevor wir nach dem Sinn dieser Anordnung fragen, wollen wir uns dessen vergewissern, daß es sich auch hier um keinen Einzelfall handelt. Wie das Walten der Tages- oder Jahreszeiten durch Licht oder Dunkel, so stellt Eichendorff ihren Wechsel gern durch Bewegung dar: Er sagt vom Mittag, er *war durch die kühlen Waldschluchten . . . vorübergezogen* (II, 19), oder vom Frühling: er gehe *rings aus den Tälern . . . über die gezirkelten Beete und Gänge* (III, 165), und mehr als einmal lesen wir: *Von den Bergen sacht hernieder Steigt die wunderbare Nacht* (I, 204, ähnlich z. B.: I, 262). Das Schwierige dieser Wendungen und das Zauberische daran ist, daß eine Tageszeit wie der Sommermorgen, die wir uns als eine Verfassung denken, in die die Landschaft gesetzt ist, statt dessen als Teil der Landschaft in diese versetzt wird und sich durch sie hindurch bewegt mit der gleichen Unbefangenheit, mit der dies in Eichendorffs Landschaften die Ströme und Wolken und Winde und die Lichter und Klänge tun.

Diese Bewegung ist noch genauer zu bestimmen: Auch Mörike sagt einmal: *Gelassen stieg die Nacht ans Land, Lehnt träumend an der Berge Wand,* so wie Eichendorff sagt: *die kühle, stille Nacht* [stieg] *über die Wälder herauf* (IV, 344). In beiden Fällen ist der Eintritt der Nacht als Bewegung in der Landschaft, genauer sogar: in die Landschaft, beschrieben. Aber bei Mörike handelt es sich eindeutig um eine anthropomorphe Personifikation und eine ganz andere Art der Bewegung. Bei Mörike ist sie dunkel und geheimnisreich. Bei Eichendorff ist sie nicht weniger wunderbar, dabei aber von einer überraschenden räumlichen Bestimmtheit. *An allen Fenstern vorüber, durch die Waldschluchten vorüber, von den Bergen hernieder, über die Wälder herauf,* das ist unvergleichlich genauer als *ans Land* und *an der Berge Rand.* Während wir bei Mörike nicht wissen, in welcher Richtung wir sein Land und seine Berge zu suchen haben, bleibt Eichendorff über den Ort des Vorganges seiner Landschaft die Auskunft selten schuldig. Wie und mit welcher Wirkung das geschieht, wird sich noch erhellen, wenn wir die anderen Bewegungen in Eichendorffs Landschaft untersucht haben.

Indem nun die Bewegung der Tageszeit als eine räumliche Bewegung von einem Punkt aus beobachtet und auf diesen bezogen wird, werden die Schwierigkeiten, die sich beim Vollzug dieser Vorstellung ergeben, nur noch größer. Wie hat man sich dieses „Vorübergehen" zu denken? Sollen wir an die Bewegung der Sonne am Himmel denken? Oder an die Verschiebung der Reflexe auf den Fenstern? Diese beiden Bewegungen haben verschiedene Richtungen, und nur die der Sonne kann allenfalls als ein „Vorübergehen" beschrieben werden. In keinem Falle aber ist die Bewegung so schnell, daß sie als solche anders als mit dem Zeitraffer wahrgenommen werden könnte. Schließlich aber ist überhaupt zwar ein einzelner Lichtstrahl als Bestandteil einer Landschaft denkbar – und Eichendorff macht von dieser Möglichkeit ausgiebigen Gebrauch – aber nicht die Helligkeit überhaupt. Wenn man die Vorstellung dieses Satzes genau zu fixieren versucht, zerfällt sie vor unseren Augen. Wenn Eichendorff es auf „Anschaulichkeit" abgesehen hätte, wäre er kläglich gescheitert, und man hat ihm in der Tat oft solche Absichten zugeschrieben, um ihm dann ihr Mißlingen ankreiden zu können. Aber der Anstoß besteht nur so lange, wie man nachrechnet, der unmittelbaren Wirkung tut die Unvollziehbarkeit dieser Vorstellung keinen Eintrag. Was hier angestrebt wird, ist offenbar garnicht Körperlichkeit sondern eine Komposition von ungreifbaren Elementen, denen wir in Eichendorffs Landschaften immer wieder begegnen: Licht, Bewegung und Raum.

Aber enthält unser Satz nur dieses? Bietet er nicht auch Greifbares? „Fenster", „Palast"? Freilich heißt es *alle Fenster*, und diese scheinbare Verstärkung ist keineswegs geeignet, die Genauigkeit zu erhöhen[3], ganz abgesehen davon, daß *alle* eine sachliche Unmöglichkeit enthält, die schon verrät, daß Eichendorff nicht buchstäblich verstanden sein wollte. Es war ihm hier nur um den Fanfarenstoß zu tun, der von der Stattlichkeit des Palastes oder auch dem Glanz des Sommermorgens einen Eindruck vermittelt.

Immerhin auch der Palast, der Ort, an dem die Erzählung sich vorher schon einige Zeit aufgehalten hat, bildet einen konkreten Teil der Landschaft, ja, er kann geradezu dazu dienen, die Bewegung des Sommermorgens örtlich zu fixieren, so wie die Fenster noch die besondere Aufgabe erhalten, sein Funkeln aufzufangen. Das Bemerkenswerte ist aber nun eben, daß diese konkreten Bestandteile der Landschaft zwar angeführt werden, aber nicht um ihrer selbst willen, – grammatisch gesprochen, daß sie nicht Subjekte des Satzes sind sondern dem Verbum zugeordnet. Es heißt nicht: „Die Fenster funkelten im Sommermorgen", sondern eben umgekehrt: „Der Sommermorgen ging an den Fenstern des Palastes vorüber." So treten die beiden körperlichen Bestandteile der Landschaft dieses Satzes in den Dienst der körperlosen: Licht, Bewegung und Raum.

Da es jedoch unzulässig erscheint, aus einem einzelnen Beispiel weitgehende Folgerungen zu ziehen, wollen wir es im Augenblick bei dieser Beobachtung bewenden lassen und in unserer Analyse weiterschreiten und als Ergebnis unserer Untersuchung des ersten Satzes festhalten: Etwas Unsichtbares, nämlich eine Tageszeit, wird als Lichterscheinung verstanden, die sich durch die Landschaft bewegt, und zwar wird diese Bewegung im Reflex von einem bestimmten Ort der Landschaft aufgefangen.

Alle Vögel sangen in der schönen Einsamkeit. Fragen wir zunächst wieder nach dem Subjekt der Aussage. Im Gegensatz zum ersten Satz erhalten wir dieses Mal scheinbar einen greifbaren Gegenstand: *Vögel*, und sogar im Plural, und dieser Plural ist wiederum gesteigert durch das Zahlwort *alle*. Aber wie schon im Fall der „Fenster" stellt sich heraus, daß durch diese Vervielfältigung die Greifbarkeit keineswegs erhöht wird. Im Gegenteil, „alle Fenster", das ist eine zwar auch unbekannte, aber doch leicht feststellbare Zahl. Wie viel „alle Vögel" ausmachen, ist dagegen praktisch nicht zu berechnen, umso weniger als die Grenze des zugrunde liegenden Raumes (*Einsamkeit*) völlig unabgesteckt bleibt. Aber wenn auch „Vögel" ein Konkretum ist, so bleibt dies hier unerheblich. Denn die Vögel werden als Element der Landschaft gar nicht sichtbar – und *alle Vögel* könnte man ohnehin niemals zu sehen erwarten –, man hört sie nur singen, ähnlich wie die Sonne nicht selber als Himmelskörper auftritt, sondern nur der Reflex ihres Scheines. So redet, wie der erste Satz von einem Licht, dessen Quelle nicht genannt wird, dieser Satz von einem Klang, dessen Quelle unsichtbar bleibt. Der Klang wird aber hier nicht als Bewegung verstanden wie das Licht des ersten Satzes und nachher das Läuten der Morgenglokken und wie überhaupt die Mehrzahl der Klänge in Eichendorffs Landschaften, den Vogelgesang nicht ausgeschlossen, sondern als an einem Ort befindlich. Grammatisch ist dies dadurch angezeigt, daß die Präposition „in" hier mit dem Dativ gebraucht ist.

Mit diesem Ort aber hat es nun eine besondere Bewandtnis: *in der schönen Einsamkeit* – nehmen wir vorweg, daß das Adjektiv wieder reichlich nichtssagend ist. Es ließe sich unschwer mit dem „herrlichst" des Sommermorgens vertauschen. Daß Eichendorff sich mit farblosen Adjektiven wie diesem meist begnügt, ist mehrfach bemerkt worden.[4] Aber könnte es in diesem Falle fehlen? „Alle Vögel sangen in der Einsamkeit"? Es entstünde sogleich eine Unbehaglichkeit, weil damit den Vögeln, und gar „allen Vögeln" etwas zugeschrieben zu werden scheint, was ihnen nicht zukommt: Einsamkeit. Das Attribut „schön" erst stellt klar, daß mit „Einsamkeit" hier kein Zustand gemeint ist sondern ein Ort und daß somit „in" eine streng lokale Bedeutung hat. Eichendorff gebraucht auch tatsächlich dieses Wort wohl stets in lokalem Sinn und kaum jemals ohne ein Attribut wie „schön", „weit", „wunderbar". Auch so ist die Art seiner Verwendung merkwürdig genug. Denn der Sprachgebrauch kennt zwar die örtliche Verwendung von „Einsamkeit", aber doch nur in Beziehung auf den Menschen, als Aufenthalt eines Einsamen. Ein absoluter Gebrauch, wie er bei Eichendorff die Regel ist, ist ungewöhnlich. Was hier bezweckt ist, wird noch deutlicher an anderen Beispielen: *Man hörte die Abendglocken weither durch die schöne Einsamkeit herüberklingen* (III, 190) oder: *Weiterhin dämmerte eine unermeßliche Aussicht im Mondglanze durch die wunderbare Einsamkeit herauf* (IV, 189). Hier ist die Einsamkeit nicht nur ein Ort sondern ein Teil der Landschaft, wie es in ähnlichen Fällen andere Abstrakta wie die Stille[5] oder der Abend werden können.

Wie im ersten Satz, so wird auch im zweiten ein Abstraktum sinnlich ausgelegt, dort als eine Bewegung des Lichts, hier als ein Raum für Klang. Aber das Sinnliche ist auch hier nichts Greifbares. Die Ausbeute an greifbarer Körperlichkeit ist in diesem Satz noch geringer als im vorigen, und man fragt sich, wie aus solchem Stoff Landschaft entstehen kann.

Nun ist es auch erst der dritte Satz, bei dem wir das Gefühl haben, daß sich nun die eigentliche Landschaft öffnet, die typisch Eichendorffsche Landschaft, die so unverwechselbar ist, daß man sich fragt, wie ihre Eigentümlichkeit nicht schon längst erkannt werden konnte: . . . *während von fern aus den Tälern die Morgenglocken über den Garten heraufklangen.* Die Morgenglocken sind das Subjekt des Satzes, und sie steuern zweifellos einen beträchtlichen Stimmungswert bei. Wie der Sommermorgen das Frische und Neugeborene, wie die Vögel in der Einsamkeit das Fröhliche, vielleicht auch das leicht Verzauberte beitragen, so leihen sie der Landschaft das Feierliche und Sonntägliche. Aber als konkrete Bestandteile der Landschaft betrachtet, gilt für sie das gleiche, was schon von den Vögeln zu bemerken gewesen war. Auch hier bezeichnet die Vokabel als solche zwar etwas Konkretes, aber auch hier wird sie schon durch den Plural der Greifbarkeit entrückt. Wir werden über ihre Anzahl und ihren Ort durchaus im Ungewissen gelassen. Vor allem aber, die *Morgenglocken* könnten gar nicht sichtbar werden. Es sind nicht die metallenen Körper, die einen Bestandteil der Landschaft ausmachen, sondern wie bei den Vögeln die Klänge, die von ihnen ausgehen. Auch hier wäre das Wort „Morgenglocken“ ohne Verlust ersetzbar durch ein Abstraktum: „das Geläute“.

Anders steht es nun wiederum mit den *Tälern* und dem *Garten.* Die Bedeutung des *aus den Tälern* ist eine vielfältige und wird sich erst schrittweise erschließen. Die „Täler“ sind, wie man mit einem gewissen Erstaunen feststellt, das einzige körperliche Element, das in weiterem Abstand auftritt. Berge, Wald, Ströme, Wolken und andere Landschaftsteile, die bei Eichendorff selten fehlen, sind hier nicht vertreten, und es meldet sich von neuem die Frage, wie gleichwohl hier unverkennbar Landschaft entstehen kann. Nun ist auch hier gleich zu bemerken, daß der Begriff „Tal“, wenn er auch allein steht, dafür doch im Plural auftritt, und daß er dadurch eine Dimension gewinnt, die der Singular nicht hätte erzielen können.

Als etwas Bestimmteres aber scheint sich nun auch der *Garten* darzubieten. Er erfreut sich mit dem Palast als einziges Hauptwort in unserem Text des Vorzuges der Einzahl und der Nähe. Er macht für den Betrachter den unmittelbaren Vordergrund aus. Aber gerade hier ist nun eine frühere Beobachtung zu erneuern. „Täler“ und „Gärten“, diese beiden greifbaren Elemente, sind nicht Subjekt des Satzes, so wenig wie „Fenster“ oder „Palast“ es waren, und damit nicht Gegenstand der Aussage. In unserer ganzen Beschreibung sind die einzigen Konkreta, die in der Rolle von Subjekten auftreten, nämlich „Vögel“ und „Morgenglocken“, ihrer konkreten Bedeutung entkleidet. Alle anderen Konkreta treten in syntaktisch dem Verbum untergeordneter Funktion auf. Ihre Stelle wird ihnen durch die Präposition angewiesen, durch die sie eingeführt werden: *an den Fenstern des Palastes vorüber, aus den Tälern, über den Garten herauf.*

Das ist ein so seltsames Ergebnis, daß es zufällig erscheinen möchte. Eine Untersuchung an breiterem Material, die hier nicht vorgelegt werden kann, vermöchte statistisch zu erhärten, daß es sich um nichts weniger als eines der wichtigsten Aufbaumittel der Eichendorffschen Landschaft handelt. *Von den Bergen,* so heißt es, *aus den Wäldern, durch die Wipfel, über das Feld.* Niemand wird den Eichendorffschen Klang dieser Formeln überhören. Es zeigt sich, daß gerade die kompakten und soliden Körper und Flächen, aus denen man sich Landschaft aufgebaut denkt: Berg und Hügel, Tal und Grund, Garten und Feld, Wald und Bäume, nur sehr selten im Nominativ auftreten, etwas häufiger schon im Akkusativ als Objekte eines Verbums der Wahrnehmung (Sehen und Hören), in der Regel aber überhaupt, begleitet von Präpositionen, als adverbiale Bestimmungen des Ortes. Die Subjektstellung überlassen sie unscheinbaren Dingen wie Sommermorgen, Morgenglocken und Vögeln oder auch Nachtigallen und Waldhörnern, Quellen und Strömen, Lerchen und Wolken, Wagen und Schiffen und Hunden und Eisenhämmern. Wenn man fragt, was diese Begriffe gemeinsam haben, dann entdeckt man, daß es sich entweder um Dinge handelt, die sich in Bewegung befinden, oder aber – und dies in der Mehrzahl – um Dinge, die nicht sichtbar und greifbar werden und überhaupt nicht Teile der Landschaft bilden. Was von ihnen in die Landschaft eintritt, sind vielmehr die Bewegungen, die von ihnen ausgehen. Bewegungen, deren sprachlicher Ausdruck die verbalen Satzteile sind.

Die Verben haben eine starke Neigung, die Substanz der Subjekte an sich zu ziehen. Wenn es heißt *Alle Vögel sangen,* dann besagt das nicht viel mehr als „es sang". Mit Ausnahme einer bestimmten Formel von nur bescheidener Häufigkeit sind in Eichendorffs Werk die Vögel immer nur hörbar, nicht sichtbar. Dasselbe gilt von den Morgenglocken. Wie man den einen Satz ohne Verlust umformulieren konnte in: „Man hörte Vogelsingen", so könnte man in dem anderen auch ohne Verlust die Morgenglocken völlig ausscheiden und sagen: „Es läutete . . . herauf." Das kollektive Subjekt nähert sich in seiner Substanzlosigkeit der Form des grammatischen Subjekts, in der Subjekt und Prädikat gleichbedeutend sind. Ähnlich verhält es sich auch mit dem „Funkeln" des ersten Satzes, dessen kausale Ursache nichts anderes sein kann als die Sonne, ohne daß diese genannt oder als Gegenstand der Wahrnehmung gegeben würde, und dem mit dem „Sommermorgen" eine Art grammatischen Subjekts untergeschoben wird. Vielleicht klärt sich auch nun die Schwierigkeit, die wir mit dem Subjekt des ersten Satzes hatten. Es war schwer, sich den Sommermorgen als Subjekt einer räumlichen Bewegung vorzustellen. Als Träger der Bewegung erwies sich das Licht. Um sein Funkeln syntaktisch zu verankern, wählt Eichendorff, wie oft, als Subjekt das Allgemeinste und Umfassendste. Er gebraucht, wie schon beobachtet worden ist, gern solche summarischen Formeln wie „Die ganze Gegend", „die Runde" usw[6].

Dieser Entwertung des Subjekts durch das Verbum in Eichendorffs Sätzen entspricht nun in seinen Landschaften die Emanzipation der Bewegung vom Körper. Denn mit diesen Bewegungen hat es eine eigenartige Bewandtnis. Von den drei finiten Verben, die Eichendorff in unserem Probestück gebraucht, bezeichnen zwei Verben Geräusche, und das Verbum des ersten Satzes „vorübergehen" erhält durch sein Adverbium „funkelnd" den Sinn einer Lichterscheinung. An einem umfangreicheren Material wäre leicht statistisch nachzuweisen, daß dies kein Zufall ist, sondern daß die Mehrzahl der Verben in Eichendorffschen Landschaften Verben des Klingens und Leuchtens sind und in zweiter Linie Verben der körperlichen Bewegung. Von Klang und Schein wird Eichendorffs Landschaft beherrscht. Klang und Schein aber haben nun diesen Vorzug vor anderen Bewegungen, daß sie unabhängig von ihrer materiellen Quelle wahrgenommen oder doch vorgestellt werden können und zu ihrer Bewegung keines körperlichen Vehikels bedürfen. Sie sind nicht Bewegungen von Körpern, sondern Verkörperungen von Bewegung. So wie hier das Funkeln, das Singen und das Klingen, so haben sich an allen den unzähligen Stellen, wo es bei Eichendorff rauscht und tönt, blitzt und strahlt, Klang und Licht emanzipiert von ihrer Quelle. Die Nachtigallen schlagen, die Wälder rauschen, die Winzer rufen, die Hunde bellen, der Mond scheint, der Strom glänzt, ein Ring blitzt, die Gegend leuchtet, Fackeln werfen Scheine, und fast stets bleibt das Subjekt selber ungreifbar und bedeutungslos und beinahe vertauschbar, was aber nicht entbehrlich ist, sind die Bahnen des Klangs und des Lichts, die von ihnen ausgehen.

Diese Emanzipation der Klänge und Lichter von den Körpern setzt aber nun voraus, daß sie als Bewegung aufgefaßt werden. Die Verben der Eichendorffschen Landschaften bezeichnen in der großen Mehrzahl Bewegung. Zwar trifft dies auf den zweiten Satz *Alle Vögel sangen* . . . nicht zu. Hier ist die Einsamkeit ein klingender, aber ruhender Raum und ist damit wie alles Unbewegte bei Eichendorff durch einen Anflug von Verzauberung berührt. Aber eine Prüfung etwa der anderen von uns zitierten Landschaftsstücke oder jede, sei es flüchtigste, sei es gründlichste Durchsicht von Eichendorffs Landschaften erweist, daß ein Landschaftsteil, der sich nicht in Bewegung befindet, bei ihm durchaus die Ausnahme darstellt. Solcher Bewegung finden sich die unbeweglichen Teile der Landschaft syntaktisch untergeordnet. Sie alle, die Fenster, an denen das Licht funkelnd vorübergeht, die Täler, aus denen die Morgenglocken, und die Gärten, über die sie heraufklingen, scheinen zu nichts zu dienen, als Bewegung auszusenden, weiterzuleiten oder von ihr gestreift zu werden. In der Vorherrschaft der Bewegung findet die Neigung zur Entstofflichung, zur Aufgabe von Körper und Kontur, die wir feststellen konnten und die als Ungenauigkeit oder Unanschaulichkeit beinahe so oft bemängelt wie bemerkt worden ist, ihr Gegenstück. Eichendorffs Landschaft ist nicht wie etwa die Stifters aus dem Festen und Dauernden gefügt, sie ist ein körperloses Gebilde aus reiner Bewegung.

Bewegung ohne Körper – damit allein ist der Gehalt von Eichendorffs Landschaft aber noch nicht erschöpft. Zunächst erscheint es fraglich, ob aus bloßer Bewegung überhaupt Landschaft entstehen könnte. Dazu kommt aber auch, daß die massiven Elemente der Landschaft: Schloß, Garten und Täler ja nicht unsichtbar oder ungreifbar sind wie Sommermorgen, Vögel und Glocken und aus der Landschaft nicht wegzudenken sind. Man könnte sogar versucht sein, das soeben beobachtete Verhältnis von Zweck und Mittel umzukehren und die Bewegung als einen technischen Kunstgriff zu erklären, nach Lessingschem Rezept das simultane Nebeneinander durch ein sukzessives Nacheinander aufzulösen, und damit das bloße „Beschreiben" zu vermeiden. Offenbar ist die Rolle der festen Bestandteile der Landschaft noch nicht genügend geklärt.

Nun ist aber mit der Bezeichnung „Bewegung" auch das Wesen der Bewegungen in Eichendorffs Landschaft – sei es die Bewegung der Klänge und Lichter, sei es die Bewegung der Körper, für die unser Text uns ein Beispiel vorenthält, – nur ungenau bestimmt. August Langen hat gezeigt[7], wie in der Klopstockzeit eine „dynamische" „Bewegungslandschaft" entsteht, die über den Sturm und Drang bis zu Jean Paul und darüber hinaus fortlebt und ihre Bewegtheit aus einer Aktivierung des verbalen Satzteiles empfängt. Langen hat dafür ein erstaunliches und an kühnen Wendungen reiches Vokabular vorlegen können. Das stürmt und drängt, steigt und stürzt, schießt und treibt, quillt und wallt, dehnt sich und bäumt sich, tanzt und taumelt – und nichts kann der Eichendorffschen Landschaft fremder sein und nichts hilfreicher, die Eigentümlichkeit der Eichendorffschen Landschaftsbewegung zu unterscheiden. Zum ersten kann von „Dynamik" im eigentlichen Sinn, d. h. einer Bewegung, die einen Widerstand zu überwinden hat und daher einen gesteigerten Kraftaufwand voraussetzt, bei Eichendorff keine Rede sein, wie überhaupt alles Gewaltsame, alles Hastige und Plötzliche von ihm nur mit dem Gefühl des Unbehagens verzeichnet wird und nur unter bestimmten Voraussetzungen bei ihm vorkommt, die hier nicht entwickelt werden können. Zum zweiten sind aber auch die meisten Bewegungen in der empfindsamen Seelenlandschaft von ganz anderer Art. Sätze wie die folgenden von Langen aufgeführten: ... *wie aufschwollen zum ersten Strahl neugeschaffen die Hügel, grottenreichen Gebirge und grünen Klippen* (Maler Müller, a.a.O., S. 290) oder *der verwundete Fels bückt sich ins schaudernde Tal* (ebd.) sind bei Eichendorff nicht denkbar. Wohl aber ist dies eine gelegentliche Wendung Maler Müllers wie: *Die Bäume rauschten freundlich herunter* (a.a.O., S. 294). Und in Jung-Stillings *Hin und wieder glänzten Bäche und Ströme ... hervor* (a.a.O., S. 301) brauchte man das Präfix „hervor" nur durch ein „herauf" zu ersetzen, um eine Eichendorffsche Landschaftsformel zu erhalten.

Diese Beispiele nötigen uns zu einigen Unterscheidungen. Die Bewegungen der beiden ersten der soeben zitierten Texte sind Bewegungen von Körpern. Sie verdanken ihre Dynamik geradezu der Schwere der Masse, die hier in Bewegung gesetzt wird. In den beiden letzten Texten dagegen bewegt sich nichts Körperliches mehr. Die Bewegung hat sich emanzipiert, wie in Eichendorffs Landschaft. Zwar fehlen auch bei Eichendorff die bewegten Körper nicht. Die Wolken und Winde, die Ströme und Straßen, die Schiffe und Wagen, die Reiter und Wanderer tragen lebhaft zu ihrer Bewegtheit bei. Aber sie alle sind Dinge, denen Bewegung natürlich ist. Sie bewegen sich daher leicht und ohne Widerstand und stehen der gänzlich von jeder Masse befreiten Bewegung der Klänge und Lichter nicht mehr fern. Wichtiger noch ist für uns ein anderer Unterschied. Die Bewegungen in den beiden ersten Beispielen sind Bewegungen von Körpern, die an ihren Ort gefesselt sind. Die beiden letzten Beispiele zeigen Bewegungen durch den Raum. Dies ist aber die Art der Bewegung in den Landschaften Eichendorffs.[8]

Der Erzeugung solcher Bewegung dient eine Anzahl von Vorrichtungen, über die wir bisher uns zu verwundern versäumt haben. Wir haben die Wortarten gemustert und festgestellt, daß es unter den Hauptwörtern die immateriellen sind, die im Satz die beherrschende Stellung einnehmen, während die Konkreta syntaktisch untergeordnet sind. Wir haben beobachtet, daß die Adjektive farblos sind, und hätten zu ergänzen, daß sie auch numerisch nur schwach vertreten sind. Die Verben haben als Träger der Bewegung eine um so bedeutendere Aufgabe, aber eine genaue Betrachtung ergibt nun, daß sie diese nicht erfüllen könnten, wenn ihnen nicht eine Wortart zu Hilfe käme, die man wegen ihrer Unscheinbarkeit in den Katalogen, die man von Eichendorffs Lieblingswörtern angelegt hat, meist vergessen hat, obwohl sie in den Landschaftsbildern die am stärksten vertretene ist. Sie wird auch einen Widerspruch erklären, dessen wir uns schuldig gemacht zu haben scheinen.

Wir konnten feststellen, daß in Eichendorffs Landschaften die Verben des Klingens und Scheinens die Mehrheit bilden, und haben ebenso behauptet, daß die meisten ihrer Verben solche der räumlichen Bewegung sind. Nun ist Funkeln oder Klingen zunächst keine Bewegung, sondern nur eine Eigenschaft oder ein Zustand eines Körpers. Wenn diesen akustischen oder optischen Erscheinungen ein Bewegungssinn innewohnen sollte, dann muß er zumindest erst hervorgelockt werden, und dazu reicht das Verbum allein nicht aus. So begnügt sich Eichendorff auch nicht damit zu sagen: „Der Sommermorgen funkelte", sondern er sagt: er *ging ... funkelnd ... vorüber.* Er sagt nicht nur: „Die Morgenglocken klangen", sondern *klangen ... herauf,* und er fügt sogar noch hinzu:

von fern . . . aus den Tälern . . . über den Gärten. Es sind Präpositionen des Orts und ebensolche präpositionale Präfixe, die den Verben ihren Bewegungssinn verleihen, und es fällt nun auf, wie erstaunlich reich diese Wortart in unserem Text vertreten ist: *Draußen – an – vorüber – in – von fern – aus – über – herauf.* Wenn man von den Artikeln absieht, macht diese Gattung nicht weniger als ein Drittel des Wortmaterials (9 von 27 Wörtern) unseres Textes aus und bildet damit die zahlreichste Wortgruppe. Im letzten Satz, dem Satz, in dem sich eigentlich die Landschaft erst erschließt, stellt sie sogar die Hälfte aller Wörter.[9] Unter diesen Präpositionen überwiegen daher auch diejenigen, die nicht das Sich-Befinden an einem Ort, sondern eine Bewegung bezeichnen. Das *Draußen,* durch das der Schauplatz verlegt wurde, und das *in* bilden die einzigen Ausnahmen.[10] Dem *an* dagegen wird durch das *vorüber,* dem *fern* durch das *von* ein Bewegungssinn ausdrücklich mitgeteilt.

Wir führen einige andere Beispiele auf, die sowohl unsere Anschauung von dieser Erscheinung bereichern als auch bezeugen sollen, daß unsere Landschaft nicht allein steht, und damit den Nachweis vorläufig ersetzen sollen, daß ihre Struktur für Eichendorffs Landschaft typisch ist. *Von weitem rauschte die Donau über die Felder herüber* (III, 26). *Seitwärts aus dem tiefen Grunde blitzte zuweilen die Donau zwischen den Bäumen nach uns herauf* (III, 85).[11] Auch in diesen Landschaften ist ein Licht oder Schall durch präpositionale Vorrichtungen in Bewegung gesetzt. Auch hier ist die Bahn dieser Bewegung beschrieben. Sehen wir zunächst einmal ab von den Mittelgliedern, so erstreckt sich diese Bewegung zwischen zwei Punkten, die stets gegeben sind: Wie in unserer Musterlandschaft *von fern . . . herauf,* so heißt es hier *von weitem . . . herüber, aus dem tiefen Grunde . . . herauf.* Diese beiden Punkte sind nun nicht unabhängig voneinander, sondern aufeinander bezogen. Durch die *von* oder *aus* ist zwar zunächst nur der Ausgangspunkt der Bewegung gegeben, durch den Zusatz *fern* oder *weitem* ist aber auch schon das Ziel angesagt und damit das Steuer eingestellt, noch ehe die Bewegung eingesetzt hat. (Etwas ähnliches geschieht durch das *dem tiefen Grunde* des letzten Beispielsatzes.) Denn mit der Ortsbestimmung „fern" (bzw. dem hier gleichbedeutenden „weit") hat es ja die eigentümliche Bewandtnis, daß sie jeweils einen zweiten Ort im Raum voraussetzt, von dem aus diese Bestimmung getroffen wird, und dieser Ort wird nun auch ausdrücklich bezeichnet durch das „her" („-auf" bzw. „-über"), durch das an ihrem diesseitigen Ende die Bewegung aufgefangen wird.

Wie häufig Eichendorffs Bewegungsverben mit einem solchen „her-" + Präposition („herauf", „herüber", „herein"usw.) ausgestattet sind, oder – seltener – mit seinem Gegenstück, dem Präfix „hin-" + Präposition („hinein", „hinaus", „hinunter" usw.), ist schon anderswo bemerkt worden.[12] Mit diesen Präfixen „her-" und „hin-" ist dem Verbum nicht nur eine Bewegung mitgeteilt, sondern seiner Bewegung auch eine Richtung, im einen Falle die des Kommens und im anderen die des Gehens. Es ist mit ihnen jeweils ein Punkt gegeben, in einem Falle das Ziel, im anderen der Ausgangspunkt der Bewegung, nämlich das Hier. Ein solches Hier ist nun vorausgesetzt in einer dritten bei Eichendorff häufigen Präfixkombination, dem „vorüber" (oder „vorbei"), die seltener, aber immer noch wohl hundertfach in Eichendorffs Landschaftswelt nachzuweisen ist. Das *vorüber,* das die Bewegung unseres ersten Satzes regiert, ist nichts als die Kombination einer „her"- und einer „hin"-Bewegung, wo zwar allerdings Ausgangs- bzw. Endpunkt ungewiß bleiben (was nicht in unserem Beispiel, aber in vielen anderen Fällen den Symbolgehalt der Formel ausmacht), aber stets ein Punkt bestimmt ist: das Hier, der Ort des Betrachters, der mit wenigen Ausnahmen in allen Landschaften Eichendorffs, so konturarm und fragmentarisch sie sonst sein mögen, angegeben ist, und auf den sie orientiert sind.

Die Landschaften Eichendorffs sind von einem Punkt aus gesehen, der seinerseits in der Landschaft liegt, oder, wie man genauer sagen sollte: am Rande der Landschaft, und ihre Bewegung muß diesen Punkt passieren, sei es, daß sie ihm zustrebt, sei es, daß sie von ihm ausgeht, sei es, daß sie an ihm vorbei geleitet wird. Diese perspektivische Anlage von Eichendorffs Landschaft offenbart sich nicht nur in der Steuerung der Bewegung sondern auch in der Bestimmung der Lage von Orten. Das *Draußen,* mit dem unser Text anfing, ist ja eine solche perspektivische Präposition. Es ist noch orientiert auf den Schauplatz der vorangegangenen Episode der Erzählung, der sich im Inneren des Palastes befand, und der sich inzwischen durch die Verlagerung der Szene in ein „Drinnen" verwandelt hat. In Eichendorffs präpositionalem Gebrauch überwiegen durchaus diese perspektivischen Präpositionen wie „draußen" oder „drunten" oder im Zusammenhang der Situation gleichbedeutende präpositionale Verbindungen wie „unter dem Fenster", „vor dem Haus", „im Garten" oder auch das *in den Tälern,* wie wir es in unserem Muster finden, und dessen Bedeutung sich noch erschließen wird.

Es ist diese perspektivische Orientierung, die Eichendorffs Landschaft unterscheidet von der absoluten Landschaft Stifters, aber auch von der anarchischen Bewegtheit der Sturm- und Drang-Landschaft, und die sie davor bewahrt, in kaleidoskopisch partikularer Bewegung zu zerfallen wie die Jean Paulsche Landschaft. Man sollte sich darum hüten, wenn man es nicht auf eine Verwirrung der Begriffe abgesehen hat, diese perspektivische Orientierung der Eichendorffschen Landschaft als „subjektiv" zu bezeichnen. Zur Spiegelung privater und akuter Empfindungen der Romanfiguren oder des Verfassers hat Eichendorff seine Landschaften nicht gebraucht, wie es überhaupt in der Romantik „Subjektivismus" nur als Gegenstand der Verhöhnung gibt, es sei denn, man rechnete Tieck und Wackenroder zu ihr, wozu kein unbegrenzter Anlaß besteht. Dagegen ließen sich an der Eichendorffschen Landschaft bei einer weiter ausgreifenden Untersuchung die Grundzüge dessen demonstrieren, was man – analog zu Bergsons „erlebter Zeit" – im Gegensatz zum geometrischen Raum den „erlebten Raum" nennen könnte.[13]

Von diesem Hier aus allein erschließt sich die Eichendorffsche Landschaft. So ungenau die Lage der Orte in Eichendorffs Landschaft sonst fixiert sein mag, auf diesen Punkt sind sie alle visiert. Aber diese Orte zeigen dem Betrachter nicht willenlos das Spiegelbild seines eigenen Gesichts, wie dies in der subjektiven Seelenlandschaft der Fall ist. Die Landschaft befindet sich zwar, was hier nicht ausgeführt werden kann, mit dem Betrachter in der engsten Kommunikation, aber sie steht ihm autonom gegenüber. Auch sie hat ihren eigenen Mittelpunkt, nämlich den Ort, von dem im Grunde alle Bewegung der Landschaft ausgeht, oder der in den „Hin-"Landschaften alle Bewegung anzieht: die „Ferne". Die Ferne ist in Eichendorffs Landschaft ein wahrhaft magischer Ort. Sie ist zugleich eine für sein Lebensgefühl grundlegende Kategorie. Sie kann hier weder als Begriff noch als Symbol erschöpft werden. Nur so viel ist zu sagen, um der Verwirrung zu steuern, daß die Ferne zwar niemals zu erreichen ist oder auch nur eine Annäherung zuläßt – denn jede in Nähe verwandelte Ferne würde aufhören, Ferne zu sein – daß sie aber, wie unser Beispiel zeigt, durchaus in der Landschaft liegt und nicht etwa im Unendlichen, wie überhaupt die Kategorie des Unendlichen dem Lebensgefühl der Empfindsamkeit oder der Philosophie des Idealismus entstammt und der eigentlichen Romantik durchaus fremd ist. Das sogenannte Unendliche, in seiner säkularisierten Form ein Euphemismus für das Nichts, kommt bei Eichendorff als Begriff kaum vor. Seine landschaftlichen Symbole, den unbegrenzten und leeren Raum der Ebene oder des Meeres, erwähnt er selten und kaum ohne den Ausdruck des Unbehagens, wenn nicht des Grauens.

Eichendorffs Landschaft ist dagegen die endliche und gegliederte Landschaft, aber nun freilich auch wiederum nicht die enge und schroffe Landschaft des Hochgebirges, denn auch diese wird, soweit sie vorkommt, mit Bedeutungen versehen, die negative Wertvorzeichen tragen, sondern eine Landschaft, die zwar Raum läßt für Ferne, bei der aber der Zwischenraum zwischen dem Hier und der Ferne nicht leer bleibt. Wir haben bisher die kompakten Bestandteile der Landschaft so behandelt, als ob sie ausschließlich dazu dienten, in Verbindung mit einer Präposition die Bewegung zu befördern. Aber wir werden uns damit noch nicht zufrieden geben können. Denn es verhält sich ja doch keineswegs so, daß Täler und Garten darüber völlig verschwinden. Sie machen ihre Anwesenheit in starkem Maße geltend, was evident wird, sobald man sie einmal versuchsweise ausschaltet. „Während von fern die Morgenglocken herklangen" – solche verkürzten Landschaften kommen bei Eichendorff vor. Sie würden genügen, um die bisher festgestellten Strukturelemente: Bewegung aus der Ferne zum Hier zu erzeugen. Aber die eigentümliche Verarmung, der unsere Landschaft bei solcher Verkürzung verfiele, verrät, daß Täler und Garten noch mehr bezwecken, als nur die Bewegung zu geleiten und zu steuern.

Eichendorff hat das unverkennbare Bedürfnis, zwischen die beiden Pole der Bewegung dritte Orte einzuschalten, die von der Bewegung passiert werden. Er bedient sich dazu der Präpositionen „durch", „über" und „zwischen". Wie er hier sagt: *über den Garten,* so hieß es in anderen von uns schon aufgeführten Beispielen: *über das stille Feld, durch die weite Stille . . . herüber, durch die schöne Einsamkeit herüber, über das Feld herüber, zwischen den Bäumen herauf.* Hier wird nicht nur zwischen der Ferne und dem Hier ein Bogen geschlagen, und hier wird auch nicht nur die Bewegung verstärkt und ihre Richtung bestätigt, sondern damit wird auch die zwischen beiden Polen drohende Leere durch Zwischenglieder ausgefüllt, es wird zwischen dem Betrachter und der Ferne vermittelt und der Verwechslung der Ferne mit dem Unendlichen gesteuert. Vor allem wird hier nicht nur Bewegung gestiftet, sondern auch ihr Weg beschrieben. Damit ist die Bewegung selbst durch die Landschaft hindurchgeleitet und diese überhaupt erst realisiert. Wiederholen wir den Versuch, für die bloße Herstellung von Bewegung entbehrliche Zwischenglieder wegzunehmen, um sie dann Stück für Stück wieder einzusetzen, und beobachten wir, was dabei geschieht. Beginnen wir damit, auch die Bewegung wegzudenken und anzusetzen: „Während die Morgenglocken klangen", um dann schrittweise zu ergänzen „Während die Morgenglocken heraufklangen", „Während die Morgenglokken über den Garten heraufklangen", „Während die Morgenglocken aus den Tälern über den Garten heraufklangen", „Während die Morgenglocken von fern aus den Tälern über den Garten heraufklangen", und wir werden bemerken, wie die zuerst zusammengeschrumpfte Landschaft sich ausdehnt, indem auf der Achse, die durch die Bewegung dargestellt wird, Abstände eingetragen und damit Raumzonen abgesteckt werden, die den Zwischenraum ausfüllen zwischen dem Hier und jenem anderen Rande, an dem die Ferne liegt. Indem Landschaft so erfüllt wird, wird sie zugleich gedehnt, die Ferne wird, indem sie vermittelt wird, zugleich hinausgerückt. So entsteht Raumtiefe[14], und damit erhält der Raum seine wichtigste Dimension.

Mit dieser Dimension kann sich in unserer Landschaft keine andere messen. Die Dimension der Breite ist hier auch weniger deutlich entwickelt als in anderen Landschaften Eichendorffs, aber sie ist doch unverkennbar. Wir haben bisher nur verschwiegen, daß die Bewegung „von fern" nicht eine einzige, sondern eine mehrfache ist. Daß Eichendorff die *Morgenglocken* im Plural gebraucht, ist dabei weniger ausschlaggebend, als daß er es auch mit den *Tälern* tut. Dadurch daß Eichendorff die Morgenglocken *aus den Tälern* klingen läßt, werden sie an verschiedenen Stellen des Raumes verstreut, die nicht auf einer zentralen Achse hintereinander liegen. Um jeden Zweifel über die Wirkung dieser Vorkehrung zu beheben, genügt es, *aus den Tälern* zu ersetzen durch „aus dem Tal", um zu bemerken, wie sogleich die Landschaft zusammenschrumpft. Der Plural verleiht der Landschaft die Dimension der Breite, und darum werden überall in den Eichendorffschen Landschaften die Gegenstände, die nicht in der Nähe liegen, in den Plural gesetzt, während die Nähe grammatisch durch den Singular gekennzeichnet ist. Damit wird der Vordergrund perspektivisch verdichtet, während in der Ferne der Raum sich fächerförmig ausdehnt.

Schließlich dient das gleiche *aus den Tälern* auch, unserm Raum noch die dritte Dimension zu verleihen. Bei aufmerksamer Beobachtung wird man bemerken, daß in dem Augenblick, in dem man liest *aus den Tälern*, etwas Merkwürdiges geschieht. Man findet sich unvermutet physisch gehoben. Während bisher für den Leser des Bruchstückes die Lage des Standortes durchaus unklar geblieben war, weiß man sich augenblicklich auf einer Anhöhe stehend, was dann durch das abschließende *herauf* bestätigt wird. Das *aus den Tälern* gehört zu den schon erwähnten Relationsbegriffen, durch die implicite auch über den Standort des Betrachters etwas ausgesagt wird. Daß der Höhenblick der gewöhnliche Zugang zu Eichendorffs Landschaften ist, gehört zu den wenigen Erkenntnissen, die Allgemeingut sind, wenn auch zu bemerken ist, daß von den drei Dimensionen des erlebten Raumes die Ferne am stärksten, die Höhe dagegen am schwächsten entwikkelt ist. Dadurch, daß die Täler in die Ferne gerückt sind, braucht der Blick sich nur leicht zu senken. Eichendorff liebt zwar den Blick von der Höhe, aber nur, wenn dieser in einem flachen Winkel erfolgt. Das Extrem, der nahezu senkrechte Blick in den Abgrund am Rande einer Klippe, gehört zu den Vorstellungen, die bei ihm stets mit entschiedenen Unlust- und Unwert-Gefühlen verknüpft sind. Aber Eichendorffs Landschaftsgefühl bedarf eines erhöhten Standpunkts. Von der Tiefe aus sind seine Landschaften selten und dann nur unter besonderen Voraussetzungen und mit besonderen Empfindungen gesehen.

Wenn wir aber nun unsere Frage nach dem eigentümlichen Wesen unserer Musterlandschaft wiederholen, so kann es nicht in ihren Inhalten liegen. Ihre Inhalte sind in anderem Zusammenhang nicht bedeutungslos, als Elemente der Landschaft sind sie jedoch ausnahmslos auswechselbar. Für die Landschaft ist es unerheblich, ob es die Nachtigallen oder Hunde sind, die man aus der Ferne hört, ob es ein Sommermorgen ist oder Windlichter, was in den Fenstern funkelt. Ihre Körperlichkeit (verkörpert in den Subjekten) ist ohnehin gering und entweder verdeckt oder doch entwertet zu Gunsten der Bewegungen (getragen von den Verben und befördert von den Präpositionen), vorwiegend solcher von immateriellen Lichtern und Klängen. Diese Bewegungen durchlaufen Bahnen, die durch die Landschaft gelegt sind, die alle auf einen Punkt orientiert sind, das Hier, dem am jenseitigen Rande der Landschaft die Ferne antwortet. Zwischen dem Hier und der Ferne entspinnt sich eine Kommunikation, die wir hier auf sich beruhen lassen müssen. Zwischen diesen beiden Polen aber dehnt sich die Landschaft aus mit allen drei Dimensionen des „erlebten Raums", bestimmt durch (mit Hilfe der Präpositionen und der Plurale) in der Landschaft verstreute Punkte, die Signale aussenden oder weitertragen.

Verfolgen wir nun noch einmal den Gang unserer Landschaftsbeschreibung. Zu Anfang wurde die Erzählung aus dem geschlossenen Raum in das *Draußen* verlegt. Dort wurde ein Ungreifbares, der *Sommermorgen*, beschrieben, als ob es sich um die Bewegung eines Körpers durch die Landschaft handele. Eine andere Abstraktion, die Einsamkeit, wurde erfahren als ein von Klängen erfüllter Raum. Nachdem wir so die Nähe durchschritten hatten, wurde das Bild erweitert. Mit dem *von fern* fühlten wir uns auf einmal an den Rand eines freien Ausblickes gestellt. Durch die Ferne erhält er seine Tiefe, durch die Täler erhält er Breite, und ebenfalls durch die Täler, zusammen mit dem *herauf*, gewinnt er Höhe.

Die Feststellung läßt sich nicht länger zurückdrängen, daß es Raum ist, was hier gestaltet wird, und die Worte „Raum" und „räumlich" wären einzusetzen an vielen Stellen, wo wir sie bisher, um dem Gang der Untersuchung nicht vorzugreifen, absichtlich vermieden haben. Täuschen wir uns nicht, so hat sich damit das Wesen der Eichendorffschen Landschaften erschlossen. Sie haben, was immer ihre jeweiligen Inhalte oder ihre jeweiligen Stimmungsgehalte ausmachen mögen, dieses gemeinsam: sie sind Schöpfungen aus Raum. Sie sind arm an gegenständlichem Inhalt und körperlicher Kontur, aber sie sind verschwenderisch ausgestattet mit räumlichen Relationen. Eichendorffs Landschaft ist reiner Raum, aus nichts gemacht als aus Bewegung, der konsequenteste Versuch, reinen Raum in der Dichtung darzustellen, den wir kennen. Wenn wir sagen „reiner Raum", so meinen wir nicht den abstrakten Raum der Geometrie. Eichendorffs Landschaft ist nicht absoluter Raum, sondern „erlebter Raum". Sie ist körperlos, aber nicht leer oder leblos, weit, aber nicht unendlich.

Wenn wir nicht irren, ist es dies, was den Zauber erklärt, der von unserer Landschaft ausging. Wenn das Wesen von Eichendorffs Landschaft Raum ist, so ist wiederum ihre vorzüglichste Eigenschaft Geräumigkeit oder, wie Eichendorffs Formel lautet, „Weite", und diese Weite ist nun für Eichendorff ein Bedürfnis, das in seinem Lebensgefühl tiefer begründet ist, als hier gesagt werden kann. Der Raum ist – neben der Zeit – Eichendorffs „Urerlebnis". Es gibt kein seelisches und kein sittliches, kein soziales und kein religiöses Verhältnis, das sich ihm nicht unwillkürlich in Raumwerte umsetzte, das Bewußtsein der Zeit nicht ausgeschlossen. Eine Erschließung der räumlichen Symbolik würden den Schlüssel zu Eichendorffs Geheimnis liefern und ihn als einen Dichter erweisen, der mit keinem zu vergleichen ist.

ANMERKUNGEN

1 Bd. IV, S. 263 der von Ludwig Krähe in Bongs Klassikerbibliothek besorgten Ausgabe von Eichendorffs Werken, nach der wir stets zitieren, wobei die römische Ziffer den Band, die arabische die Seite anzeigt.

2 Von den fast gleichzeitig erschienenen Arbeiten von Gisela Jahn, Studien zu Eichendorffs Prosastil (Palaestra, Bd. 206), Berlin 1937, Ingeborg Dustman, Eichendorffs Prosastil. Diss. Bonn 1938, und René Wehrli, Eichendorffs Erlebnis und Gestaltung der Sinnenwelt (Wege zur Dichtung, Bd. 23), Frauenfeld/Leipzig 1938, bringen die beiden ersten brauchbare Motivkataloge und Einzelbeobachtungen, die nur Vollständigkeit und Zusammenhang vermissen lassen, da sie, so wenig wie die sonstige Eichendorff-Forschung, erkennen, daß Eichendorffs Dichtung ein dichter und einheitlicher Zusammenhang von Symbolen ist. Wie Eichendorffs Dichtung zu lesen ist, wurde zum ersten Male gesagt von Werner Kohlschmidt (Die symbolische Formelhaftigkeit von Eichendorffs Stil, in: Form und Innerlichkeit, Bern 1955). Der Aufsatz von Johannes Klein, Das Raumerlebnis in der Lyrik Eichendorffs, Zeitschrift für Aesthetik, Bd. 29, S. 52-61, enthält nichts, was den Titel rechtfertigte.

Der Verfasser benutzt in diesem Aufsatz ein einzelnes Beispiel, um einige Beobachtungen mitzuteilen, die in systematischerer Form und in weiterem Zusammenhang als Teile einer Untersuchung über Eichendorffs Raumsymbolik, ihn vor vielen Jahren beschäftigt haben. Es liegt im Wesen einer solchen vorläufigen Mitteilung, aber auch ihres Gegenstandes, nämlich der erstaunlichen Verzweigtheit und Einheitlichkeit von Eichendorffs Symbolsprache, daß er hier die Verfolgung vieler wichtiger Spuren entweder frühzeitig abbrechen oder sich ganz versagen muß. Trotzdem mag diese Studie als eine Übung im genauen Lesen nicht unwillkommen sein, um so mehr als der Zeitpunkt einer Fortsetzung der erwähnten großen Untersuchung nicht abzusehen ist. Ebenso ist die Ausbreitung des ganzen Belegmaterials unmöglich. Es muß die Versicherung genügen, daß hier keine Erscheinung für Eichendorff als typisch in Anspruch genommen wird, die nicht in formelhafter Gleichmäßigkeit allerorten wiederkehrt.

3 Daß Eichendorff solche pauschalen Mengenangaben liebt, ist schon Gisela Jahn (a.a.O., S. 48) aufgefallen.

4 G. Jahn, S. 98f.

5 s. oben (S. 86): „durch die weite Stille".

6 G. Jahn, S. 36.

7 August Langen, Verbale Dynamik in der dichterischen Landschaftsschilderung des 18. Jahrhunderts, ZfdPh 70, 1948/49, S. 249ff.

8 Eichendorff kennt auch die Bewegung „am Ort". Sie ist dem Formelkreis des „Auf und Ab" oder des „Hin und Her" oder des „Schillerns" vorbehalten. Da sie nur ausnahmsweise in die Landschaft eingreift, kann sie hier unberücksichtigt bleiben.

9 Über die Häufigkeit der lokalen Adverbia vgl. G. Jahn, S. 100.

10 Die Präpositionen „in", „an", „auf", „unter", „über", „vor" und „zwischen", die, je nachdem ob sie die Lage an einem Ort oder die Richtung einer Bewegung bezeichnen, mit dem Dativ oder dem Akkusativ konstruiert werden, werden bei Eichendorff überwiegend in der letzteren Form verwendet, und auch in seltenen Fällen, in denen Eichendorff die dativische Konstruktion gebraucht, kann man häufig eine versteckte Beziehung auf eine Bewegung bemerken, die hier nicht erörtert werden kann.

11 Vgl. auch die meisten der schon früher aus anderen Anlässen zitierten Landschaften.

12 G. Jahn, S. 61.

13 Es ist dem Verfasser eine unvermutete und verblüffende Bestätigung, daß Begriffe, Aspekte und Attribute des „erlebten Raumes", die er in seiner unveröffentlichten Untersuchung von Eichendorffs Raumvorstellung ablesen konnte, von O. F. Bollnow soeben bis in viele Einzelheiten hinein gleichlautend auf existential-analytischem Wege gewonnen worden sind. Vgl. O. F. Bollonow, Der erlebte Raum, Zeitschrift für die gesamte Medizin, 11, 1956, S. 97ff.

14 Wir sind auf den Ausdruck „Raumtiefe" zur Bezeichnung der Dimension „nah" und „fern" angewiesen, gedenken ihn aber weiterhin zu vermeiden, weil wir für die dritte Dimension des erlebten Raumes, die vertikale, keine andere Bezeichnung haben als ebenfalls „Tiefe".

Zum Gedächtnis Eichendorffs

THEODOR W. ADORNO

Je devine, à travers un murmure
Le contour subtil des voix anciennes
Et dans les lueurs musiciennes,
Amour pâle, une aurore future!
Verlaine

Die Beziehung zur geistigen Vergangenheit in der falsch auferstandenen Kultur ist vergiftet. Der Liebe zum Vergangenen gesellt vielfach sich die Ranküne gegen das Gegenwärtige; der Glaube an einen Besitz, den man doch verliert, sobald man ihn unverlierbar wähnt; das Wohlgefühl im vertraut Überkommenen, in dessen Zeichen gern jene dem Grauen entfliehen, deren Einverständnis es bereiten half. Die Alternative zu alldem scheint schneidend: der Gestus „Das geht nicht mehr". Allergie gegen das falsche Glück der Geborgenheit bemächtigt eifernd sich auch des Traumes vom wahren, und die gesteigerte Empfindlichkeit gegen Sentimentalität zieht sich auf den abstrakten Punkt des bloßen Jetzt zusammen, vor dem das Einst so viel gilt, als wäre es nie gewesen. Erfahrung wäre die Einheit von Tradition und offener Sehnsucht nach dem Fremden. Aber ihre Möglichkeit selber ist gefährdet. Der Bruch in der Kontinuität historischen Bewußtseins, den Hermann Heimpel erkannte, bewirkt eine Polarisierung in antiquarische, wo nicht zu ideologischen Zwecken zurechtgestutzte Kulturgüter, und in eine Aktualität, die, gerade weil es ihr an Erinnerung gebricht, auf dem Sprung steht, dem bloß Bestehenden auch dort spielend sich zu verschreiben, wo sie ihm opponiert. Der Rhythmus von Zeit ist verstört. Während die philosophischen Gassen von Zeitmetaphysik widerhallen, ist Zeit den Menschen, einst gemessen am beständigen Ablauf ihres Lebens, selber entfremdet; darum wohl wird sie so krampfhaft beredet. Das wahrhaft tradierte Vergangene wäre in seinem Gegenteil, in der fortgeschrittensten Gestalt des Bewußtseins aufgehoben; fortgeschrittenes Bewußtsein aber, das seiner selbst mächtig wäre und nicht fürchten müßte, von der nächsten Information dementiert zu werden, hätte darum auch die Freiheit, Vergangenes zu lieben. Große avantgardistische Künstler wie Schönberg mußten nicht sich selber durch die Wut auf Vorfahren bestätigen, daß sie deren Bann entrannen. Entronnene und Befreite, durften sie die Tradition als ihresgleichen wahrnehmen, anstatt auf einem Unterschied zu insistieren, der mit dem Gebot des radikalen, gleichsam naturhaften Neubeginns nur die Geschichtshörigkeit übertönt. Sie wußten sich als Vollstrekker des geheimen Willens jener Tradition, die sie zerbrachen. Nur wo sie nicht mehr durchbrochen wird, weil man sie nicht mehr spürt und darum auch nicht die eigene Kraft an ihr erprobt, verleugnet man sie; was anders ist, scheut nicht die Wahlverwandtschaft mit dem, wovon es abstößt. Gegenwärtig wäre nicht das zeitlose Jetzt sondern eines, das gesättigt ist mit der Kraft des Gestern und es darum nicht zu vergötzen braucht. An dem avancierten Bewußtsein wäre es, das Verhältnis zum Vergangenen zu korrigieren, nicht indem der Bruch beschönigt wird, sondern indem man dem Vergänglichen am Vergangenen das Gegenwärtige abzwingt und keine Tradition unterstellt. Sie gilt so wenig mehr wie umgekehrt der Glaube, die Lebenden hätten Recht gegen die Toten, oder die Welt finge mit ihnen an.

Spröde widerstrebt Joseph von Eichendorff solcher Bemühung. Die ihn preisen, sind vorab Kulturkonservative. Manche rufen ihn als Kronzeugen einer positiven Religiosität an, wie er sie, zumal in den literarhistorischen Arbeiten seiner Spätzeit, schroff dogmatisch behauptete. Andere beschlagnahmen ihn in landsmannschaftlichem Geiste, einer Art Stammespoetik Nadlerschen Schlages. Sie möchten ihn gewissermaßen rücksiedeln, ihr „er war unser" soll patriotischen Ansprüchen zugute kommen, mit deren jüngster Gestalt sein restaurativer Universalismus doch wohl wenig gemein hat. Solchen Anhängern gegenüber ist dann der zeitgemäße Hinweis aufs Unzeitgemäße an Eichendorff nur allzu einleuchtend. Deutlich erinnere ich mich aus meiner Gymnasialzeit daran, wie ein Lehrer, der auf mich bedeutenden Einfluß ausübte, mich bei den Zeilen „Es war, als hätt' der Himmel / Die Erde still geküßt", die mir so selbstverständlich waren wie Schumanns Komposition, auf die Trivialität des Bildes aufmerksam machte. Ich war unfähig, der Kritik zu begegnen, ohne daß sie mich doch recht überzeugt hätte, wie denn Eichendorff allen Einwänden preisgegeben ist. Aber dennoch gefeit gegen jeglichen. Was, nach Brahmsens Wort, jeder Esel hört, prallt ab von der Qualität der Eichendorffschen Gedichte. Wird sie indessen zum Geheimnis erklärt, das man zu respektieren habe, so verbirgt hinter solchem demütigen Irrationalismus sich die Trägheit, die angestrengte Passivität aufzubringen, welche das Gedicht erheischt; am Ende auch die Bereitschaft, das einmal Approbierte weiter zu bewundern und sich zu bescheiden mit der vagen Überzeugung, daß irgend etwas daran mehr sei als in Anthologien oder Klassikerausgaben aufgebahrte Lyrik. Zu einer Stunde aber, zu der keine künstlerische Erfahrung mehr fraglos vorgegeben ist; zu einer Stunde, da in unserer Kindheit keine Autorität von Lesebüchern uns die Schönheit zueignet, die wir verstehen, weil wir sie noch nicht verstehen, fordert jegliche Anschauung des Schönen, daß wir den Grund wissen, warum es schön genannt wird. Selbstgerecht und unwahr bleibt die Naivetät, die davon sich dispensiert; der Gehalt des Kunstwerks, der Geist ist, hat den Geist nicht zu fürchten, der sucht, ihn zu begreifen, sondern sucht ihn selber.

Eichendorff erkennend vor Freunden und Feinden retten, ist das Gegenteil sturer Apologie. Das Element seiner Gedichte, das dem Männergesangverein überantwortet ward, ist nicht immun gegen sein Schicksal und hat es vielfach herbeigezogen. Ein Ton des Affirmativen, der Verherrlichung des Daseins schlechthin bei ihm hat geradewegs in jene Lesebücher geführt. Die apokryphe Unsterblichkeit freilich, die er dort fand, steht zu verachten nicht an. Wer nicht als Kind „Wem Gott will rechte Gunst erweisen, / Den schickt er in die weite Welt" auswendig lernte, kennt nicht eine Schicht der Erhebung des Wortes über den Alltag, die kennen muß, wer sie sublimieren, wer den Riß zwischen der menschlichen Bestimmung und dem ausdrücken will, was die Einrichtung der Welt aus ihm macht. So sind auch Schuberts Müllerlieder nur dem ganz nah, der zuvor einmal die Vulgärkomposition von „Das Wandern ist des Müllers Lust" im Schulchor mitgesungen hat. Manche Verse von Eichendorff, „Am liebsten betracht' ich die Sterne, / Die schienen, wenn ich ging zu ihr", klingen wie Zitate beim ersten Mal, memoriert nach dem Lesebuch Gottes.

Darum jedoch muß man die allzu ungebrochenen Töne nicht verteidigen, mit denen Eichendorff lobt und dankt. In den Generationen, die seit seinen Tagen vergingen, ist das Ideologische am weltfrohen und geselligen Eichendorff hervorgetreten, um in der Prosa manchmal Lächeln zu provozieren. Aber selbst um diese Schicht ist es bei ihm nicht ganz einfach bestellt. Ein goethisch angestimmtes geselliges Lied enthält die Zeilen:

Das Trinken ist gescheiter,
Das schmeckt schon nach Idee,
Da braucht man keine Leiter,
Das geht gleich in die Höh'.

Nicht bloß streift die studentenhaft saloppe Nennung des Wortes Idee die große Philosophie, deren Zeitalter Eichendorff angehört, sondern es wird eine über jenes Zeitalter weit hinausgreifende Vergeistigung des Sinnlichen innerviert, wie sie nichts mit verspäteter Anakreontik gemein hat und erst in den tödlichen Weingedichten Baudelaires zu sich selber kam: so flüchtig und ephemer ist von nun an die Idee, das Absolute, wie der Duft des Weines. Wohl geziemt es nicht, nach einer verbreiteten literarhistorischen Manier, Eichendorffs affirmativen Ton als dem Dunklen entrungen zu rechtfertigen, von dem jene Gedichte und Prosasätze wenig bezeugen. Aber fraglos sind sie doch verwandt mit dem europäischen Weltschmerz. Ihm antwortet Eichendorffs gekaufter Mut, jener Entschluß zur Munterkeit, wie er mit befremdend paradoxer Gewalt am Ende eines der größten seiner Gedichte, dem vom Zwielicht, sich bekundet: „Hüte dich, sei wach und munter". Was bei Schumann einmal „im fröhlichen Ton" heißt, gleicht bei diesem wie bei Eichendorff schon dem Rilkeschen „Als ob wir noch Fröhlichkeit hätten":

Hinaus, o Mensch, weit in die Welt
Bangt dir das Herz in krankem Mut;
Nichts ist so trüb in Nacht gestellt,
Der Morgen leicht macht's wieder gut.

Die Ohnmacht solcher Strophen ist nicht die des beschränkten Glücks, sondern der vergeblichen Beschwörung, und der Ausdruck ihrer Vergeblichkeit, mit dem wohl skeptisch Wienerischen „leicht" für „vielleicht", ist zugleich die Kraft, die mit ihnen versöhnt. Kinderangst will der Schluß des *Zwielichts* übertäuben, aber: „Manches bleibt in Nacht verloren". Der späte Eichendorff hat die verfrühte Dankbarkeit des jungen so nach Hause gebracht, daß sie des eigenen Truges inne wird und die eigene Wahrheit doch festhält:

Mein Gott, dir sag' ich Dank,
Daß du die Jugend mir bis über alle Wipfel
In Morgenrot getaucht und Klang,
Und auf des Lebens Gipfel,
Bevor der Tag geendet,
Vom Herzen unbewacht
Den falschen Glanz gewendet,
Daß ich nicht taumle ruhmgeblendet,
Da nun herein die Nacht
Dunkelt in ernster Pracht.

So unwiederbringlich heute das Befriedete selbst dieser Verse dahin ist, so strahlend leuchtet es, und längst nicht mehr bloß der Todesnacht des Einzelnen. Eichendorff verherrlicht was ist und meint doch nicht das Seiende. Er war kein Dichter der Heimat sondern der des Heimwehs, im Sinne des Novalis, dem er nahe sich wußte. Selbst in jenem „Es war als hätt' der Himmel", das er unter die Geistlichen Gedichte einreihte und das klingt, als wäre es mit dem Bogenstrich gespielt, trägt das Gefühl der absoluten Heimat nur darum, weil es nicht unmittelbar die beseligte Natur meint, sondern mit einem Akzent unfehlbaren metaphysischen Takts bloß gleichnishaft ausgesprochen wird:

Und meine Seele spannte
Weit ihre Flügel aus,
Flog durch die stillen Lande,
Als flöge sie nach Haus.

Anderswo schreckt die Katholizität des Dichters nicht zurück vor der wie immer auch trauernden Zeile: „Das Reich des Glaubens ist geendet."

Gleichwohl ist Eichendorffs Positivität seinem Konservativismus verschwistert, sein Lob dessen, was ist, der Idee des Bewahrenden. Aber wenn irgendwo, dann hat in der Dichtung der Stellenwert des Konservativismus zum äußersten sich verändert. Hilft er heute, nach dem Zerfall der Tradition, als willkürliches Lob von Bindungen, bloß zur Rechtfertigung eines schlechten Bestehenden, so wollte er einmal auch ein sehr anderes, das erst an seinem Gegensatz, der hereinbrechenden Barbarei, ganz sich wägen läßt. Wieviel an Eichendorff aus der Perspektive des depossedierten Feudalen stammt, ist so offenbar, daß gesellschaftliche Kritik daran albern wäre; in seinem Sinne aber lag nicht nur die Restauration der entsunkenen Ordnung, sondern auch der Widerstand gegen die destruktive Tendenz des Bürgerlichen selber. Seine Überlegenheit über alle Reaktionäre, die heute die Hand nach ihm ausstrecken, bewährt sich daran, daß er, wie die große Philosophie seiner Epoche, die Notwendigkeit der Revolution begriff, vor der ihn schauderte: er verkörpert etwas von der kritischen Wahrheit des Bewußtseins derer, die den Preis für den fortschreitenden Gang des Weltgeistes zu entrichten haben. Seine Schrift über den Adel und die Revolution enthält gewiß viel Beschränktes, und seine Vorbehalte gegen den eigenen Stand sind nicht frei von puritanischen Klagen über dessen „Seuche der Glanz- und Genußsucht", die freilich von ihm zusammengebracht werden mit der unter den Feudalen sich ausbreitenden kapitalistischen Gesinnung, mit ihrer Neigung, den Grundbesitz „in ihrer beständigen Geldnot durch verzweifelte Güterspekulationen zur gemeinen Ware" zu machen. Aber er hat nicht nur von den „bramarbasierenden Haudegen des Siebenjährigen Krieges" gesprochen, „die mit einer unnachahmlich lächerlichen Manneswürde von einer gewissen Biderbigkeit Profession machten", sondern auch den deutschen Nationalisten der Napoleonischen Ära den „Terrorismus einer groben Vaterländerei" vorgeworfen. Teilt er, mit einem Einschlag von Sozialkritik, die der Rechten seiner Zeit geläufigen Argumente gegen kosmopolitische Nivellierung, so hat der Feudale doch keineswegs mit den Jahn und Fries sich gemein gemacht. Überraschend sein Organ für die revolutionären und auflösenden Sympathien der Aristokratie; er hat sie bejaht: „Es brütete . . . eine unheimliche Gewitterluft über dem ganzen Lande, jeder fühlte, daß irgendetwas Großes im Anzuge sei, ein unausgesprochenes, banges Erwarten, man wußte nicht von was, hatte mehr oder minder alle Gemüter beschlichen. In dieser Schwüle erschienen, wie immer vor nahenden Katastrophen, seltsame Gestalten und unerhörte Abenteurer, wie der Graf St. Germain, Cagliostro u. a., gleichsam als Emissäre der Zukunft." Und er fand Sätze über Figuren wie den Baron Grimm und den radikalen Emigranten Grafen Schlabrendorf, die mit dem Klischee vom Konservativen so wenig zusammenstimmen wie jene Partien der Hegelschen Rechtsphilosophie, die von den über sich hinaustreibenden Kräften der bürgerlichen Gesellschaft handeln. Die Sätze lauten: „Aus diesen Sonderbündlern sind später, als die Revolution zur Tat geworden, einige höchst denkwürdige Charaktere hervorgegangen. So der rastlos unruhige Freiheitsfanatiker Baron Grimm, unablässig wie der Sturmwind die Flammen schürend und wendend, bis sie über ihm zusammenschlugen und ihn selber verzehrten. So auch der berühmte Pariser Einsiedler Graf Schlabrendorf, der in seiner Klause die ganze soziale Umwälzung wie eine große Welttragödie unangefochten, betrachtend, richtend und häufig lenkend, an sich vorübergehen ließ. Denn er stand so hoch über allen Parteien, daß er Sinn und Gang der Geisterschlacht jederzeit klar überschauen konnte, ohne von ihrem wirren Lärm erreicht zu werden. Dieser prophetische Magier trat noch jugendlich vor die große Bühne, und als kaum die Katastrophe abgelaufen, war ihm der greise Bart bis an den Gürtel gewachsen." Wohl ist die Sympathie mit der Revolution hier bereits zu gebildet zuschauender Humanität neutralisiert, aber noch diese erhebt sich gebietend über den heutigen Kult des Heiligen, Organischen und Ganzheitlichen: Eichendorffs Bewahrendes ist weit genug, sein eigenes Gegenteil mitzuumfassen. Seine Freiheit zur Einsicht in das Unwiderrufliche des geschichtlichen Prozesses ist dem Konservativismus der spätbürgerlichen Phase gänzlich abhanden gekommen; je weniger die vorkapitalistischen Ordnungen mehr sich wiederherstellen lassen, desto verbissener klammert sich die Ideologie an deren angeblich geschichtloses, absolut verbürgtes Wesen.

Das vorbürgerliche Ferment im Eichendorffschen Konservativismus, das über die Bürgerlichkeit selber die Unruhe von Sehnsucht, Ausbruch und seliger Nutzlosigkeit bringt, reicht aber tief hinein bis in seine Lyrik. In Benjamins Einbahnstraße heißt es: „Der Mann . . ., der sich in Einklang mit den ältesten Überlieferungen seines Standes oder seines Volkes weiß, stellt gelegentlich sein Privatleben ostentativ in Gegensatz zu den Maximen, die er im öffentlichen Leben unnachsichtig vertritt, und würdigt ohne leiseste Beklemmung des Gewissens sein eigenes Verhalten insgeheim als bündigsten Beweis unerschütterlicher Autorität der von ihm affichierten Grundsätze."[1] Das könnte zwar nicht auf Eichendorffs Privatleben, wohl aber auf seinen dichterischen Habitus gemünzt sein. Hinzuzufügen wäre die Frage, ob nicht eben solche Unzuverlässigkeit, neben dem Gesichertsein selbst, auch das Korrektiv an der Sicherheit, die Transzendenz zu einer bürgerlichen Gesellschaft ausdrücke, in der der Konservative nicht ganz domestiziert ist und zu deren Gegnern ihn etwas hinzieht. Sie werden bei Eichendorff von den Vaganten vertreten, den Heimatlosen von einst als Boten an die Zukunft derer, die, wie es bei Novalis die Philosophie will, überall zuhause sind. Nach dem Lob der Familie als der Keimzelle der Gesellschaft wird man bei ihm vergebens suchen. Enden einige Novellen – nicht der große Jugendroman *Ahnung und Gegenwart* – konventionell mit der Ehe des Helden, so bekennt sich in der Lyrik der Dichter als der, welcher keine Bleibe hat, mit unmißverständlichem Spott gegen das Gebundensein. Das Motiv kommt aus dem Volkslied, aber die Insistenz, mit der Eichendorff es wiederholt, sagt etwas über ihn selber. Der Soldat singt: „Und spricht sie vom Freien: / So schwing ich mich auf mein Roß – / Ich bleibe im Freien, / Und sie auf dem Schloß." Und der wandernde Musikant: „Manche Schöne macht wohl Augen, / Meinet, ich gefiel' ihr sehr, / Wenn ich nur was wollte taugen, / So ein armer Lump nicht wär. – / Mag dir Gott ein'n Mann bescheren, / Wohl mit Haus und Hof versehn! / Wenn wir zwei zusammen wären, / Möcht mein Singen mir vergehn." Noch das berühmte Gedicht von den zwei Gesellen würde verfehlen, wer dächte, die Strophe vom ersten, der ein Liebchen fand, dem die Schwieger Haus und Hof kaufte und der behaglich seine Familie gründet, entwerfe das Bild richtigen Lebens. Die Schlußstrophe mit dem jähen Weinen „Und seh ich so kecke Gesellen" gilt dem mittleren Glück des ersten nicht weniger als dem verlorenen zweiten; das richtige Leben ist zugehängt, vielleicht schon unmöglich, und in der letzten Zeile: „Ach Gott, führ uns liebreich zu dir!" sprengt niederbrechende Verzweiflung hilflos das Gedicht.

Ihr Gegenteil ist die Utopie: „Es redet trunken die Ferne / Wie von künftigem, großem Glück!" – und nicht vom vergangenen: so unzuverlässig war Eichendorffs Konservativismus. Es ist aber eine schweifend erotische. Wie die Helden seiner Prosa schwanken zwischen Frauenbildern, die ineinanderspielen, niemals gegeneinander konturiert sind, so zeigt Eichendorffs Lyrik kaum ans konkrete Bild einer Geliebten sich gebunden: eine jegliche bestimmte Schöne wäre schon Verrat an der Idee schrankenloser Erfüllung. Selbst in „Überm Garten durch die Lüfte", einem der passioniertesten Liebesgedichte der deutschen Sprache, erscheint weder sie selber noch redet der Dichter von sich. Laut wird einzig der Jubel: „Sie ist Deine, sie ist dein!" Über Namen und Erfüllung ist ein Bilderverbot ergangen. Der älteren Tradition der deutschen Dichtung war im Gegensatz zur französischen die unverhüllte Darstellung des Sexus fremd, und sie hat auf ihrem mittleren Niveau mit Prüderie und idealischem Philistertum bitter dafür zu büßen gehabt. In ihren größten Repräsentanten aber ist das Verschweigen zum Segen angeschlagen, die Kraft des Ungesagten ins Wort gedrungen und hat ihm seine Süße geschenkt. Noch das Unsinnliche und Abstrakte ward bei Eichendorff zum Gleichnis für ein Gestaltloses: archaisches Erbe, früher als die Gestalt und zugleich späte Transzendenz, das

Unbedingte über die Gestalt hinaus. Das sinnlichste Gedicht aus seiner Hand hält sich im nächtlich Unsichtbaren:

> Über Wipfel und Saaten
> In den Glanz hinein –
> Wer mag sie erraten?
> Wer holte sie ein?
> Gedanken sich wiegen,
> Die Nacht ist verschwiegen,
> Gedanken sind frei.
>
> Errät es nur eine,
> Wer an sie gedacht,
> Beim Rauschen der Haine,
> Wenn niemand mehr wacht,
> Als die Wolken, die fliegen –
> Mein Lieb ist verschwiegen
> Und schön wie die Nacht.

Der noch Zeitgenosse Schellings war, tastet nach den *Fleurs du mal,* der Zeile: „O toi que la nuit rend si belle". Eichendorffs entfesselte Romantik führt bewußtlos zur Schwelle der Moderne.

Die Erfahrung des modernen Elements in Eichendorff, das heute wohl erst offen liegt, führt am ehesten ins Zentrum des dichterischen Gehalts. Es ist wahrhaft antikonservativ: Absage ans Herrschaftliche, an die Herrschaft zumal des eigenen Ichs über die Seele. Eichendorffs Dichtung läßt sich vertrauend treiben vom Strom der Sprache und ohne Angst, in ihm zu versinken. Für solche Generosität, die nicht haushält mit sich selber, dankt ihm der Genius der Sprache. Die Zeile: „Und ich mag mich nicht bewahren!", die in einem seiner Gedichte vorkommt, das er selber an den Anfang von deren Ausgabe setzte, präludiert in der Tat sein gesamtes œuvre. Hier zuinnerst ist er Schumanns Wahlverwandter, gewährend und vornehm genug, noch das eigene Daseinsrecht zu verschmähen: so verströmt die Ekstase des dritten Satzes von Schumanns Klavierphantasie ins Meer. Todverfallen ist diese Liebe und selbstvergessen. In ihr verhärtet das Ich nicht länger sich in sich selber. Es möchte etwas gutmachen von dem uralten Unrecht, Ich überhaupt zu sein. Eichendorff ist schon ein bâteau ivre, aber eines noch auf dem Fluß zwischen grünen Ufern und mit bunten Wimpeln. „Nacht, Wolken, wohin sie gehen, / Ich weiß es recht gut", heißt es aufgelöst expressionistisch in den gleichwohl dem Volkslied nachgebildeten *Nachtigallen:* diese Konstellation ist der ganze Eichendorff. Der wandernde Musikant sagt: „In der Nacht dann Liebchen lauschte / An dem Fenster süß verwacht", ein Bild der Traumbefangenen mit wirrem Haar, von keiner exakten Vorstellung mehr einzuholen, aber, durch die Synkopierung des Ausdrucks, der die Süße des Mädchens und die Übermächtigkeit ineinanderfügt, magischer als jegliche Beschreibung; im selben Geist wird sie anderswo „ein süßverträumtes Kind" genannt. Zuweilen sind bei Eichendorff Worte hingelallt, aller Kontrolle bar, und die bis zum Extrem gediehene Lockerung nähert sie dem immer schon Gewesenen: „Lied, mit Tränen halb geschrieben".

Wie wenig ein Begriff von Kultur taugt, welcher die Künste abschneidend auf einen Nenner bringt, bezeugt die deutsche Dichtung, die, seit Lessing Shakespeare gegen den Klassizismus wandte, im äußersten Gegensatz zur großen Musik und Philosophie, nicht Integration, System, subjektiv gestiftete Einheit des Mannigfaltigen wollte, sondern Ausatmen und Dissoziation. An diesem deutschen Unterstrom, wie er vom Sturm und Drang und vom jungen Goethe über Büchner und manches vom Hauptmann bis zu Wedekind, dem Expressionismus und Brecht treibt, hat Eichendorff insgeheim Anteil. Seine Lyrik ist gar nicht „subjektivistisch", so, wie man von der Romantik es sich vorzustellen pflegt: sie erhebt, als Preisgabe an die Impulse der Sprache, stummen Einspruch gegen das dichterische Subjekt. Auf kaum einen paßt das bequeme Schema vom Erlebnis und der Dichtung schlechter als auf ihn. Das Wort „wirr", eines seiner liebsten, ist völlig anderen Sinnes als das „dumpf" des jungen Goethe: es meldet die Suspension des Ichs, seine Preisgabe an ein chaotisch Andrängendes an, während die Goethesche Dumpfheit stets den seiner selbst gewissen Geist meint, der sich erst bildet. Ein Eichendorffsches Gedicht beginnt: „Ich hör die Bächlein rauschen / Im Walde her und hin, / Im Walde in dem Rauschen / Ich weiß nicht, wo ich bin": so weiß diese Lyrik überhaupt nie, wo ich bin, weil das Ich sich vergeudet an das, wovon es flüstert. Genial falsch ist die Metapher von den Bächlein, die „her und hin" rauschen, denn die Bewegung der Bäche ist einsinnig, aber das Her und Hin gibt das Verstörte dessen wieder, was die Laute dem Ich sagen, das lauscht, anstatt sie zu lokalisieren; auch ein Stück Impressionismus wird in solchen Wendungen antizipiert. An eine äußerste Grenze gelangen jene Verse *Zwielicht,* die Thomas Mann besonders liebte. In der Jagdszene aus *Ahnung und Gegenwart,* in die sie eingeflochten sind, wahren sie, mit Eifersucht motiviert, eine gewisse Oberflächen-Verständlichkeit. Aber sie reicht nicht weit. Die Zeile: „Wolken ziehn wie schwere Träume" gewinnt der Lyrik die spezifische Art des Meinens im deutschen Wort Wolken, zum Unterschied etwa von nuage: das Wort Wolken und was es begleitet zieht in diesem Vers dahin wie schwere Träume, gar nicht erst die Gebilde, die es bedeutet. Vollends in der Fortsetzung bezeugt das Gedicht, isoliert vom Roman, die Selbstentfremdung des Ichs, das sich seiner entäußert hat, bis zum Wahnsinn der schizoiden Mahnung: „Hast ein Reh du lieb vor andern, /Laß es nicht alleine grasen", und der Verfolgungsphantasie des Abgeschiedenen, die ihm den Freund in den Feind verhext.

Eichendorffs Selbstentäußerung hat nichts gemein mit jener Kraft gegenständlicher Anschauung, jener Fähigkeit zur Konkretion, die das convenu dem dichterischen Vermögen gleichsetzt. Sein lyrisches Werk neigt zum Abstrakten nicht bloß in der imago der Liebe. Kaum je gehorcht es den Kriterien sinnlich-dichter Erfahrung von der Welt, die man von Goethe, Stifter, auch Mörike abgezogen hat. Es weckt damit Zweifel am unbedingten Recht jener Kriterien selbst als an einer Reaktionsbildung, dem Versuch, für das zu kompensieren, was die idealistische Philosophie gerade dem deutschen Geist entzog. In den Märchen der Grimmschen Sammlung wird kein Wald je beschrieben oder auch nur charakterisiert; und welcher Wald wäre doch so sehr einer wie der aus den Märchen. Mit Recht hat Wolfdietrich Rasch auf die Seltenheit von Zeilen „erhöhter Anschaulichkeit, mit besonderen optischen Reizen" bei Eichendorff aufmerksam gemacht wie

„Schon funkelt das Feld wie geschliffen". Nur ist es nicht mit der rhetorischen Frage getan, ob es überhaupt nötig sei zu zeigen, worin das Faszinierende seiner Verse beruhe. Denn er erreicht die außerordentlichsten Wirkungen mit einem Bilderschatz, der bereits zu seiner Zeit abgebraucht gewesen sein muß. Von jenem Schloß, an dem Eichendorffs Sehnsucht haftete, ist nicht anders die Rede als eben nur von dem Schloß; der obligate Vorrat von Mondschein, Waldhörnern, Nachtigallen, Mandolinen wird aufgeboten, ohne daß doch die Requisiten der Eichendorffschen Dichtung viel zuleide täten. Dazu trägt bei, daß er an den Bruchstücken der lingua mortua als erster wohl Ausdruckskraft entdeckt. Er hat die lyrischen Valeurs von Fremdwörtern entbunden. In dem utopischen Gedicht „Schöne Fremde" folgt unmittelbar auf das „Wirr wie in Träumen" die „phantastische Nacht", und das Abstraktum phantastisch, uralt und unberührt in eins, ruft alles Gefühl der Nacht auf, das ein genaueres Epitheton zerschnitte. Erweckt jedoch werden die Requisiten nicht durch solche Funde, auch nicht durch neue Anschauung, sondern durch die Konstellation, in die sie treten. Totes erwecken will Eichendorffs Lyrik insgesamt, so wie der einer Schonfrist bedürftige Spruch am Ende des *Sängerleben* überschriebenen Abschnitts postuliert: „Schläft ein Lied in allen Dingen, / Die da träumen fort und fort, / Und die Welt hebt an zu singen, / Triffst du nur das Zauberwort." Dies Wort, dem die wohl von Novalis inspirierten Verse nachhängen, ist kein geringeres als die Sprache selbst. Ob die Welt singt, darüber entscheidet, daß der Dichter ins Schwarze, ins Sprachdunkle, trifft, als in ein zugleich an sich schon Seiendes. Das ist der Antisubjektivismus des Romantikers Eichendorff. Vorab wird man dabei, bei dem Dichter des Heimwehs, in dem viel ungebrochener Barock gegenwärtig war, an Allegorie gemahnt. Den Vollzug seiner allegorischen Intention halten zwei Strophen fast protokollarisch fest:

> Es zog eine Hochzeit den Berg entlang,
> Ich hörte die Vögel schlagen,
> Da blitzten viel Reiter, das Waldhorn klang,
> Das war ein lustiges Jagen!
> Und eh' ich's gedacht, war alles verhallt,
> Die Nacht bedeckte die Runde,
> Nur von den Bergen noch rauschet der Wald,
> Und mich schauert im Herzensgrunde.

In der Vision der sogleich verschwindenden Hochzeit zielt Eichendorffs ganz unausgesprochene und darum um so nachdrücklichere Allegorie ins Zentrum des allegorischen Wesens selber, die Vergänglichkeit; der Schauer, der ihn vor dem Ephemeren des Festes ergreift, das doch Dauer meint, verwandelt die Hochzeit zurück in eine Geisterhochzeit; läßt das Jähe des Lebens selber zum Gespenstischen erstarren. Stand am Anfang der deutschen Romantik die spekulative Identitätsphilosophie, in der das Gegenständliche Geist ist und der Geist Natur, dann verleiht Eichendorff den bereits verdinglichten Dingen im Einstand noch einmal die Kraft des Bedeutens, des über sich Hinausweisenden. Dieser Augenblick des Aufblitzens einer gleichsam noch in sich erzitternden Dingwelt erklärt wohl in einigem Maß das Unverwelkliche am Welken bei Eichendorff. „Aus der Heimat hinter den Blitzen rot", hebt ein Gedicht an, als wäre das Wetterleuchten ein geronnenes,

Trauer verkündendes Stück der Landschaft, wo Vater und Mutter lange tot sind. So gleichen zuweilen die hellen Sonnenränder zwischen Gewitterwolken Blitzen, die aus ihnen zünden könnten. Keines der Eichendorffschen Bilder ist nur das, was es ist, und keines läßt sich doch auf seinen Begriff bringen: dies Schwebende allegorischer Momente ist sein dichterisches Medium.

Freilich erst das Medium. In seiner Dichtung sind die Bilder wahrhaft nur Elemente, überantwortet dem Untergang im Gedicht selber. Der vergessene deutsche Ästhetiker Theodor Meyer hat in dem Buch *Das Stilgesetz der Poesie*, einer ebenso bescheiden vorgetragenen wie kühn gedachten Konzeption, vor mehr als fünfzig Jahren gegen den Lessingschen Laokoon und die an ihn sich anschließende Tradition, und sicherlich ohne Kenntnis Mallarmés, eine Theorie entwickelt, die etwa die Sätze zusammenfassen: „Es könnte sich bei genauerem Betrachten ergeben, daß solche Sinnenbilder mit der Sprache gar nicht geschafft werden können, daß die Sprache allem, was durch sie hindurchgeht, auch dem Sinnlichen ihren eigenen Stempel aufdrückt; daß sie uns also das Leben, das uns der Dichter zu genießendem Nacherleben darbieten möchte, in psychischen Gebilden vorführt, die verschieden von den Erscheinungen der sinnlichen Wirklichkeit nur unserer Vorstellung eigen sind. Dann wäre die Sprache nicht das Vehikel, sondern das Darstellungsmittel der Poesie. Denn nicht in Sinnbildern, die durch die Sprache suggeriert wären, sondern in der Sprache selber und in den durch sie geschaffenen ihr allein eigentümlichen Gebilden bekämen wir den Gehalt. Man sieht, die Frage nach dem Darstellungsmittel der Poesie ist nicht müßig, ist kein Streit um des Káisers Bart; sie wird alsbald zur Frage nach der Gebundenheit der Kunst an die sinnliche Erscheinung. Sollte es sich finden, daß die Lehre vom Vehikel ein Irrtum ist, so fällt mit ihm auch die Definition der Kunst als Anschauung."[2] Das paßt genau auf Eichendorff. Die „Sprache als Darstellungsmittel der Poesie", als ein Autonomes, ist seine Wünschelrute. Ihr dient die Selbstauslöschung des Subjekts. Der sich nicht bewahren will, findet für sich die Zeilen: „Und so muß ich, wie im Strome dort die Welle, / Ungehört verrauschen an des Frühlings Schwelle." Zum Rauschen macht sich das Subjekt selber: zur Sprache, überdauernd bloß im Verhallen wie diese. Der Akt der Versprachlichung des Menschen, ein Wortwerden des Fleisches, bildet der Sprache den Ausdruck von Natur ein und transfiguriert ihre Bewegung ins Leben noch einmal. Rauschen war sein Lieblingswort, fast seine Formel; das Borchardtsche „Ich habe nichts als Rauschen" dürfte als Motto über Vers und Prosa Eichendorffs stehen. Dies Rauschen jedoch wird von der allzu hastigen Erinnerung an Musik versäumt. Rauschen ist kein Klang sondern Geräusch, der Sprache verwandter als dem Klang, und Eichendorff selber stellt es als sprachähnlich vor. „Er verließ schnell den Ort", wird vom Helden des *Marmorbildes* erzählt, „und immer schneller und ohne auszuruhen eilte er durch die Gärten und Weinberge wieder fort, der ruhigen Stadt zu; denn auch das Rauschen der Bäume kam ihm nun wie ein verständiges, vernehmliches Geflüster vor, und die langen gespenstischen Pappeln schienen mit ihren weitgestreckten Schatten hinter ihm drein zu langen." Das ist nochmals allegorischen Wesens: als würde Natur dem Schwermütigen zur bedeutenden Sprache. Aber die allegorische Intention wird in Eichendorffs eigener Dichtung getragen nicht sowohl von der Natur, der er sie an jener Stelle zuschreibt, als von seiner Sprache in ihrer Bedeutungsferne. Sie ahmt Rauschen und einsame Natur nach. Damit drückt sie eine Entfremdung aus, die kein Gedanke sondern nur noch der reine Laut überbrückt. Doch auch das Entgegengesetzte. Die erkalteten Dinge werden durch die Ähnlichkeit ihres Namens mit ihnen selber heimgeholt, und der Zug der Sprache erweckt jene Ähnlichkeit. Ein Potential des jungen Goethe, der nächtigen Landschaft von *Willkommen und Abschied*, wird bei Eichendorff zum Formgesetz: das der Sprache als zweiter Natur, in der die vergegenständlichte, dem Subjekt verlorene diesem wiederkehrt als beseelte. Eichendorff ist dem Bewußtsein davon sehr nahe gekommen, und zwar nicht zufällig in einem Tafellied zu Goethes Geburtstag 1831, dessen letztem: „Wie rauschen nun Wälder und Quellen / Und singen vom ewigen Port." Sagt Proust von den Bildern Renoirs, daß, seit sie gemalt wurden, die Welt selbst anders aussieht, so wird hier mit tiefem Blick an der Lyrik Goethes das Ungeheure gerühmt, daß durch sie Natur selber sich verändert habe, durch ihn die Rauschende geworden sei. Der „Port" aber, den nach Eichendorffs Deutung Wälder und Quellen besingen, ist die Versöhnung mit den Dingen durch die Sprache. Zur Musik transzendiert sie erst kraft jener Versöhnung. Das Requisitenhafte der Sprachelemente widerspricht dem nicht sowohl, als daß es die Bedingung dafür abgibt. Die Sigel einer selber bereits verdinglichten Romantik stehen in Eichendorffs Dichtung ein für die Entzauberung der Welt, und an ihnen gerade gelingt die Erweckung durch Selbstpreisgabe. Kraft gegen das Härteste hat bei Eichendorff allein das Zarteste wie in Brechts Laotse-Gedicht: „Daß das weiche Wasser in Bewegung mit der Zeit den Stein besiegt. Du verstehst." Das weiche Wasser in Bewegung: das ist das Gefälle der Sprache, das, wohin sie von sich aus möchte, die Kraft des Dichters aber die zur Schwäche, die, dem Sprachgefälle nicht zu widerstehen eher als die, es zu meistern. Gegen den Vorwurf des Trivialen ist es so wehrlos wie die Elemente; aber was es vollbringt: die Wörter wegzuschwemmen von ihren abgezirkelten Bedeutungen und sie, in dem sie sich berühren, aufleuchten zu machen, überführt dergleichen Einwände der Armseligkeit pedantischen Gebildetseins.

Eichendorffs Größe ist nicht dort zu suchen, wo er gesichert ist, sondern wo die Schutzlosigkeit seines Gestus am äußersten sich exponiert. Das Gedicht *Sehnsucht* lautet:

Es schienen so golden die Sterne,
Am Fenster ich einsam stand
Und hörte aus weiter Ferne
Ein Posthorn im stillen Land.
Das Herz mir im Leibe entbrennte,
Da hab' ich mir heimlich gedacht:
Ach, wer da mitreisen könnte
In der prächtigen Sommernacht!

Zwei junge Gesellen gingen
Vorüber am Bergeshang,
Ich hörte im Wandern sie singen
Die stille Gegend entlang:

Von schwindelnden Felsenschlüften,
Wo die Wälder rauschen so sacht,
Von Quellen, die von den Klüften
Sich stürzen in die Waldesnacht.

Sie sangen von Marmorbildern,
Von Gärten, die überm Gestein
In dämmernden Lauben verwildern,
Palästen im Mondenschein,
Wo die Mädchen am Fenster lauschen,
Wann der Lauten Klang erwacht
Und die Brunnen verschlafen rauschen
In der prächtigen Sommernacht.

Dies Gedicht, unvergänglich wie nur eines aus Menschenhand, enthält kaum einen Zug, dem man nicht das Abgeleitete, Sekundäre vorrechnen könnte, aber jeder dieser Züge wandelt sich in Charakter durch die Fühlung mit dem nächsten. Was ließe von der nächtlichen Landschaft Unverbindlicheres sich sagen, als daß sie still sei, und was wäre fataler als das Posthorn; aber das Posthorn im stillen Land, der tiefsinnige Widersinn, daß der Klang die Stille nicht sowohl tötet, denn , als ihre eigene Aura, zur Stille erst macht, trägt schwindelnd hinweg übers Gewohnte, und die unmittelbar anschließende Zeile „Das Herz mit im Leibe entbrennte", mit dem ungebräuchlichen Präteritum, das gleichsam vom ungestümen Pochen der Gegenwart nicht los kann, verbürgt durch den Kontrast zu dem Vorhergehenden eine Würde und Eindringlichkeit, von der kein einzelnes ihrer Worte etwas weiß. Oder: wie schwach wäre, nach allen Maßstäben des Gewählten, für die Sommernacht das Attribut „prächtig". Aber das Assoziationsfeld des Adjektivs begreift die von Menschen geschaffene Schönheit, allen Reichtum von Stoff und Stickerei in sich ein und nähert damit das Bild des gestirnten Himmels dem uralten von Mantel und Gezelt: die ahnungsvolle Erinnerung daran macht es glühen. Wie offen zutage liegt die Abhängigkeit der vier Zeilen übers Gebirge von denen aus „Kennst du das Land", aber wie weltfern von dem mächtig festbannenden „Es stürzt der Fels und über ihn die Flut" Goethes ist das Pianissimo des „Wo die Wälder rauschen so sacht", das Paradoxon eines leisen, gleichsam nur noch im akustischen Innenraum vernehmbaren Rauschens, in das die heroische Landschaft zerrinnt, opfernd die Bestimmtheit der Bilder für ihre Flucht in offene Unendlichkeit. So ist auch das Italien des Gedichts nicht bestätigtes Ziel der Sinne, sondern selber wiederum nur Allegorie der Sehnsucht, voll des Ausdrucks der Vergängnis, des „Verwilderten", kaum Gegenwart. Die Transzendenz der Sehnsucht aber ist gebannt im Ende des Gedichts, einem Formeinfall des Genius, der im metaphysischen Gehalt entspringt. Wie in musikalischer Reprise schließt es sich kreishaft zusammen. Als Erfüllung der Sehnsucht dessen, der da mitreisen möchte in der prächtigen Sommernacht, erscheint die prächtige Sommernacht noch einmal, Sehnsucht selbst. Das Gedicht rankt sich gleichsam um den Goetheschen Titel *Selige Sehnsucht:* Sehnsucht mündet in sich als in ihr eigenes Ziel, so wie, in ihrer Unendlichkeit, der Transzendenz über alles Bestimmte, der Sehnsüchtige den eigenen Zustand erfährt; so wie Liebe stets so sehr der Liebe gilt wie der Geliebten. Denn wie das letzte Bild des Gedichts die Mädchen erreicht, die am Fenster lauschen, enthüllt es sich als erotisch; aber das Schweigen, mit dem allerorten Eichendorff Begierde zudeckt, schlägt um in jene oberste Idee des Glücks, worin Erfüllung als Sehnsucht selber sich offenbart, die ewige Anschauung der Gottheit.

Eichendorff zählt, nach der Periodisierung der Geistesgeschichte und auch dem eigenen Habitus nach, bereits in die Phase des Verfalls der deutschen Romantik. Wohl hat er viele aus der ersten Generation, darunter Clemens Brentano, noch gekannt, aber das Band scheint zerrissen; nicht zufällig hat er den deutschen Idealismus, nach Schlegels Wort, eine der großen Tendenzen des Zeitalters, mit dem Rationalismus verwechselt. Er hat den Nachfolgern Kants, für den er einsichtsvolle und ehrfürchtige Worte fand, „eine Art chinesischer Schönmalerei ohne allen Schatten, der doch das Bild erst wahrhaft lebendig macht“ in vollkommenem Mißverständnis vorgeworfen und an ihnen kritisiert, daß sie „das Geheimnisvolle und Unerforschliche, das sich durch das ganze menschliche Dasein hindurchzieht, ohne weiteres als störend und überflüssig negierten“. Dem Bruch der Tradition, den solche ununterrichteten Sätze dessen bekunden, der selber noch im Heidelberg der großen Jahre studierte, entspricht seine Stellung zu den romantischen Errungenschaften als zu einem Erbe. Aber weit entfernt davon, daß dergleichen geistesgeschichtliche Reflexionen Eichendorffs Lyrik minderten, beweisen sie nur das Läppische einer Betrachtungsweise nach dem Schema von Aufstieg, Höhe und Verfall. Den Dichtungen Eichendorffs fiel mehr zu als denen der Inauguratoren der deutschen Romantik, die ihm bereits historisch waren und die er kaum mehr recht begriff. Hat Romantik, nach dem Wort eines anderen ihrer Spätlinge, Kierkegaard, an jedem Erlebnis die Taufe der Vergessenheit vollzogen und es der Ewigkeit der Erinnerung geweiht, dann bedurfte es wohl der Erinnerung, um der Idee der Romantik ganz Genüge zu tun, die ihrer eigenen Unmittelbarkeit und Gegenwart widersprach. Erst die abgeschiedenen Worte sind, von Eichendorffs Munde gesprochen, zur Natur zurückgekehrt, erst die Trauer um den verlorenen Augenblick hat errettet, was der lebendige bis heute stets wieder versäumte.

ANMERKUNGEN

1 Walter Benjamin, Schriften I, Berlin und Frankfurt am Main 1955, S. 523f.
2 Theodor A. Meyer. Das Stilgesetz der Poesie, 1901, S. 8

Die Wirklichkeit E. T. A. Hoffmanns

HANS MAYER

Zwei Welten des Erzählers Hoffmann

Wie also? Der seltsame Musiker, der in einem Hause unweit der Berliner Friedrichstraße im Spätherbst des Jahres 1809 die Ouvertüre und Schlußszene aus Glucks Oper *Armida* vorgespielt hatte, während auf dem Notenpult die Seiten umgewendet werden mußten, wenngleich keine Noten darauf geschrieben oder gedruckt waren, schien der Frage seines Gastes, wer er denn eigentlich sei, zunächst auszuweichen. Er „war mit dem Lichte durch die Türe entwichen" und hatte den Besucher im Finstern gelassen. Plötzlich erschien er wieder „in einem gestickten Galakleide, reicher Weste, den Degen an der Seite, mit dem Licht in der Hand". Er faßte die Hand des Besuchers und gab nun erst, nach diesem Zwischenfall, die Antwort auf die noch im Raume hängende Frage: „Was ist das? Wer sind Sie?" Der Musiker antwortete „sonderbar lächelnd" mit den nun keineswegs klärenden, sondern nur tiefer verwirrenden Worten: „Ich bin der Ritter Gluck!"

So schließt E. T. A. Hoffmanns erste Erzählung, die Geschichte vom *Ritter Gluck* mit dem Untertitel „Eine Erinnerung aus dem Jahre 1809". Wie also? Saß hier wirklich der Tonsetzer der Oper *Armida* vor dem Instrument? Das ist nicht wohl möglich, denn Christoph Wilibald Ritter von Gluck war – die Musikgeschichte läßt nicht daran zweifeln – am 15. November 1787 zu Wien verstorben. Seitdem waren zweiundzwanzig Jahre vergangen. Außerdem starb Gluck im Alter von dreiundsiebzig Jahren, während unser Musiker vom Erzähler mit den Worten eingeführt wird: „Der Mann mochte über fünfzig sein." Wer also spielt, wer hat hier gespielt: vor sich die leere Partitur, aber dennoch offenbar nicht bloß als reproduzierender Künstler, der die Partitur im Kopfe hat, so daß er der Noten nicht bedarf. Immer wieder hatte „Ritter Gluck" den Erzähler dadurch erschreckt und zur Verwunderung gezwungen, daß der musikalische Text der Überlieferung von ihm frei abgewandelt wurde, nicht durch Phantasieren oder Variieren, sondern gleichsam in einer verbesserten Textfassung, wie sie dem eigenen Tonsatz oder Gedicht stets nur der Schöpfer gewähren kann.

Wenn es also nicht der Ritter Gluck war und sein konnte, wer dann hatte in Berlin, im Jahre 1809, im Vollbesitz von Glucks Schöpfertum gespielt? Der Zugang zum Gesamtwerk E. T. A. Hoffmanns hängt von der Antwort ab, die einer hier zu geben hat. Die erste eigentliche Dichtung des damals dreiunddreißigjährigen Hoffmann enthält im Keim die Grundstruktur all seiner späteren poetischen Werke; der ungelöste Rest, den der Leser der Geschichte vom Ritter Gluck zu bewältigen hat, wird auch späterhin nicht durch den *Goldnen Topf* oder die *Elixiere des Teufels*, durch den Bericht über die *Lebens-*

ansichten des Katers Murr oder das Märchen vom *Meister Floh* wieder ausgeglichen. Die Wirklichkeit Hoffmanns trägt im Gesamtwerk die gleichen Züge wie in dieser ersten meisterhaften Erzählung. Christoph Wilibald Gluck also hat nicht gespielt. Wer denn? Werner Bergengruen gibt in seiner Lebensdarstellung Hoffmanns eine sonderbar stumpfe Deutung, wenn er Hoffmanns Fabel zusammenfaßt: „Er schildert die Begegnung mit einem wahnsinnigen Musiker, der sich bis zur Identität in Glucks Schöpfungswelt eingelebt hat und allen Verständiggebliebenen im tiefen Erfassen der Musik voraus ist." Scheinbar läßt sich das hören. Der wunderliche Musiker besitzt zweifellos skurrile, wenn nicht krankhafte Züge. Er scheint gleichzeitig in der Berliner Gegenwart des Jahres 1809 und in einer zurückliegenden Ära beheimatet zu sein. Ein sehr weiter moderner Überrock hüllt ihn ein, darunter entdeckt man aber später „eine gestickte Weste mit langen Schössen, schwarzsamtene Beinkleider und einen ganz kleinen silbernen Degen". Der Mann lebt in Berlin, aber er haßt die Berliner und bezeichnet sich als exiliert. Seine Launen, die jähen Wandlungen des Gefühls, sein plötzliches Verschwinden und auch Wiederauftauchen, alles mutet ungewohnt, krankhaft an. Was sollen die wiederkehrenden wunderlichen Anspielungen auf den „Euphon"? Von Mozarts weltberühmtem *Don Juan,* dessen Titel er zunächst einmal vergessen hat, spricht der erstaunliche Mensch als von „meines jungen Freundes Oper". Ein Gespräch über Gluck, seine Werke und deren Aufführung verursacht Gefühlsäußerungen, die im Grunde keinem Enthusiasten anstehen, auch nicht dem leidenschaftlichen Verehrer dieser Musik, sondern nur Gluck selbst, nur dem Tonsetzer. Der aber kann nicht zugegen sein. Es bleibt also wohl bei der Auslegung: Wahnsinn in der Form schöpferischer Identifizierung mit dem Werk eines großen Toten.

Doch nicht ganz. Daß gerade Bergengruen die Grenze zwischen Schöpfertum und höchstem Nachschöpfertum verkennt, ist sonderbar. Der vorzüglichste Kenner der Werke Glucks vermag vielleicht gegenüber Verfälschungen der Wiedergabe, von denen in der Erzählung mehrfach die Rede ist, die Reinheit des originalen Satzes wiederherzustellen; auch kann intensive Versenkung in diese Tonwelt dazu führen, daß der Spielende der Partitur entraten darf. Niemals aber kann Anverwandlung und Identifizierung dazu führen, daß das Originalwerk durch Veränderungen ebenbürtiger Art gleichsam neu komponiert wird, ohne daß dabei Epigonentum entsteht. Ein „wahnsinniger Musiker", in dem Glucks Genius schöpferisch wirkt, ist ein musikalischer Genius: in ihm muß mehr sein als eine Epigonenrolle aus dem Jahre 1809 hergeben kann. Genialer Schüler Glucks kann er nicht heißen, so wie etwa der junge Beethoven bei Joseph Haydn in die Schule ging, denn die Musik, die hier in der Berliner Friedrichstadt erklingt, bleibt in ihrer Substanz bei allen Veränderungen und Ergänzungen doch Musik von Gluck. So vor dem Klavier sitzen, so spielen kann nur Gluck selbst. Das sonderbare Lächeln und die Vorstellung am Schluß der Erzählung scheinen Wahrheit auszusagen. Der Satz steht im Sperrdruck: *„Ich bin der Ritter Gluck!"* Er ist der Ritter Gluck. Als Gluck konnte er von Mozarts Oper als der des jungen Freundes sprechen. Als Komponist durfte er den selbstgeschaffenen Text ergänzen und umformen.

Der Konflikt ist für den Leser nun vollends unlösbar geworden. Die äußere Wahrheit des Jahres 1809 spricht gegen die Möglichkeit einer Präsenz des Ritters Gluck in Berlin. Die innere Wahrheit der Geschichte verlangt nach Glucks Gegenwart als der allein zuständigen und zulänglichen Erklärung. Die erste Hoffmann-Erzählung enthüllt bereits, daß Hoffmanns Wirklichkeitsauffassung der Eindeutigkeit entbehrt. Hier sind offenbar zwei Wirklichkeiten ineinanandergeschachtelt: die eine schließt die Anwesenheit des verstorbenen Tonsetzers aus, die andere muß sie voraussetzen. Die Zwischenlösung „wahnsinniger Enthusiast" vermag nicht zu befriedigen. Die Welt Hoffmanns kann nur in ihrer Dualität verstanden werden. Die eine Welt des Dichters ist Realität des Hier und Jetzt; wir befinden uns in Berlin im Spätherbst 1809, die Umwelt des Gartenlokals an der Heerstraße, des Theaters, der Friedrichstraße ist unverkennbar. Ebenso präzise benannt wie Linksches Bad und Brühlsche Terrasse im *Goldnen Topf*, wie römischer Corso und Piazza Navona in der *Prinzessin Brambilla* oder wie der Roßmarkt zu Frankfurt am Main im Märchen vom *Meister Floh*. In diesem Bereich der Hoffmannschen Wirklichkeit wird mit höchster Sorgfalt gearbeitet. Die Details stimmen; wenn der Erzähler eine venezianische Geschichte schreibt, so finden ihn die Freunde und Besucher über einen Stadtplan von Venedig gebeugt, um durch Studium zu ersetzen, was der Augenschein versagt hatte. Der geographischen Präzision entspricht jeweils die historische und politische Genauigkeit. In der „Erinnerung aus dem Jahre 1809" fällt die Zeit des Erzählers mit der Zeit der erzählten Begebenheit zusammen. Zu Beginn des Jahres 1809 schreibt Hoffmann diese eigentümliche „Erinnerung" nieder. Die Geschichte vom *Goldenen Topf* wird als „ein Märchen aus der neuen Zeit" angekündigt. Der erste Satz ist gleichsam um protokollarische Genauigkeit bemüht: Dresden, Himmelfahrtstag, „nachmittags um drei Uhr". In dieser Wirklichkeit wäre der verstorbene Ritter Gluck nur als Gespenst möglich. Nun wäre dem Dichter E. T. A. Hoffmann, dem Todfeind eines berlinischen Realismus der Nicolai-Nachfolge, solche Gespensterbeschwörung an sich durchaus zuzutrauen. Der gleichsam leitmotivische Hohn in der Erzählung auf die Flachheit des Berliner Lebens könnte dazu führen, auch hier eine Geschichte des „Gespenster-Hoffmann" zu vermuten. Allein Spukgeschichten wie die vom *Sandmann* oder vom *Elementargeist* oder manches in den *Elixieren* haben bei Hoffmann doch noch eine andere Erzählstruktur. Auch ist die Wirkung, die von unserem Musiker ausgeht, nicht unheimlich oder gespenstisch: die Gestalt wirkt ergreifend, sie hat Größe und Genie. Sie läßt – aller Wahrscheinlichkeit zum Trotz – die Deutung als „Ritter Gluck" durchaus zu. Solche Deutung aber verlangt eine Daseinsebene mit Raum- und Zeitbegriffen von völlig anderer Art. Der Erzähler Hoffmann wäre ohne diese zweite Ebene außerstande, seine poetischen Absichten zu erfüllen. Anfang und Ende seiner verhältnismäßig kurzen Laufbahn als Erzähler stehen im Zeichen dieser Dualität. Was im *Ritter Gluck* von 1809 bereits stutzen machte: das Arbeiten mit einer Realität des Komponisten Gluck zweiundzwanzig Jahre nach dessen Tode, entspricht genau der dualistischen Zerrissenheit in Hoffmanns letzter großer Erzählung, dem *Meister Floh* von 1822. Hier begegnen wir, abermals offenbar innerhalb der Wirklichkeit des Erzählers, in der Stadt Frankfurt am Main zu Beginn der zwanziger Jahre des 19. Jahrhunderts, den nach dem Geschichtsbuch längst verstorbenen Naturforschern Swammerdam und Leuwenhoek. Im zweiten Abenteuer der Erzählung kann Leuwenhoek selbst nicht umhin, das Sonderbare der Lage festzustellen. Er sagt zu Pepusch: „Ihr seid der einzige Mensch in der ganzen Stadt Frankfurt, welcher weiß, daß ich begraben liege in der alten Kirche zu Delft seit dem Jahre Eintausend siebenhundert und fünf und zwanzig, und habt es doch noch Niemandem verraten." Pepusch selbst hat allerdings, in seiner Doppelexistenz als George Pepusch und als Distel Zeherit, wenig Veranlassung, den jetzigen Flohbändiger der Öffentlichkeit als anachronistischen Zeitgenossen zu denunzieren.

Die Zweiteilung der Wirklichkeit als Dualität gegensätzlicher Raum- und Zeitvorstellungen durchzieht gerade die wichtigsten Werke des Erzählers Hoffmann. Im *Goldnen Topf* unterschreibt der Archivarius Lindhorst seinen Brief als „der Salamander Lindhorst p. t. Königl. gen. Archivarius". In dem Capriccio um die Prinzessin Brambilla bleibt es nicht beim Durcheinander von Lebenswirklichkeit und Theaterwirklichkeit; es gibt einen als real hingestellten Bereich der Erzählung nach Hoffmanns Willen, worin die Schneiderin Giacinta nicht bloß die Prinzessin Brambilla spielt, sondern ist. Es gibt zwei Wirklichkeiten in der Dichtung E. T. A. Hoffmanns.

Das allein vermöchte den außerordentlichen Zauber noch nicht zu erklären, der von Hoffmanns Märchen und Erzählungen ausging und den Ruhm des Erzählers zunächst bei deutschen Lesern, dann in der Leserwelt anderer Nationen begründete. Bei aller scheinbaren Verwandtschaft mit früherer deutschromantischer Dichtung war das Ungewöhnliche, fast Normwidrige dieser Wirklichkeitsauffassung nicht zu verkennen. Der Begriff der romantischen Ironie im Sinne Friedrich Schlegels oder Tiecks hilft nicht weiter. Die Wirklichkeiten etwa, die in Tiecks *Gestiefeltem Kater* mit der Märchenwelt kontrastiert werden, sind nicht eigentlich real, sondern Stilisierung, wenn man genau hinschaut. Sie bilden eine stilisierte Philisterwelt, gesehen durch das satirische Temperament eines romantischen Künstlers. Auch bei Hoffmann gibt es bösartige Philistermassen aller Art: dennoch sind sie wesentlich konkreter, und gerade dadurch viel unheimlicher als bei Tieck. In Tiecks Märchen und Märchenspielen ist die romantische Einheit im Grunde gewahrt: die wirkliche Welt wird niemals zum integrierenden Bestandteil des Kunstwerks. Tiecks Märchenerzählungen und seine sogenannten „realistischen" Novellen bezeichnen ein zeitliches Nacheinander, verschiedene Etappen in Ludwig Tiecks künstlerischer Entwicklung. Bei Hoffmann besteht in seinen größten Schöpfungen wie bereits in diesem ersten *Ritter Gluck* ein räumlich-zeitliches Miteinander. Die reale Welt der Hoffmann-Zeit, genau nach Ortschaft, Straße und Wohnung bezeichnet, verschmilzt zu beängstigender Einheit mit dem schlechthin Unrealen und Phantastischen. Wenn Goethe 1795 die *Unterhaltungen deutscher Ausgewanderten* mit einem übergipfelnden zusammenfassenden *Märchen* beschlossen hatte, so blieb der erzählerische Bereich einheitlich: die erzählerische Wirklichkeit war ausschließlich Märchenwirklichkeit. Der Erzähler schien zwar gegenwärtiges Geschehen zu berichten, er schien bei allen Ereignissen anwesend zu sein, um sie zu berichten, aber sorgfältig war alles vermieden, was an eine Wirklichkeit erinnert hätte, die sich geographisch und geschichtlich nachprüfen ließ. Da gab es den Fluß, den Fährmann, die Irrlichter als homogenen Bereich, aber keinerlei verwirrende Nachbarschaft zu Städten wie Dresden oder Berlin oder Frankfurt. Novalis beginnt das Märchen von Hyazinth und Rosenblütchen in der Erzählhaltung der Volksmärchen, die aller geschichtlichen und geographischen Präzisierung abhold sind: „Vor langen Zeiten lebte weit gegen Abend ein blutjunger Mensch." Jedesmal ist die Märchenwirklichkeit, die klassische bei Goethe und die romantische bei Novalis, einheitlich. Bei Hoffmann ist sie dualistisch, zweigespalten. Wobei der Erzähler Hoffmann keineswegs – wie die Jüngerschaft des Novalis – danach strebt, die Philisterwelt des Hier und Jetzt mit Friedrichstraße oder Linkschem Bade schließlich in einen romantisch-mythischen Bereich aufzulösen, nach dem berühmten Wort des Novalis also zu „romantisieren". So wenig es daher angeht, Hoffmanns Realitätsbegriff bloß als Widerspiegelung zeitgenössischer Wirklichkeit zu verstehen, so wenig ist das Nebeneinander der beiden erzählerischen Bereiche gemäß der Doktrin führomantischer Ästhetik zu deuten.

Das Beunruhigende, nicht Aufzulösende dieser Erzählkunst liegt darin, daß beide Bereiche – die genau konturierte Wirklichkeit damaliger Zeit *und* die raum- und zeitlose Mythenwelt – stets unmittelbar miteinananander und nebeneinander vorhanden sind. In der Berliner Wirklichkeit des Jahres 1809 kann es die Gegenwart des Komponisten Gluck nicht geben. In der mythischen Gegenwelt spricht nichts gegen diese Gegenwart, wie auch nichts gegen die Gegenwart Leuwenhoeks in Frankfurt am Main spricht. Daß nur von hier aus die Dichtung Hoffmanns entschlüsselt werden darf, erweist sich an den Eigentümlichkeiten der dichterischen Sprache. Während bei Goethe und Novalis der Einheitlichkeit des erzählerischen Bereichs auch eine Einheitlichkeit von Sprache und Stil entsprach, mußte sich Hoffmann für das Nebeneinander seiner beiden Welten auch einer antithetischen Sprachhaltung bedienen. Die künsterlische Struktur seines größten Werkes, des *Kater Murr*, beruht sogar wesentlich auf dem Nebeneinander dieser grundverschiedenen Sprach- und Stilmittel.

Die eigentliche Wirkung einer zugleich grausigen und komischen Erzählkunst erzielt Hoffmann gerade dadurch, daß er das Wunderbare und durchaus Unwahrscheinliche mit Vorliebe mitten in der banalen Alltagsunterhaltung auftreten läßt. Auch hierin ist bereits die Erzählung vom *Ritter Gluck* stellvertretend. Eine banale Unterhaltung zwischen zufälligen Besuchern des Etablissements von Klaus und Weber wird angesponnen. Plötzlich erhält das Gespräch eine ganz neue Höhenlage: Wendungen wie „elfenbeinernes Tor", wie „Reich der Träume" finden sich ein, Psyche, Feuerfaden, höchster Moment! Dreimal Rückfall in das Alltagsgespräch, dreimal, immer auf höherer Ebene und mit gesteigerter Enthüllung, erfolgt die Darstellung des Mythos vom Sonnenauge. Allerdings pflegt Hoffmann aus künstlerischen Gründen den zugrundeliegenden Mythos, der sich in jeder seiner großen Erzählungen findet, jeweils auch im Zusammenhang und mit deutlich abgehobener Sprachhaltung vorzutragen. Das geschieht im *Goldnen Topf* in der Achten Vigilie, wobei auch hier, wie im *Ritter Gluck*, das Motiv des Dreiklangs dazu dienen muß, aus der Alltagswirklichkeit in den mythischen Bereich hinüberzuleiten. Ähnlich steht es mit dem Mythos des Urdar-Brunnens in der *Prinzessin Brambilla* oder der zusammenfassenden Enthüllung im siebenten Abenteuer der Geschichte vom *Meister Floh*. „Sehr feierlich" spricht dort Peregrinus die Deutung. Immer wieder aber pflegt Hoffmann dann Elemente des Mythos mitsamt den ganz eigentümlichen Raum- und Zeitbegriffen der mythischen Welt mitten in die Alltagsunterhaltung einbrechen zu lassen, so daß sich aus dem Zusammenstoß der beiden Welten, genauer: aus der Behandlung des mythischen Bereichs mit den Mitteln der Alltagsrede, eine sonderbar komische, befremdende Wirkung erzielen läßt.

In reizender Weise wird dieser Zusammenstoß in der Dritten Vigilie im *Goldnen Topf* geschildert, wenn Archivarius Lindhorst mit dem Studenten Anselmus, dem Registrator Heerbrand und dem Konrektor Paulmann bei Punsch und Tabak zusammensitzt und Familiengeschichten erzählt. Etwa die Geschichte von seinem Bruder. Man will wissen, wo dieser lebe, ob er königlicher Beamter oder privatisierender Gelehrter sei. „Nein!" erwiderte der Archivarius, ganz kalt und gelassen eine Prise nehmend, „er hat sich auf die schlechte Seite gelegt und ist unter die Drachen gegangen." – „Wie beliebten Sie doch zu sagen, verehrtester Archivarius", nahm der Registrator Heerbrand das Wort: „unter die Drachen?" Erfährt man dann noch auf weitere Fragen vom gleichen Archivarius Lindhorst, daß dessen Vater „vor ganz kurzer Zeit starb, es sind nur höchstens dreihundertfünfundachtzig Jahre her, weshalb ich auch noch Trauer trage", so ist die Komik auf dem Höhepunkt. Dabei geschieht nichts anderes, als daß gewöhnliche Vorgänge und Begriffe der mythischen Wirklichkeit in den Bereich der Alltagswirklichkeit eingeführt und zur Annahme präsentiert werden. Im mythischen Bereich spricht nichts dagegen, daß Ritter Gluck im Jahre 1809 vor dem Klavier sitzt, daß Leuwenhoek, statt im Grabe zu Delft zu ruhen, als Flohbändiger zu Frankfurt sein Geld verdient, daß der Archivarius Lindhorst in Trauer geht, da sein Vater erst vor dreihundertfünfundachtzig Jahren starb. Vorgetragen dagegen in der Sprache des bürgerlichen Alltags aus dem frühen 19. Jahrhundert, muß sich daraus ein Gefühl der Unsicherheit und Mehrdeutigkeit ergeben, das zwar beim Leser einen spezifischen Reiz erzeugt, wie man ihn nur als Leser Hoffmanns erfährt, das aber eigentlich alle Erzählungen Hoffmanns der Lösung und klassischen Abrundung beraubt. Zwei getrennte Bereiche also mit eigener Geographie und Geschichte, eigener Zeit und eigenem Raum. Zwei sprachliche Haltungen und Stilformen: das mythische, oft opernhafte Pathos bei Darstellungen des mythischen Bereichs, und eine sorgfältig banalisierte und kunstvoll abgestumpfte Alltagsrede für die herkömmliche Realität.

Da dies alles nicht nur nebeneinander steht, sondern einander beständig durchdringt, muß Hoffmann vor einer formalen Abrundung seiner Erzählungen und Romane zurückscheuen. Notwendigerweise bietet sich ihm hier die romantische Form einer fragmentarischen, ungelösten und unerlösten Erzählung. Innerhalb des Zyklus der Serapionsbrüder gibt es zwar auch Erzählungen nach klassischem Muster, die manchmal sogar dem Novellentyp in Goethes Sinne einer einmaligen, in sich gerundeten und außergewöhnlichen Begebenheit angenähert sind. Im allgemeinen aber bleiben Hoffmanns Erzählungen ohne abschließende Deutung und Rundung; wie es selten vorkommt, daß seine gespenstisch gebannten Gestalten wirklich erlöst werden können, so findet sich auch selten ein formaler Aufbau, der alles abschließt. Ein wirklicher Abschluß ist in den bedeutendsten und prägnantesten Erzählungen dieses Dichters gar nicht möglich, denn er könnte nur im zeitlichen und räumlichen Bereich unserer Wirklichkeit erfolgen, während solche Endgültigkeit in dem Augenblick preisgegeben werden muß, da diese Wirklichkeit nur als Erscheinungsform und ephemere Verkörperung der großen überzeitlichen und mythischen Bereiche verstanden wird. Es ist daher auch kein Zufall, daß Hoffmann so häufig mit Rahmenhandlungen und epischen Einkleidungen arbeiten muß: daß er als Herausgeber nachgelassener Papiere auftritt, als Jurist einen zurückliegenden Streitfall zu berichten hat wie im *Majorat,* daß er die Prinzessin Brambilla und ihren Geliebten Giglio gleichsam als Verkörperung von Zeichnungen Callots agieren läßt und so fort. In alldem findet sich zweifellos romantische Erzählungskunst; allein sie ist nahezu überall eine Romantik unverwechselbarer Art. Sie gehört nicht unbedingt einer Schule an, weder dem Kreise der Jenenser noch jenem der Heidelberger Romantiker. Gewiß hat Hoffmann in seiner späten Berliner Zeit den Einfluß Clemens Brentanos erfahren; er war mit Chamisso und Fouqué befreundet. Dennoch ist der landläufige literarhistorische Begriff einer „Berliner Romantik", zu welcher E. T. A. Hoffmann gerechnet werden soll, kaum haltbar. Die Serapionsbrüder mit Hoffmann und Contessa, mit Doktor Koreff oder auch dem gelegentlichen Besucher Chamisso waren keine Schule, die sich an verbindender oder sammelnder Kraft mit dem Wirken Hardenbergs oder Friedrich Schlegels in Jena, mit dem Heidelberger Freundeskreis um Arnim und Brentano, Görres und Eichendorff hätte vergleichen lassen. Nicht das serapiontische Prinzip als solches war folgenreich. Dieses serapiontische Kunstideal war wesensgleich mit der eigentümlichen Kunst und Kunstanschauung dieses einen E. T. A. Hoffmann. Eigentümlich war ihm die Dualität der Daseinsebenen, die er weder im Sinne Goethes auf der sinnlichen Erfahrbarkeit der Außenwelt aufzubauen gedachte, noch als Nachfolger des Novalis dergestalt zu romantisieren gedachte, daß die reale Welt in der poetischen Welt möglichst ohne Rest aufgelöst wurde. Bei Hoffmann lebt man gleichzeitig in Dresden und in Atlantis. Beides ist durchaus möglich. Der Erzähler des *Goldnen Topfes* darf sogar mit bescheidenem Stolz berichten, daß er zwar im Jetzt und Hier und in ziemlicher Beengung lebe, immerhin aber in Atlantis einen bescheidenen Meierhof besitze, wenn auch nicht ein ordentliches Rittergut wie sein Student Anselmus . . .

Noch ein anderes unterscheidet die Wirklichkeitsauffassung E. T. A. Hoffmanns von den anderen Romantikern. Wenn bei Ludwig Tieck etwa oder auch bei Brentano die Wirklichkeit geschildert wird, so entbehrt sie fast immer der konkreten, unterscheidenden Merkmale. Das Italien in Eichendorffs *Taugenichts* ist eine romantische Traumlandschaft; in Hoffmanns Erzählungen wird es so real wie möglich gehalten, obgleich auch Hoffmann das südliche Land ebensowenig gesehen hat wie der Freiherr von Eichendorff. Die Volkstypen haben im Durchschnitt der romantischen Erzählung weder Beruf noch soziale Eigenart: ihre Sprache ist nicht Alltagssprache, ihre Verrichtungen und Handlungen sind unkonkret. Auch Hoffmann hat sich gelegentlich dieses epischen Schemas bedient, und zwar durchaus nicht zum Nachteil der Erzählung: besonders etwa in der Nürnberger Geschichte von Meister Martin dem Küfner und der fragmentarischen letzten Erzählung *Der Feind.* Im allgemeinen aber haben die Hoffmannschen Gestalten in der Alltagswelt ihren genau mitgeteilten Rang und Beruf als Konrektor, Registrator, Oberhofmeister, Offizier, Student, Schauspieler. Die sozialen Möglichkeiten der Gestalten sind genau nach ihren Aufstiegschancen im Rahmen der gegebenen Gesellschaft bestimmt. Der Beamte und Jurist Hoffmann kannte sich aus in der Behördenhierarchie deutscher Kleinstädte und Fürstentümer. Dieser Genauigkeit in der Wiedergabe der Rangkategorien und Wirkungsbereiche entspricht jeweils auch ein besonderer, gesellschaftlich determinierter Sprechstil. Königliche Hoheiten reden anders als bürgerliche Akademiker, Prinzessinnen anders als Töchter des Kleinbürgertums. Unverkennbar hat der Musiker Hoffmann die sprachlichen Tönungen musikalisch erfaßt und sich bemüht, den jeweiligen Sprachklang gemäß der sozialen Rangordnung wiederzugeben. Unübertrefflich gelingt dabei jedes Mal die Karikatur der gebildeten Schwätzer und falschen Kunstliebhaber: hier entfaltet Hoffmann seine satirische Kunst in aller Liebe, im gebildeten Gerede des Hundes Berganza wie in der feinsinnigen Modeschriftstellerei des schöngeistigen Katers Murr.

Auch damit aber ist eine Eigentümlichkeit des Erzählers Hoffmann bezeichnet, die ihn gegen alle anderen deutschen Romantiker stellt. Die Alltagswirklichkeit nämlich, insbesondere die deutsche Wirklichkeit seiner Zeit, wird vom Erzähler *fast immer als Satire dargestellt.* Wo gäbe es Zustimmung oder Billigung bei der Darstellung der Dresdner Bürger im *Goldnen Topf,* bei der Schilderung des Physikprofessors Mosch Terpin und seines aufgeklärten Fürsten Barsanuph, wo fände sich eine Regung der Sympathie des Erzählers mit der unbeschreiblichen Dummheit und Herzensroheit des Fürsten Irenäus und seiner Schranzen im *Kater Murr!* Fast alle großen Erzählungen Hoffmanns, die ihm wichtig waren, die er nicht bloß des Erwerbes wegen schrieb, stimmen in der Wirklichkeitsdarstellung dahin überein, daß das Nebeneinander der beiden Welten, der wirklichen und der mythischen, notwendig sei, da der Künstler in der deutschen Wirklichkeit *als Künstler* zugrunde gehen müsse. Die deutsche Wirklichkeit erscheint in Hoffmanns Schilderung als tief geist- und kunstfeindlich. Die Gestalt des Kapellmeisters Kreisler, Hoffmanns großartigste und persönliche Schöpfung, lebt nur in diesem Kontrast. Erfüllte Kunst ist hier nicht möglich, erfüllte Liebe auch nicht. Ein eigentümliches Leitmotiv Hoffmannscher Dichtung besteht darin, daß die Vereinigung der Liebenden im Zeitgenössischen für unmöglich erklärt wird. Sind aber Kunst und Liebe in einer solchen deutschen Realität nicht möglich (wobei Hoffmann seine satirische Bitterkeit bei den Spießbürgertypen ansetzt, um sie mit zunehmender Schärfe in der Darstellung offizieller Gelehrsamkeit, Künstlerschaft und schließlich in den Verbrecherwelten seiner kleinen Höfe und Fürsten gipfeln zu lassen), so bleibt nur der tragische Ausweg, den Hoffmann in den verschiedensten Formen immer wieder gestaltet hat: Selbstmord, Wahnsinn, Kloster und Einsiedelei. *Oder* es dringt die mythische Gegenwelt in den Wirklichkeitsbereich, um die Künstler und die Liebenden, die bei Hoffmann meist identisch sind, aus der Welt deutscher Misere in den ewigen Bereich von Atlantis hinüberzuholen. Atlantis ist Leben in der Poesie, da im realen Deutschland für Hoffmann ein Dichterleben offenbar nicht denkbar sein kann. Man erkennt: das Gegeneinander der beiden Welten in Hoffmanns poetischem Werk dient letztlich doch nicht, wie bei anderen Romantikern, einer Entwesung der Wirklichkeit. Der epische Dualismus Hoffmanns ist nicht romantisch im Sinne von Novalis (trotz aller einzelnen romantischen Züge), sondern weit eher sentimentalisch im Sinne von Schillers berühmter Definition. Das Gegeneinander der beiden Welten, der realen und der mythischen, erscheint als Ausdruck ungelöster deutscher Gesellschaftsverhältnisse. Der Satiriker schildert die Unreife und Fäulnis deutscher Zustände, der Elegiker klagt darüber, daß reines Gefühl und reine Kunst offenbar des Mythos bedürfen, um sich zu entfalten. Das Neben- und Ineinander der beiden Welten erweist sich nicht als Entschärfung der Wirklichkeitsdarstellung, sondern als Versuch einer Wirklichkeitsdeutung, die im Bereich ihrer Zeit und Zeitgenossen offenbar keine Möglichkeit sieht, die tiefen Lebenskonflikte anders als durch Ausweichen in den mythischen Bereich lösen zu können.

Hoffmanns Entwicklung als Schriftsteller

Diese besondere Wirklichkeitsauffassung aber hat nicht nur mit den deutschen Verhältnissen zu tun, sondern auch mit der ganz ungewöhnlichen und höchst eigentümlichen Entwicklung des Schriftstellers Hoffmann, von der in diesem Zusammenhang zu sprechen ist, da die Biographie hier Ergänzungen für die Deutung der Realitätsauffassung zu geben vermag.

Der Erste Abschnitt in Kreislers fragmentarischer Biographie, die bekanntlich mit den Lebensansichten des Katers Murr zu einem vielschichtigen literarischen Gebilde vereinigt wurde, endet mit Ausschnitten aus einem Dreigespräch zwischen dem Kapellmeister Johannes Kreisler, dem Meister Abraham und dem „kleinen Geheimrat“. Kreisler hat, milde gestimmt und in ungewöhnlichem Maße zur Aussprache bereit, von seiner Jugend erzählt: es ergab sich der Lebenslauf einer Künstlernatur, die, nahezu halb unernst, den Gedanken an künstlerische Tätigkeit aufgegeben hatte, um „dem Oheim gleich, dereinst Legationsrat“ zu werden. Er war also Jurist geworden, Verwaltungsfachmann, ohne sich „umzuschauen und die schiefe Richtung des Weges, den ich genommen, wahrzunehmen“. Kreisler wird Legationsrat, bis ein Ereignis eintritt, das ihn mit Gewalt aus der Beamtenlaufbahn wirft und durch äußere Not die innere Erfüllung des Künstlerberufs erzwingt. Dieses umwälzende Ereignis aus Kreislers Biographie wird im Zweiten Abschnitt vom Herausgeber der Lebensbeschreibung so dargestellt, daß, „ehe man sich's versah, ein gewaltiger gekrönter Koloß den Fürsten in der Residenz heimsuchte und ihn als seinen besten Freund so innig und herzlich in seine eisernen Arme schloß, daß der Fürst darüber den besten Teil seines Lebensatems verlor. Der Gewaltige hatte in seinem Tun und Wesen etwas ganz Unwiderstehliches, und so kam es, daß seine Wünsche befriedigt werden mußten, sollte auch, wie es wirklich geschah, darüber alles in Not und Verwirrung geraten. Manche fanden die Freundschaft des Gewaltigen etwas verfänglich, wollten sich wohl gar dagegen auflehnen, gerieten aber selbst darüber in das verfängliche Dilemma, entweder die Vortrefflichkeit jener Freundschaft anzuerkennen oder außerhalb Landes einen andern Standpunkt zu suchen, um vielleicht den Gewaltigen im richtigeren Licht zu erblicken. Kreisler befand sich unter diesen.“ Man hat den Sachverhalt demnach so zu lesen: Der Legationsrat Kreisler stand im Dienst eines jener kleinen deutschen Fürsten, die durch Napoleons Sieg, vermutlich in der Folge der preußischen Niederlage von 1806, abgesetzt und ihres Landes beraubt wurden. Mit seinem Landesherrn wurde auch der Legationsrat Kreisler stellungs- und brotlos. Er fand sich auf sein Künstlertum zurückgeworfen und genötigt, mit den erworbenen künstlerischen, vor allem den musikalischen Fähigkeiten von nun an das Leben zu fristen.

„Glückselig, heilbringend also die Katastrophe, rief der Geheimrat, die dich aus den Fesseln befreite!

Sage das nicht, erwiderte Kreisler, zu spät trat die Befreiung ein. Mir geht es wie jenem Gefangenen, der, als er endlich befreit wurde, des Getümmels der Welt, ja des Lichts des Tages so entwöhnt war, daß er, nicht vermögend der goldenen Freiheit zu genießen, sich wieder zurücksehnte in den Kerker."

Hier ist ganz unverkennbar die Lebensgeschichte E. T. A. Hoffmanns zum Bestandteil der Kreisler-Biographie geworden. Der preußische Regierungsrat Hoffmann verlor bekanntlich 1806 durch den Sieg Napoleons seine Beamtenstellung, um sie erst acht Jahre später wiederzuerlangen. Er war nun, als entlassener Jurist, ganz wie sein Kapellmeister Kreisler gezwungen, Musik, Malerei und Poesie als Beruf zu betreiben und nicht, wie Kreisler das ausdrückt, als „ganz angenehme Dinge" zu behandeln, die „zur Erheiterung und Belustigung dienen könnten". Nun hatte Hoffmann die Musik, die Kunst der Bühne, die bildende Kunst auch während der Beamtenzeit in Posen, Plock oder Warschau niemals als bloße Unterhaltung und gefälligen Zeitvertreib behandelt: das bezeugen insbesondere seine großen Kompositionen aus jenen Jahren. Auch muß man Kreisler nicht aufs Wort glauben: sogar als Legationsrat war er sich nicht der Mann, die Musik nach der unverbindlichen Weise vornehmer Dilettanten auszuüben. Dennoch stimmt die Aussage Kreislers auch für Hoffmann: die Katastrophe von 1806 erst zwang den kunstbegeisterten und handwerklich hervorragend durchgebildeten „Enthusiasten" (um Hoffmanns Untertitel zu den *Fantasiestücken in Callot's Manier* anklingen zu lassen), von nun an ganz der Kunst zu leben.

Bis hierher läßt sich die Aussage Kreislers als Selbstaussage Hoffmanns interpretieren. Soll man aber ein Hoffmannsches Eingeständnis auch darin sehen, daß Kreisler die Befreiung zur Kunst, die durch äußeren Zwang erfolgte, als unglücklich, als verspätet empfindet? Zu spät sei die Katastrophe eingetreten; der Gefangene sehne sich in den Kerker zurück, also in die Beamtenlaufbahn.

Die Romangestalt Johannes Kreisler mag damit vielleicht nur eine von ihren „konfusen Ideen" äußern, wie der kleine Geheimrat sogleich bemerkt. In der Tat läßt der weitere Verlauf der fragmentarischen Biographie des Kapellmeisters (die allerdings auch noch in einem ganz anderen Sinne fragmentarisch geblieben ist, da es Hoffmann nicht mehr vergönnt war, den Dritten Band des *Kater Murr* zu schreiben) nicht darauf schließen, daß sich der Musiker ernsthaft nach der diplomatischen Laufbahn zurückgesehnt hätte. Die Gestalt Kreislers ist wesentlich die eines Musikers: es wird kein Charakterzug sichtbar, es bietet sich kein äußerer Vorgang, die den Schluß zuließen, Kreislers Künstlerlaufbahn sei durch die zu späte Freisetzung gehemmt oder gar gebrochen worden.

Findet dieser Gedanke des Kapellmeisters im Roman mithin keine Entsprechung, so muß er doch als Selbstaussage Hoffmanns ernst genommen werden. Der Erste Teil des „Kater Murr“ entsteht im Frühjahr und Frühsommer 1819 in Berlin. Der einstmals durch Napoleon verjagte Regierungsrat Hoffmann ist längst wieder in königlich preußischen Diensten; seit 1816 trägt er den Titel eines Kammergerichtsrats. Er ist inzwischen ein berühmter Mann geworden. Die Einschätzung hat sich weithin durchgesetzt, die dann von den Freunden auf Hoffmanns Grabstein eingraviert wurde, daß er „ausgezeichnet“ war „im Amte, als Dichter, als Tonkünstler, als Maler“. Drei Jahre vor der Niederschrift dieser Äußerungen des Kapellmeisters Kreisler, am 3. August 1816, war Hoffmanns Oper *Udine* im königlichen Schauspielhaus zu Berlin mit großem Erfolg aufgeführt worden. Der literarische Erfolg des Erzählers Hoffmann beim damaligen Publikum war beträchtlich. Die Katastrophe des Jahres 1806 hatte also zwar einen Einschnitt in Hoffmanns Leben bedeutet, war aber – von außen betrachtet – keinesfalls zu einer Lebenskatastrophe entartet: weder für den Juristen, noch für den Künstler. Erfolgreich in der Beamtenlaufbahn, als Komponist, als Dichter – und dennoch jene düstere Einsicht Kreislers, dennoch die Behauptung, die befreiende Katastrophe sei zu spät in Hoffmanns Leben getreten?

Was der Dichter gemeint haben mag, wird eher verständlich, wenn man äußeres und inneres Gelingen in Lebensentwicklung und Kunstwerk scharf voneinander trennt. Nicht Mangel an äußerem Erfolg berechtigte Hoffmann zu Rückblicken solcher Art. Anders stand es um das innere Gelingen, um die Erfüllung künstlerischer Ideale. Hoffmann war nicht Richard Wagner. Jean Paul zwar hatte in seiner Vorrede zum ersten Band der *Fantasiestücke in Callot's Manier* nach dem Hörensagen über den Musikdirektor Hoffmann in Dresden geschrieben: „Kenner und Freunde desselben, und die musikalische Kenntnis und Begeisterung im Buche selber, versprechen und versichern von ihm die Erscheinung eines hohen Tonkünstlers. Desto besser und desto seltener! denn bisher warf immer der Sonnengott die Dichtgabe mit der Rechten und die Tongabe mit der Linken zwei so weit auseinanderstehenden Menschen zu, daß wir noch bis diesen Augenblick auf den Mann harren, der eine echte Oper zugleich dichtet und setzt.“ In der Tat hatte Hoffmann recht häufig für die Zwecke des Theaterbedarfs und sogar für Liebhaberaufführungen gleichzeitig gedichtet und komponiert. Dennoch war es sicherlich nicht seine Absicht, als Dichter *und* Tonsetzer in einer Gestalt ein romantisches Gesamtkunstwerk der späteren Wagner-Konzeption zu entwerfen. Es mag auffallen, daß Hoffmann als Opernkomponist seit der Frühzeit doch mit Vorliebe auf Schauspieltexte anderer Dichter zurückgriff, auf Brentano, Zacharias Werner, Calderon, in der *Undine* schließlich auf Fouqué. Daran spürt man, daß er sich in der Selbstbewertung vor allem als Musiker empfand. Er ist auch nur auf dem Umweg über die Musik und durch den Erfolg seiner musikalischen Skizzen und Erzählungen zum „Berufsschriftsteller“ geworden.

Die Nachwelt hat dann aber das Urteil der Mitwelt bestätigt. Der Komponist Hoffmann besitzt in der Musikgeschichte einen ehrenvollen Platz; dennoch ist seine Musik nicht mehr Bestandteil unseres Musiklebens. Die unsterblichen musikalischen Kreisleriana stammen nicht vom Tonsetzer Hoffmann, sondern von Robert Schumann. Das als sekundär angesehene Talent des Erzählers und Schriftstellers dagegen, spät entfaltet, den

Briefen und Tagebüchern zufolge auch nicht immer vom Schreibenden hoch gewertet, machte den Namen E. T. A. Hoffmann unsterblich. Hier war ein wirklicher Zwiespalt. *Das* wahrscheinlich meinte Kreislers unwillige Bemerkung von der allzu späten Befreiung. Die große musikalische Erfüllung des Tonsetzers war ausgeblieben. Hoffmann wußte es, denn er war ein unbestechlicher Kritiker auch seiner selbst. Zudem mußte er sein tonsetzerisches Schaffen stets mit dem gleichzeitigen Wirken Beethovens und Carl Maria von Webers vergleichen. Im letzten Lebensjahrzehnt tritt daher die Tonkunst immer mehr zurück. Das künstlerische Wirken Hoffmanns in seinen letzten Lebensjahren ist nahezu identisch mit seiner Schriftstellerei, die gleichfalls eine Entwicklung eigentümlicher Art dadurch vollzieht, daß sie in ihren Anfängen noch vorherrschend essayistischer und kritischer Art ist, dann aber in zunehmendem Maße durch rein erzählerische Werke bestimmt wird. Dennoch darf angenommen werden, daß Hoffmann diesen Ablauf nur als Notlösung, nicht als wirkliche Erfüllung vor sich gelten ließ. Er war, wie es ihm in diesen letzten Lebensjahren scheinen mochte, als Musiker dadurch gescheitert, daß er nicht von Anfang an, ausschließlich und zusammengenommen, der Berufung des Tonsetzers folgte. Daß überdies sein Schwanken zwischen geistlicher und weltlicher Musik, überhaupt zwischen „himmlischer" und irdischer Kunst, vom Künstler als unheilvoll empfunden wurde, mag man an mancher Stelle der beiden großen Romane, an Erzählungen wie der *Jesuiterkirche in G.* oder an dem großen Aufsatz *Über alte und neue Kirchenmusik* ablesen.

Den Dichterruhm und noch mehr den Erfolg als Unterhaltungsschriftsteller vermochte der Künstler Hoffmann nur bedingt als Gegengabe für das Versagen vor dem höchsten tonkünstlerischen Anspruch zu empfinden. Darf man, zugespitzt ausgedrückt, sagen, daß Hoffmann das Dichtertum E. T. A. Hoffmanns gern geopfert hätte für das musikalische Schöpfertum eines Beethoven oder auch noch eines Weber? Etwas dergleichen spürt man an jenen Worten des Kapellmeisters Kreisler. Nur diese Zusammenhänge aber von äußerem Lebensgeschehen und künstlerischer Idealvorstellung machen verständlich, warum Aufstieg und Entwicklung des Schriftstellers E. T. A. Hoffmann so ungewöhnlich verliefen.

Eigentümliches Bild also einer dichterischen Entwicklung; die literarische, erst recht die dichterische Schöpfung ist Ausdruck reifer Mannesjahre. Die Werke haben eigentlich keine Vorstufen durchlaufen: es fehlt die literarische Lehr- und Gesellenzeit. Die ersten Schöpfungen Hoffmanns in diesem Bereich sind sogleich meisterhaft. Sie sind außerdem, was die künstlerische Eigenart betrifft, nahezu vergleichslos. Die erste dichterische Arbeit Hoffmanns fixiert sogleich den Rang und die künstlerische Eigenart dieses Schriftstellers. Der zweite Schritt im literarischen Bereich ließ die eigentümlichste, die unvergeßliche Gestalt fast fertig hervortreten, die dem Dichter Hoffmann glücken sollte: den Kapellmeister Johannes Kreisler.

Soll man von Geburt ohne Empfängnis reden? Mancherlei spricht dagegen. Die literarische Schöpfung war erst möglich, als Hoffmann durch die Katastrophe von 1806 ganz auf das Künstlerleben verwiesen worden war. Kreisler ist ferner ein Musiker; überhaupt sind die ersten Erzählungen Hoffmanns nur als Schöpfungen eines Musikers möglich.

Wir erleben die Geburt eines Dichters aus dem Geiste der Musik. In seiner Vorrede zu den *Fantasiestücken* sieht Jean Paul, wenngleich er sonst von der Eigenart dieser Schöpfungen nicht viel zu verstehen scheint, daß hier eine durchaus eigentümliche literarische Gattung aus der Verschmelzung von zwei Künsten entstanden ist. Die fehlende literarische Tradition und Lehrzeit, darf man vielleicht sagen, wird in der Entwicklung des Dichters Hoffmann durch die musikalische Lehrzeit und Erfahrung ersetzt. Die tiefe Kenntnis von Glucks musikalischer Dramatik bewirkt eine Erzählung wie den *Ritter Gluck*. Die Liebe zu Mozart, das Verständnis für die einzigartige Bedeutung des *Don Giovanni*, vermag sich in dichterische Substanz zu verwandeln und eine Erzählung wie *Don Juan* möglich zu machen.

Die Liebestragödie als gesellschaftliche Erfahrung

Noch etwas tritt hinzu, neben die Zäsur von 1806 und die ins Literarische transponierte musikalische Erfahrung: das ergreifende und für Hoffmanns Leben entscheidende Liebeserlebnis mit Julia Marc. Die Bedeutung dieser Liebe eines reifen, häßlich zu nennenden, in unglücklicher Ehe festgehaltenen Mannes zu der blutjungen Sängerin (sie war zwölf Jahre alt, als Hoffmann sie zuerst sah), die von ihrer Mutter, der Konsulin Marc, mit einem rohen und verderbten, aber reichen Geschäftsmann zu gleichfalls unglücklicher Bindung zusammengekoppelt wird, ist in der Hoffmann-Literatur mit aller philologischen und psychologischen Akribie dargestellt worden. Auch der Psychoanalyse wurde dabei ihr Teil, wenn etwa Joachim Rosteutscher das Julia-Erlebnis Hoffmanns als „ästhetisches Idol" verstand, wobei er sich bemühte, die Verwandlung des Julia-Erlebnisses in ein Idol der Musik, der bildenden Kunst und der Poesie durch das Gesamtwerk Hoffmanns zu verfolgen und zu zeigen, daß Julia sowohl die Gestalt der Heiligen und Märtyrerin (in den *Elixieren des Teufels*) wie auch deren Gegenbild einer teuflischen Huldin in den *Abenteuern der Silvester-Nacht* anzunehmen vermochte. Das alles ist nicht unzutreffend, wenngleich es für die Gesamterscheinung Hoffmanns und seines Werkes nur partiellen Aussagewert besitzt. Selbst jenes Werk nämlich, das bis in den Namen Julia hinein die Bindung an das auslösende Erlebnis respektiert, selbst der *Kater Murr*, der die Konstellation von Kreisler und Julia am reinsten reproduziert, erschöpft sich als Gehalt im mindesten nicht in diesem Liebeskonflikt. Daß Hoffmann tief an dieser Liebe, ihrer Unerfüllbarkeit, am Untergang Julias durch die Schuld der Mutter gelitten hat, steht außer Zweifel. Wir kennen heute die Eintragungen des Bamberger Tagebuchs, besitzen den ergreifenden Brief des Rückblicks, den Hoffmann von Berlin aus am 1. Mai 1820 an Doktor Speyer in Bamberg schreibt, als er von Julias Scheidung erfahren hat. Die Briefstelle gehört zu den schönsten Lebenszeugnissen E. T. A. Hoffmanns: „Finden Sie es geraten und tunlichst, meinen Namen in der Familie M. zu nennen oder überhaupt von mir zu reden, so sagen Sie in einem Augenblick des heitern Sonnenscheins Julien, daß ihr Andenken in mir lebt – darf man *das* nämlich nur Andenken nennen, wovon das Innere erfüllt ist, was im geheimnisvollen Regen des höheren Geistes uns die schönen Träume bringt von dem Entzücken, dem Glück, das keine Arme von Fleisch und Bein zu erfassen, festzuhalten vermögen –, sagen Sie ihr, daß das Engelsbild aller Herzensgüte, aller Himmelsanmut wahrhaft weiblichen Sinns, kindlicher Tugend, das mir aufstrahlte in jener Unglückszeit acherontischer Finsternis, mich nicht verlassen kann beim letzten Hauch des Lebens, ja daß *dann* erst die entfesselte Psyche jenes Wesen, das ihre Sehnsucht war, ihre Hoffnung und ihr Trost, recht anschauen wird, im wahrhaftigen Sein! –"

Fehlten diese Lebenszeugnisse, man könnte noch aus dem Werk Hoffmanns auf die Stärke des Bamberger Erlebnisses schließen. Der Künstler und die Sängerin, der reife Mann und das blutjunge Mädchen, Liebe und Unerfüllbarkeit: das ist von nun an ein Leitmotiv in Hoffmanns Dichtung. Es führt von der fast rüpelhaften und indiskreten Nacherzählung realer Vorgänge in Bamberg und Pommersfelden in der *Nachricht von den neuesten Schicksalen des Hundes Berganza* zur Erzählung vom *Rat Krespel* und eben zur Liebe zwischen Kreisler und Julia im *Kater Murr.* Das Julia-Erlebnis mußte zu der Erfahrung des Jahres 1806 und zur Erfahrung des Musikers Hoffmann hinzutreten, um die Dichterkraft des großen Erzählers in Freiheit zu setzen.

Die Eigenart des Julia-Erlebnisses aber besteht darin, daß hier Individualerfahrung und Gesellschaftserfahrung untrennbar miteinander verknüpft sind. Hoffmann erlebte in Bamberg gleichzeitig die reine Welt Julias, die er auch als seine eigene empfand, die Welt der Tonkunst, die sich im menschlichen Gesang zu höchstem Ausdruck steigert (am schönsten hat er diesen Zustand in *Ombra adorata* beschrieben) – und die Welt bösartiger, krämerhafter, dabei ästhetisch-geschwätziger Kunstfeindlichkeit. Die Begegnung Hoffmanns mit Julia war nicht zu trennen von der Umwelt, worin sie sich vollzog: vom Dasein des Bamberger Kapellmeisters inmitten des Bamberger Theaterpublikums; vom Kontrast der Kunst Julias mit den läppischen ästhetischen Schaustellungen im Salon ihrer Mutter, der Frau Konsulin; vom Bereich der Bamberger Kneipen und von der Protektion des Weinhändlers Kunz, der freundschaftlich und doch gönnerhaft bereit war, Hoffmanns erster Verleger zu werden. Zwei Erlebnisstränge trafen hier zusammen, und es zeigte sich, daß die Wurzeln der nun entstehenden Meisterschöpfungen des Dichters Hoffmann tief in die Vergangenheit hinabreichten. Alle Erfahrung mit Kunst und Künsten, alle Sehnsucht nach Reinheit, körperlicher wie geistiger Schönheit fand sich, gleichzeitig fratzenhaft und doch wirklich, in der Bamberger Umwelt. Die Umwelt zerstörte das Schöne und das schöne Menschentum. Durch ihre Mutter, ihre Umwelt, durch ihren ungeliebten Verlobten wurde Julia, das Mädchen und die Künstlerin, aufgeopfert; mit ihr zugleich aber die Verbindung zwischen Julia und Hoffmann, zwischen dem Musiker und der Sängerin. Aus beiden Erlebnissen erwuchs nun die Substanz der Dichtung Hoffmanns, die in ihren wichtigsten Werken von nun an eigentlich nur ein einziges Thema immer wieder abwandeln sollte: das Verhältnis von Künstlertum und kunstfeindlicher Gesellschaft.

Wandlungen in Hoffmanns Menschenbild

Nur so aber wird verständlich, warum Hoffmann-Kreisler sein freigesetztes Künstlertum als eine zu späte Befreiung empfand. Zwei Lebenserfahrungen des Menschen und Künstlers Hoffmann sollten damit ihre Widerspiegelung im dichterischen Werk des Erzählers finden. Die eine hatte mit der Eigenart dieser schriftstellerischen Laufbahn zu tun: mit ihr verband sich von nun an das Leitmotiv eines Menschen, der gezwungen ist, in mehreren Berufen gleichzeitig zu leben, ohne doch wahrhaft in einem von ihnen Erfüllung zu finden. Der begeisterte Musikenthusiast und Komponist Hoffmann, der Beamter hatte werden müssen, durch die Zeitereignisse aus dem Brotberuf vertrieben wurde, fast durch Zufall die künstlerische Erfüllung im Schreiben fand, aber nicht im Komponieren – das wird von nun an zur Erlebnisgrundlage für die typisch Hoffmannschen Menschenbilder, die jeweils zugleich in verschiedenen Bereichen und Inkarnationen leben müssen, ohne sich doch irgendwo ganz erfüllen zu können. Das gilt für Anselmus und Balthasar, für Medardus aus den *Elixieren* wie für den Kapellmeister Kreisler oder den Peregrinus Tyß. Das zweite Erlebnis, die Bamberger Tragödie mit Julia Marc, erzeugt das Hoffmann-Thema einer ästhetischen Liebe, die eine Erfüllung als irdisches Glück niemals erreichen kann und wohl auch nicht anstrebt. Zwei gesellschaftliche Erfahrungen also, die entscheidend mitwirkten, die sonderbar dualistische Wirklichkeit Hoffmanns und sein eigentümliches Menschenbild zu prägen.

Zu den Besonderheiten der Hoffmann-Gestalten gehört es nämlich, daß sie – die besonders charakteristischen Figuren vor allem – in einem Zustand höchster Unstabilität und gesellschaftlicher Fragwürdigkeit gezeigt werden. An den beiden großen Romanen des Erzählers, den künstlerisch recht fragwürdigen *Elixieren des Teufels* und den wunderbaren, leider fragmentarisch gebliebenen *Lebensansichten des Katers Murr*, läßt sich das besonders klar demonstrieren. Es fällt zunächst auf, wie stark sich einige Grundsituationen der *Elixiere* in Hoffmanns letztem großen Roman wiederholen, so daß man genötigt ist, eine geheime Vorliebe des Dichters für solche Konstellationen zu vermuten. Den Hauptgestalten beider Romane ist es gemeinsam, daß ihre Stellung in der gesellschaftlichen Hierarchie als höchst fragwürdig, bisweilen sogar als usurpatorisch zu gelten hat. Sind die Prinzessinnen wirklich von fürstlichem Rang? Sind nicht zwischen Fürstin und Dienerin die Rollen in geheimnisvoller Vorvergangenheit vertauscht worden? Entstammen die Fürstenkinder wirklich einer ehelich-legalen und fürstlich-legitimen Verbindung, sind sie Erzeugnisse des Ehebruchs oder einer unstandesgemäßen Verbindung? Bildnisse tauchen auf – in den *Elixieren* wie im *Kater Murr* –, bei deren Anblick rätselhafte Gefühlsbewegungen zu beobachten sind; Zigeuner, Kindesunterschiebung, Ehebruch und Inzest, geheimnisvolle Affinitäten zwischen Personen, die einander scheinbar fremd sind, an solcher Wahlverwandtschaft aber als Verwandte erkannt werden; Außenseiterfiguren in der Form des einsamen Künstlers, des Wahnsinnigen, des Eremiten: das ganze Reservoir deutscher Schauerromantik ist auch von Hoffmann aufgeboten. Literarhistorische Motivforschung alten Stils mag versucht sein, die Abhängigkeit der beiden

Hoffmann-Romane und auch manch anderer Erzählung des Dichters von den berühmten *Nachtwachen des Bonaventura* nachzuweisen. Das ist nicht unberechtigt, zumal Hoffmann mit Friedrich Gottlob Wetzel, dem mutmaßlichen Verfasser der *Nachtwachen*, in Dresden zusammengetroffen war. Allein durch solche literarische Abhängigkeit läßt sich die Häufung dieser Themen gerade in Hoffmanns umfangreichsten und persönlichsten Werken nicht erklären. Hinter all diesen im äußeren Sinne unwahrscheinlichen, oft schaurigen, bisweilen sogar tragikomischen Vertauschungen und Unterschiebungen steht eine höchst eigentümliche Menschenauffassung Hoffmanns, die eigentlich Gesellschaftsauffassung ist. Weit ist man entfernt von aller sozialen Hierarchie und Stabilität. Der automatenhafte, vollkommen anachronistische Legitimismus des Fürsten Irenäus in *Kater Murr*, nicht minder jedoch die gleichfalls automatenhafte und anachronistische Aufklärungsdespotie des Fürsten Barsanuph im *Klein Zaches* machen klar, daß diese höfische Welt als vollkommen unwirklich empfunden werden muß. Wobei zwischen der „aufgeklärten" Spielart und dem konsequenten Metternich-Geist (siehe auch die Figur des Knarrpanti im *Meister Floh*) von Hoffmann kein Unterschied gemacht wird. Der Legitimismus der Welt beruht überall auf geheimer Illegitimität. Zigeunerkinder als Fürstenkinder, Fürstenkinder als Bürgerkinder oder als Erzeugnisse aus verbotener, sogar verbrecherischer Bindung: alle Positionen sind unsicher und vertauschbar. In Goethes Erzählungen war die höfische Welt in sich selbst wenigstens nach außenhin stabil, Goethes Bürger waren wirkliche Bürger. Bei Hoffmann sind sämtliche Gestalten auch innerhalb der realen Alltagswelt höchst fragwürdig geworden: niemand weiß genau, ob sie auch wirklich das sind, was sie in der gesellschaftlichen Hierarchie nach außenhin darzustellen scheinen.

Diese Grunderfahrung, die Hoffmanns Menschenbild bestimmt, ist undenkbar ohne das Erlebnis der revolutionären und der napoleonischen Ära. Der geschichtliche Anachronismus der Restaurationszeit, die Hoffmann in seinen letzten Lebensjahren durchleben mußte, spiegelt sich in der grenzenlosen Vertauschbarkeit der Figuren ebenso wie in ihrer sozialen Unbestimmtheit.

Da aber diese Realität vom Dichter als brüchig empfunden wird, kann es ihm nicht genügen, die Vertauschbarkeit allein immer wieder zu gestalten. Gemäß der Doppelnatur seiner Realität, die gleichzeitig alltäglich und mythisch zu sein hat, wird das Gesellschaftserlebnis auch in den mythisch-phantastischen Bereich transponiert. Innerhalb der eigentlichen Realsphäre konnte der Vorgang der sozialen Unsicherheit mit Hilfe von Verwechslungen, Doppelgängerschaften, Kindesunterschiebungen gestaltet werden. Bemerkenswerter aber war es für Hoffmann, daß sich der Vorgang in die raum- und zeitlose Mythenwelt übertragen ließ. Nun war es dem Erzähler plötzlich möglich, nicht bloß darzustellen, daß eine Prinzessin eigentlich gar keine war, sondern sogar zu zeigen, daß die geistige Leistung in ihrem Erfolg keineswegs an denjenigen gebunden sein mußte, der sie vollbracht hatte. Es gehört zu Hoffmanns genialsten Einfällen, daß er im *Klein Zaches* die Produktion einer geistigen und künstlerischen Leistung von deren Verwertbarkeit personal zu scheiden wußte. Das Feengeschenk an den kleinen Zaches besteht darin, dem Wechselbalg alle vortrefflichen Leistungen zuzurechnen, die andere in seiner Gegenwart vollbracht haben. Daß hier ein phantastischer Vorgang als Widerspiegelung von höchst realen wirtschaftlichen Vorgängen verstanden werden muß, ist kaum zu leugnen. Die phantastische Erzählung deutet nach Absicht des Erzählers einen geschichtlichen Umwandlungsprozeß an, den Hoffmann erlebte und als einer der ersten nachzugestalten wußte.

Zu den Eigentümlichkeiten des Menschenbildes in Hoffmanns Wirklichkeitsbereich gehört ferner, daß die Konfrontierung der Menschenwelt und der Tierwelt eine große Rolle spielt. Der Zusammenstoß zwischen Mensch und Tier muß gleichfalls leisten, was im Dualismus von bürgerlichem Alltag und Geisterwelt, von Raum- und Zeitbegriffen der Alltagswelt und der Mythenwelt gezeigt werden sollte: die Unvereinbarkeit von deutscher Bürgermisere und Hoffmannschem Künstlertum. Allein drei von Hoffmanns wichtigsten Werken (zu welchen sich noch der Kunstaffe Milo gesellt) sind schon im Titel mit Tiernamen verknüpft: der Hund Berganza, der Kater Murr und der Meister Floh. Die Eigentümlichkeit von Hoffmanns Gesellschaftskritik läßt sich im Übergang von der ersten zur letzten dieser drei „Tiergeschichten" ebenso klar demonstrieren wie die bedeutsame Wandlung des Menschenbildes in Hoffmanns letzter Lebenszeit. Die Tierthematik hängt eng mit den Bamberger Erlebnissen zusammen. Hier liegt wohl auch die Erklärung dafür, daß sich Hoffmann der Welt Callots mit ihren Mischgestalten aus Tier und Mensch so nahe verwandt fühlte. Es war wohl nicht so, daß Hoffmann seine Zwittergebilde in Anlehnung an die Zeichnungen Callots konzipierte. Eher darf angenommen werden, daß die spezifischen Hoffmann-Erfahrungen den Blick für die Bedeutung solcher Gestalten aus zwei Daseinsbereichen geschärft hatten: daß der Künstler bei Callot gestaltet fand, was er als Erfahrung und Vision auch für sich gewonnen zu haben glaubte. Eine Bemerkung aus Hoffmanns Vorrede zu den *Fantasiestücken*, worin er von der Kunst Callots spricht, macht diesen Sachverhalt wahrscheinlich: „Die Ironie, welche, indem sie das Menschliche mit dem Tier in Konflikt setzt, den Menschen mit seinem ärmlichen Tun und Treiben verhöhnt, wohnt nur in einem tiefen Geiste, und so enthüllen Callots aus Tier und Mensch geschaffenen groteske Gestalten dem ernsten tiefer eindringenden Beschauer, alle die geheimen Andeutungen, die unter dem Schleier der Skurrilität verborgen liegen."

Die Akzente sind hier so gesetzt, daß die wahre Menschlichkeit beim Tier, das wahrhaft Tierische dagegen im ärmlichen Tun und Treiben der Menschen erkannt werden soll. Darin sieht Hoffmann – zu Beginn seiner Laufbahn als Schriftsteller – das eigentlich ironische Prinzip. Der Bericht über die *Neuesten Schicksale des Hundes Berganza* ist genau nach diesem Schema abgefaßt. Berganza ist zwar – worin der Reiz Hoffmannscher Erzählungskunst liegt – mit authentisch hündischen Zügen ausgestattet; dennoch repräsentiert er die höhere Weisheit und Menschlichkeit. Berganza ist eine Künstlernatur, er liebt die Musiker und paßte in der Tat nicht schlecht in die Gesellschaft eines Kapellmeisters Kreisler. Die Menschenwelt ist ihm wesensgleich mit der scheinhaften und käuflichen Umwelt der bürgerlichen Salons. Unschwer kann man Berganzas Bericht durch die Nachrichten ergänzen, die der Pudel Ponto seinem Freunde, dem Kater Murr, über das Stutzer- und Wüstlingsleben des Barons Alkibiades von Wipp überbringt.

Berganza steht bei Hoffmann zunächst noch in einer satirischen Tradition, die es seit jeher schätzte, vorhandene Gesellschaftszustände durch Konfrontierung mit einem hinzugereisten Indianer oder Perser oder Chinesen oder auch durch Gegenüberstellung der Menschenwelt mit der Tierwelt zu verspotten und bloßzustellen. Nicht zu Unrecht verweist Jean Paul in seiner Vorrede zu den *Fantasiestücken* auf Swift: manches Urteil des Hundes Berganza über die ihm bekannten Menschen erinnert an die ethischen Normen der edlen Pferde in *Gullivers Reisen.*

Allein neben diese satirische Überlieferung tritt sogleich schon die besondere Hoffmannsche Ironie, die er auf das Verhältnis des Künstlers zur Spießbürgerwelt gegründet hat. Berganza fühlt sich den Künstlern, den Musikern vor allem, verwandt. Eine wunderbare Stelle läßt sich unschwer als Selbstaussage Hoffmanns, die dem Hund Berganza in den Mund gelegt ist, interpretieren:

Berganza „Ich kann die Musiker um des allen nur lieben, und da überhaupt ihr Reich nicht von dieser Welt ist, erscheinen sie, wie Bürger einer unbekannten Stadt, in ihrem äußeren Tun und Treiben seltsam, ja lächerlich, denn Hans lacht den Peter aus, weil er die Gabel in der linken Hand hält, da er, Hans, seine Lebtage hindurch sie in der rechten Hand gehalten."

Ich „Aber warum lachen gemeine Menschen über alles, was ihnen ungewöhnlich ist?"

Berganza „Weil das Gewöhnliche ihnen so bequem geworden, daß sie glauben, der, welcher es anders treibt und hantiert, sei ein Narr, der sich deshalb mit der ihnen fremden Weise so abquäle und abmartere, weil er ihre alte bequeme Weise nicht wisse; da freuen sie sich denn, daß der Fremde so dumm ist und sie so klug sind und lachen recht herzlich, welches ich ihnen denn auch von Herzen gönne."

Solche Sätze könnten auch in den *Kreisleriana* stehen; der Hund Berganza spricht wie der Kapellmeister Kreisler. Die besondere Kunst und ironische Tiefe Hoffmanns besteht aber darin, daß er diese Identität nicht durchwegs zuzulassen gedenkt. Berganza wird sehr rasch wieder ins wahrhaft Hündische zurückgeführt.

Noch tiefer und verzwickter ist die ironische Beziehung zwischen Tier und Mensch, Künstler und Bürger, Künstler und Tier in Hoffmanns wohl großartigster Dichtung, in den *Lebensansichten des Kater Murr.* Auch hier finden wir das von Hoffmann auf Callot zurückgeführte Prinzip des Konflikts zwischen Menschen- und Tiernatur. Es ist daher eigentlich schwer zu verstehen, weshalb selbst bedeutende Interpreten E. T. A. Hoffmanns wie Korff und andere in der Koppelung der Kater-Murr-Biographie mit der Kreisler-Biographie nur eine „verrückte Idee" Hoffmanns sehen wollen, durch welche „der Zusammenhang der Kreisler-Biographie auf die mutwilligste Weise zerstört" werde (Korff). Ernst von Schencks Hoffmann-Buch betont dagegen die gedankliche Einheit des Romans, sieht aber in Murr wohl zu einseitig eine Selbstkarikatur Hoffmanns. Allein hinter dieser scheinbaren Sonderbarkeit und angeblichen Jean-Paul-Nachfolge steckt ein strenges künstlerisches Kompositionsprinzip! Bei genauem Eindringen in den Gesamtroman, also nicht bloß den Kreisler-Roman, offenbaren sich die verschiedenen Abschnitte in Kreislers und Murrs Lebensbericht als streng aufeinander bezogen. An allen wichtigen Stellen wirkt Murr als philiströses Gegenstück zu Kreislers Künstlerleben.

Murrs Katerliebe ist die Parodie der Künstlerliebe des Kapellmeisters Kreisler; Kreisler seinerseits parodiert eben durch diese Doppelschichtigkeit der Erzählung die bürgerliche Normalexistenz des selbstzufriedenen Katers. Nur in dieser Ironie, die jeweils den einen Partner zum Parodisten des anderen macht, enthüllt sich das Gesamtkonzept des Buches, das Hoffmann selbst als sein wichtigstes ansah. Murr verhält sich einmal zu Kreisler wie Sancho zum Don Quijote, allein der relativen Billigung des Sancho-Standpunkts durch Cervantes, den Hoffmann sehr gut kannte und dem er ja auch die Gestalt des Hundes Berganza entlehnt hatte, entspricht in der Geschichte Kreislers und Murrs keinerlei Billigung der Murr-Welt durch den Dichter. Die Biographie Kreislers ist von Freundeshand geschrieben, die Lebensansichten des Katers dagegen erscheinen als autobiographischer Bericht. Daraus ergibt sich ein durchaus verändertes Verhältnis zwischen Mensch und Tier. Berganza stand als Hund und Künstler gegen die Menschen- und Bürgerwelt. Der Kater Murr und auch die anderen seiner Art, Katzen wie Kater, *sind* eigentlich Menschen und Spießbürger. Kater Murr ist im bürgerlichen Bereich das Gegenstück und die Ergänzung zu den Lebensansichten des Fürsten Irenäus im höfischen Umkreis. Gegen beide stehen Kreisler und Julia. Die bürgerliche Lebensmisere erscheint gerade dadurch in aller Trostlosigkeit, daß sie – zu Unrecht – als überaus stabil empfunden wird. Der Fürst Irenäus, Prototyp der Metternich-Zeit und des Restaurationsregimes, findet seine Ergänzung in der Deutschtümelei und burschenschaftlichen Maskerade der Kater Murr und Hinzmann. Unverkennbar haben wir hier den politischen Standpunkt des späten E. T. A. Hoffmann, der sich auch als Künstler gegen „Demagogen" wie Demagogenschnüffler, gegen restaurierte Feudalität und spießbürgerliche Kraftmeierei zu wenden entschlossen ist. Von hier führt literarisch ein gerader Weg zu Karl Immermanns Epigonen-Roman. Die scheinbare Gemeinsamkeit der Ausgangslage bei Berganza und Murr erweist sich als trügerisch. Berganza verhält sich zu Murr wie der Hoffmann der *Fantasiestücke* zum Meister des Kreisler-Romans: die subjektive Bürgerfeindlichkeit der Bamberger Zeit hat sich in die objektive Gesellschaftskritik des *Kater Murr* verwandelt.

Die letzte große Erzählung vom *Meister Floh* nimmt das Thema der Tier-Mensch-Relation abermals auf, um sie abermals entscheidend abzuwandeln. Meister Floh ist – schon aus Gründen der Zoologie! – wesentlich stärker Symbol denn reale Gestalt oder gar reales Tier. Berganza war durchaus Hund, Murr besaß unverkennbare Katerzüge, der Meister Floh aber konnte notwendigerweise nicht in ähnlichem Sinne mit Wirklichkeitszügen ausgestattet werden. Er gleicht mehr einem Schutzgeist, Kobold oder gütigem Zwerg als einem Tier. Dennoch wiederholt sich auch hier die ironische Spiegelung der Menschenwelt durch die Tierwelt. Berganza war ein Künstler, Murr war ein die Menschen imitierender bürgerlicher Philister und Schöngeist; Meister Floh aber besitzt die unheilvolle Brille, die es ihm und seinem Freunde Peregrinus Tyß ermöglicht, das Reden der Menschen mit ihren wirklichen Gedanken sogleich zu konfrontieren. Der ironische Konflikt ist diesmal *in* die Person des einzelnen Menschen gelegt: seine geäußerten und seine wahren Gedanken, seine geheuchelten und seine echten Absichten widersprechen einander. Allein diesmal ist Hoffmann gewillt, den Konflikt nicht in aller Schärfe bestehen zu lassen, wie in den *Kreisleriana* oder den vollendeten Teilen des Kreisler-Romans. Freiwillig verzichtet Peregrinus auf die tückische Brille. „Fort, fort mit der unseligen Gabe!“ Das bittere Callot-Prinzip ist vom todkranken Dichter fortgebannt, damit Vertrauen in reine Menschlichkeit einziehen kann. „Immer aufs Neue hoffend, immer aufs Neue vertrauend und immer wieder bitter getäuscht, wie kann es anders möglich sein, als daß Mißtrauen, böser Argwohn, Haß, Rachsucht in der Seele sich festnisten und jede Spur des wahrhaft menschlichen Prinzips, das sich ausspricht in mildem Vertrauen, in frommer Gutmütigkeit, wegzehren muß?“

Hier spricht ein gewandelter Hoffmann. Es klingt wie ein Abschied des Menschen und Künstlers und entspricht durchaus dem Grundgedanken einer anderen Meistererzählung aus Hoffmanns letzter Lebenszeit: den Ansichten, die der Titelheld der Erzählung *Des Vetters Eckfenster* zu seinem Besucher äußert. Die doppelte Richtung der Satire, gegen höfischen wie bürgerlichen Schwachsinn und Dünkel, ist geblieben. Dennoch hat sich die Schärfe der Karikatur an all jenen Stellen zusehends vergrößert, die von der höfischen Welt im weitesten Sinne handeln. Vom Fürsten Barsanuph, seinem Professor Mosch Terpin und seinem Minister Zinnober über den Fürsten Irenäus nebst Hofstaat im *Kater Murr* bis zu dem offenkundig königlich preußischen Denunzianten und Polizeichef Knarrpanti im *Meister Floh* steigert sich die Schärfe der Ablehnung, die Erbitterung des Satirikers. (Es ist bekannt, daß gerade diese Teile des *Meister Floh* die letzte Lebenszeit Hoffmanns mit schwerster Sorge um Amtsentsetzung und Verhaftung erfüllt haben.) Dennoch wächst – zugleich mit der gesellschaftskritischen Wucht – auch das menschliche Zutrauen des Dichters. Wir wissen nicht, wie Hoffmann die Konflikte des Kreisler-Romans zu lösen gedachte. Daß Kreisler im Schlußteil in den Wahnsinn getrieben werde, wie in der Hoffmann-Literatur immer wieder behauptet wird, bleibt nach wie vor eine Hypothese, die mit gewichtigen Gründen angefochten werden darf. Die Geschichte von *Klein Zaches* endet zwar märchenhaft, aber doch in schöner poetischer Verklärung. Auch Peregrinus Tyß erlebt ein anders Glück als sein Vorgänger, der Student Anselmus aus dem *Goldnen Topf*, dem Erfüllung nur in Atlantis vom Dichter zugebilligt werden konnte. Peregrinus Tyß findet ein Philisterglück, das aber dennoch, nach Meinung des Erzählers, wert zu sein scheint, erstrebt und genossen zu werden.

So sehr es daher richtig ist, bei Beurteilung des Erzählers Hoffmann stets von der Eigentümlichkeit seiner Lebens- und Künstlerlaufbahn auszugehen; so sehr das Thema unerfüllter und wohl unerfüllbarer Künstlerträume das ganze Werk durchzieht; so entscheidend die Bamberger Zeit mit dem Julia-Erlebnis für Hoffmann geworden ist, da er die damalige Konstellation Kapellmeister Hoffmann-Julia Marc Konsulin Marc-Bräutigam Gröpel in immer neuen Versionen und gleichsam unter einem Wiederholungszwang nachgestaltete – so wenig geht es an, das Werk Hoffmanns als ungewandelte Einheit, als bloßes Spiel mit den stets gleichen Leitmotiven zu betrachten. Wirkliche Leitmotive – das sollte nicht verkannt werden – sind der höchsten Wandlung fähig: Vergrößerungen oder Verkleinerungen des Themas, Wechsel der Tonart, des Rhythmus, der Lautstärke, der Instrumentierung vermögen die Aussage in entscheidendem Maße zu verändern. Das gilt besonders auch für die Leitmotive in Hoffmanns Erleben und Dichten. Die Weltperspektiven des späten Hoffmann sind anders als jene der Bamberger oder der Dresdner

Zeit. Ähnliche, sogar gleiche Motive dienen einer weithin gewandelten künstlerischen und menschlichen Aussage. Der zu permanent unglücklicher Liebe verurteilte, in schmerzlicher Zerrissenheit verkommende, trunksüchtige Hoffmann ist zwar durch die Kunst Jacques Offenbachs zu einer bedeutenden Gestalt der Opernszene geworden, sollte aber nicht, allen Legenden um die Tafelrunde bei Lutter & Wegner zum Trotz, mit den letzten Lebens- und Schaffensjahren des Kammergerichtsrats Hoffmann zu Berlin verwechselt werden. Der Erzähler E. T. A. Hoffmann ist ein Meister der ironischen Brechung und perspektivischen Täuschung. Man denke einen Augenblick an den Beginn des Märchens vom *Meister Floh*. Da beginnt der Erzähler eine Weihnachtsgeschichte im gemütvollen, leicht weinerlichen Tonfall des herkömmlichen Jugendschriftstellers. Mit hausbackener Wortwahl und Erzählweise wird der Kinderjubel vor einem Weihnachtsbaum geschildert. Nach einigen Seiten solcher Prosa folgen drei Sätze, die der ahnungslose Leser wie einen Stoß oder Schlag empfinden muß. „Sehr irren würde jeder, welcher glauben sollte, daß Peregrinus Tyß ein Kind sei, dem die gütige Mutter oder sonst ein ihm zugewandtes weibliches Wesen, romantischer Weise Aline geheißen, den heiligen Christ beschert. – Nichts weniger als das! – Herr Peregrinus Tyß hatte sechs und dreißig Jahre erreicht und daher beinahe die besten." Jäh also hat sich die erbauliche Geschichte für folgsame Kinder in eine Phantasmagorie der Einsamkeit und des Grauens verwandelt.

Das Beispiel mag zeigen, wie notwendig es ist, bei Beschäftigung mit Hoffmanns Werken die ganze Vielschichtigkeit der Gebilde vor Augen zu haben, weder die konstanten Lebenselemente und Leitmotive noch deren Veränderungen und Abwandlungen zu unterschätzen. Auch darin scheint sich Hoffmann als Dichter von den meisten Gestalten der Weltliteratur zu unterscheiden, daß er völlig anders wirkt, je nachdem ob man nur einzelne seiner Werke oder das Gesamtwerk zur Kenntnis nimmt.

Kunst und Wirklichkeit (Das serapiontische Prinzip)

Man ist vor allem stets in Gefahr, den perspektivischen Täuschungen des großen Ironikers zu erliegen, will man von ihm Antwort auf die wichtige Frage nach dem Verhältnis von Kunst und Wirklichkeit erhalten. In jedem Falle ist Hoffmann ein trivialer Utilitarismus in Kunstdingen von Grund auf zuwider. Ob man seine großen kunsttheoretischen Dialoge durchdenkt, dem Hunde Berganza zuhört oder der Satire auf den aufgeklärten Despotismus eines ganz kleinen Monarchen im *Klein Zaches* nachgeht – allenthalben vertritt Hoffmann das Eigenrecht der Kunst und des Künstlers. Er wehrt sich dagegen, Kunstwerk und Kunstschaffen nach etwaigen Zwecken zu befragen, ganz zu schweigen von aller Untersuchung des künstlerischen Gebildes auf seinen unmittelbaren Nützlichkeitsgehalt. Aus wiederkehrenden Anspielungen ist zu entnehmen, daß der Dichter wie der Theatermann Hoffmann nicht gewillt war, Schillers Forderung von der Schaubühne als einer moralischen Anstalt zu unterschreiben.

Dennoch würde einer fehlgehen, sähe er in Hoffmanns Ästhetik ein uneingeschränktes Bekenntnis zum Eigencharakter der Kunst und zum Recht des Künstlers, die Gesetze und Formen des realen Lebens zu mißachten. Dagegen sprechen zunächst das eifrige Mühen und die hohe Sorgfalt, die der Erzähler Hoffmann jedesmal aufwendet, um die scheinbar luftigsten Gebilde seiner Phantasie mit einem Höchstmaß an sinnlicher Anschaulichkeit zu begaben. Ähnlich verhält es sich auch mit Hoffmanns ästhetischen Anschauungen über die Nachbarkünste der Poesie. Die nazarenische Malerei konnte ihm auf die Dauer nicht zusagen. Seine Vorstellung von Farbe und Kontur mußte den Maximen der Nazarener ebenso widersprechen wie seine epische Technik der Erzählweise im *Heinrich von Ofterdingen* oder im *Taugenichts.* Die zeitweilige Verbindung mit dem nazarenischen Maler Philipp Veit, einem Sohn der Dorothea Mendelssohn und Stiefsohn Friedrich Schlegels, blieb ohne tieferen Einfluß auf seine Kunstanschauung. In den *Elixieren des Teufels* zwar sind gewisse Gedanken der Nazarener, ist deren Forderung nach Abkehr vom „schnöden Sinnentrug“ vorübergehend aufgenommen; allein schon wenige Jahre später, im *Kater Murr,* nimmt Hoffmann alles wieder zurück. Er konfrontiert die Nazarener mit ihren bewunderten Vorbildern aus der italienischen Renaissance und läßt den Abt darüber zu Kreisler bemerken: „Es fehlt unseren jungen Malern an der wahren Begeisterung, die das Bild in aller Glorie des vollendetsten Lebens aus dem Innern hervorruft und ihnen vor Augen stellt ... Unsere jungen Maler bringen es nicht zur deutlichen Anschauung der im Inneren aufgefaßten Gestalt, und mag es vielleicht nicht lediglich daher kommen, daß sie, gerät ihnen auch sonst alles so ziemlich gut, doch die Färbung verfehlen? – Mit einem Wort, sie können höchstens zeichnen, aber durchaus nicht malen.“

Nach wie vor will Hoffmann der inneren Anschauung den Vorrang zuerkennen; allein er strebt immer wieder nach der Entsprechung der inneren Vision im Bereich der äußeren Welt. Das schlechthin Innerliche, das weder durch Anschauung von Wirklickeit angeregt wäre, noch danach strebte, selbst den Eindruck kunstgeschaffener Wirklichkeit hervorzurufen, konnte Hoffmanns Sache nicht sein. Es ist demnach durchaus kein Widerspruch, wenn die Betrachtung der künstlerischen Gesamtgestalt, also des Dichters, Malers und Tonsetzers Hoffmann, offenkundig werden läßt, daß er in keinem Einzelbereich den romantischen Grundnormen in vollem Maße entsprochen hat. Seine Erzählung ist auch im Märchen oder Capriccio stets grundverschieden von Novalis, dem frühen Tieck oder Eichendorff. Clemens Brentano, vielleicht der einzige wirkliche geniale Mensch, mit dem Hoffmann näheren Umgang gepflogen hat, stand ihm schon näher; dennoch gibt es kein Werk Hoffmanns, das so uneingeschränkt erzromantisch genannt werden könnte wie die meisten Dichtungen Brentanos.

Zu einer Berührung Hoffmanns mit der romantischen Malerei kommt es ebensowenig. Am sinnfälligsten aber ist die unromantische Grundhaltung des Musikers und Musikschriftstellers. Daß Hoffmanns Musik nicht zur musikalischen Romantik gezählt werden kann, ist durch Erwin Krolls und Gustav Beckings Untersuchungen überzeugend nachgewiesen worden. „Noch 1809 nimmt Hoffmann Mozartsche Thematik unverändert in seine Werke herüber, nicht etwa um neue andersgeartete Abwandlungen zu bieten – solche Gedanken kommen ihm nicht, sondern augenscheinlich in dem Glauben, daß es idealeres, vortrefflicheres Material gar nicht geben könne“ (Becking). Die Meisterkritiken über Werke Beethovens, die dem Rezensenten die Dankbarkeit des Meisters eintragen sollten, vermitteln keineswegs ein romantisches Beethoven-Bild. Im Gegenteil spürt man – bei allem Verständnis – das künstlerische Unbehagen Hoffmanns vor manchen Kühnheiten des verehrten Musikers, etwa im *Geistertrio* oder in der Pastoral-Sinfonie. Es mutet an, als sei Hoffmann bestrebt, den verehrten Beethoven in die Normenwelt der Mozart-Musik zurückzudrängen. Vielleicht ist es doch mehr als müßige Spekulation, wenn man ahnt, die Welt des späten Beethoven hätte bei dem Musiker und Kritiker Hoffmann vor allem Befremden erregt.

In solchen Widersprüchen vollzieht sich das Kunsterleben und Kunstschaffen E. T. A. Hoffmanns. Die alten Musiker bis hin zu Mozart sind für ihn musikalische Norm schlechthin. Die Dichtung der deutschen Klassik dagegen ist ihm *nicht* Vorbild. Auch zwischen echter und falscher Romantik vermag er nicht immer zu unterscheiden. Die Jugendverbindung mit Zacharias Werner blieb nicht ohne Einfluß. Es klingt Spott auf gegen Ludwig Tieck, aber den Baron de la Motte-Fouqué hält Hoffmann für einen großen Dichter.

So fragwürdig es erscheinen mag, Begriffe wie Romantik und Realismus schlechthin als Antithese zu setzen, so verfehlt ist es vor allem, aus der offenkundig stark romantischen Teilsubstanz seiner Dichtung auf eine Abkehr Hoffmanns vom Realismus zu schließen. In der Theorie wie in der Praxis seines Schreibens strebt der Erzähler Hoffmann nach dem Einklang von innerer und äußerer Vision. Auch die innere Anschauung vom Darzustellenden will er niemals gegen die äußere Welt und ihre Rechte ausspielen. Es ist schon richtig, wenn Korff betont, daß die beiden theoretischen Selbstaussagen des Erzählers Hoffmann: in der Vorrede zu den *Fantasiestücken* und später in der Erläuterung des „Serapiontischen Prinzips“, nur scheinbar im Widerspruch zueinander stehen, sondern in Wirklichkeit die gleiche Grundauffassung ausdrücken. Nicht übereinstimmen mit Korff wird man dagegen, wenn er Hoffmanns Kunstanschauung so versteht: „Je stärker die Phantasie ist, um so mehr hat das, was sie erschafft, den Charakter der Wirklichkeit.“ Das ist nur die Hälfte der Hoffmannschen Formel. Sie muß dadurch ergänzt werden, daß, nach Hoffmann, die Phantasie ihr Gebilde aus vorhergehender Anschauung der Wirklichkeit nährt und erzeugt – und daß darauf die so hervorgerufene innere Vision für den Leser die äußere Form der Anschaulichkeit anzunehmen vermag; daß sich mithin das Gebilde der Innerlichkeit ent-äußern muß, wenn es zum wirklichen Kunstwerk reifen soll. Damit aber steht Hoffmann den künstlerischen Bemühungen des späten Schiller und den Grundgedanken der objektiv-idealistischen Ästhetik Hegels gar nicht so fern, wie es zuerst scheinen mochte. Genauer gesagt: Wenn die eigentlich romantische Schule in Deutschland seit Novalis und Friedrich Schlegel ein enges philosophisches Bündnis mit dem subjektiven Idealismus Fichtes eingegangen war, so ist Hoffmann in dieser Hinsicht kein Romantiker. Auch die fichteanischen Anspielungen der *Prinzessin Brambilla* mit ihrer Gegenüberstellung der verschiedenen „Ich" des Schauspielers Giglio und seiner Partnerin Giacinta haben weit mehr mit Persönlichkeitsspaltung in mehrere reale Gestalten, vergleichbar den Florestan und Eusebius bei Robert Schumann, zu tun, als mit subjektivem Idealismus.

Darum auch ist die Ironie Hoffmanns im Grunde der romantischen Ironie etwa Tiecks oder Brentanos entgegengesetzt. Der Erzähler Hoffmann steht dem Humor Sternes und Jean Pauls viel näher als einer Ironievorstellung der Romantiker, die bemüht ist, alle Wirklichkeit zu entwesen und durchscheinend zu machen, während Hoffmann umgekehrt danach strebt, seine erträumten oder geschauten Gestalten und Szenen mit Wirklichkeit und Lebenskraft zu begaben. Der deutsche Maler Franz Reinhold spricht in der *Prinzessin Brambilla* eine Grundanschauung Hoffmanns aus: „So ist die Urdarquelle, womit die Bewohner des Landes Urdargarten beglückt wurden, nichts anderes, als was wir Deutschen Humor nennen, die wunderbare, aus der tiefsten Anschauung der Natur geborne Kraft des Gedankens, seinen eigenen ironischen Doppeltgänger zu machen, in desssen seltsamlichen Faxen er die seinigen – ich will das freche Wort beibehalten – die Faxen des ganzen Seins hienieden erkennt und sich daran ergötzt." Das aber will sagen: die tiefste Anschauung der Natur dient dem Künstler dazu, den Widerspruchscharakter alles Seins (und damit auch des eigenen Ich) zu erkennen. Die „Faxen des Seins" sind Widersprüche, die dem Objekt wie dem Subjekt eignen. Der Humor des Künstlers besteht im Nachempfinden und Nachgestalten dieser Widersprüche. Aus dieser Grundanschauung lebt Hoffmanns gesamtes Werk.

Daß die Wirklichkeit E. T. A. Hoffmanns in ihrem immer wieder durchbrechenden Doppelcharakter nicht mit dem epischen Realismus eines Fielding oder Goethe oder Stendhal gleichgesetzt werden kann, versteht sich von selbst. Äußere Ähnlichkeiten und Vorbilder verweisen weit eher auf Yorick-Sterne, auf *Jacques le Fataliste* von Diderot, immer wieder auf Jean Paul. Trotzdem ist die Wirklichkeit E. T. A. Hoffmanns auch nicht durch solche Vorbilder zu erklären. Gewiß ist das serapiontische Prinzip, so wie es Hoffmann versteht, den Romantikern näher als dem klassischen Erzählideal des 18. Jahrhunderts. Der philosophische Idealismus, der trotz allem der inneren Vision den Vorrang einräumen möchte vor der Nachgestaltung von Vorgängen der Außenwelt, dringt unverkennbar durch. Allerdings ist der Idealismus E. T. A. Hoffmanns ebenso fern der Fichte-Nachfolge wie der Hegel-Nachfolge. Schelling wurde, wie überliefert ist, eines der großen Bildungserlebnisse des Künstlers Hoffmann. Dennoch dient die Dichtung Hoffmanns in ihrer Gesamtheit keineswegs irgendeinem Gesellschaftsideal des Obskurantismus. Schon im Frühwerk vom *Goldnen Topf* stehen Elegie, Satire und Utopie hart nebeneinander: Gesellschaftskritik und Sehnsucht nach Atlantis. Im Spätwerk des Dichters wird der atlantische Bereich immer stärker und versöhnender in die Alltagswirklichkeit zurückgeführt, die für den späten Hoffmann allerdings nicht eine Wirklichkeit der Höfe und bürgerlichen Ästheten ist, sondern der einfachen Menschen im Volk.

Daß diese Einsicht und Weltdeutung Hoffmanns nicht einer vorübergehenden Stimmung und Laune entsprach, zeigt die Erzählung *Des Vetters Eckfenster*, die als ein einziges Hinstreben des (todkranken) Künstlers zur Wirklichkeit des Lebens im Volke, unter einfachen Menschen, aufzufassen ist. Dieser Ausklang Hoffmannscher Dichtung und Lebensanschauung hat zwar alle diejenigen Interpreten mit Unbehagen erfüllt, die den Künstler E. T. A. Hoffmann als Kronzeugen wirklichkeitsfeindlicher Kunst, als Ahnherrn gewisser neuromantischer Süchte in Anspruch nehmen möchten. Die Schaffenskurve Hoffmanns aber gibt ein anderes Bild. Schon Heine empfand Novalis und Hoffmann als Gegensätze; er bereits war entschlossen, Hoffmann als Künstler über Novalis zu stellen. Wie dem auch sein möge: in den wesentlichen Zügen seiner Gesamtgestalt erweist sich Hoffmann als durchaus untypisch im Sinne des romantischen Credo. Untypisch wie sein Bildungsgang, wie seine Laufbahn als Schriftsteller, ist auch die Entwicklung seiner Kunst und ihr Bemühen um die verlorene Einheit von innerer und äußerer Vision. Seit Novalis hatten die Romantiker den künstlerischen Universalismus gefordert, die Gesamtkunst, die mehr wäre als eine Summe aus den Teilkünsten. Scheinbar war der Künstler Hoffmann die ragende Erfüllung solcher universalistischer Romantik. Nur scheinbar indessen: in allen wesentlichen Zügen verläuft Hoffmanns Denken und Schaffen, im Ganzen wie in den künstlerischen Einzelbereichen, in unromantischer Weise. Nur so aber erklärt es sich wohl, daß Hoffmanns Dichtung in so eminentem Maße weltläufig wurde; daß es nach Schiller und Goethe eigentlich nur zwei deutsche Dichter des 19. Jahrhunderts waren, die – in durchaus verschiedenem Sinne und mit sehr verschiedenem Ergebnis – auf andere Nationen und Nationalliteraturen zu wirken vermochten: E. T. A. Hoffmann und Heinrich Heine.

Hoffmanns Nachruhm

Mit behaglichem Hohn notiert Goethe am 21. Mai 1827 im Tagebuch: „Hoffmanns Leben. Den Goldnen Becher angefangen zu lesen. Bekam mir schlecht, ich verschwünschte die goldnen Schlängelein.“ Mehr Ablehnung läßt sich auf so knappem Raum schwerlich zusammendrängen. Der Titel des Märchens vom goldnen Topf wird – bewußt oder unbewußt – verzerrt. Die Notiz sagt aus, daß Goethe seine Hoffmann-Lektüre nicht zu Ende brachte. Ästhetische Ablehnung wird in körperliches Unbehagen transponiert. Eine schärfere Form künstlerischer Negation ist nicht gut denkbar. Alle anderen Äußerungen Goethes über Hoffmann stehen in der gleichen Tonart. Der einzige Hinweis, den Eckermann überliefert (3. Dezember 1824), nennt Hoffmann als einen Autor, den zu lesen ganz unnötig sei. Goethe flankiert ihn mit so miserablen Vielschreibern des damaligen Tages wie Franz Horn und dem Hofrat Clauren. Beide Äußerungen, die von 1824 wie jene von 1827, fallen nach Hoffmanns Tode, als dessen Gesamtgestalt bereits überschaubar vor der Mitwelt steht.

Hegels Abscheu vor der Kunst E. T. A. Hoffmanns war nicht minder groß. Die einzige Erwähnung in den *Vorlesungen über die Ästhetik* (1. Teil, Drittes Kapitel) lautet so: „Vorzüglich jedoch ist in neuester Zeit die innre haltlose Zerrissenheit, welche alle widrigsten Dissonanzen durchgeht, Mode geworden, und hat einen Humor der Abscheulichkeit und eine Fratzenhaftigkeit der Ironie zu Wege gebracht, in der sich Theodor Hoffmann z. B. wohlgefiel."

Es wäre zu zeigen, daß die Einwände Goethes und Hegels gegen Hoffmanns Dichtung gleichen Ursprungs sind. Goethe vermag in Hoffmanns Erzählen keine Poesie zu entdekken, genausowenig wie bei Horn oder Clauren. Nun mußte Hoffmann natürlich für die klassische Ästhetik in Deutschland ein Ärgernis bedeuten. Dennoch nimmt es wunder, daß der Dichter des Zweiten Faust nicht die poetische Eigentümlichkeit der künstlerisch so vielschichtigen Hoffmann-Werke zu erkennen vermochte. Auch Hegel stößt sich an jenem Widerspruch zwischen Ideal und miserabler Alltäglichkeit in Hoffmanns Kunst. Allerdings hatte der gleiche Hegel kurz vor dem Hieb gegen Hoffmann auch den *König Lear* verworfen und behauptet, „der Teufel für sich" sei „eine schlechte, ästhetisch unbrauchbare Figur". Die Ablehnung durch Goethe und Hegel offenbart also ebensoviel über die künstlerische Eigentümlichkeit der Dichtung Hoffmanns wie über die ästhetischen Prinzipien seiner beiden großen Widersacher.

Der wachsende, schließlich sensationelle Erfolg des Erzählers Hoffmann bei seinen zeitgenössischen deutschen Lesern steht in sonderbar ungerader Proportion zu Hoffmanns geringem Einfluß auf das literarische Schaffen der deutschen Zeitgenossen. Die Romantiker mochten ihm günstiger gesinnt sein als Goethe oder Hegel; trotzdem kann von einem Einfluß Hoffmannscher Kunst und Ästhetik auf die Spätzeit der romantischen Schule nicht eigentlich gesprochen werden. Gewiß hatte Hoffmann vor allem in seiner letzten Lebenszeit mit vielen bedeutenden oder selbst genialischen Menschen vertrauten Umgang: mit Brentano besonders und Adelbert von Chamisso. Die Bekanntschaft mit Zacharias Werner stammte noch aus der Jugendzeit. Den Text zu Hoffmanns Oper *Undine* hatte Fouqué geliefert; die Bühnenbilder waren nach Entwürfen Schinkels (und Hoffmanns) angefertigt worden. Die Freundschaft des Dichters mit dem genialischen Schauspieler Ludwig Devrient wurde zur Legende. Dennoch ergaben diese Freundschaften kein gemeinsames künstlerisches Programm. Der Kreis der Serapionsbrüder – das wurde bereits betont – vertrat in der literarischen Welt keinerlei Gemeinsamkeit eines ästhetischen Programms. Es ist kein Zufall, daß sich Hoffmann in der Rahmengeschichte seiner *Serapionsbrüder* in mehrere Gestalten aufteilen mußte: in Theodor, Cyprian und Lothar. Das hatte nicht bloß mit Äußerlichkeiten der Werkkomposition zu tun, sondern zeugte vom Mangel eines wirklichen ästhetischen Programms, das der Tafelrunde gemeinsam gewesen wäre.

Was bereits zu Lebzeiten des Dichters auffallen mußte, wurde offenbar nach dem frühen Tode des großen, umstrittenen Dichters. Die Wirkungsgeschichte eines Künstlers hängt stets – selbst dort, wo bare Mißverständnisse oder sichtbare Verfälschungen auftreten – mit Grundelementen seiner Kunst zusammen. Die Wandlungen des Hoffmannismus können als Exempel dienen. Hoffmanns Nachwirkung war immens. Allein er hat nicht als ein Romantiker unter anderen gewirkt; erst recht nicht im Sinne seines serapiontischen Prinzips. Er wurde auch nicht als Musiker folgenreich, sondern als Erzähler. Seine Musikschriftstellerei hat ebensowenig Schule gemacht wie sein musikästhetisches Programm. Gewiß sind Robert Schumann oder Richard Wagner als Musikschriftsteller nicht ohne Hoffmanns Vorbild zu denken, aber seine eigene unmittelbare Wirkungskraft muß auch hier weit geringer angesetzt werden als die Schumanns oder gar Richard Wagners.

Allein Hoffmanns Erzählungen wurden folgenreich. Zunächst durch ihre Stoffwelt und Thematik. Das ergab nicht immer eine gute Nachfolge. Richard Wagner tat eine richtige Wahl, als er sich des bloß Stofflichen aus Hoffmanns *Krieg der Sänger* für den *Tannhäuser*, des Stofflichen zusammen mit einigen Gestalten aus der Erzählung von Meister Martin, dem Küfner, für die *Meistersinger* bediente. Im allgemeinen aber hielt sich die deutsche wie außerdeutsche Hoffmann-Nachfolge an ihre Vorstellung vom sogenannten „Gespenster-Hoffmann“. Die Nachtseite des Lebens, das Schaurige, Ungeheure, die eigentümliche Zwischenwelt zwischen Traum und Tun, die für Hoffmanns Erzählungen oft so kennzeichnend ist – das vor allem ist unheimlich fruchtbar geworden. Mit Hoffmann tritt eigentlich zum ersten Mal eine Kunst auf, die sich mit Vorliebe den Randgestalten des Lebens, den seelischen Sonderfällen, den Grenzlagen aller Art zugewandt hat.

Mit ihm beginnt gleichzeitig eine ganz neue Darstellungsweise für Vorgänge des Grauens. Die frühere deutsche Romantik, gipfelnd in der Schauerromantik der berühmten *Nachtwachen* von Bonaventura, suchte das Romantische als Requisit zu verwenden: Einsiedeleien, abgelegene Mordstellen, nächtliche Kirchhöfe, Freischützen, hexenartige alte Weiber, Wahnsinnige. Mit Hoffmann debütiert eine Kunst, die das Grauenhafte ohne grauenhafte Requisiten zu produzieren vermag, der es gelingt, das Entsetzliche in den Mittelpunkt des bürgerlichen Alltags zu bannen. Damit war eine Tradition begründet, die zu Edgar Allan Poe hinüberleitet, zu Stevensons berühmter Geschichte von Dr. Jekyll und Mr. Hyde, zu Franz Kafkas *Verwandlung*. Das alles ist ohne Hoffmann nicht denkbar. Übrigens auch nicht eine Gesellschaftssatire von betonter Fratzenhaftigkeit, die dem Gegenstand ihrer Karikatur durchaus ungütig gegenübertritt. Flaubert hat seinen Hoffmann gekannt, denn der war im 19. Jahrhundert gerade in Frankreich und Rußland durch zahlreiche Übersetzungen verbreitet.

Seelenzustände und Gesellschaftslagen, wie sie der Kammergerichtsrat nahezu als erster beschrieb, werden dann im weiteren Verlauf des 19. Jahrhunderts zu vordringlichen Themen der Dichtung, keineswegs bloß der Novelle oder des Romans. Mit Baudelaire, der nicht zufällig auch Edgar Allan Poe für Frankreich entdeckte, dringen Hoffmann-Themen und Hoffmannsche Randgestalten in den lyrischen Bereich: die Wirkung auf die moderne Lyrik läßt sich gar nicht absehen. Aus diesen Folgen aber entsprang gleichzeitig eine sehr heftige Ablehnung Hoffmanns und erst recht des Hoffmannismus durch Künstler aller Art. Man machte den Meister und Urheber für die Resultate seiner Kunst verantwortlich. Dabei läßt sich eine sehr verschiedenartige Entwicklung der Hoffmann-Rezeption in Frankreich und in Rußland beobachten. In Frankreich kommt die Entwicklung der bürgerlichen Kunst seit 1848 durchaus dem entgegen, was man für Hoffmannismus hält: das führt von Baudelaire und Rimbaud über Huysmans bis zu den Surrealisten, die ohne Frage bei Hoffmann sehr viel lernten und sich in aller Bewußtheit auf die deutsche Romantik, insbesondere die Schauerromantik, beriefen. Einen verhältnismäßig breiten Raum nimmt der Hoffmannismus in der russischen Literatur des 19. Jahrhunderts ein, wobei sich die Akzente von den 30er bis zu den 50er Jahren sehr wesentlich verschieben. In einem Aufsatz über *Das Hoffmann-Bild der russischen revolutionären Demokraten* (Aufbau, Jahrgang 1957, Heft 12) behandelt Wolf Düwel die Wirkung des deutschen Erzählers vor allem auf Herzen, Belinskij und Tschernyschewskij. Es ist dabei nicht verwunderlich, daß – entsprechend der dualistischen Struktur dieser Dichtungen – die Wirkung Hoffmanns in Rußland bald durch die satirisch-realistischen, bald durch die mythischen oder auch mystischen Elemente erzeugt wurde. Entscheidend ist dabei eine Bemerkung, die Düwel macht: „Von Deutschland hatte Belinskij zuvor mehr oder weniger romantische Vorstellungen gehabt. Hoffmanns Dichtung hat dazu beigetragen, daß er mit diesen Illusionen fertig wurde. Auf ihn hat vor allem das realistische Element in Hoffmanns Dichtung gewirkt. Ebenso wie im *Dämon* Lermontows fand er bei Hoffmann das Prinzip der Negation, das ihn hinausführte in die Freiheit einer wirklich kritischen und in der Konsequenz revolutionären Weltanschauung." Später gelangte Belinskij zu einer Gesamteinschätzung des Dichters, der es weitgehend gelingt, die verschiedenen Elemente und Momente der Wirklichkeit E. T. A. Hoffmanns in ihrer relativen Fruchtbarkeit oder auch Schädlichkeit gegeneinander abzuwägen. In den 50er Jahren tritt dann die Wirkung Hoffmanns auf die revolutionären Demokraten in Rußland stark zurück. Tschernyschewskij versteht den Dichter des *Meister Floh* bereits als eine wesentlich historische, aus deutschen eigentümlichen Zeitverhältnissen erklärbare literarische Erscheinung.

Zweifellos ist es richtig, wenn die Wirklichkeit E. T. A. Hoffmanns als Ausdruck sowohl persönlicher wie allgemeiner gesellschaftlicher Erfahrungen verstanden wird. Dem Dualismus dieser dichterischen Gesamtheit entsprach zwar keine Zweiteilung der deutschen Wirklichkeit, aber nur die besondere Lage der damaligen deutschen Zustände konnte das Auseinanderfallen in Alltag und Mythos, in Dresden und Atlantis überhaupt erst möglich machen. Hoffmann selbst liefert in seinem Gesamtwerk den Beweis für die besondere Zeitgebundenheit seiner Wirklichkeitsauffassung, denn ohne Zweifel weist die Dichtung des späten Hoffmann andere, historisch konkretere Züge auf als das Frühwerk, ohne daß eine Einbuße an künstlerischer Prägekraft damit verbunden wäre. Diese Wandlungen in Hoffmanns Wirklichkeitsauffassung hat Paul Reimann ganz richtig herausgearbeitet; er hat sie vielleicht allzu stark akzentuiert und zu wenig hervorgehoben, daß auch im Spätwerk Hoffmanns der Dualismus der Hoffmannschen Wirklichkeit unverändert fortbesteht.

Es wäre aber verfehlt, das Nebeneinander der beiden Welten in Hoffmanns epischem Werk ausschließlich als Ausdruck einer realen Misere, als Fluchttendenz oder romantische Verzweiflung zu verstehen. Hoffmanns Dichtung ist – besonders in ihren satirischen Bestandteilen – nicht bloß als Widerspiegelung damaliger Zustände zu verstehen, sondern auch als bemerkenswerte Vorwegnahme künftiger Zustände. Das Eigentümliche Hoffmannscher Gesellschaftskritik liegt überhaupt darin, daß er gesellschaftliche Übergangsformen, die er im damaligen deutschen Bereich erleben mußte, kraft seines Künstlertums, seiner Hellsicht und Reizbarkeit, bereits im Zustand der Überreife und Entartung sah, während sie in der Realität noch im Reifestadium standen. Sowohl der *Kater*

Murr wie der *Meister Floh* lassen eine Interpretation dieser Art ohne weiteres zu. Leicht zu verstehen also, daß die Wirkung dieser Kunst in dem Augenblick sehr stark sein mußte, da in der Tat die gesellschaftliche Überreife eingetreten war. Der Hoffmannismus erhielt dadurch aber eine ganz andere Funktion, als sie die Kunst Hoffmanns in der Hoffmann-Zeit besessen hatte. Zudem unterscheidet sich die Darstellungsweise des Mannes, der *Klein Zaches* oder den *Sandmann* schrieb, nicht unwesentlich von der Attitüde seiner Nachfahren. Hoffmann liebte das Grauen und Nachtseitige nicht: er mußte es gestalten, da es ihn bedrängte, aber er suchte es nicht auf, suchte es wohl eher zu meiden. Hoffmanns Streben galt der Harmonie: in dieser Hinsicht ist Johannes Kreisler sicherlich als Interpret seines Dichters zu verstehen. Man vergleiche etwa – so meisterhaft sie sein mögen – die Illustrationen Alfred Kubins zu Hoffmanns *Nachtstücken* mit Hoffmanns eigenen Zeichnungen oder auch Karikaturen zu seinen Werken, um den Funktionswandel zu verstehen. Es bleibt die Frage nach der künstlerischen Lebenskraft. Die ist unbestreitbar. Gerade die bis in unsere Tage hinein mit unveränderter Wucht geführte Auseinandersetzung um Hoffmanns Bedeutung für die deutsche Literaturgeschichte – mit ihren Gegenpositionen von schroffster Ablehnung und grenzenloser Verehrung – vermag das zu beweisen. Hoffmanns Werk in seinen wichtigsten Bestandteilen ist lebendige Literatur geblieben. Sprachliche und stilistische Mängel dieses Erzählers lassen sich leicht aufdekken; dennoch hat das der Faszination bis heute keinen Abbruch getan. Auch das Weltbild des Künstlers sollte gegen grobes Mißverstehen gefeit sein. Hoffmann war ein großer Mensch, ein unbestechlicher Kritiker, ein kühner, gegen sich und die Umwelt rücksichtsloser Schilderer. Er hat ein großes Werk hinterlassen.

Arnims *Majoratsherren*

HEINRICH HENEL

Die Prosa der deutschen Romantik ist heute großenteils vergessen. Nur Kleist ist noch in allen seinen Erzählungen lebendig, und Hoffmann in einer beträchtlichen, obwohl nicht endgültig festgelegten Auswahl. Auch Brentanos und Hauffs Märchen halten sich noch in einem Zustand der Schwebe. Von Romanen mag „Lichtenstein" noch am ehesten gelesen werden, dazu der „Hyperion" und der „Ofterdingen" von esoterischen Geistern. Was an einzelnen Erzählungen unvergessen ist – Tiecks „Eckbert", Fouqués „Undine", Brentanos „Kasperl und Annerl", Arnims „Toller Invalide" und Eichendorffs „Taugenichts" – hat Hofmannsthal schon 1912 in seinen „Deutschen Erzählern" gesammelt. Das ist wenig genug, aber der Literarhistoriker hat kaum Grund zur Klage. Die Zeit hat nicht schlecht gewählt, sie hat das Beste erhalten und fast alle wichtigen Aspekte der Romantik bewahrt. Das eine oder andere dürfte man vielleicht hinzufügen, den „Runenberg", den „Peter Schlemihl", die „Glücksritter", aber man gerät bei solchen Versuchen leicht an das Zweitklassige, Nachgeahmte oder Selbstnachahmende. Am ergiebigsten wäre wohl eine Nachlese bei Arnim und Hauff. Wenn Hauff fast immer lesbar und unterhaltend ist, so ist Arnim immer phantasievoll und sprühend. Er dachte und schrieb sehr geschwind, raffte seine Stoffe aus allen Zeiten und Räumen herbei und quirlte sie, daß der Schaum flog. Die ersten zwanzig Seiten seiner „Isabella von Ägypten" gehören zum Poetischsten, was die Romantik hervorgebracht hat. Hätte er diesen Ton, diese Nachtstimmung, dies Gebändigt-Phantasievolle durchhalten können, so wäre die „Isabella" sein Meisterwerk und zugleich ein Buch, das dem anspruchsvollsten wie dem bescheidensten Leser die Romantik lieb machen müßte. Aber es verirrt und verwirrt sich so, daß es nicht nur die Zucht aller großen, sondern auch die Innerlichkeit der besten deutschen Kunst einbüßt.[1] Im „Tollen Invaliden" dagegen ist Arnims Genie gezügelt. Hier ist eine abgerundete Erzählung gelungen, die es wohl eben ihrer Straffheit verdankt, daß sie noch heute gelesen und genossen wird. Arnims an Einfällen reiche Sprache , sein Witz, sein Humor zeigen sich in ihr aufs beste. Nur das Hintergründige, Dunkle, Poetische ist ein wenig verblaßt, und das Ende enttäuscht sowohl durch die Entdeckung, daß die Tollheit des Invaliden einer Gehirnverletzung entsprang, wie durch den abschließenden Zweizeiler, der das seelische Gut der Erzählung auf ein moralisches Kochrezept reduziert.

Die „Majoratsherren", so scheint mir, vereinigen die Vorzüge und vermeiden die Schwächen der „Isabella" und des „Tollen Invaliden". Wäre es nicht anmaßend, Hofmannsthals Urteil zu widersprechen, so möchte man ihnen neben oder sogar vor dem „Tollen Invaliden" einen Platz im ewigen Vorrat romantischer Prosa geben. Es ist ein unerhört konzentriertes und kompliziertes Werk: beim ersten Lesen undurchsichtig eben wegen seiner Dichte und Verschlungenheit, aber in Wirklichkeit vollkommen gemeistert und deshalb auflösbar. Seine Auflösbarkeit bedeutet keine Verflachung, ja man faßt seine Tiefe erst, wenn man es versteht. Und andrerseits ist es nur so lange verständlich, als es noch empfunden wird. Der Dichter spricht mit vielen Stimmen, er stellt sich auf die verschiedensten Standpunkte, so daß es in seinem Werk aus allen Ecken leuchtet und wetterleuchtet. Er veranstaltet ein Feuerwerk, aber nicht als Hokuspokus oder Philisterschreck, sondern als poetisches Glaubensbekenntnis. Nichts ist naiv, alles gehört der höchsten Kultur an. Es gibt keine Elementargeister, keine plumpen Teufel und keine lieblichen Engel. Das Geisterreich ist entfesselt, aber es läßt sich nicht einfach in schwarze, weiße und neutrale Herrschaften klassifizieren. Nur der Menschengeist sieht Geister, aber sie sind nicht bloß seine Geschöpfe. Viel Tiefenpsychologisches ist verstanden und dargestellt, aber der Dichter verschreibt sich nicht einer psychologischen Theorie. Dazu hat er viel zuviel Ironie. Und doch hat auch die Ironie ihre Grenze. Wo findet sich noch einmal ein so schwieriges und zugleich poetisches Geschöpf wie die Heldin, die Esther? Sie ist ein hochgebildetes Mädchen, eine elegante Dame, ein an tödlichem Seelenleiden erkrankter Mensch, und doch ist sie nicht weniger lieblich als die viel unkompliziertere Undine. Sie ist ein wirklicher Mensch, aber wir kennen sie fast nur aus den Spielen ihrer Phantasie – schon das eine seltene dichterische Leistung. Romantische Dichtung hat es sich oft zu leicht gemacht. Sie wich aus ins Volkstümliche, Einfältige, oder ins Gespenstische, Phantastische. Sie erzielte poetische Wirkungen, indem sie so tat, als wäre keine Aufklärung gewesen und als gäbe es keine europäische Bildung. Diese Auswege hat sich Arnim in den „Majoratsherren" versagt. Er macht sich alles zunutze, was die Romaantik an wirkungsvollen Motiven erworben hat, aber er schreibt als moderner Mensch. Er schreibt mit der höchsten Raffinesse und zugleich dem größten Ernst. Die Früchte seiner Studien, Volkskundliches und altes Erzählergut, liegen sonst oft in seinen Geschichten herum wie verstaubte Kuriositäten in einem Trödlerladen. Hier sind sie Elemente einer Zeitkritik, welche Gegenwart und jüngste Vergangenheit dem zwiefachen Gericht des Alten und des Ewigen unterwirft. Es findet sich so leicht keine zweite Dichtung, die so viel bewältigt auf so geringem Raum. Und darin ist sie echt romantisch. Wenn der Verzicht auf die Kühle, Helle und Strenge des Klassischen zu rechtfertigen ist, dann gewiß nur, wenn der Romantiker mehr Welt zu bannen und zu bändigen vermag. Aus diesen Gründen also – weil sie ernst sind aber nicht witzlos, tiefsinnig aber nicht abskur, romantisch aber nicht naiv – scheint es berechtigt, den „Majoratsherren" eine besondere Studie zu widmen.

Jacob Grimm schrieb an Arnim, er hätte aus der „Isabella" ein Lustspiel machen sollen, „in der Art des Sommernachttraumes, . . . wo alles dieses Bunte und Grelle nebeneinander stehen darf". Und sieben Jahre später: „In der neulich gelesenen kleinen Erzählung: die Majoratsherrn . . . finde ich wunderliche und unnatürliche Übergänge, welche die wahre, lebendige Poesie, die Dir zu Teil geworden ist, launenhaft treiben und beeinträchtigen."[2] Man versteht, daß diese Bemerkungen des Freundes den Dichter mehr betrübten als erfreuten. Grimm urteilte nach einmaligem Lesen, und da springt allerdings fast nur das Traumhafte und Koboldartige von Arnims Dichtungen in die Augen. Nun ist es gewiß wahr, daß das Verwirrende und Phantastische des ersten Eindrucks vom Dichter beabsichtigt ist, daß es also zum Wesen seiner Werke gehört. Aber es ist gleichfalls wahr, daß sie ihr eigentümliches Gefüge haben, das nur deshalb kompliziert ist, weil es eine Fülle von Welt zu bewältigen hat. Besonders in den „Majoratsherren" behält der Dichter die Zügel fest in der Hand, ja er arbeitet nach einem von vornherein festliegenden Plan. Die Stimmigkeit zahlreicher Einzelheiten, die anfänglich willkürlich scheinen, läßt sich nicht anders erklären. Wir werden also nur da eine bloße Erzählerlaune annehmen, wo sich keine Ordnung entdecken läßt, und nur da ein Wunder, wo jede Erzählung versagt. Es bleibt so gut wie nichts.

Die „Majoratsherren" sind zunächst eine Erzählung, die die verborgene Herkunft Esthers und des jungen Majoratsherrn Schritt für Schritt aufdeckt und damit auf die gleiche Art spannt wie etwa eine Detektivgeschichte. Sie sind sodann die Darstellung von vier Personen, von denen je zwei Spielarten desselben Typus sind, und die paarweise wie kreuzweise ihr Schicksal bestimmen. Weiter sind sie, und darauf macht die Einleitung aufmerksam, eine Kritik des ancien régime, das durch die vier Hauptpersonen und die Institution des Majorats charakterisiert und karikiert wird. Ferner ergibt sich aus der Gegenüberstellung von Spiritualisten und Materialisten (man darf darin die romantische Radikalisierung des Schillerschen Gegensatzes von Idealisten und Realisten sehen) und aus ihrer Einseitigkeit ein Schluß auf den wahren Menschen und den rechten Lebensweg, der in einer Liedeinlage, dem Schwalbenlied, ausdrücklich gezogen wird. Und schließlich wird die letztlich religiöse Bedeutung des Werkes unterstrichen durch eine Nebenfigur und eine Nebenhandlung, worin Arnim sein Christentum auf Kosten des Judentums geltend macht. Jeder dieser fünf Aspekte der Dichtung wird völlig klar, wenn man ihn aussondert und für sich betrachtet. Ja es zeigt sich dann eine Genauigkeit der Architektur, die bis ins Einzelne reicht und bis zu vereinfachenden Stilisierungen führt. Nur darf man bei solch analysierender Betrachtung nicht stehenbleiben, sondern muß das Getrennte wieder verbinden. Man wird dann vielleicht Grimms Wort von dem Sommernachtscharakter von Arnims Dichtung wieder aufgreifen, aber nun durchaus als Bejahung ihres Werts. Sinnvoll und für den Verstand faßbar ist sie in ihren einzelnen Ebenen oder Aspekten, poetisch in deren Verschlingung, die dem Ganzen eine tänzerische Grazie verleiht. Eine unterhaltende Erzählung schreiben, eine charakterologische Studie anstellen, über die bösen Weltläufte klagen, den Irrsalen des menschlichen Geistes nachgeben und seiner religiösen Hoffnung Ausdruck geben – das können andere auch, und viele konnten es besser als Arnim. *Seine* Kunst ist, daß er alles Schwere in die Luft spielt wie Federbälle, daß er ironisch, witzig, humorvoll, verständig, ernst und tieftraurig zugleich ist, daß sich alle seine Mittel nachrechnen und seine Wege nachgehen lassen, und daß er sich doch so wenig fangen läßt wie ein Elf. Das, so scheint mir, ist romantische Poesie.

Die Erzählung ist zusammengefügt aus zwei Handlungen, der Geschichte von der Hofdame und dem Leutnant und der von Esther und dem Majoratsherrn. Beide sind Liebesgeschichten, und beide sind sehr merkwürdige Liebesgeschichten. Die Affäre zwischen Hofdame und Leutnant beherrscht Anfang und Ende und legt sich fast wie ein Rahmen um die schmerzliche Liebe des Majoratsherrn zur schönen Esther. Jene wird summarisch behandelt in zusammenhängenden Berichten des Erzählers, diese entwickelt sich vor unseren Augen und wird ausführlich, oft in direkter Rede dargestellt. Stückweise dazwischengeschoben ist ein drittes Element der Erzählung, nämlich die Vorgeschichte. Vor genau dreißig Jahren hat der alte Majoratsherr eine junge Frau geheiratet, um seinen Vetter, den Leutnant, vom Majorat auszuschließen. Es wurde ihm jedoch eine Tochter geboren, so daß, um den Vetter dennoch um das Erbe zu bringen, das Mädchen einem Juden übergeben und ein neugeborener Knabe untergeschoben wurde. Dieser Knabe ist das uneheliche Kind der Hofdame und ihres Geliebten, den der Vetter aus Eifersucht im Duell tötete. Den Vetter hat die Ehrensache seine militärische Laufbahn gekostet, weshalb er im Volksmund noch immer „der Leutnant" heißt. Unverändert wie sein Name ist auch seine Verehrung für die Hofdame, die, um ihren toten Geliebten zu rächen, ihren Anbeter weder erhört noch freigibt. Der junge Majoratsherr, der Held der Geschichte, ist also zu Unrecht im Besitze des Majorats. Die allmähliche Entdeckung seiner Herkunft und überhaupt die Aufklärung verwickelter Verhältnisse schaffen die Spannung.

Arnim baut seine Luftschlösser auf sehr einfachem Grundriß. Der alte Majoratsherr war bei seiner Heirat 60, der Leutnant 30 Jahre alt. Jetzt ist der Leutnant 60, der junge Majoratsherr und Esther sind 30. Außer den vier Hauptpersonen treten nur eine wichtige Nebenperson (Esthers Ziehmutter Vasthi) und drei ganz unwichtige Nebenpersonen auf. Das entspricht dem Personal eines klassizistischen Dramas strengster Observanz. Auch die Verhältnisse von Zeit und Raum und die analytische Struktur erinnern an klassizistische Kunst. Die Haupthandlung von der Ankunft des Majoratsherrn bis zu seinem Tode dauert knapp vier Tage und spielt großenteils an drei Orten, in den Zimmern des Majoratsherrn, Esthers und der Hofdame. Diese Handlung ist weitgehend determiniert durch Vergangenes, durch die Abneigung des alten Majoratsherrn gegen seinen Vetter, die Vertauschung der Kinder und den Tod des Geliebten der Hofdame. Nur hat Arnim (wenn man so kühn mit Metaphern umspringen darf) aus einer Fuge ein Capriccio gemacht. Schon die Verbindung der Vorgeschichte mit den beiden Handlungen ergibt Ironien. Der Leutnant wollte seinen Nebenbuhler beseitigen, aber er hat sich dabei um das Majorat gebracht. Dieses ist dem jungen Majoratsherrn eine Last, die er auf den Leutnant abwälzen möchte. Das echte Kind wurde dem Majorat vergeblich aufgeopfert, denn die Seelengemeinschaft des Majoratsherrn mit seiner vermeintlichen Mutter überträgt sich auf Esther und besiegelt sein Schicksal. So wird das klassizistische Drama zur Tragikomödie der Irrungen.[3]

Auch die Charaktere sind nicht so abstrus, wie es auf den ersten Blick scheint. Der Leutnant mit seinem Hahnentritt und Stutzerlauf vor dem Hause der Hofdame, seiner Pedanterie und übertriebenen Pünktlichkeit, seinen unsauberen Geschäften und seiner Eiseskälte gegen andere Menschen ist wie eine Marionette[4], die an zwei Fäden hängt: seiner schmählichen Abhängigkeit von der Hofdame und seiner Geldgier. Dennoch erregt er bisweilen eine gewisse Sympathie, nicht nur als Opfer seiner Angebeteten, sondern auch als Träger freiwilligen und unfreiwilligen Humors. Man freut sich über seinen common sense, wenn er den Enthusiasmus des Majoratsherrn mit ein wenig kaltem Wasser dämpft; und man lacht über seinen plumpen Materialismus, wenn ihm bei den Reden des Geistersehers zumute ist, „als ob die Geister wie der Schnupfen in der Luft lägen". Jedenfalls hat sein Charakter nichts Erratisches; vielmehr ist er mit den festen Strichen einer

Karikatur gezeichnet, so daß man sein Verhalten voraussagen kann. Und daß bald der Majoratsherr, bald der Leutnant die Lacher auf seiner Seite hat, liegt in der Absicht des Dichters, durch die Darstellung von Extremen auf das wahre Menschentum hinzudeuten.

Noch eindeutiger ist die Hofdame. Ihr Wesen ist völlig aufgezehrt von der Rachsucht, so daß nichts übrigbleibt als eine Maske – die mit Puder, Schminke und Schönpflästerchen hergestellte Maske ihrer vergangenen Schönheit. Kein Wunder, daß dem hellseherischen Majoratsherrn die Tiere und Pflanzen in ihrem Zimmer unheimlich vorkommen: sie gehören ja einer längst verflossenen Zeit an. Ihren schwarzen Pudel hält er für eine Inkarnation des Teufels – zu Recht, denn er ist der Liebling der „Abscheulichen". Man darf solche Späße Arnims nicht zu ernst nehmen und eine tiefsinnige Höllensymbolik darin sehen. Mit dem Pudel steht es nicht anders als mit dem schwarzen Hund Simson in der „Isabella", von dem auch behauptet wird, es stecke der böse Feind in ihm, der sich aber recht hündisch aufführt, unmäßig frißt und sein Lager verunreinigt, als er merkt, daß er geopfert werden soll. Am Ende soll der teuflische Simson sogar in den Himmel kommen, was dem Pudel allerdings nicht widerfahren wird, denn (so versichert Isabellas Zauberbuch) eine treue Hundeseele folgt ihrem Herrn auch im Jenseits.

Aussehen, Kleidung und Umgebung des Leutnants und der Hofdame sind Projektionen oder allegorische Darstellungen ihres Charakters. Anstatt die kleinliche Tücke des Leutnants zu beschreiben, beschreibt Arnim seine schäbige Uniform; statt der schwarzen Bosheit der Hofdame beschreibt er den schwarzen Pudel. Nicht der Teufel, sondern ein teufliches Weib ist dieses Pudels Kern. Der Pudel ist gewissermaßen ihr Wappentier, und der Geist in ihrem Riechfläschchen ist ihre Devise, „Semper idem", nämlich alles dreht sich bei ihr um den toten Geliebten. Diesen eingesperrten Geist sehen nur der Majoratsherr und die Bedienten, also Menschen, die das Geistige an den Dingen ablesen können, und solche, die in grobem Aberglauben das Geistige und das Dingliche verwechseln. Die Hofdame selbst weiß nichts von dem Geist (218, 19); dazu ist sie viel zu nüchtern. Und der Dichter treibt mit dem Wort „Geist" sein Spiel, um sich sowohl über die Philister wie über die Schwärmer in und außerhalb seiner Erzählung lustig zu machen. So heißt es zum Beispiel, der Leutnant wage nicht, der Hofdame seine Huldigungsgedichte vorzulesen, weil er vor ihrem Geist besondere Furcht hege. Das läßt sich auf ihre böse Klugheit beziehen (also auf den Pudel, der im nächsten Satz genannt wird und mit dem sie sich später in einer gefährlichen Lage flüsternd berät), aber auch auf den Geist des Getöteten. Mit anderen Worten, der Leutnant hat Grund, Kritik seiner schlechten Verse zu fürchten und zugleich Abweisung seiner Bewerbung. Auch der Geist im Riechfläschchen ist ein Wortspiel – eines von fast unzähligen –, nämlich Bild für die Unversöhnlichkeit der Hofdame und Anspielung auf den Salmiakgeist in dem Flakon. Beide Bedeutungen werden am Ende der Erzählung noch einmal aufgenommen. Nach ihrer Hochzeit mit dem Leutnant läßt die Hofdame ihn nicht in ihr Bett: die Leute schwatzen, sie habe das Riechfläschchen zerbrochen und der Geist habe sie mit dem Degen verteidigt. Und als die Majorate von der Revolution aufgehoben werden, legt Vasthi im Majoratshaus eine Salmiakfabrik an: in der neuen, merkantilen Zeit wird Geist fabrikmäßig erzeugt. Wer dem Dichter vorhalten will, daß Salmiakgeist NH_3 ist und Salmiak NH_4Cl, ist ebenso schlecht beraten wie einer, der sich vor dem rot-weiß angestrichenen und blaugeäderten Gesicht der Hofdame und vor ihrem diabolischen Hausrat grault.

Auch Esthers Charakter wird nicht beschrieben, sondern indirekt dargestellt. Nur sind es nicht allegorische Gegenstände, sondern Phantasien, die sie kennzeichnen. Jeden Abend hört sie einen Schuß, und dann befällt sie ein „geselliger Wahnsinn". Am ersten Abend schmückt sie sich am Putztisch, von Liebesgöttern bedient; am zweiten hält sie Soiree in ihrem Boudoir, konversiert geistreich in mehreren Sprachen und schlichtet sogar den Streit eines Franzosen mit einem Kantianer; am dritten gibt sie einen Maskenball, der fürchterlich ausartet; und am vierten erscheinen ihr in der Agonie Adam und Eva. In diesen Phantasien äußert sich Esthers Fühlen und Denken. Sie weiß von dem an ihr verübten Unrecht und spielt die Rolle, die ihr in der Wirklichkeit vorenthalten ist. Sie ist um die Rechte ihrer adligen Geburt betrogen und entschädigt sich dafür durch ihre „Gesellschaftskomödien". Vor einem Jahr stand es noch besser mit ihr. Da war sie noch schön und gesund genug, um wirklich aus der Judengasse in den ihr gebührenden Stand zurückzustreben. Sie liebte einen Fähnrich, aber als der sich eines Abends zu ihr schlich, wurde er von den Juden verprügelt und dann wegen dieser Entehrung aus dem Regiment gestoßen. Auf den kaltherzigen Rat des Leutnants hat sich der arme Mensch erschossen. Der Tod des Dragoners hat Esthers Lebensmut zerstört, sie ist krank und bleich geworden und hat Ahnungen eines frühen Todes (212, 23; 215, 5). Deshalb hört sie nun jeden Abend den Schuß und spielt die traurig-graziösen Spiele, die ihre hoffnungslosen Wünsche spiegeln. Zwar hat sie noch einen letzten Versuch gemacht, im Leben Fuß zu fassen. Sie wollte sich in ihre Lage ergeben und verlobte sich mit einem Juden. Als er nun kommt, um Hochzeit zu halten, gesteht sie sich ihren Widerwillen nicht ein. Erst in der gräßlichen Schlußszene der Maskenballphantasie bricht ihr Abscheu aus dem Unterbewußten empor, so daß sie in die Wirklichkeit zurückgestoßen wird und in Krämpfen auf ihr Bett fällt.

Was soeben erzählt worden ist, steht so nicht bei Arnim. Er berichtet die Fakten von Esthers Leben weit verstreut und mit dürren Worten und läßt ihr Empfinden nur aus ihren Phantasien erraten. Jedoch beziehen sich Innen und Außen aufeinander, erklären und ergänzen sich gegenseitig und ergeben zusammen ein sinnvolles Bild. Schon das ist eine außerordentliche Leistung des Dichters. Aber noch mehr. Die Abfolge der vier Phantasien, von der zarten Erotik der Szene am Putztisch bis zu der Vision der Sterbenden, ist meisterhaft in der Steigerung sowohl wie in der Weite der dargestellten Gefühle. In ihrem kurzen Leben hat Esther doch fast alles erfahren, was Menschen zu erfahren gegeben ist: der Engel wartet auf ihren Tod „wie ein Erfinder am Schlusse seiner mühevollen Arbeit".

Als ob das alles nicht virtuos genug wäre, hat Arnim die Dinge noch weiter kompliziert. Esthers Phantasien werden uns nicht unmittelbar von dem Erzähler berichtet, sondern als Eindrücke des Majoratsherrn, der Esther am Fenster belauscht. Man könnte also auf den Gedanken kommen, daß es seine und nicht ihre Phantasien sind, daß er sich ein Bild von dem Wesen des Mädchens erträumt, das er in Wirklichkeit nur ganz flüchtig kennt. Aber so ist es nicht. Der Leutnant weiß, daß Esther den Pistolenschuß hört „und dann einen Anfall von Reden, Tanzen bekommt, daß kein Mensch aus ihr klug wird" (223, 23; vgl. 213, 14-17). Also haben auch andere Menschen Esthers Spiele beobachtet. Aber nur der Majoratsherr hört den Schuß, und nur er fügt etwas zu ihren Phantasien hinzu. Denn während Esther sehr wohl weiß, daß sie „in die Luft" spricht, daß sie einem „Nichts" die Tür öffnet und daß sie ihre Stimme verstellt, um den „Luftbildern" ihrer Kammerjungfer und ihrer Gäste Sprache zu verleihen, *sieht* der Majoratsherr die Gestalten, sobald ihre Stimme sie belebt (215, I; 215, 14; 221, 7). Das bedeutet zweierlei. Durch die Vertauschung bei der Geburt ist der Majoratsherr sympathetisch mit Esther verbunden („Ich bin Sie und Sie sind ich", sagt ihm Esther), so daß sich ihre Halluzinationen von dem Schuß auf ihn übertragen. Und zweitens hat er die Gabe, Vorstellungen so lebhaft zu sehen und zu hören, daß er sie von Sinneseindrücken nicht unterscheiden kann. Auf diese Weise schafft er die Figuren und Vorgänge, von denen Esther bloß fabelt.

Meistens sind es jedoch seine eigenen Gedanken, die dem Majoratsherrn sichtbar werden, und da es oft Gedanken über Gegenstände oder Personen der wirklichen Welt sind, kommt es zu den seltsamsten Verwechslungen. Vasthis schwarzes Kopftuch hält er für einen Raben und bekundet damit seine Einsicht, daß Esthers Stiefmutter eine Rabenmutter ist. In der Aufwärterin des Leutnants erkennt er „eine herrliche Seele", und sogleich erscheint ihm ihr weißes Kopftuch als Heiligenschein. Nachlässige Juristen auf dem Sonntagsspaziergang glaubt er von den Seelen der Unglücklichen verfolgt, die über unbeendigten Prozessen gestorben sind, und will sich nicht belehren lassen, daß es nur die Kinder der Richter sind, die sich ihnen an die Rockschöße hängen. Der Wagen eines Chirurgen ist von Hunden und Sperlingen umgeben, aber für den Majoratsherrn sind es die einbeinigen und einarmigen Geister seiner Opfer, die er vorzeitig der Welt entriß. Als der Majoratsherr eine Sammlung französischer Wappen besichtigt, hört er ein Lärmen und sieht die Wappen von Motten und Rost zerfressen – erkennt also die Gefahr, worin sich der französische Adel befindet. Gleich beim ersten Anblick erinnert ihn Esther in jeder Miene und Bewegung an seine Mutter; sein unterbewußter Schluß, daß die beiden wirklich Mutter und Kind sind, äußert sich als nächtliche Vision, worin die Mutter Esthers Psyche von deren Stirn abhebt und in den Armen wiegt.

In den vier Tagen der erzählten Zeit gibt der Majoratsherr schier unzählige Proben seiner fragwürdigen Kunst. Den Dichter interessiert sie eben wegen ihrer Fragwürdigkeit, weshalb er sie zugleich als psychologisches Phänomen, als Sinn für eine höhere Welt und als Narrheit beschreibt. Indem er sie unter drei so verschiedenen Aspekten darstellt, nicht hintereinander, sondern durcheinander, gibt er seine Absicht zu erkennen. Das Phänomen selbst ist der wissenschaftlichen Psychologie und Psychiatrie wohlbekannt. Jeder Mensch sieht seine Vorstellungen, und zwar manchmal so stark, daß sie die tatsächlich vor ihm liegenden Gegenstände verdrängen. Und wie alle geistigen Abnormitäten einseitige Übertreibungen normaler Funktionen sind, so kann sich das Sehen des eigenen Denkens in anomalen Fällen steigern zu der Gewißheit, daß ihm objektive Realitäten entsprechen. George Bernard Shaw hielt diese Steigerung eher für eine Kraft als eine Schwäche und behauptete, daß nicht nur der heilige Franziskus und Jeanne d'Arc, sondern auch Sokrates, Luther, Swedenborg und Blake Halluzinationen hatten, in denen sich Intuitionen, Inspirationen und unbewußt gezogene geniale Schlüsse als Wirklichkeiten darstellten.[5] Goethe hat Ähnliches von Cellini berichtet und dabei angedeutet, daß Halluzinationen und künstlerisches Schaffen der gleichen Begabung entspringen.[6] Wenn sich also dem Majoratsherrn beim Lesen jüdischer Sagenbücher die Stube mit Patriarchen und Propheten bevölkert, so ist dies zunächst nur Ausfluß seines Eifers und seiner bildnerischen Kraft. Auch seine Behauptung, er habe die heidnischen Götter gesehen, ja sogar gesprochen (204, 36–42), spricht für den Ernst seiner Studien und für die Einsicht, daß allen Religionen ein Wahrheitsgehalt innewohnt (223, 31). Er wendet sich hier ausdrücklich gegen die Verniedlichung der griechischen Mythologie durch das Rokoko, während der Leutnant die Sache plump und dumm auffaßt mit dem Vorschlag, man sollte (ähnlich wie Faust) die Götter bei Hofe vorführen und damit Effekt machen. Überhaupt bezeugen fast alle Halluzinationen des Majoratsherrn einen ungewöhnlichen Tiefblick. Er durchschaut die Oberfläche der Wirklichkeit und erkennt das wahre Wesen von Menschen und Zuständen. Sein Erschrecken beim Anblick der französischen Wappen ist Prophetie nur in dem Sinne, daß er die politische Lage in Frankreich besser erfaßt hat als die meisten. Auch wo er dem klaren Augenschein widerspricht, wie bei dem Chirurgen und den Juristen, erkennt er eine Wahrheit. Die Geister, die er sieht, sind keine Gespenster, sondern der Geist von Menschen und Zuständen. Deshalb darf er dem Leutnant sagen, dessen Wappensammlung sei geistlos.

Der Majoratsherr selbst wäre mit der psychologischen Deutung seiner Gesichte nicht zufrieden, denn seine Einsichten in das Wesen der materiellen Welt sind gewissermaßen Nebenprodukte eines Strebens, das sich auf eine höhere Welt richtet. Er versichert, daß er sich ganz der Beschauung hingebe, an der Tätigkeit dieser Welt keinen Anteil nehme, ja zu der inneren Welt vorgedrungen sei und nur noch scheinbar lebe (205, 7-13). Und der Dichter bestätigt seinem Helden, daß er seine Gesichte in einem „höheren Seelenzustande" empfängt und daraus zurücksinkt wie aus dem Kern in die Schale (208, 32). Die psychologischen Kräfte des Majoratsherrn entsprechen also einer Philosophie des Dichters, die gegen Ende der Erzählung, unmittelbar nach Esthers Tod, im Sperrdruck gegeben wird:

„Es erschien überall durch den Bau dieser Welt eine höhere, welche den Sinnen nur in der Phantasie erkenntlich wird: in der Phantasie, die zwischen beiden Welten als Vermittlerin steht und immer neu den toten Stoff der Umhüllung zu lebender Gestaltung vergeistigt, indem sie das Höhere verkörpert."

Sicher ist hier mit Phantasie zunächst die künstlerische Phantasie gemeint, denn von ihr darf man sagen, daß sie das Unsichtbare verkörpert und den Stoff vergeistigt. Damit wäre also noch einmal gesagt, daß die Halluzinationen des Majoratsherrn Ausfluß eines verhinderten Schöpfertums sind. Aber es wird ihnen nun auch ein Wahrheitsgehalt zugeschrieben, der über die bloß subjektive Gewißheit, über die Einsichten einer überlegenen Intelligenz hinausreicht. Phantasie haben heißt also, überhaupt ein Organ für das Geheimnisvolle und dem Verstand Unerreichbare haben. Dies Geheimnisvolle ist kein Jenseits, sondern es erscheint „überall durch den Bau dieser Welt". Die materielle und die geistige Welt sind ineinander verwoben, alle Gegenstände der Erfahrung sind zugleich verständlich und mysteriös, und über die höhere Welt läßt sich nichts aussagen, als was die Phantasie an den Dingen, oder vielleicht besser: durch die Dinge hindurch erkennen kann. Sie ist also eine Kraft des Geistes, die sich nicht weniger als der Verstand auf ein wahrhaft Bestehendes richtet, und deren Erkenntnisse ebenso objektive Äquivalente haben.

Das Erkennen des Geistigen an den Dingen wirkt aber auch lächerlich, weil es deren Alltagsbedeutung übersieht. Dem Majoratsherrn kommen seine Einsichten mit solcher Gewalt, daß er die Dinge ummodelt und zum Beispiel eine Zugluft für das Flügelsausen des Todesengels hält. Erst nachträglich, im Zustand der Besinnung, kann er zwischen seinen Einsichten und deren Manifestation unterscheiden. Das Erscheinen des Geistigen an den Dingen nennt er die „Physik der Geister", und er versichert, er könne „genau unterscheiden, was ich mit dem Auge der Wahrheit sehen muß, oder was ich mir gestalte" (207, 10). Nachträglich also weiß er, daß Vasthis schwarzes Kopftuch kein Rabe ist, aber weil ihm die Einsicht in ihre Bosheit an dem Gegenstand kam, mußte er diesen zum Sinnbild ihres Wesens gestalten. Aber solche Beteuerungen nützen ihm wenig. Den Menschen gilt der Geistseher einfach als Narr, und er muß es sich gefallen lassen, daß ihn nicht nur der verständnislose Vetter, sondern auch die feinsinnige Esther korrigiert.

Arnims Briefe bezeugen, daß er ein eifriger Anekdotensammler war und gern Anekdoten erzählte. Das Bedeutende erschien ihm vorzugsweise in der Form des Wunderlichen, ja noch mehr, Originalität und Verschrobenheit waren für ihn nur zwei Ansichten derselben Sache. An Bettina schrieb er, er habe der Frau von Staël erklärt, „wenn das Bisarre auch das Außerordentliche in der Welt meist nur nachäffe, häufig doch auch das Außerordentliche in dieser Bettlergestalt erscheinen müsse, wie Odysseus, weil ihn die stolzen Freier sonst nicht duldeten."[7] Damit meinte er nicht nur, daß ein genialer Mensch gut daran tut, sein Licht unter den Scheffel zu stellen, sondern auch, daß Genialität eine Kehrseite hat, die man Bizarrerie oder Überspanntheit nennen kann. Nur ist das für Arnim eher ein Lob als ein Tadel, denn der Grad der Wunderlichkeit ist ihm geradezu ein Wertmesser innerer Bedeutung. So erklärt es sich, daß er seinen Majoratsherrn ebensosehr als lächerliche wie als ehrwürdige Figur gestaltet. Wie Hoffmanns Kapellmeister Kreisler ist auch der Majoratsherr ein Genie, dessen Schrulligkeit ein notwendiger Teil seines Wesens ist, und dessen Lächerlichkeit seiner Würde keinen Eintrag tut.

Nirgends wird dies deutlicher als gerade an der Stelle, wo die Lächerlichkeit des Majoratsherrn in den grellsten Farben gemalt wird. Als Esther am Ende der Maskenballphantasie in Krämpfe fällt, will er ihr zu Hilfe kommen, verfehlt aber die Tür zur Judengasse und steigt statt dessen zu den Truthähnen des Vetters hinunter und dann zu den Tauben auf den Dachboden. Die Truthähne erscheinen ihm als höllische Geister, die Tauben als heilige Gestalten, und er empfindet, „wie er zwischen Himmel und Hölle wohne". Sicherlich ist dies Verfehlen des rechten Weges zunächst als Kritik gemeint, nämlich als Kritik an der Lebensuntüchtigkeit des Majoratsherrn, der den mittleren Weg, den eigentlich menschlichen Weg, nicht finden kann. Esther wie der Majoratsherr wissen, daß sie durch ihre Liebe ihr Schicksal gegenseitig besiegeln, aber beide hängen doch auch am Leben (224, 19; 227, 21). Obwohl ihm Esther längst gesagt hat, „Unsre Liebe ist nicht von dieser Welt", klagt sie über seine Unschlüssigkeit und hofft vergebens, er werde ihr Leben retten (221, 15). Und obwohl der Majoratsherr von Anfang an weiß, daß Esther sein Todesengel ist und ihm den Todesbecher reichen wird (210, 27), glaubt er immer wieder auf einen Augenblick, er könne der tödlichen Neigung zu ihr entgehen. (Er will sich sogar einmal beim Vetter und der Hofdame als deren Sohn einrichten.) Am lebhaftesten werden diese Wünsche in der entzückenden Szene, in der er ein Schwalbenpaar beobachtet, das sein Nest an seinem Fenster baut. Sie versperren damit die einzige helle Scheibe, durch die er Esther und ihr Zimmer sehen kann, und „es war ihm zumute, als ob er sich selbst da anbaue, als hänge sein Glück davon ab, daß sie fertig würden". In dieser Stimmung singt er das Schwalbenlied. Es ist eine Fabel oder Parabel, die mit den Schwalben und Lerchen die diesseitigen und die jenseitigen Menschen meint:

> So süß und töricht ist der Sinn,
> Der hier ein Haus sich baut; –
> Im hohen Flug ist kein Gewinn,
> Der fern aus Lüften schaut.

Das sind zwei Negationen, und über die Negation, die Klage, kommt der Majoratsherr nicht hinaus: er erkennt die Torheit der Weltfreude, und er sehnt sich doch nach dem süßen Leben, das der Flug in die Ewigkeit unter sich läßt. Nur der Dichter scheint mit der doppelten Negation zugleich seine Position anzudeuten: Fliegen, aber wie die Schwalben und nicht wie die Lerchen; sich ein leichtes Haus bauen, leicht zerstört und leicht wiederhergestellt; sich am Irdischen freuen und auf die Ewigkeit bauen – das ist das dem Menschen beschiedene Los.

Die Kritik am Majoratsherrn behält jedoch nicht das letzte Wort, und dies wird, wie schon gesagt, gerade an der Stelle gezeigt, wo er sich so kläglich verirrt. Der Geistseher hat nämlich wieder einmal recht, er wohnt wirklich zwischen Himmel und Hölle, zwischen dem Leutnant und Esther (denn auf diese beiden bezieht sich seine Umdeutung der Truthähne und Tauben). Auch kann er das bei seiner Geburt geschehene Unrecht nicht wiedergutmachen (Esther bestätigt ihm dies, 216, 8-12), so daß er den rechten Weg im Grunde deshalb verfehlt, weil der für ihn gar nicht mehr existiert. Und wenn er mit seinem „höheren Traum" eine lächerliche Figur macht, so wird seine Lächerlichkeit bei weitem überboten durch die der „Wirklichkeit", die sich ihm „mit spitzer Nachtmütze, einen bunten Band darum gebunden, eine Brille auf der roten Nase, einen japanischen bunten Schlafrock am Leibe, mit bloßem Schwerte" entgegenstellt. Indem hier der Vetter als leibhaftiger Truthahn auftritt („ungeheure gefiederte Gestalten, denen rote Nasen wie Nachtmützen über die Schnäbel hingen", hieß es kurz zuvor) und in dieser Gestalt die Wirklichkeit repräsentiert, lächerlich im Aussehen wie in seiner Ängstlichkeit, wird doch die verstiegenste Deutung des Majoratsherrn gerechtfertigt und noch sein kläglichstes Versagen verzeihlich. Er ahnt, „daß es seiner auf Erden nicht mehr bedürfe", und daß für ihn wie für Esther nur noch die Sehnsucht nach dem himmlischen Frieden verbleibt (222, 13-16).

Die Erfüllung dieser Sehnsucht, der Tod Esthers und des Majoratsherrn, ist ganz wundervoll gestaltet, nur laufen hier so viele Fäden zusammen, daß erst wiederholtes Lesen zum Verständnis verhilft. Zunächst scheint es nicht klar, ob Esther am Starrkrampf stirbt, von Vasthi erwürgt wird oder den tödlichen Tropfen vom Schwerte des Todesengels empfängt. Sie fällt am Abend des dritten Tages in eine tiefe Ohnmacht, und als man sie am nächsten Abend noch in diesem Zustand findet, wird sie für tot gehalten und verlassen. Daß sie in Wirklichkeit noch am Leben ist, beweist der Schuß, den der Majoratsherr (und also auch Esther) ein viertes Mal hört, und außerdem das vorausdeutende Gespräch des Vetters mit dem Majoratsherrn über den Scheintod. Die Sterbeszene am vierten Abend wird zweimal beschrieben, einmal als Erwürgen, sodann als Erlösung. Beide Vorgänge werden nur von dem Majoratsherrn gesehen, aber sein Bericht wird durch andere Umstände bestätigt. Daß Vasthi wirklich die Esther ermordet, ergibt sich daraus, daß sie es längst auf deren Besitz abgesehen hat (213, 11; 220, 12), daß sie einem Rabbiner eine Andeutung ihrer Absicht macht (214, 20), daß Esthers Verlobter sich vor ihr als dem Würgengel fürchtet (220, 25) und daß dem hellsichtigen Majoratsherrn schon vor der Tat das Lied von der Judentochter und ihrer grimmigen gelben Mutter einfällt (224, 38). Der Mord ist aber zugleich eine Erlösung für Esther, und der Majoratsherr sieht, hier wie überall, die geistige Bedeutung durch das reale Ereignis hindurchscheinen. Er sieht also denselben Vorgang zweimal unter verschiedenen Aspekten, sieht die Vasthi als böse Diebin und Möderin und als schönen Todesengel mit traurigem Antlitz. Der Dichter deutet dies an, indem er die wirkliche Vasthi noch einmal am Ende der Sterbeszene zeigt, also die Vision des Majoratsherrn in den Tatsachenbericht einfügt wie ein Bild in den Rahmen; weiter durch die Wiederholung von Einzelheiten (das Zucken von Esthers Gliedern, das Erscheinen von Adam und Eva), die erst in ihrer äußeren und dann in ihrer geistigen Bedeutung dargestellt werden; sodann durch den Satz, mit dem er den Faden seiner Erzählung nach der Sterbeszene wieder aufnimmt („Erst jetzt fiel dem Majoratsherrn ein, daß etwas Wirkliches auch für diese Welt an allem dem sein könne, was er gesehen"); und schließlich durch den Vergleich, womit er Vasthis Gesicht beschreibt, als sie sich zu dem Morde anschickt. Es war „wie die ausgeschnittenen Kartengesichter, welche, einem Lichte entgegengestellt, mit dem durchscheinenden Lichte ein menschliches Bild darstellen, das sie doch selbst nicht zu erkennen geben."[7a] Dieses Transparentwerden von Vasthis Gesicht, diese Vermenschlichung ihrer Unmenschlichkeit durch die göttliche Gnade, weist auf die doppelte Bedeutung des darauffolgenden Mordes, während das Gleichnis von den Kartengesichtern überhaupt alle hellseherischen Leistungen des Majoratsherrn erklärt. Dem geistigen Menschen werden die Dinge transparent durch das Licht der Ewigkeit.

Mit dem Motiv des Starrkrampfs oder Scheintods hat der Dichter einen überaus glücklichen Griff getan. Es dient der Handlung, indem es der Vasthi Gelegenheit gibt, unbemerkt in Esthers Zimmer einzudringen und den Mord zu begehen; und es dient dem Sinn, indem es nicht nur Esthers äußerstes Entsetzen vor der bevorstehenden Hochzeit, sondern überhaupt den Zustand ihres letzten Lebensjahres, ihr nur noch mechanisches Dahinleben beschreibt. Ihr körperlicher Zustand ist im Scheintod zum vollkommenen Bild des seelischen geworden. Damit hat sie eine Daseinsform erreicht, in der sich der Majoratsherr schon lange befindet, denn dieser sagt gleich zu Anfang, er sei der Welt abgestorben und nur noch „scheinbar lebend" (205, 8; 207, 1-5). Durch diese Angleichung sind die beiden nun zum gemeinsamen Liebestod bereit. Die wichtigste Funktion des Scheintodmotivs ist jedoch, als negatives Vorspiel, als falscher Alarm auf die Todesszene vorzubereiten und deren Bedeutung zu unterstreichen. Als der Majoratsherr die Esther in ihrer schweren Ohnmacht liegen sieht und sie für tot halten muß, ist er völlig verzweifelt. Er hat sie nicht sterben sehen, und es ist ihm kein Zeichen geworden, daß ihre Seele den Tod des Leibes überdauert. Seine Gabe des Geistsehens hat gerade in diesem entscheidenden Falle versagt. Er sieht das physische Ende, aber nicht dessen geistige Bedeutung. Deshalb bricht sein ganzer Glaube an eine höhere Welt zusammen:

„Wohin seid ihr nun entrückt", rief er [nun][8] zum Himmel, „ihr himmlischen Gestalten, die ahnend sie umgaben? Wo bist du, schöner Todesengel, Abbild meiner Mutter? So ist der Glaube nur ein zweifelhaft Schauen zwischen Schlaf und Wachen, ein Morgennebel, den das schmerzliche Licht zerstreut! Wo ist die geflügelte Seele, der ich mich einst in reinerer Umgebung zu nahen hoffte? Und wenn ich mir alles abstreite, wer legt Zeugnis ab für jene höhere Welt? Die Männer vor dem Hause reden von Begräbnis, und dann ist alles abgetan."

Auf diese verzweifelten Ausrufe antwortet die wirkliche Sterbeszene, die unmittelbar folgt. Denn nun sieht der Majoratsherr nicht nur, wie Esther erwürgt wird, sondern zugleich, wie der Todesengel ihre geflügelte, lauschende Seele, ihr reines Ebenbild, von ihren Lippen empfängt und mit ihr in den Himmel fliegt. Zwei frühere Visionen des Majoratsherrn werden hier in bedeutsamer Weise wieder aufgenommen. Gleich nachdem er Esther zum ersten Male belauscht hatte, sah er die Gestalt seiner Mutter, „die von der Stirn des Mädchens eine kleine beflügelte Lichtgestalt aufhob und in ihre Arme nahm – wie das Bild der Nacht, die das Kindlein Schlaf in ihrem Gewande trägt". In ihrem Zusammenhang weist diese Stelle nur auf die Erkenntnis des Majoratsherrn, daß Esther das echte Kind seiner (Pflege-)Mutter ist. Erst aus seiner Verzweiflung in der Scheintodszene erkennen wir, daß ihm die Vision auch eine Gewähr der Unsterblichkeit bedeutet hatte, und diese Gewißheit wird ihm dann in der Sterbeszene durch das Erscheinen von Esthers Psyche bestätigt. Esther, die schlafende, scheintote, wird von ihrer Mutter in die Nacht des Todes geholt und soll so die Seligkeit finden, die ihr im Leben versagt war. Die zweite Vision, die sich in der Todesszene erfüllt, ist das Schauen der Tauben als „heilige Gestalten" (222, 11). Der Majoratsherr ist bestürzt, die Scheintote nicht von den „himmlischen Gestalten" umgeben zu sehen (226, 16), denn sie waren ihm „fromme Symbole" der Unsterblichkeit. Aber so wie Esther ihm längst gesagt hatte, „Unsre Liebe ist nicht von dieser Welt", und so wie er sie als „die himmlische Taube" erkannt hatte (226, 5), so geschieht ihm dann doch nach seinem Glauben: er sieht den Geier Vasthi auf die Taube niederstoßen (226, 41; 227, 4), und er sieht sie als erlöste Seele gen Himmel fliegen.

Erst nachdem der Geistseher so die letzte und schwerste Probe bestanden hat, gelingt ihm der „Sprung" zu Esther hinüber, den er vorher vergeblich versucht oder nicht gewagt hatte (208, 8; 220, 41). Er tut diesen Sprung über den „schwindelnden Straßenabgrund" (208, 28) nicht willentlich, sondern „seiner selbst unbewußt" (227, 42), das heißt, in demselben „höheren Seelenzustande“ (208, 32), in dem ihm alle seine Visionen kamen. Der Sprung bedeutet also nicht nur die geistige Vereinigung mit Esther, sondern auch den Sprung in den Glauben. Daß hier nicht Kierkegaard in Arnim hineininterpretiert wird, ist durch das bereits Gesagte bewiesen. Esthers soeben zitierte Worte erinnern an Johannes 18, 36, und die Taube ist das Symbol des Heiligen Geistes. Und der Majoratsherr erhärtet seinen Glauben, indem er den Becher Wasser an ihrem Sterbebette ergreift in der Gewißheit, der Trunk werde ihn mit ihr vereinen. Wie tief ernst es dem Dichter mit diesem Ausgang seiner Liebenden war, mag man an dem Brief erkennen, womit Bettina den Brüdern Grimm seinen Tod anzeigte. Da wird fast mit denselben Worten gesprochen.

Trotz allem Ernste treibt Arnim selbst mit der Vorstellung vom Todesengel sein Spiel – ein verwirrendes und dennoch sinnvolles Spiel. Nach dem Aberglauben des Verlobten ist Vasthi „der Würgengel, der Todesengel“, der den Sterbenden den Atem aussaugt, damit sie sich nicht lange quälen müssen. Es ist eine Sache der Milde, meint er. Der Vetter hat dafür eine rationale Erklärung mit der Behauptung, Scheintote würden oft lebendig begraben. Anders die Deutung des Majoratsherrn, der Vasthis Milde darin sieht, daß sie als Gottes Werkzeug Esther von ihrem Lebendig-begraben-Sein erlöst. So wird der Aberglaube erst vernünftelnd erklärt und dann zum Jenseitsglauben umgedeutet. Aber auch Esther ist ein Todesengel, nämlich der Todesengel des Majoratsherrn, der ihm den Todesbecher reichen wird.[9] So nennt er sie im Gegensatz zu den Schwalben, seinen Schutzengeln (210, 20), die ihn am Leben erhalten hätten, wenn der Leutnant ihr Nest nicht von dem Fenster gestoßen hätte. Er nennt sie so zum zweiten Male, nachdem er von der Lilis gelesen hat, nennt sie seine Eva im Gegensatz zu seiner Mutter, seiner keuschen Lilis. Was hier gemeint ist, wird deutlich durch die folgende Nachtszene, in der der Majoratsherr die Straße mit Todesengeln bevölkert sieht. Arnim läßt sich den Scherz nicht entgehen, daß lärmende Trinker vom Todesengel verfolgt werden, aber wichtiger ist, daß sein Majoratsherr die Liebespaare als paarweis gehende Todesengel auffaßt. Wie in dem Buch Genesis wird die Liebe, das Gewahrwerden der Geschlechtlichkeit, als die Todsünde verstanden, die den Menschen dem Tode dahingibt. Und der Majoratsherr nennt Esther so zum dritten Male in der Scheintodszene, worin er nach dem schönen Todesengel, dem Abbild seiner Mutter, ruft. Wieder also, genau wie bei Vasthi, eine dreifache Identifizierung mit dem Todesengel und eine dialektische Entwicklung des Gedankens: der Majoratsherr ahnt, daß seine Bekanntschaft mit Esther ihn das Leben kosten wird; er glaubt, daß sie ihm zwar den Tod bringen, aber dafür ihre Liebe schenken wird; und er erkennt schließlich, daß ihre Liebe nicht von dieser Welt ist und ihn von dem Leben erlöst. So löst sich der Widerspruch, daß Esther ihn seiner Mutter zu entziehen scheint und dann doch deren Abbild ist: beide gehören dem Reiche des Todes. Und ebenso löst sich der andere Widerspruch, daß Lilis sowohl mit Vasthi wie mit der Mutter identifiziert wird: als Dämonin ist ihr Vasthi, als Adams erste Frau ist ihr die Mutter ähnlich. – Daß auch der Vetter einmal beiläufig ein Würgeengel genannt wird, ist unwichtig. Es bezieht sich auf seine Herzlosigkeit gegen den Dragoner und gegen andere Menschen überhaupt.

Nur ein Zug der Sterbeszene bleibt noch zu erklären, nämlich die Rolle von Adam und Eva. Diesmal macht es der Dichter umgekehrt als gewöhnlich und läßt die geistige Ausdeutung dem realen Vorgang vorausgehen.[10] Vasthi stiehlt ein Bild von Adam und Eva, und dem Majoratsherrn stellt sich dies dar als ein Zwiegespräch zwischen der sterbenden Esther und dem ersten Menschenpaar. Sie klagt, daß sie um des Sündenfalls willen so viel leiden müsse, und erhält zur Antwort die Frage, ob sie denn auch nur *eine* Sünde getan habe. Die Anspielung muß sich auf Esthers früheres Geständnis beziehen, die Männer hätten sie mit Eitelkeit umstrickt und sie könne dem Majoratsherrn kein ganzes Herz mehr schenken. Aber warum erscheint Esther dem Majoratsherrn in ihrer Todesstunde gerade in ihrer Sündhaftigkeit? Der Schlüssel findet sich wieder in dem Selbstgespräch, das der Majoratsherr führt, nachdem er von Adam, Lilis und Eva gelesen hat. Da ruft er aus: „Jeder Mensch fängt die Welt an, und jeder endet sie." Die Erinnerung an Esthers Sündhaftigkeit ist also exemplarisch gemeint. Das Wort des Apostels erfüllt sich an ihr: „Der Tod ist der Sünden Sold; aber die Gabe Gottes ist das ewige Leben" (Römer 6, 23). Wie Adam und Eva stirbt Esther für ihre Sünden, aber dann folgt die Auffahrt ihrer Seele und die Verkündigung einer höheren Welt durch die Phantasie. So werden Karfreitag, Ostern und Pfingsten noch einmal erlebt.

Daß Vasthi das Bild von Adam und Eva mit sich fortschleppt, hat wohl den Sinn, daß sie auch hier als „Geier Gottes" handelt und sich mit Esthers Anteil an der Erbsünde belädt. Der Name Vasthi stammt aus dem Buch Esther, aber dort ist Esther ja gerade die Jüdin und Vasthi die Nichtjüdin. Sie sind die beiden Frauen des Perserkönigs Ahasverus. Das ist auch der Name des Ewigen Juden, und gewiß hat Arnim an ihn gedacht bei der Gestaltung Vasthis als Prototyp der Juden.[11] Sie überlebt alle anderen Personen der Novelle, überlebt die Revolution und die unruhige Zeit, in der „die alten Leute gar nicht mehr mitkommen konnten und deswegen unbemerkt abstarben", und weiß sich in der neuen Zeit durch Schleichhandel zu bereichern. Ihre Sünde wird nicht durch den Tod gesühnt, sie muß immer fortleben und fortsündigen, beladen mit dem Fluch des Nichtsterben-Könnens.

In dem Kontrast zwischen Esthers seligem Ende und Vasthis fluchbeladener Athanasie zeigt sich Arnims finsterer Antisemitismus – vielleicht der einzige Makel an diesem edlen Manne. Auch die anderen Juden sind verächtlich behandelt, das Wunderhorn-Lied von der Judentochter wird boshaft umgedichtet,[12] und selbst der jüdische Brauch, erstgeborene Tiere dem Herrn zu weihen, wird gehässig entstellt in der Szene von dem Stier und den Ziegenböcken auf dem Gottesacker. Aber andrerseits läßt' Arnim seinen Majoratsherrn sagen: „Aller Glaube, der geglaubt wird, kommt von Gott und ist wahr"; und: „Sie sind *alle* wahr, die heiligen Geschichten *aller* Völker." Das heißt, seine Feindschaft richtete sich gegen die Menschen, aber nicht gegen die jüdische Religion. Tatsächlich ist nicht nur der Bericht über Lilis, sondern auch manches andere, insbesondere der gesamte Stoff zu der Sterbeszene jüdischen Sagen entnommen. Arnims Quelle läßt sich feststellen; es ist Johann Andreas Eisenmengers „Entdecktes Judentum". Das zweibändige Werk erschien 1700 in Frankfurt und wird noch heute, trotz seinem Antisemitismus, von jüdischen wie christlichen Gelehrten wegen seiner Gründlichkeit geschätzt. Die Übereinstimmungen erstrecken sich bis auf den Wortlaut. Aus Eisenmenger (1, 867-880) hat Arnim die boshafte Nachahmung der Judensprache „Ursach warum?“ (204, 11) sowie die Vorstellungen, daß der Todesengel auf den Gassen umhergeht, daß er „voll Augen“ ist, daß er ein Schwert trägt und davon den tödlichen Tropfen in den Mund der Sterbenden fallen läßt, und daß er die Toten bleich macht. Weiter den Gedanken, daß die Sterbenden Gott sehen, daß die Wände des Hauses vor ihrem Blick verschwinden und daß ihr Geist durch alle Glieder läuft, um von ihnen Abschied zu nehmen. Ja sogar das Gespräch mit Adam und Eva ist fast wörtlich vorgebildet: „Die seele aber spricht zu dem Geist des ersten menschen/wehe mir! dann deinetwegen muß ich auß der welt gehen. Da antwortet derselbige / ich hab nur eine sünde begangen / und bin gestraffet worden / du aber hast viel sünden begangen.“ Den Brauch, vor dem Trauerhaus ein Horn zu blasen, verwendet Arnim zu dem Scherz, daß der Todesengel nächtliche Zecher aus einem Nachtwächterhorn anbläst, und der Glaube, der Todesengel wasche sein Messer im Wasser des Sterbezimmers, liefert den Anlaß zum Tode des Majoratsherrn. Und schließlich findet sich auch die Anregung zu dem Gespräch über den Scheintod und das Lebendig-Begraben bei Eisenmenger, nämlich in der Sitte der Juden, ihre Toten nicht über Nacht liegen zu lassen, sondern stracks zu begraben.

Auch Arnims Angaben über Lilis stammen aus Eisenmenger (II, 416f.), aber er folgt hier seiner Quelle weniger genau, obwohl er seinen Bericht in Redezeichen setzt. Bei Eisenmenger fand er die ungewöhnliche Schreibung Lilis (statt Lilith) sowie die Angaben, Lilis sei Adams erste Frau gewesen, sei von ihm geflohen und sei ein Dämon, der neugeborenen Kindern nach dem Leben trachtet. Dagegen ist es Arnims eigene Erfindung, daß Lilis keusch sei (nach der jüdischen Tradition hurt sie mit Dämonen und Menschen und gebiert Teufel), daß sie Adam erst nach der Erschaffung Evas verlassen habe und daß sie nach dem Sündenfall das Geschäft eines Todesengels übernommen habe. Arnim veredelt also die Gestalt der Lilis und kombiniert sie mit dem, was er anderwärts bei Eisenmenger über den Todesengel gelesen hat. Daß er sich bei Lilis, trotz der freien Behandlung der Quelle, ausdrücklich auf rabbinische Sagenbücher beruft, dagegen alles andere, viel getreuer übernommene Material nur vage und gelegentlich jüdischem Glauben zuschreibt (209, 14; 228, 27), entspricht seiner Absicht. Denn Lilis wird zwar einerseits mit der Mutter des Majoratsherrn, andrerseits aber mit Vasthi identifiziert, und so muß der jüdische Charakter der Sagengestalt erhalten bleiben. Alles andere Sagengut dagegen dient dem Dichter dazu, einen der christlichen Heilsgeschichte analogen Mythos zu schaffen, der sich, wie schon gesagt, in der Todesszene zu einem Abbild der Passion, der Himmelfahrt und der Ausgießung des Heiligen Geistes verdichtet. Die Heldin dieses Mythos ist Esther, die, niedergebeugt vom Fluch ihres vermeintlichen Judentums (219, 15), selbst um den Preis des Lebens nach der Taufe verlangt, wie es im Lied von der Judentochter heißt. Wenn dann der Majoratsherr den tödlichen Becher ergreift zur Beteuerung seiner Aussage, daß Vasthi die Mörderin sei, so stirbt er als Protomartyr.

Die eigentliche Erzählung wird eingeleitet durch eine Art Vorwort, und es folgt ihr ein kurzer Bericht über die weiteren Geschicke des Leutnants, der Hofdame und Vasthis. In diesen umrahmenden Teilen, und nur in ihnen, wird die Zeit des Geschehens bestimmt: es fällt in die letzten Jahre des ancien régime. Der Zweck dieser chronologischen Fixierung ist keineswegs offensichtlich, denn der überzeitliche Charakter der Haupthandlung scheint ihr eher zu widerstreben als ihrer zu bedürfen. Zudem sind die Aussagen in den Rahmenpartien verwirrend und scheinbar widersprüchlich. Der Dichter bedient sich einer ungewöhnlich geschwinden Schreibart, er gleitet von einem Gegenstand zum nächsten, seine Gedanken scheinen sich zu überstürzen, so daß er nach wenigen Sätzen das Gegenteil dessen sagt, was soeben noch behauptet wurde. Er erinnert wehmütig an die alte Zeit, in der es die feste gesellschaftliche Ordnung jedem einzelnen erlaubte, sich gleichsam für die Ewigkeit auf dieser Erde einzurichten; aber als Beispiel nennt er die Majorate, die, durch Jahrhunderte unverändert erhalten, wenig Segen brachten, weil sie ihre Besitzer nicht froh und die Nichtbesitzer neidisch machten. Er beklagt den Verlust der geistigen Klarheit des 18. Jahrhunderts ebenso wie ihres „Schattens", nämlich der Sonderlinge, Geisterseher und prophetischen Kranken; aber andrerseits meint er, die vorrevolutionäre Generation habe sich voreilig einer höheren Welt genaht und sich frevelhaft selbst vernichtet durch ihren Drang zur dämmernden Zukunft. Seine eigene Zeit scheint ihm gleichförmig und arm; aber er erklärt doch, es sei nötig gewesen, die Menschen wieder an die Gegenwart und an die Erde zu binden, denn diese bedürften ihrer ganzen Kraft und belohnten ihre Anstrengungen in ruhiger Folge.

Die Verwirrung des Lesers wird nicht geringer, wenn er sich von der Einleitung zu dem Nachspiel wendet. Hier wird zunächst berichtet, wie sich Hofdame und Leutnant nach ihrer Heirat in dem Majoratshaus einrichten. Dann aber geht die Erzählung, zunächst fast unmerklich, von privaten Schicksalen zu den öffentlichen Verhältnissen über und führt so zu dem Thema des Anfangs zurück. Die Hofdame hält eine Menge Hunde, tafelt mit ihnen in den Prunkzimmern und zwingt den Leutnant, ihnen aufzuwarten. Sie spricht mit den Hunden französisch und nennt einen davon Kartusch. Die Anspielung muß zu Arnims Zeiten noch verstanden worden sein, denn Cartouche war ein so berüchtigter Räuber, daß er, obwohl schon 1721 hingerichtet, noch in Goethes „Lehrjahren" als Beispiel eines menschlichen Ungeheuers genannt wird.[12a] Der politische Charakter des Nachspiels wird deutlicher, wenn es dann weiter heißt, daß während des Revolutionskriegs fremde Truppen in die Stadt kommen, die Hunde gewaltsam entfernen und den Majoratsherrn wieder in seine Rechte einzusetzen streben. Und am Ende spricht der Dichter ganz unverblümt und in eigenem Namen. Er kontrastiert die Befreiung der Juden mit der Einsperrung des Kontinents und die Aufhebung der Majorate mit dem Aufblühen des Kreditwesens. Aber wie ist all dies zu verstehen? In der Hundefreundschaft der Hofdame darf man eine Satire auf die französisierenden Sitten der deutschen Aristokratie, vielleicht eine allgemein antifranzösische Tendenz sehen. Das Eingreifen fremder Truppen mag sich auf die Intervention zugunsten Ludwigs XVI., aber auch auf die Wiedereroberung von Mainz und die Zerstreuung der Clubbisten beziehen. Die Anspielung auf die Kontinentalsperre ist natürlich antinapoleonisch, und der Hieb auf die Geschäftstüchtigkeit der neuen Zeit erinnert an einen Brief Arnims, der, kurz nach dem Erscheinen der „Majoratsherren" geschrieben, in bitterer Laune die Wunderlichkeit seiner Dichtungen mit dem handfesten Nutzen seiner Branntweinbrennerei vergleicht.[13]

Antifranzösisch, antisemitisch, antirevolutionär, antimerkantil, antiaristokratisch und antikonservativ – wie soll man das vereinen? Wir wissen, daß Arnim nicht eigentlich ein Franzosenfeind war, und wenn wir's nicht wüßten, so wäre es durch seinen „Tollen Invaliden" bewiesen. Sein Antisemitismus ist leider nicht zu leugnen, aber gerade in den „Majoratsherren" zeigt er das feinste Verständnis für jüdische Sagen und weiß ihnen die reinste Poesie zu entlocken. Er war zu jung, um von der Revolutionsschwärmerei der deutschen Jugend in den neunziger Jahren ergriffen zu werden, und nicht so alt, daß er das Gute der neuen Zeit nicht verstanden und ergriffen hätte. Und schließlich war er ein Landedelmann, der ohne törichten Adelsstolz an der Tradition hing, aber zugleich in geistigen wie in wirtschaftlichen Dingen dem Fortschritt aufgeschlossen war. Wenn er also die „Majoratsherren" in die Zeit des großen Umbruchs verlegt, den er selbst miterlebt hat, und wenn er das Alte wie das Neue sowohl gutheißt wie verdammt, so geschieht dies, um die Relativität aller irdischen Einrichtungen und aller menschlichen Werte zu zeigen. Seine Erzählung betrachtet die Welt sub specie aeternitatis, und da kann nichts Zeitliches bestehen. Nur ist der Mensch in die Zeit gestellt, bevor er in die Ewigkeit eingeht, und deshalb gibt es keine seinem Wesen völlig gemäße Lebensführung – auch nicht die des Geistersehers, der sich voreilig zur höheren Welt drängt. Um es anders zu sagen, die Auflösung der Widersprüche in den Rahmenpartien ist gegeben durch das Schwalbenlied.

Nur wenig von der an sich schon spärlichen Literatur über Arnim ist für unser Thema ergiebig. Gundolfs glänzendes Essay[14] ist ganz an Goethe orientiert, so daß er Arnim in verschobener Perspektive oder zumindest ohne Sympathie sieht. Daß Arnims Welt nicht anthropozentrisch ist, ist eine richtige Feststellung: „Der Beginn Arnims sind die unfaßlichen Mächte, der Goethes ist der faßliche Mensch." Aber für Gundolf bedeutet das ein Aburteil. Zudem ist es nicht wahr, daß Arnim das Wunder als Anfang oder gar als Vordergrund des Menschengeschehens wahrnimmt. Die Dinge sind für ihn zugleich faßlich und mysteriös, das Geheimnis durchscheint das Erforschliche, und Phantasie ist für ihn das Vermögen, Geistiges am Sinnlichen zu ahnen, während sie für Goethe das Vermögen ist, Geistiges im Sinnlichen anzuschauen. Die grundsätzliche Ablehnung von Arnims Weltschau macht es unmöglich, nach der Rangordnung seiner Werke zu fragen. Zwar schätzt Gundolf die Romane höher als die Dramen und die Novellen höher als die Romane; aber er erklärt dann doch, daß die Novellen nur dieselben Eigenschaften und Antriebe zum Vorschein bringen wie die Romane. Will man sich seine scharfsinnigen Beobachtungen und Urteile zunutze machen – und deren finden sich bei einem so geistvollen Manne natürlich eine große Zahl –, so muß man sie nicht als Absoluta, sondern als Wertkriterien nehmen. Es zeigt sich dann, daß sie nicht alle Werke in gleichem Maße treffen, ja daß sie die „Majoratsherren" kaum berühren.

Josef Körners Behauptung,[15] die „Majoratsherren" seien eine Schicksalsnovelle in dem gleichen Sinne, wie der „Vierundzwanzigste Februar" eine Schicksalstragödie ist, verdient Erwähnung, weil sie erstmalig die präzise Struktur des Werkes erkennt. Daß diese Erkenntnis eine so wunderliche Form annahm, mag daran liegen, daß Körner anderwärts über Arnims „Auerhahn" als Schicksalstragödie gehandelt hat.[16] Vielleicht nahm er auch den reizenden Witz Arnims zu ernst, der seinen Majoratsherrn als erste Probe seiner Hellsichtigkeit in dem Schickselchen Esther sein Schicksal erkennen läßt.

Anders als Gundolf versucht Wolfdietrich Rasch,[17] Arnim aus sich selbst heraus zu verstehen, und bahnt damit ganz neue Wege zum Verständnis des Dichters. Er sieht in Arnim einen Fabulierer, dessen Erzählkunst dem mündlichen Erzählen verwandt ist und wie dieses improvisatorischen Charakter trägt. Der Fabulierer will in jedem Augenblick fesseln, und dies bestimmt seinen Stil. So rechtfertigen sich die lose Komposition, die „muntere Schlamperei" der Darstellung (Gundolf) und die Vermischung verschiedenster Stoffquellen, die Arnim immer wieder, von den Brüdern Grimm bis zu Gundolf, vorgeworfen worden sind. Raschs Auffassung bewährt sich aufs schönste bei der Interpretation dreier Novellen, die bisher wohl den meisten modernen Lesern ungenießbar waren. Weniger überzeugend ist der zweite Teil seiner Theorie. Die fabulierende Erzählform, so erklärt er, bietet Raum für bizarre Vorkommnisse und phantastische Kombinationen, die gerade durch ihre Unwahrscheinlichkeit die Abgründigkeit des Lebens und den dunklen Sinn der Geschichte besser erkennen lassen als tatsachengetreue oder zumindest glaubwürdige Schilderungen. Das Improvisieren steht also „im Dienste einer tieferen, weltdeutenden Absicht". Hier bleibt unklar, wie sich Improvisation und Intention vertragen, und warum nicht auch ein planender Erzähler bizarre Vorkommnisse in seine Handlung aufnehmen kann. Mit anderen Worten: die behauptete notwendige Verknüpfung der Form von Arnims Vortrag mit dem Inhalt seiner Erzählungen scheint zweifelhaft. Alle Novellen im strengeren Sinne beschreiben eine rätselhafte Welt, und viele davon (etwa die Kleistschen oder Kafkaschen) erreichen ihre Absicht durch die genaueste Berechnung. Auf das rechte Verhältnis von Planung und Improvisation kommt also alles an. Der Zauber von Arnims Erzählweise liegt gewiß darin, daß er weniger ängstlich rechnet als die meisten, daß er mehr wagt und sich gehen läßt und dadurch mehr Welt für sein Werk gewinnt. Aber ein Meister ist er nur da, wo er sich noch rechtzeitig fängt und den Einfall wirklich seiner Absicht dienstbar macht. Für Gundolf sind fast alle Werke Arnims gleich fragwürdig; für Rasch sind sie fast gleich wertvoll. Die Frage nach dem poetischen Rang des einzelnen Werks wird auch von ihm nicht erhoben.

Wolfgang Kayser[18] behandelt Arnim in seinem grundlegenden Buch über das Groteske. Er erkennt die „Majoratsherren" als Arnims Meisterwerk, widmet ihnen die erste Interpretation und erschließt so eine bisher fast unverstandene Dichtung. Auch ihre Struktur ließe sich mit Kaysers Begriffen in bündiger Weise beschreiben, wenn man nämlich seine Unterscheidung zwischen der phantastischen Groteske mit ihren Traumwelten und der satirischen Groteske mit ihrem Maskentreiben auf die Majoratsherr-Esther-, beziehungsweise die Leutnant-Hofdame-Handlung anwendet. Jedoch sind nur die „Majoratsherren" für Kayser grotesk; in Arnims anderen Erzählungen spüre man höchstens „eine Nähe zum Grotesken". Dieses Urteil beruht auf Kaysers Definition. Er bezieht den Begriff des Grotesken nicht nur auf Stoff und Stil, sondern vor allem auf den Gehalt von Kunstwerken. Grotesk ist die absolute Sinnlosigkeit oder, genauer, die plötzliche und totale Entfremdung einer bisher vertrauten Welt. Das Groteske erscheint, wenn uns das Vertraute „als Fratze, als unheimlicher Dämon, als Nachtgesicht anmutet, und also als Träger eines Gehaltes an Grauen, Ratlosigkeit, Beklemmung vor dem Unfaßbaren". Kayser macht also die im Surrealismus vorliegende Verbindung von nihilistischer Angst und die Wirklichkeit verzerrenden Formen zum Kennzeichen des Grotesken überhaupt. Daß er damit bei manchen früheren Künstlern (bei Raffael etwa, oder bei Keller) in Schwierigkeiten gerät, ist schon mehrfach bemerkt worden. Ebenso bei den „Majoratsherren", denn auch für sie gelten die Gründe, aus denen Kayser die meisten Erzählungen Arnims vom Grotesken ausschließt: der Dichter verwendet zwar abstruse Gestalten aus dem Volksglauben und erfindet Phantastisches hinzu, aber beides dient ihm als Zeichen eines Geistigen oder als Ahnung einer höheren Welt. Sobald ein Künstler dem Absurden Sinn abgewinnt oder das Publikum phantastische Formen erklären kann, ist das Werk nicht in Kaysers Sinne grotesk. Er erinnert daran, daß die Kunstwissenschaft sich gegenwärtig bemüht, die Formensprache des Hieronymus Bosch zu dechiffrieren. Der vorliegende Aufsatz hat Ähnliches für die „Majoratsherren" versucht. Ist es gelungen, so ist ihre Ausnahmestellung beseitigt.

Aber vielleicht wäre es besser, nicht auf Entfremdung und Abgründigkeit als wesentlichen Kennzeichen des Grotesken zu bestehen. Kayser weiß natürlich, daß sich seine Auffassung schlecht verträgt mit der durch Sperrdruck hervorgehobenen Stelle über die Erkenntnisfunktion der Phantasie und das Erscheinen einer höheren Welt. Er sucht die Stelle zu entkräften mit der Behauptung, sie beziehe sich nur auf Esthers Tod und Verklärung, und übrigens schaue der Majoratsherr meist keine höhere, sondern eine böse, ja manchmal teuflische Welt. Daß die Esther-Majoratsherr-Handlung von Anfang an auf die Sterbeszene hinzielt und darin ihren sinnvollen Höhepunkt findet, hoffe ich gezeigt zu haben. Und daß die Visionen des Majoratsherrn öfter Böses als Gutes enthüllen, entspricht dem Wesen der Welt. Es beweist nicht, daß sie die Manifestation eines grausigen und unfaßbaren „Es" ist, sondern im Gegenteil, daß ihre Schatten nur dem sichtbar werden, dem sie durch das göttliche Licht erleuchtet wird. Auch kommt das Umgekehrte gar nicht so selten vor. Nur der Majoratsherr erkennt in der alten Ursula, die dem Leutnant seine schmutzigen Geschäfte besorgt, „eine herrliche Seele";[19] nur er versteht den göttlichen Sinn der sonderbaren jüdischen Gebräuche und wunderlichen rabbinischen Sagen; nur er sieht die Verwandtschaft der erniedrigten Esther mit seiner edlen Mutter; nur er deutet die Tauben als heilige Gestalten; und selbst der Geier Vasthi erscheint ihm als Werkzeug Gottes. Kayser geht so weit, den Majoratsherrn für einen Wahnsinnigen zu erklären, dem seine Traumwelt als materialisierte eigentliche Wirklichkeit erscheint. Er trennt also nicht nur, entgegen dem ausdrücklichen Willen des Dichters, die Hellsichtigkeit des Majoratsherrn von dessen gottgegebener Phantasie, sondern er hat auch die Stelle überlesen, wo der Majoratsherr sagt, er könne genau unterscheiden, was er mit dem Auge der Wahrheit sehen muß und was er sich gestalte.

Auch sonst kommt man besser zurecht, wenn man die grotesken Inhalte und Formen in den „Majoratsherren" nicht als Ausgeburten dämonischen Wahnsinns oder satanischer Verzweiflung versteht.[20] Zu Recht zitiert Kayser als Höhepunkt des Grotesken die Stelle, wo der Majoratsherr fürchten muß, sich selbst in Esthers Phantasien auftreten zu sehen. Aber er sieht sich ja dann gerade nicht, der Dichter erspart seinem Helden und uns dies Grauen und geht statt dessen zu einer teils verständigen, teils schmerzlich-lieblichen Unterhaltung der Liebenden über. Zudem läßt sich gerade an diesem Motiv zeigen, daß eine groteske Situation den verschiedensten Zwecken (neben Satire und Schrecken auch dem Spieltrieb und der Verheimlichung) dienen kann. Arnim verwendet das Motiv zu einem ganz spezifischen Zweck: es deutet auf die Vertauschung und dadurch ideelle Identität Esthers und des Majoratsherrn. Ein Sonett in Heines „Traumbildern" dagegen gebraucht es zur Selbstironie. Das Gedicht entspricht der Situation bei Arnim so bis ins letzte Detail, daß man Entlehnung des Stoffes annehmen möchte. Aber der Geist ist völlig verschieden:

Im nächt'gen Traum hab' ich mich selbst geschaut,
In schwarzem Galafrack und seidner Weste,
Manschetten an der Hand, als ging's zum Feste,
Und vor mir stand mein Liebchen, süß und traut.

Ich beugte mich und sagte: „Sind Sie Braut?
Ei! ei! so gratulier' ich, meine Beste!"
Doch fast die Kehle mir zusammenpreßte
Der langgezogene, vornehm kalte Laut.

Und bittre Tränen plötzlich sich ergossen
Aus Liebchens Augen, und in Tränenwogen
Ist mir das holde Bildnis fast zerflossen.

O süße Augen, fromme Liebessterne,
Obschon ihr mir im Wachen oft gelogen,
Und auch im Traum, glaub' ich euch dennoch gerne!

Und ein Letztes. Das Groteske dient Arnim nicht nur zur Charakterisierung der Einseitigkeit seiner Materialisten und Spiritualisten, sondern auch zu harmlosen Späßen. Grotesk ist die Beschreibung Vasthis („ein grimmig Judenweib, mit einer Nase wie ein Adler, mit Augen wie Karfunkel, einer Haut wie geräucherte Gänsebrust, einem Bauche wie ein Bürgermeister"), grotesk der Stolz des Leutnants auf seinen echten Ungerwein („ich habe ihn selbst gemacht aus Rosinen und schwarzem Brote"), grotesk die Freude der Bürger über den glänzenden Kerzenschein im Zimmer des Majoratsherrn („sie freueten sich des neuen Lichts, das ihnen den Schmutz der Straße deutlich machte"). Ja selbst das „zweite Augenpaar", das „Auge der Wahrheit", dem der Majoratsherr seine Einsichten verdankt, entlockt dem Leser ein Schmunzeln. Man erinnert sich daran – und Arnim hat diese Reminiszenz gewiß beabsichtigt –, wie Isabella ihrem Alraun zwei Wacholderbeeren als Augen eindrückt:

„Es schien ihr, als sähe der Kleine sie an, das gefiel ihr so wohl, daß sie ihm gerne ein Dutzend eingesetzt hätte, wenn sie nur einen schicklichen Platz dazu hätte ausfinden können; aber wo sie ihm am liebsten Augen eingesetzt hätte, hinten, da fürchtete sie, möchte er sich oft wehe daran tun; zuletzt brachte sie noch ein Paar Augen in seinem Nacken an."

Mit diesem zweiten Augenpaar kann der Alraun nicht nur sehen, was hinter seinem Rücken vorgeht, sondern auch Gedanken lesen. Nichts ist Arnim so heilig, und nichts so schrecklich, daß es nicht einen Scherz vertrüge. Das gehört zum Wesen seines grotesken Humors.

Die jüngste Arbeit, Gerhard Rudolphs „Studien zur dichterischen Welt Achim von Arnims"[21], sucht die Betrachtungsweisen Kaysers und Gundolfs zu verbinden, kehrt aber im Grunde zu den Aburteilen des letzteren zurück. Rudolph zeigt seinen Sinn für die wesentlichen Probleme in der Anführung höchst aufschlußreicher Zitate, korrigiert auch manches Fehlurteil (so in Anmerkung 117 Heines oft wiederholten Ausspruch, Arnim sei ein Dichter des Todes gewesen), ist aber sorglos im Detail (das kurze Zitat auf S. 37 aus der Grimmschen Ausgabe, IV, 127 enthält nicht weniger als vier grobe Fehler) und versteigt sich zu den Behauptungen, Arnim gebe die geistige Herrschaft über die Sprache auf (S. 10) und vertraue sich vorbehaltlos dem Strömen seiner Phantasie an (S. 35). Das Groteske erklärt er damit, „daß Arnim da, wo er die Absonderlichkeiten, die auf dem Hintergrunde bunten Lebens sich bilden, in der Hingabe an den jeweiligen Gegenstand schildern will, in Bereiche gelangt, die das Gegenteil jenes Lebens darstellen, die er im Optimismus seines Bewußtseins bestimmt gemieden hätte" (S.51). Will sagen, Arnim hatte Freude am Wunderlichen aus Lebenslust und Weltbejahung, gab dieser Freude aber so sehr nach, daß sie ihn zur Darstellung des Finsteren und Bedrohlichen führte. Das ist eine fragwürdige Theorie, und noch zweifelhafter ist ihre Anwendung auf die „Majoratsherren": hier werde Arnims Begeisterung zur Verzerrung, gebe den Menschen untermenschlichen Kräften hin und führe schließlich dazu, daß Wirklichkeit und höhere Wirklichkeit ironisch gegeneinander aufgehoben werden (S. 49). Solche Leistungen weltanschaulicher Schwerathletik lagen, glaube ich, Arnim ganz fern.[22]

ANMERKUNGEN

1 Ähnlich urteilten schon die Brüder Grimm. Siehe zum Beispiel Reinhold Steig, „Achim von Arnim und die ihm nahe standen", III (1904), 188.
2 Steig, III, 192 und 451 f.
3 Arnim nannte „Halle und Jerusalem" in der Widmung „ein Trauerspiel in zwei Lustspielen".
4 Das Bild von der Marionette kommt an anderer Stelle in den „Majoratsherren" vor (S. 211, 10). Ich zitiere nach der Ausgabe von Monty Jacobs („Arnims Werke", IV, 197-231), weil sie Zeilenzählung hat, habe jedoch den Text mit der Grimmschen Ausgabe verglichen. Die Erstausgabe im „Taschenbuch zum geselligen Vergnügen" auf das Jahr 1820 war mir nicht zugänglich.
5 Vorwort zu „Saint Joan", Kapitel 7 und 12.
6 Als Cellini eingekerkert ist, „begeben sich Visionen, geistig-sinnliche Gegenwarten treten auf, wie man sie nur von einem anderen Heiligen oder Auserwählten damaliger Zeit andächtig hätte rühmen können. Überhaupt erscheint die Gewalt, sich innere Bilder zu wirklich gewissen Gegenständen zu realisieren, mehrmals in ihrer völligen Stärke und tritt manchmal sehr anmutig an die Stelle gehinderter Kunstübung" (WA XLIV, 357).

7 Steig, II, 168.

7[a] Das Vexierspiel mit ausgeschnittenen Kartonblättern ist etwas anders beschrieben von E. T. A. Hoffmann im „Kater Murr" (hrsg. von Carl Georg von Maassen, S. 92, 5 ff.). Die Stelle bei Hoffmann wurde ohne Zweifel durch Arnim angeregt. Er muß „Die Majoratsherren" gekannt haben, denn sie erschienen am gleichen Ort wie seine eigene Erzählung „Das Fräulein von Scuderi", nämlich im „Taschenbuch zum geselligen Vergnügen" auf das Jahr 1820 (bei Gleditsch). Die gegenseitige Beeinflussung von Arnim und Hoffmann war in jenen Jahren überhaupt sehr groß.

8 Das sinnlos wiederholte „nun" ist gewiß zu tilgen. Es findet sich schon in der Grimmschen Ausgabe. Ob auch in der Erstausgabe? Und wer schenkt uns endlich eine kritische Arnim-Ausgabe? Die Großschreibungen „Sie" und „Ihrer" 224, 5 und 224, 7 fallen dem Herausgeber Jacobs zur Last, denn Grimm (S. 240) hat richtig „sie" und „ihrer". Dagegen ist „der letztere" statt „der erstere" (211, 7 – Grimm 215) wohl eine Flüchtigkeit Arnims: es muß der Majoratsherr, nicht der Leutnant sein, dem die Häuser wie aus Pappdeckel zusammengebaut scheinen. Ebenso das „sie" in 229, 37 (Grimm 251): es bezieht sich fälschlich auf Ursula, statt auf „die Frau", nämlich die Hofdame. Desgleichen das „er" in 207, 38: es verweist auf „Kerzenschein", statt auf den Majoratsherrn.

9 Außer der später noch zu nennenden Quelle hat Matthäus 26, 39-42 auf die Vorstellung vom „Schmerzensbecher, Todesbecher" eingewirkt.

10 Die Umstellung erklärt sich daraus, daß Arnim den geistigen Vorgang in seiner Quelle fand und das reale Ereignis hinzuerfinden mußte.

11 In „Halle und Jerusalem" hat Arnim die Gestalt des Ahasverus im Sinne des Volksbuchs vom Ewigen Juden verwandt.

12 Statt des Anfangs:

Es war eine schöne Jüdin,
Ein wunderschönes Weib,

heißt es in der Novelle:

Es war eine alte Jüdin,
Ein grimmig gelbes Weib;

und statt der Verse:

Eh' ich mich lasse taufen,
Lieber will ich mich versaufen
Ins tief, tiefe Meer,

heißt es jetzt:

Zum Meere will ich laufen,
Und sollt' ich auch ersaufen,
Es muß mich heute taufen,
Es stürmet gar zu sehr!

Das Lied wird also auf Vasthi und Esther bezogen, und die zuletzt zitierten Verse deuten auf Esthers Sehnsucht nach einem christlichen Ende. Vielleicht dachte Arnim bei der Umdichtung an Matthäus 20, 22: „Aber Jesus antwortete, und sprach: Ihr wisset nicht, was ihr bittet. Könnet ihr den Kelch trinken, den Ich trinken werden, und euch taufen lassen mit der Taufe, da Ich mit getauft werde? Sie sprachen zu ihm: Ja wohl."

12[a] Die Stelle in den „Lehrjahren" findet sich in der Hamburger Ausgabe VII, 392, 21. Auch in der ersten Szene von Schillers „Räubern", in Hoffmanns „Kater Murr" (hrsg. von C. G. von Maassen, S. 114, 8) und in Platens Gedicht „An Johann Jakob Nervander" (Sämtliche Werke, hrsg. von Koch und Petzet, II, 154) wird Cartouche erwähnt. Es handelt sich also um einen literarischen topos und nicht, wie ich im Text dieses Aufsatzes meinte, um lebendige Erinnerung an die historische Person.

13 Steig, III, 452.

14 Friedrich Gundolf, „Romantiker", Berlin-Wilmersdorf 1930, S. 337-374. Daß Arnim sein Bestes in den Novellen gegeben hat, erkannte schon Wilhelm Grimm. Im Vorwort zur Gesamtausgabe spricht er von der meisterhaften Anordnung und Ausführung einiger Novellen.

15 „Bibliographisches Handbuch des deutschen Schrifttums", 3. Auflage, Bern 1949, S. 349, Anm. I.

16 „Euphorion", Bd. 19.

17 „Achim von Arnims Erzählkunst", in „Der Deutschunterricht" VII (1955), 38-55.

18 „Das Groteske, seine Gestaltung in Malerei und Dichtung", Oldenburg und Hamburg 1957.

19 Beim ersten Lesen glaubt man, der Charakter der Ursula sei widersprüchlich gezeichnet. Sie dient dem Leutnant bei seinen Taubendiebstählen (201, 24), so daß dieser recht zu haben scheint mit seiner ironischen Bemerkung, „Wenn Gott aus *der* eine Heil'ge schnitzeln wollte, die ginge wohl ganz in die Späne" (207, 23). Dagegen spricht der Dichter selbst später von der „alten guten Aufwärterin" (225, 16) und berichtet, daß sie die um ihre Tauben bestohlenen Menschen bedauert (226, 2) und sogar den Mut hat, dem Leutnant in seiner letzten Erniedrigung durch die Hofdame beizustehen (229, 35). In Wirklichkeit handelt es sich nicht um einen Widerspruch, sondern um die verschiedene Sicht des Materialisten und des Spiritualisten. Der Leutnant mißbraucht die Treue seiner Aufwärterin, handelt also an ihr als Seelendieb, so wie er an dem Geliebten der Hofdame und an dem Fähnrich als Mörder gehandelt hat. Der Majoratsherr dagegen erkennt sofort, daß Ursula ihren Namen – den Namen einer großen Heiligen – zu Recht trägt. Auch hier bewährt sich das „Auge der Wahrheit".

20 W. Grimm sagt in seinem Vorwort von Arnim: „Er war kein Dichter der Verzweiflung, der an der Pein innerer Zerrissenheit sich ergötzt."

21 „Quellen und Forschungen", Nr. 125, Berlin 1958.

22 Wolfgang Kaysers plötzlicher Tod hat der Germanistik einen ihrer begabtesten Forscher und verehrtesten Lehrer geraubt. Es hieße sein Andenken herabsetzen, wenn bei der Korrektur auch nur ein Wort an der Auseinandersetzung mit seinem Buch geändert würde. Sein Werk hat von meiner Kritik nichts zu fürchten.

Französische Aufklärung und deutsche Romantik

WERNER KRAUSS

Das Bedürfnis, der Romantik einen Stammbaum zu geben, hat in den letzten Jahrzehnten die seltsamsten Blüten gezeitigt. Ganz offenbar verquickte sich diese Quellensuche mit einer Expansionstendenz der Romantikforschung, mit dem Bestreben, das Herrschaftsgebiet dieser Bewegung möglichst über ihre Vorzeit auszudehnen und zugleich damit das Herrschaftsgebiet der Aufklärung möglichst zu verengen. Die Vorromantik konnte allein durch die Annexion von weiten Gebieten der vor ihr liegenden Epoche gesichert werden. Die Operation wurde in zwei verschiedenen Richtungen ausgeführt: einmal in der zeitlichen Reihe durch die Amputation der spätaufklärerischen Epoche, die ohne weiteres dem neu entdeckten Stilbereich der Präromantik einverleibt werden konnte. Der Schnitt wurde aber auch in der Vertikale vorgenommen: d. h., die Präromantik, das Romaneske, der Stil der Sensibilität, begleitet nunmehr das ganze 18. Jahrhundert als Neben- und Gegenströmung in seinem Ablauf. Die Aufklärung muß damit von vornherein die Hälfte ihres Gebietes einer Gegenbewegung abtreten. Die Herrschaft der Vernunft sieht sich von vornherein durch eine sensibilisierte romaneske Zone in ihrer Wirkung beeinträchtigt und in Frage gestellt.

Wie aber? Heißt es nicht offene Türen einrennen, die Sensibilität auf die Fahne einer Epoche zu schreiben, die, wie die Aufklärung, dem weltanschaulichen Sensualismus huldigt? Der Gegensatz von Verstand und Sinnlichkeit wird in der Aufklärung zugunsten der letzteren entschieden.

Neben diesem inhaltlichen Einwand gegen die Präromantikkonzeption ist aber noch ein anderer hervorzuheben, der einer äußerst simplen geschichtsmethodologischen Erwägung entspringt: der ganze Begriff ist erst post festum geschaffen worden; er konnte unmöglich ins Bewußtsein der ihm Unterworfenen dringen. Die Gegenwart weiß sich stets an der Spitze des Geschichtsprozesses, nicht aber am Anfang einer noch unbekannten Bewegung. Ein solcher Messianismus wurde außerhalb seiner religiösen Domäne noch nirgends wahrgenommen. Die Bezeichnung Präromantik war eine Etikette, an der sich die Bezeichneten selbst nicht erkennen konnten.

Nun wird man uns nicht ganz zu Unrecht entgegenhalten, daß es unmöglich ist, in der Begriffsbildung der Geschichtsepochen nur solche Nomenklaturen zu wählen, die im Vokabular und im Bewußtsein der entsprechenden Epoche sich ausweisen lassen. Einfachstes Beispiel: ein so allverbreiteter Begriff wie ‚Mittelalter', der selbstverständlich erst nach dem Ende des Mittelalters erfunden werden konnte und doch unmöglich von uns entbehrt oder ersetzt werden kann.

Als Kriterium der geschichtlichen Epochenbegriffe kann nur dann seine Verankerung im Bewußtsein einer Epoche gefordert werden, wenn sie zum geschichtlichen Selbstbewußtsein gelangt ist. Seit dem 18. Jahrhundert ist diese große Wendung eingetreten. Das siècle éclairé, siècle des lumières, das Jahrhundert der Aufklärung nennt sich selbst schon seit den 20er Jahren des 18. Jahrhunderts mit diesem Namen, der ein erstmaliges geschichtliches Selbstbewußtsein im Verhältnis zu allen früheren Epochen ankündigt. Der Begriff der Aufklärung ist in allen Kulturbereichen verankert als illuminismo, ilustración, englightenment usw. Alle seitdem geprägten modernen Stil- und Epochenbegriffe sind aus dem Bewußtsein und aus dem programmatischen Wollen dieser entsprechenden Bewegungen entnommen: Romantik, Junges Deutschland, Impressionismus, Symbolismus, Expressionismus und viele andere.

Es ist erstaunlich, daß man so einfache, klare Dinge so gründlich verwirren und verunklären konnte. Der Begriff der Präromantik ist demnach nicht nur ein mißlungener Test, Zeugnis eines gröblichen Mißverständnisses einer Epochenbewegung, sondern darüber hinaus eine geschichtsmethodologisch unhaltbare Konzeption.

Will das besagen, daß sich die Präromantikforschung durch keinerlei geschichtliche Realität, durch keinen Gegenwert von Wirklichkeit gedeckt weiß, daß alles, was sie vorbringt, aus der Luft gegriffen ist? Natürlich ist dies nicht der Fall. Der anhaltende Erfolg der Präromantikforschung wäre ohne das Bestehen eines evidenten Sachverhaltes schlechthin unerklärlich. Die Erscheinungen selbst sind richtig wahrgenommen; nur ihre Auslegung ist verfehlt. Alle diese Merkmale, welche die Präromantikforschung anführt, haben wirklich bestanden. Aber sie widersprechen nicht nur nicht den herrschenden Tendenzen der Aufklärung, sondern sind in ihrem innersten Lebenskern zutiefst verwurzelt.

Es wird sich also darum handeln, den Blickpunkt von der Präromantik bis zu dem Ansatz einer wirklich geschichtlichen Fragestellung zu verschieben. Wir fragen nicht mehr danach, was der Romantik an Vorläuferschaft und an vorbereitenden Tendenzen vorausgeht, sondern wir fragen zuvörderst nach den Elementen, die, aus der vorausgegangenen Aufklärung stammend, ihre Wirksamkeit auf die Romantik nicht verloren: Motive der Aufklärung, die von der Romantik gewahrt und im Sinne der Weiterbildung oder auch einer Verbildung verwandelt wurden.

Es ist unumgänglich, diese Betrachtung an einem genauer auszuführenden, möglichst symptomatisch gewählten Beispiel anzustellen. Ein unumstrittenes Merkmal der Romantik ist ihre Hinwendung zu einem verherrlichten, verinnigten, poetisierten Mittelalter. Man braucht nur an Novalis, Tieck, Kleist, Brentano zu erinnern, in Frankreich an Chateaubriand und an Victor Hugos *Notre Dame de Paris* . . . Die ‚communis opinio' geht wohl auch heute noch dahin, daß gerade durch den Mittelalterkult die Romantik einen unmißverständlichen Trennungsstrich gegen die Aufklärung gezogen hat.

Das Verhältnis der Aufklärung zum Mittelalter sieht man dadurch bestimmt, daß im 18. Jahrhundert die ‚gotischen Sitten' immer wieder verspottet wurden. Solche Meinungen bestanden, und zwar nicht grundlos: die Aufklärung als eine politische Oppositionsbewegung mußte ihren Kampf gegen das zähe Nachleben der aus dem Mittelalter überkommenen Institutionen führen.

Die Beziehung der Aufklärung zum Mittelalter ist aber damit keineswegs erschöpfend bezeichnet. Gerade auf dem politischen Feld wird eine entgegengesetzte und weit bedeutsamere Richtung versuchen, eine ‚Konstitution' der französischen Nation aus den freiheitlichen Einrichtungen des Mittelalters herzuleiten. Im Verlauf des 18. Jahrhunderts wird der Kampf mit dem Feudalismus immer mehr durch den Kampf mit dem Absolutismus überschattet. Es gilt dabei den Nachweis zu erbringen, daß die despotische Willkür ein moderner Gewaltakt war, durch den die uralt verbrieften Volksfreiheiten vernichtet wurden. Auf das vergangene Mittelalter fiel damit ein verklärendes Licht.

Schon Hotmann (*Franco-Gallia, 1573*) hatte sich in der Epoche der Bürgerkriege des 16. Jahrhunderts auf diesen Weg begeben und dem Zentralisierungswillen des Königtums die Privilegien und Freiheiten des Mittelalters entgegengesetzt. Diese Gedankengänge wurden am Ende des 17. Jahrhunderts von dem Grafen Boulainvilliers wieder aufgenommen und durch ein umfassendes Quellenstudium erheblich vertieft. Boulainvilliers ist ohne Zweifel der Adelsrevolte zuzurechnen, mit einer allerdings von Fénélon und Chevreuse deutlich abzuhebenden Richtung. Boulainvilliers fordert Gleichheit innerhalb seines Standes. Seine mediävalistischen Studien sind darauf konzentriert, den Aspekt der Gemeinfreiheit als den ursprünglich mittelalterlichen herauszuarbeiten. Die Konzeption Boulainvilliers löste Widerspruch und Zustimmung aus. Sie entfesselte eine Diskussion, die vor der Französischen Revolution nicht mehr zur Ruhe kommen sollte. Der Gegenstand dieser Debatte war das wahre Gesicht der Nation im Augenblick ihrer mittelalterlichen Konstituierung. Am heftigsten wurde der Theorie Boulainvilliers' vom Abbé Du Bos in seiner *Histoire critique de l'établissement de la monarchie française*, 1734, widersprochen. Du Bos sieht überall in der französischen Geschichte die Kontinuität der ‚civitas romana' weiterwirken. Der Feudalismus konnte diesen Zug der nationalen Geschichte verdunkeln, nicht aber beseitigen. Montesquieu sah scharfsinnig in Du Bos' Theorie die Theorie des dritten Standes. Er hielt sie für weit gefährlicher als die Exzentrizitäten Boulainvilliers', mit denen er weitgehend sympathisierte. Während Voltaire sich auf die mittelalterliche Theorie des Abbé Du Bos stützte, wurde durch die ungeheure Wirkung von Montesquieus *Geist der Gesetze* das Interesse an der mittelalterlichen Geschichte bis zum Anbruch der Revolution wachgehalten.[1] Als Ergebnis der großen, im Dreieck Boulainvilliers-Du Bos-Montesquieu begonnenen Debatte ist festzuhalten, daß die Grundfreiheiten der französischen Nation, ihre ‚Konstitution', in der Epoche ihrer mittelalterlichen Geburt gesucht werden müssen.

Sehr viel schwieriger als die Herstellung eines Verhältnisses zur mittelalterlichen Geschichte war eine Würdigung der Literaturgeschichte des Mittelalters, aus dem doch nur sporadische Fragmente überkommen waren. Und trotzdem fehlte es auch auf diesem Gebiet nicht an Impulsen.

Für die zuerst von Fontenelle und Charles Perrault verfochtene Theorie des kontinuierlichen geschichtlichen Fortschritts war der Eindruck der langen geistigen Stagnation im Mittelalter ein besonderes Problem. In der Tat kann man gerade bei Fontenelle einen ernsthaften Ansatz zu einem besseren Verständnis der mittelalterlichen Geisteshandlung gewahren. In seinem Nachruf auf Leibniz hat er die Ergebnisse der mittelalterlichen Geschichtsschreibung des deutschen Philosophen ausführlich dargestellt. Der geistige Verfall gilt nunmehr als eine Erscheinung der späteren Jahrhunderte – ein für die damalige Zeit umstürzender Gedanke, den Fontenelle besonders hervorhebt: „Le 10e et 11e siècles passent pour les plus barbares du christianisme: mais il (Leibniz) prétend que ce sont le 13e et le 14e; et qu'en comparaison de ceux-ci le 10e fut un siècle d'or, du moins pour l'Allemagne ..." Die letzten Intentionen dieser Leibnischen Rückwendung zur Frühgeschichte werden mit wenige Sätzen aufgedeckt: „Ce qui l'intéresse le plus, ce sont les origines des nations, de leurs langues, de leurs moeurs, de leurs opinions, sur tout l'histoire de l'esprit humain, et une succession de pensées qui naissent dans les peuples, les unes après les autres, ou plutôt les unes des autres, et dont l'enchaînement bien observé pourrait donner lieu á des espèces de prophéties."[2] In seiner Würdigung dieser bedeutenden historischen Leistung kann Fontenelle nicht umhin, auf eine unhaltbare Auffassung hinzuweisen, die ihre Wurzel in dem allzu großen Entgegenkommen Leibnizens dem herrschenden deutschen Feudalismus gegenüber hatte. Die allgemeine Meinung – sagt Fontenelle – geht dahin, daß der hohe Erbadel aus den kaiserlichen Beamten hervorgegangen ist, wogegen Leibniz den Erbadel als eine von jeher bestehende Einrichtung angesehen haben wollte. So verlegt er den Ursprung der großen Familien „dans cet abîme du passé dont l'obscurité leur est si précieuse". Mit dem Sarkasmus streift Fontenelle die Schwäche des großen Mannes, er trifft jedoch zugleich den von ihm stets verachteten Adel ins Gesicht.

Fontenelle begnügte sich nicht, sein Interesse für das Mittelalter in seinen feinsinnigen und einfühlsamen Gelehrtenmonographien zu bekunden. In seiner *Geschichte des französischen Theaters* beschäftigt er sich eingehend mit den mittelalterlichen Manifestationen der Dichtkunst.[3] Um den Fortschritt dieser Darstellung richtig einzuschätzen, braucht man nur die gipfelnde literarhistorische Leistung des vergangenen Jahrhunderts heranziehen, die Abhandlung Huets über die Romane (1670). Huet war der erste, der das Wesen der Wandermotive erkannte und sie auf ihrem Weg bis zu den indischen Quellen zurück begleitete. Der Ritterroman wird aus dem schauerlichen Zerfall der staatlichen Gewalten im merowingischen Europa erklärt. Die Ritter erscheinen nun als Beschützer der Schwachen. Der Wert der Ritterromane, als deren einziges Beispiel das Rolandslied erwähnt wird, liegt für Huet in der Vertiefung unserer historischen Kenntnis der vergangenen Zeiten. Eine große Lücke aber bleibt in dieser Darstellung zwischen dem Rolandslied und dem Gargantua bestehen.

In Fontenelles Aufriß sind nicht nur die Erscheinungen der mittelalterlichen Poesie erheblich verdichtet – durch umfassende Zitate sollen die Dichter für sich selber sprechen: „Je ne ferais pas si bien connaitre ces poètes par tout ce que je pourrais dire d'eux, que par quelques morceaux de leurs ouvrages, que j'ai cru que l'on me permettrait de rapporter ici." Fontenelle ist sich der Neuheit der von ihm angerissenen Materie wohl bewußt: „Peut-être que je sortirai un peu des bornes de l'histoire du théâtre; mais j'espère qu'une matière assez agréable par elle-même et assez peu traitée me fera obtenir la grâce des plus sévères lecteurs." In der Tat beginnt die eigentliche Geschichte des französischen Theaters erst mit dem 15. Jahrhundert. Die Darstellung der vorhergehenden Epoche ist daher gezwungen, die Lyrik und die Epik in den Vordergrund zu rücken.

Der Ursprung des Minnesangs, dieser ältesten nachantiken Dichtung, liegt für Fontenelle im 11. Jahrhundert. Der Zerfall des Lateinischen ermutigte die Dichter, in ihrer vulgären Sprache zu schreiben. Fontenelle versucht dann die Namen der troubadours, der conteurs, der chanterres, der jongleurs, der menestrels zu erklären. Da alle Dichtung aus dem Gesang stammt, ist die enge Wechselbeziehung zwischen Musik und Dichtung ein besonderes Zeichen der Ursprünglichkeit des Troubadourgesangs. Man stößt unter den alten Troubadours auf eine erstaunliche Zahl altadliger Namen: „Tel qui par les partages de sa famille n'avait que la moitié ou le quart d'un vieux château, bien seigneurial, allait quelque temps courir le monde en rimant, et revenait acquérir le reste du château.“ Dieser adlige Ursprung der Dichtkunst mag erstaunen, wenn man bedenkt, daß prätentiöse Bildungsverachtung noch heute zum Wesen des französischen Adels gehört. „Je ne puis répondre autre chose, sinon que ces vers-là se faisaient sans étude et sans science, et que par conséquent ils ne déshonoraient pas la noblesse.“ Fontenelle läßt keine Gelegenheit vorübergehen, um seine adelsfeindlichen Gefühle zu äußern. Die Troubadourkunst aber ist in Anbetracht ihrer sozialen Herkunft nur als Naturdichtung möglich – darin ist für Fontenelle ihre Schwäche, doch auch der Reiz begründet: „Aussi leurs ouvrages étaient-ils sans règles, sans élévation, sans justesse; en récompense, on y trouvait une simplicité qui se rend son lecteur favorable, une naïveté qui fait rire sans paraître trop ridicule, et quelquefois des traits de génie imprévus et assez agréables.“ Die Provence und die Picardie sind die beiden Ursprungsländer dieser ‚étincelles de poésies‘.

Im weitern Verlauf seiner Darstellung werden Rutebeuf und Hébert genannt. „Soll man es für möglich halten, daß der große Boccaccio sich seine Stoffe bei diesen unbekannten, dem Anschein nach so verächtlichen Dichtern holte?“

Das ist nur ein kleiner Ausschnitt aus Fontenelles liebevoll ausgeführter Vorgeschichte des französischen Theaters, dessen spätmittelalterliche Erzeugnisse, insbesondere ‚Maître Pathelin‘ mit seinen an Molière gemahnenden Zügen, von ihm eingehend gewürdigt werden. Die ‚*Histoire du théâtre français*‘ erschien im 3. Band der Œuvres von 1742. Drei Jahre später bemächtigt sich der Kompilator La Morinière des Fontenelleschen Traktates, um eine Einführung seiner Anthologie *Bibliothèque poétique* zusammenzustellen.[4] Wenn wir im folgenden feststellen können, daß der Faden der mittelalterlichen Literaturstudien nicht mehr abreißen sollte, so blieb doch die breitere gebildete Allgemeinheit davon unberührt. Für sie ist die Neubewertung der Epoche Marots und Ronsards die große Errungenschaft des Jahrhunderts.

Der zeitliche Vorrang gebührt zweifellos dem 1722 verstorbenen Abbé Massieu, der eine ganze Reihe von mittelalterlichen Dichtern herausstellt: so Helynand, Hugues de Bercy, Blondel. Er kennt sechs Versromane von Chrestien de Troie; den *Roman de la Rose* hält er für die beste Schöpfung der französischen Dichtung, die dem Zeitalter Franz I. vorausging.

Auf Massieu greift vor allem der grundgelehrte Abbé Goujet zurück, und zwar im IX. Band seiner *Bibliothèque française* (1745). Dem ganzen Zeitraum werden schon über dreihundert Seiten gewidmet. In jenen Jahren war aber der große Gelehrte schon tätig, der für die Apotheose der mittelalterlichen Dichtung die stärksten Impulse geben sollte:

Lacurne de Sainte-Palaye. Frühzeitig machte er sich mit den mittelalterlichen Handschriften vertraut. Sein wichtiges Anliegen ist aber die provenzalische Minnelyrik. Zunächst erlernt der in Auxerre Gebürtige die provenzalische Sprache. Dann unternimmt er eine Forschungsreise nach Italien, zuerst 1739 und dann wieder 1769. Trotz seiner umfassenden Vorbereitung ist Lacurne nicht selbst zum Abschluß seines großen Werkes über die Provenzalen gekommen – vielmehr überließ er die Materialien dem Abbé Millot, der 1774 mit einer dreibändigen *Histoire des troubadours* herauskommt.

Die weitschichtigen Interessen Lacurnes umfassen alle Bereiche der mittelalterlichen Dichtung und Sprache. 1756 veröffentlicht er die berühmte Singfabel von *Aucassin et Nicolette* – 1759 eine Abhandlung *sur l'ancienne chevalerie.* Ein altfranzösisches Wörterbuch *(Glossaire de l'ancienne langue française)* wurde 1762 für den Druck bereitgestellt.

Neben diesen gelehrten Bestrebungen stehen in der Spätaufklärung Versuche einer Popularisierung der mittelalterlichen Dichtung: da ist vor allem Graf Tressan zu nennen, ein äußerst begabter Dilettant. Mit seiner Modernisierung mittelalterlicher Werke hatte er Erfolg: *Tristan, Jehan de Saintré* und *Gérard de Nevers* (1780/81). Graf Tressan war alles andere als ein ‚Präromantiker'; aufklärerisch-naturwissenschaftliche Probleme beschäftigen ihn lebenslänglich. Es bedarf wohl keines weiteren Beweises für den Ursprung der mittelalterlichen Interessen, die mit der Aufklärung geboren sind und keineswegs eine Randerscheinung darstellen.

Eine breitere Grundlage als in der französischen Literatur erlangte jedoch das Interesse für mittelalterliche Dichtung in der spanischen Aufklärung. Die Zäsuren zwischen den einzelnen Literaturepochen sind in Spanien ungleich schwächer als in Frankreich: sie konnten das Weiterleben der älteren Dichtung niemals verhindern.

Beschäftigung mit dem Mittelalter ist schon bei den spanischen Humanisten gang und gäbe. Das bedeutsamste Denkmal dieser Zuneigung ist die 1588 von Argote de Molina veranstaltete Neuausgabe des *Conde Lucanor.* In ihrer Zuwendung zum Mittelalter bevorzugt jedoch die spanische Aufklärung die rein geschichtliche Fragestellung. Hier war dem französischen Klassizismus alle Wirkungsmacht genommen. Das gilt zu einem gewissen Grad auch für die Sprachgeschichte, für die die riesige Materialsammlung *Origenes de la lengua,* einem Werk des valencianischen Polygraphen und Polyhistorikers Gregorio Mayans y Siscar, einen ersten Baustein brachte. 1735 wird in Madrid die ‚Academia de Historia' gegründet. Sie bildet den Sammelpunkt auch für die mittelalterlichen Studien. Hier werden Arbeiten vorgelegt wie *Sobre el primer poblador de España y sobre el principio del reino de Navarra* (Hilarión Domínguez), wie *Sobre las leyes y el gobierno de los godos* von Campomanes oder wie die Studie, mit der sich der große aufklärerische Staatsmann Jovellanos vorstellt: *Sobre los juegos, espectáculos y diversiones públicas usadas en lo antiguo en las respectivas provincias de España.* Damit ist das Feld der mittelalterlichen Literarhistorie eröffnet. Bevor wir jedoch bei diesem Thema verweilen, ist noch des größten spanischen Mediävisten, des Padre Enrique Flórez, Verfassers der noch heute als Handbuch unentbehrlichen *España sagrada* (seit 1747), zu gedenken. Das Thema der mittelalterlichen Chroniken beschäftigte die vielseitige Gelehrsamkeit von Cerdá y Rico. In seinem Nachlaß fand sich eine ausgeführte Geschichte des Westgotenreichs.[5]

Das sind nur einige wenige symptomatische Daten, die für die Breite der mediävistischen Interessen im spanischen ‚Dieciocho' zeugen sollen.

Wie aber steht es mit der Literaturgeschichte? Die schon genannte Abhandlung von Jovellanos[6] verrät die sichere Beherrschung der geschichtlichen Elemente, die auch die klassizistische Geschmacksrichtung nicht mehr verdunkeln konnte. Jovellanos behandelt alle öffentlichen Vergnügungen, u. a. die Jagd, die Stierkämpfe, die Turniere usw.: so entsteht ein Panorama der mittelalterlichen Freizeitgestaltung.

Die Erweiterung der Thematik kommt der soziologischen Vertiefung der literargeschichtlichen Betrachtung zugute. Aus den wenigen verfügbaren Quellen (von denen auch die moderne Literaturgeschichte noch zehrt) wird die Geschichte des spanischen Theaters im Mittelalter entwickelt, in den Grundzügen so, wie wir sie auch heute noch sehen. Der ursprünglichen Vermischung von geistlichem und weltlichem Spiel folgt die Trennung, aus der einerseits die ‚autos' und andererseits die Ansätze zu wirklichem Theaterspiel hervorgingen. Neben dem Adel sind es in steigendem Maß die Städte und Munizipien, die der Dichtung im Mittelalter eine Freistatt gewähren!

Die Reaktion auf die klassizistische Verneinung der spanischen Dichtung und auf den in Frankreich und in Italien während des 18. Jahrhunderts immer wieder bekundeten Zweifel an dem Wert und Nutzen des spanischen Beitrags für die Menschheitskultur war das mächtigste Stimulans für die Erforschung der spanischen Geistes- und Literaturgeschichte. Literarhistorischer Nationalismus ist die unvermeidliche Mitgift dieser Bestrebung: er kann zu neuen Einsichten, aber auch zu unhaltbaren Positionen führen. In seinem *Discurso sobre la historia* erkannte Forner, daß die epische Gestalt des Bernardo Carpio sich als eine spanische Gegenschöpfung zum Rolandszyklus darstellt.

Andererseits ging der in Italien verbannte Jesuit Lampillas so weit, von einem spanischen Einfluß auf die entstehende Literatur der Italiener zu sprechen. Lampillas hatte die Minnelyrik im Auge, wobei er Provenzalen und Katalanen verknüpfte. Aber abgesehen von solchen Entgleisungen hat Lampillas in seiner Geistes- und Literaturgeschichte bedeutende Einsichten vermittelt. Vor allem hat er sich als erster an einer systematischen Darstellung des arabischen Mittelalters in Spanien versucht. All diese Impulse flossen in dem gewaltigen Unternehmen zusammen, das der gelehrte Tomás Antonio Sánchez zwischen 1779 und 1790 ans Licht brachte. Die vier Bände enthielten Werke wie das Cidpoem, die *Milagros* von Berceo und das *Libro de buen amor* des Arcipreste de Hita. Spanien hat damit den Ruhm erworben, als erstes Land der Welt einen unter einem wissenschaftlichen Gesichtspunkt zusammengestellten Corpus seiner mittelalterlichen Literatur geschaffen zu haben.

Es versteht sich, daß diese beliebig herausgegriffenen Daten der Ergänzung und einer vertieften Betrachtung in jeglicher Richtung bedürfen. Die empfindlichste Lücke könnte jedoch allein durch eine Einbeziehung des deutschen Beitrags zur aufklärerischen Mittelalterforschung geschlossen werden. Zweifellos hat sich die geschichtswissenschaftliche Bearbeitung der mittelalterlichen Jahrhunderte nirgends mehr als in Deutschland verdichtet. Praktische Fragen der kaiserlichen, der fürstlich-territorialen und der reichsstädtischen Politik förderten diese Entwicklung ebenso wie die schon aus dem 17. Jahrhundert stammenden Wissenschaftstraditionen. Was uns jedoch vor allem berühren müßte, das ist die systematische Rezeption der Resultate der deutschen Mediävalistik in Frankreich. Zeitschriften wie die *Bibliothèque germanique* erleichtern durch breit angelegte Auszüge die Kenntnis der wissenschaftlichen Neuerscheinungen von jenseits des Rheines. Selbst eine so popularisierende Zeitschrift wie *Le Pour et Contre* sah sich veranlaßt, durch regelmäßige Korrespondenzen über die Wissenschaftslage an den deutschen Universitäten dem Wunsch ihres Publikums nachzukommen. Einflüsse deutscher Gelehrter lassen sich in Montesquieus Konzeption des Lehenswesens mit Sicherheit nachweisen.

Trotz des nur andeutenden und notwendig fragmentarischen Charakters dieser Skizze läßt sich aus den angeführten Daten doch eine Folgerung mit Sicherheit ziehen: die moderne Beschäftigung mit dem Mittelalter ist weder das Erzeugnis einer ‚präromantischen' Geisteshaltung noch der romantischen Rückzugsbewegung zu einer idealisierten Vorzeit – sie gründet vielmehr mit allen ihren Wurzeln im geschichtlichen Weltbild der Aufklärungsepoche.

Die Romantik fand also den Weg zum Mittelalter schon deutlich bezeichnet vor sich. Dieser Weg ist von einer progressiven Geistesrichtung eingeschlagen worden. Wie ist es zur Umkehr dieser ideologischen Richtung gekommen? Liegt eine solche Umkehr überhaupt im ursprünglichen Ansatz der romantischen Mittelalterideologie begriffen?

Das erste und berühmteste Manifest der mittelalterlichen Zuwendung ist Novalis' 1799 geschriebener Aufsatz *Die Christenheit oder Europa*. Die glänzenden Qualitäten dieser musikalischen und dabei in lockeren Sätzen aufgesetzten Prosa erleichtern die Lektüre. Beim Versuch einer Deutung wird man aber auf Schritt und Tritt an den fatalen Aphorismus Hardenbergs erinnert: „Mehrere Namen sind einer Idee vorteilhaft." Bei einer oberflächlichen Lektüre wird man nichts weiter als die religiöse Reaktion auf Aufklärung und Revolution gewahren. Man wird von der Verheißung einer Wiederkehr des Christentums ausgehen, die Apologie des Jesuitenordens nicht übersehen und schließlich in der spezifischen Konzeption der Gesellschaft eine allen Gegenrevolutionären teure Idee erkennen: die Auffassung nämlich, daß die Menschen zu einer positiven Gemeinschaftsbildung nicht fähig sind ohne die Vermittlung einer metaphysischen oder religiösen Instanz.

Bei näherer Sicht verschiebt sich aber der erste Eindruck. Die Wurzel der modernen Entwicklung wird in der Verderbnis der Klerisei gesehen. Die Degeneration des Klerus verschuldete das Auseinandertreten von Glauben und Wissen. Der ersehnte christliche Zustand ist eine dialektische Aufhebung und zugleich Bewahrung der vorher durchlaufenen Stadien und der vorher gemachten Errungenschaften. An dieser neuen Wirklichkeit muß auch das Prinzip der Aufklärung und das der Französischen Revolution beteiligt sein. Novalis geht so weit, die Hohepriesterschaft Robespierres als ein Vorzeichen in Anspruch zu nehmen: „Historisch merkwürdig bleibt der Versuch jener großen eisernen Maske, die unter dem Namen Robespierre in der Religion den Mittelpunkt und die Kraft der Republik suchte . . ." (Novalis, *Die Christenheit oder Europa*, Schriften, herausgegeben von Paul Kluckhohn II, 78).

Im übrigen ist es schwer erkennbar, worin sich die für Novalis richtunggebende Idee der Gottheit von der romantischen Idee einer in Poesie verwandelten Humanität unterscheidet. Dieses utopische Friedensreich steht politisch im Zeichen der Akratie, der aufgehobenen Staatlichkeit, zugunsten des organischen Zusammenhangs der von Vormundschaft befreiten gesellschaftlichen Elemente.

Der Funktionswandel der Mittelalterideologie trat erst ein, als durch die Heilige Allianz ein weltenweites Kartell der feudalistischen Großmonarchien zusammengewoben war, und zwar im Zeichen eines Pazifismus, der den Gefängnisfrieden der Völker zu sichern hatte. Der Mittelalterkult führt die Beherrschten zur quietistischen Ergebung in ihr Schicksal; den Herrschenden gibt er das Stichwort an die Hand, das ein System der brutalen Bedrückung in die verklärende Beleuchtung eines esoterischen Geschichtsbilds erhebt.

Noch ehe das Junge Deutschland den Zusammenhang der Mittelalterromantik mit der Völkerunterdrückung aufgezeigt hatte, enthüllte ein deutscher Fürst – rara avis – diese ganze Verflechtung mit rücksichtsloser Offenheit. Der Fürst ist kein anderer als Karl August, über dessen letzte Lebenstage (1828) ein Brief Humboldts an Goethe Rechenschaft gibt. Der Brief ist von Eckermann in seinen wichtigsten Stellen wörtlich zitiert. Er enthält die erstaunlichen Worte:

„. . . nie habe ich den großen menschlichen Fürsten lebendiger, geistreicher, milder und an aller ferneren Entwicklung des Volkslebens teilnehmender gesehen als in den letzten Tagen, die wir ihn hier besaßen".

Wenn hier noch ein Zweifel über den Sinn des Ausdrucks ‚Entwicklung des Volkslebens' aufkommen sollte, so würde er durch die späteren Abschnitte völlig zerstreut:

„Auf einmal ging er desultorisch in religiöse Gespräche über. Er klagt über den einreißenden Pietismus und den Zusammenhang dieser Schwärmerei mit politischen Tendenzen nach Absolutismus und Niederschlagen aller freieren Geistesregungen. Dazu sind es unwahre Bursche, rief er aus, die sich dadurch den Fürsten angenehm zu machen glauben, um Stellen und Bänder zu erhalten! – Mit der poetischen Vorliebe zum Mittelalter haben sie sich eingeschlichen. –"

„Bald legte sich sein Zorn und nun sagte er, wie er jetzt viel Tröstliches in der christlichen Religion fände. ‚Das ist eine menschenfreundliche Lehre', sagte er; ‚aber von Anfang an hat man sie verunstaltet. Die ersten Christen waren die Freigesinnten unter den Ultras" (Eckermann: *Gespräche mit Goethe,* Leipzig 1948, 552f).

Der innere Zusammenhang zwischen dem Mittelalterkult und der allgemeinen Tendenz des Religionsbetriebs, der durch die Niederhaltung der demokratischen Bewegung gebildet wird, ist hier mit aller Klarheit begriffen. Mit welch leidenschaftlicher Anteilnahme der Großherzog zwei Jahre vor der Julirevolution den Blick nach Frankreich richtete, verrät der aktualisierende Vergleich der Fraktionen des Christentums mit denen der rebellischen französischen Kammer, in der sich damals Ultras und Liberale (Freigesinnte) befehdeten.

Das äußerte derselbe Fürst, der einstmals Goethe gedrängt hatte, ihm auf dem Feldzug gegen die junge französische Republik Gefolgschaft zu leisten, derselbe, der Herder wegen seiner freiheitlichen politischen Meinung ernstlich verwarnen zu müssen glaubte. Im

Lauf der Jahre hatte sich Karl August zu einer klaren und präzisen Stellungnahme in den Grundfragen der Nation durchgerungen, der Goethe zeit seines Lebens auszuweichen versuchte.

Es ist sehr wahrscheinlich, daß Karl August in seinen letzten Lebensjahren schon Kunde hatte von der seltsamen Konstellation am kronprinzlichen Hof. Der nachmalige Friedrich Wilhelm IV. versammelte Restaurationsideologen wie Karl Ludwig von Haller, Jarke u. a. um sich. In diesem Kreis wird mit einem ganz unromantischen, trockenen Ernst die Forderung aufgestellt, den Patrimonialstaat wieder aufzurichten und also mit die Rückkehr zu den politischen Formen des Feudalismus zu betreiben. Die reaktionäre Funktion der Mittelalterideologie ist aber nicht nur durch solche Versuche einer Wiederbelebung der vorvergangenen Weltzeit bestimmt – noch wichtiger und verhängnisvoller vielleicht war die geschichtsmethodologische Orientierung der Historischen Schule an den Epochen einer relativ lange währenden Stabilität. Geschichtliche Relevanz hat für die Historische Schule nur das Fortleben der Tradition. Entwicklung ist nur als ein Jahrtausende währender Prozeß der unbewußten Umstellungen denkbar. Nicht die Epochen der Wandlung, sondern die Epochen der Stagnation bestimmen dieses Geschichtsbild. Die Weltanschauung der Historischen Schule verbindet völligen Verzicht auf alle gesellschaftliche Aktivität mit einer unbegrenzten Bereitschaft, sich liebend in alle Formen der Restauration und der traditionalistischen Reaktion einzuleben.

Die romantische Mittelalterideologie ist natürlich nicht das einzige aus der Aufklärung übernommene Motiv. Begriffe und Komplexe wie Generation, Ironie, Geselligkeit und vor allem Volksgeist (Voltaires ‚Esprit des Nations' nachgebildet) erschließen ein fruchtbares Feld einer weiter gespannten Betrachtung.

Obwohl es schwer ist, von einem einzigen Punkt aus allgemeinere Feststellungen zu treffen, so hat man doch ein Recht zu erfahren, was sich aus diesen Einzeldarlegungen für die Erkenntnis der Grundprobleme der Romantik folgern läßt. Ich nenne nur die beiden großen Probleme: 1. Was ist die Romantik? 2. Kann man von einer gegensätzlichen politischen Einstellung der deutschen zu der französischen Romantik sprechen, als ob sie sich wie Reaktion und Fortschritt gegenübertreten würden?

Die berühmteste und zugleich simpelste Definition des Romantischen stammt von Stendhal: „Klassisch ist, was unsern Großeltern gefallen hatte – romantisch, was unserer Generation gefällt".

Romantik ist also Modernismus. In Deutschland begann die Romantik als eine publizistisch-politische Bewegung mit dem Bestreben, die Folgerung der leidenschaftlich bejahten Französischen Revolution für die Umgestaltung der deutschen Welt und der politischen Welt überhaupt zu ziehen. Alle Äußerungen des jungen Friedrich Schlegel und des jungen Hardenberg liegen in dieser Richtung. Diese erste Station währt bis zu dem letzten Jahre des 18. Jahrhunderts. Wenn man nun sagt, die Romantik sei von diesem Zeitpunkt an von der Revolution abgefallen, so ist das nur eine halbe Wahrheit. Die andere Hälfte der Wahrheit ist nämlich die, daß auch die Revolution ganz offenkundig in jenen Jahren von der Romantik abgefallen war. Der Niedergang der Revolution und ihr Umschlag in einen kriegerischen Despotismus waren nicht mehr zu verbergen. Es war für die Zeitgenossen sehr schwer und fast unmöglich, in diesem Abfall der Revolution die Permanenz ihrer wesentlichen Errungenschaften wahrzunehmen.

Die deutsche Frühromantik setzt nunmehr den Hebel an einer anderen Stelle an. Sie will jetzt die Revolution auf das Gebiet der Literatur übertragen. Sie zerbricht das hierarchische Schema der poetischen Gattungen und legt theoretisch den Horizont des Romanes frei als der einzig dem modernen Lebensgefühl angemessenen literarischen Aussageform. In der Kunstrevolution verwirklicht sich das emanzipierte Individium. Der romantische Individualismus ermöglicht zwei entgegengesetzte Wege: auf der einen Seite die quietistische Anpassung an alles Gegebene, auf der anderen das politische Rebellentum, der Weg von Immermann zu Heine, von der Heidelberger Romantik zum Jungen Deutschland.

In Frankreich beginnt die Romantik mit einer offen gegenrevolutionären Einstellung, die von Chateaubriand bis Barant gewahrt wird. In Thierrys Geschichtsschreibung wird die französische Romantik liberal, bei Victor Hugo radikal.

Wir folgern daraus, daß die deutsche Romantik kein Produkt der Restauration ist – sie ist, wie wir sahen, ein Erzeugnis der Revolution – und daß die französische Romantik sich erst später mit der Entwicklung der französischen Industriegesellschaft zu einer fortschrittlichen Haltung durchgerungen hat. Die antithetische Kennzeichnung der beiden nationalen Stile der Romantik läßt sich nicht aufrechterhalten.

Georg Lukács hat in seinen gleich nach Kriegsende erschienenen Schriften die deutsche Romantik als Reaktionsbewegung en bloc verurteilt. Darin kam der Standpunkt jener vor uns liegenden Jahre vorzüglich zum Ausdruck. Es mußte überhaupt erst einmal der Ariadnefaden in der deutschen Literaturentwicklung gefunden werden. Vielleicht konnte nur ein grob antithetisches Verfahren, eine Schwarz-Weiß-Malerei, dem Bedürfnis der ersten Stunden gerecht werden.

Es ist aber unumgänglich, daß wir uns von solchen Einseitigkeiten befreien und daß wir uns der Verpflichtung einer vertieften Verantwortung gegenüber dem kulturellen Erbe nicht entziehen. Die behutsame Art, mit der Franz Mehring die romantische Schule behandelt, kann dabei noch immer als vorbildlich gelten. Ich schließe daher mit seinen der Romantik gewidmeten Worten:

„In die Tage des alternden Goethe fiel die Blüte und auch schon der Untergang der romantischen Dichterschule. In ihr spiegelte sich der Zwiespalt wider, den die Fremdherrschaft zwischen den nationalen und den sozialen Interessen des Bürgertums geschaffen hatte. Nationale Ideale ließen sich nur in dem Mittelalter finden, wo die ausgeprägteste Klassenherrschaft der Junker und Pfaffen bestanden hatte. So flüchteten die romantischen Dichter in die ‚mondbeglänzte Zaubernacht des Mittelalters', aber da die mittelalterlichen Ideale sich doch nicht in unverstümmelter Herrlichkeit wiederherstellen ließen, nachdem ein revolutionärer Sturm über den europäischen Boden gefegt war, so mischten sie den feudalen Wein, den sie aus den Kellern der Burgen und Klöster holten, mit manchen Tropfen vom nüchternen Wasser der bürgerlichen Aufklärung.

Daher ist diese Schule nicht ohne anerkennenswertes Verdienst. Sie hat die Schätze der mittelalterlichen Dichtung wieder entdeckt, nicht nur die höfischen und ritterlichen

Dichter, sondern auch die Nibelungen, ein nationales Epos, das sich wohl mit den homerischen Gesängen messen darf. Vor allem hat die romantische Dichterschule die köstlichen Schätze der Volksdichtung gehoben; die Märchen der Gebrüder Grimm und *Des Knaben Wunderhorn,* eine Sammlung alter Volkslieder, die Arnim und Brentano herausgaben. Daneben verdanken wir ihr eine außerordentliche Erweiterung unseres poetischen Gesichtskreises; da sie keinen festen Boden unter den Füßen hatte, so schweifte sie hinweg zu den Kunstschätzen aller Völker und Zeiten und brachte vieles Treffliche heim, wie die klassische Übersetzung Shakespeares durch Schlegel." (Mehring: *Deutsche Geschichte vom Ausgang des Mittelalters.* S. 132f., Berlin 1946.)

ANMERKUNGEN

1 Vgl. das noch heute unüberholte Buch von Carcassone, *Montesquieu et le problème de la constitution française au 18e siècle.* 1926.

2 Fontenelle, *Œuvres.* VI, 460, 1790.

3 Ebenda, III, 2ff.

4 Der Tatbestand des Plagiats wurde von La Morinière durch einige Zitierungen Fontenelles in raffinierter Weise verdeckt. In Barbiers *Anonymenlexikon* und ihm folgend im *Quérard* wird der Abbé Goujet als Autor der Einführung genannt. Es ist jedoch so gut wie ausgeschlossen, daß dieser äußerst gewissenhafte Gelehrte sich in dieser Weise mit fremden Federn geschmückt haben sollte.

5 Über Francisco Gerdá y Rico, Angel González Palencia, *Eruditos y libreros del siglo* XVIII. Madrid 1948.

6 Wieder abgedruckt in *Clásicos castellanos.* 110, S. 78ff.

Novalis: Hemsterhuis-Studien

HANS-JOACHIM MÄHL

Von den philosophischen Studien und Aufzeichnungen des Herbstes 1797 liegt eine größere Anzahl von Handschriften vor. Von besonderer Bedeutung sind hier zunächst die *Hemsterhuis-Studien*, insgesamt 36 SS. verschiedenen Formats, die in der Hauptsache aus übersetzten und sehr freien Auszügen aus den Schriften des holländischen Philosophen Franz Hemsterhuis (1721-1790) bestehen, dazu aber aufschlußreiche Bemerkungen von Novalis selbst enthalten[1]. Es kann kein Zweifel daran sein, daß Hardenberg Hemsterhuis schon früh kennengelernt hat, spätestens im Jahre 1791; schreibt doch Friedrich Schlegel aus Leipzig im Januar 1792 an seinen Bruder August Wilhelm:

„. . . seine Lieblingsschriftsteller sind Plato und Hemsterhuys – mit wildem Feuer trug er mir einen der ersten Abende seine Meinung vor – es sey gar nichts böses in der Welt – und alles nahe sich wieder dem goldenen Zeitalter.“[1a]

Bis 1792 waren die französisch geschriebenen Werke von Hemsterhuis nur in Einzeldrucken von beschränkter Auflage verbreitet. Dagegen hatte Herder bereits 1781 eine Übersetzung von *Lettre sur les désirs* im „Teutschen Merkur“ veröffentlicht (Windmond, d. i. November 1781, S. 97-122) und eine eigene Abhandlung folgen lassen („Liebe und Selbstheit. Ein Nachtrag zum Briefe des Hr. Hemsterhuis über das Verlangen“, Wintermond, d. i. Dezember 1781, S. 211-235), die trotz kritischer Distanzierung nachdrücklich auf die Bedeutung des holländischen Philosophen hinwies. „Vielleicht hat seit Plato“, heißt es in der *Vorerinnerung des Uebersetzers*, „über die Natur des Verlangens in der menschlichen Seele niemand so reich und fein gedacht als unser Autor. Sein System ist groß wie die Welt, ewig wie Gott und unsere Seele . . .“ (S. 98). Die genannte Abhandlung wurde später in Herders Sammlung der „Zerstreuten Blätter“ (Bd. 1, Gotha 1785) aufgenommen, wo sie Novalis wohl schon frühzeitig gelesen hat (s. Bücherverzeichnis aus dem Jahre 1790, Nr. 4). 1782 war ferner in Leipzig eine deutsche Ausgabe der „Vermischten Philosophischen Schriften des H. Hemsterhuis“ in zwei Teilen erschienen, die alle bis zu diesem Zeitpunkt veröffentlichten Briefe und Dialoge enthielt („Über die Bildhauerey“, „Über das Verlangen“ nebst Herders Abhandlung, „Über den Menschen, und die Beziehungen desselben“; „Sophylus, oder von der Philosophie“, „Aristäus, oder von der Gottheit“, „Simon, oder von den Kräften der Seele“). Es ist anzunehmen, daß Hardenbergs erste Beschäftigung mit Hemsterhuis (wie übrigens auch diejenige Friedrich Schlegels in den Jahren 1792/93) auf diese deutsche Ausgabe zurückgeht. Das von Schlegel berichtete Gespräch scheint sich allerdings vor allem auf die Lektüre des Dialogs *Alexis ou de l'âge d'or* zu beziehen, der 1787 von Friedrich Heinrich Jacobi aus der französischen Handschrift übersetzt worden und in Riga unter dem Titel „Alexis, oder Von dem goldenen Weltalter“ erschienen war. Auf eine besondere Vertrautheit Hardenbergs mit diesem Werk deutet auch die Tatsache hin, daß in den späteren Auszügen aus dem *Alexis* (Nr. 32–36)[2] die zentralen Gedanken zum goldenen Zeitalter stillschweigend übergangen werden. Gerade diese Stellen haben Novalis offenbar schon in Leipzig beschäftigt. – Von Jacobi, der neben Herder wesentlichen Anteil an der Verbreitung der Hemsterhuis'schen Schriften in Deutschland hatte, lag ferner eine Übersetzung der *Lettre sur l'athéisme* vor, die er 1789 in die 2. Auflage seiner Schrift „Über die Lehre des Spinoza, in Briefen an den Herrn Moses Mendelssohn" aufgenommen hatte, zusammen mit einem Sendschreiben an Hemsterhuis, das ebenso wie Herders Abhandlung später in die französische und deutsche Gesamtausgabe von 1792 bzw. 1797 übernommen wurde.

Wie tiefgreifend die erste Beschäftigung Hardenbergs mit Hemsterhuis gewesen ist und wieweit die Gedanken von Hemsterhuis in den folgenden sechs Jahren auf ihn weitergewirkt haben, ist schwer zu sagen, da keinerlei Äußerungen darüber vorliegen. Nach Theodor Haering bedeutet das erneute Studium im Herbst 1797 keinen besonderen Einschnitt in Hardenbergs Entwicklung, da die erste Lektüre bereits bleibende Eindrücke hinterlassen habe, die sich auch in den *Fichte-Studien* von 1795/96 nachweisen ließen.[3] Diese Behauptung ist unhaltbar. Weder läßt sich an der von Haering angeführten, angeblich „primitivsten Stelle" der *Fichte-Studien* (= Nr. 211 ff.) ein „unentwirrbares Sich-durchdringen Kantischer und Hemsterhuisscher Gedanken und Termini" feststellen, noch zeigt die von Novalis selbständig entwickelte „Theorie des Zeichens" (= Nr. 11) eine nähere Übereinstimmung mit Hemsterhuis' Lehre von den Zeichen (vgl. die späteren Exzerpte aus *Lettre sur l'homme et ses rapports*, Nr. 23 u. 27), wie dies unter der Annahme eines beständig wirksamen Einflusses nahegelegen hätte.[4] Es ist also die Tatsache hervorzuheben, daß Novalis selbst Hemsterhuis in den erhaltenen Dokumenten bis Ende 1797 weder direkt noch indirekt erwähnt und daß sich erst seit dieser Zeit ein wirklich tiefgehender Einfluß geltend macht, der sich bis zu seinem Tode nicht mehr verliert. In jedem Fall muß ein bestimmter Grund vorhanden gewesen sein, daß Novalis gerade im Herbst 1797 Hemsterhuis' Werke von A. W. Schlegel erhielt und studierte – ob auf eigene Veranlassung oder auf Schlegels Anregung hin, wissen wir nicht. Die erste französische Gesamtausgabe erschien 1792 (Œuvres Philosophiques de M. F. Hemsterhuis, 2 Bde., Paris 1792), und nach dem Briefwechsel zwischen Friedrich und A. W. Schlegel befand sich diese Ausgabe seit August 1793 im Besitz des älteren Bruders, so daß sie nicht den aktuellen Anlaß zu einer erneuten Beschäftigung bilden konnte.[5] Dagegen ist es möglich, daß Hardenbergs Interesse durch den im September 1797 erschienenen 3. Band der deutschen Ausgabe, der u. a. den *Alexis* brachte, wieder auf Hemsterhuis gelenkt wurde. Die briefliche Bitte Friedrich Schlegels an seinen Bruder im Dezember 1797, ihm im Hinblick auf eine geplante Rezension „den Deutschen Alexis von Hemsterhuys" zu schicken (Walzel S. 329), deutet darauf hin, daß A. W. Schlegel auch diese Ausgabe erworben hatte und daß sich das Interesse der Freunde wieder einmal zeitlich kreuzte. Doch werden neben diesem möglichen äußeren Anlaß für Novalis sicherlich *innere* Gründe bestimmend gewesen sein. Die Bemerkung, mit der er A. W. Schlegel am 30. November 1797, unmittelbar vor der Abreise nach Freiburg, die entliehenen Schriften zurücksendet, ist jedenfalls bedeutungsvoll: „Erst jetzt hab ich mich von Hemsterhuis trennen können . . .". Hemsterhuis hat ihn also für eine längere Zeit intensiv gefesselt, und zwar, wie die Schriftzüge der vorliegenden *Hemsterhuis-Studien* erweisen, in dem Zeitraum zwischen dem 5. September und dem 30. November 1797. Er war offenbar bereit für die Wiederaufnahme seiner Gedankenwelt nach dem Umbruch, den Sophiens Tod in ihm hervorgerufen und der ihn, wie schon erwähnt, in mancher Hinsicht von Fichte abgewendet hatte. „Fichte kann nicht aus d[er] W[issenschafts]L[ehre] heraus, wenigstens nicht ohne eine Selbstversetzung, die mir unmöglich scheint" (an Fr. Schlegel, 14. Juni 1797). In Hemsterhuis fand er nun den Philosophen, der ihn über die Wissenschaftslehre hinausführte, indem er die an Fichte so schmerzlich vermißte „unendliche Idee der Liebe" in den Mittelpunkt seines Denkens rückte. Es ist überdies für den Zeitpunkt der erneuten Beschäftigung charakteristisch, daß Novalis mehrfach gerade solche Stellen aus den Schriften des Holländers exzerpiert und weiterdenkt, in denen seine über den Tod hinausstrebende Einheitssehnsucht sich zu leidenschaftlich-prophetischem Ausdruck erhebt:

„Ist es nicht genug zu wissen, daß wir noch in diesem Leben einen Flug zu beginnen fähig sind, den der Tod, statt ihn zu unterbrechen, vielmehr beschleunigt, da dessen Fortsetzung einzig und allein von der [festen] unwandelbaren Richtung unsers freyen Willens abhängt." (Nr. 31; vgl. *Aristée,* T. II, p. 103).

Einige Äußerungen Hardenbergs nach Abschluß der Studien kennzeichnen am besten die Bedeutung, die Hemsterhuis zu diesem Zeitpunkt für ihn gewinnen mußte. Schon die lockere, mehr andeutende als aussprechende, der begrifflichen Schärfe Fichtes so entgegengesetzte Brief- und Dialogform dieser Philosophie mochte ihn anziehen, da sie seine eigene Denktätigkeit anregte und ihm eine Fülle von Ideen in ihren Konsequenzen zuende zu denken überließ. „Hemsterhuis ist sehr oft logischer Homeride", heißt es später in den *Vermischten Bemerkungen* (s. Schriften Bd. II, Abt. IV, Nr. 106), nach einem Fragment, das die „lyrischen Philosopheme" Schlegels würdigt. Die für Hemsterhuis kennzeichnende Übergangsstellung zwischen Rationalismus und Irrationalismus, die Verbindung des aufgeklärten Verstandes mit einem ahnungsvoll tastenden Gefühl, der bildhaften Sprache des Dichters mit dem analytischen Vermögen des Philosophen – die auch A. W. Schlegel zu der Äußerung veranlaßte, „Hemsterhuys Werke mögen intellektuelle Gedichte heißen" (142. Athenaeumsfragment)[6] – entsprach offenbar Hardenbergs Bewußtsein zu einem Zeitpunkt, da er sich mit seiner Fichte-Kritik eben aus dem „furchtbaren Gewinde von Abstractionen" zu lösen suchte, das die „aufstrebenden Selbstdenker" wie in einem magischen Zauberkreis festzubannen schien (s. Brief vom 14. 6. 1797). Er mochte dabei vor allem an jene Stellen denken, wo Hemsterhuis von der möglichen Entwicklung und Entfaltung neuer Organe im Menschen spricht und wo sich seine Sprache, die in mancher Hinsicht der rational-eudämonistischen Terminologie der Aufklärung noch nahesteht, spürbar verwandelt und zu freier dichterischer Symbolrede übergeht:

„A la foible lueur de l'étoile du matin, l'œil s'apperçoit à peine des objets près de lui; mais lorsque le soleil paroît, l'univers visible se dévoile. Peut-être le véhicule des sensations des essences morales aura de même plus d'énergie après le crépuscule de cette vie; ou bien, peut-être les organes de la conscience et du cœur ne sauroient se déployer sous notre enveloppe grossière: ce sont les aîles encore informes, cachées sous la peau de la nymphe . . ." *(Lettre sur l'homme et ses rapports,* T. I, p. 241; vgl. Nr. 29 u. 34). – „C'est avec des aîles semblables que quelques âmes heureuses s'élèvent. Elles se livrent toutes entières au soin de se perfectionner. Elles se dégagent de tout ce qu'il y a de terrestre et de périssable autour d'elles. Elles accélèrent leur développement, et de nouveaux organes se manifestent. C'est alors que nos rapports avec les dieux deviennent plus immédiats, et que l'univers se manifeste à nous de plusieurs côtés qui sont encore dans le néant pour vous et pour les autres hommes . . . Le plus beau travail de l'homme, Socrate, c'est d'imiter le soleil, et de se débarasser de ses enveloppes dans aussi peu de siècles qu'il est possible; et lorsque l'âme est toute dégagée elle devient toute organe . . . Toutes les sensations se lient et font corps ensemble, et l'âme voit l'univers non en dieu, mais à la façon des dieux . . ." *(Simon,* T. II, p. 247/48; vgl. Nr. 38, letzter Absatz, u. Nr. 35, letzter Absatz).

„Hemsterhuis Erwartungen vom moralischen Organ sind ächt profetisch", notiert sich Novalis später in den *Vorarbeiten zu verschiedenen Fragmentsammlungen* (s. Schriften Bd. II, Abt. VI, Nr. 179) und bezeichnet damit den Punkt, der ihm an der Philosophie des Holländers von zentraler Bedeutung zu sein schien. Denn hier war die Gewißheit ausgesprochen, daß im Innern des Menschen Fähigkeiten und Organe schlummern, die durch die einseitige Kultur der Verstandeskräfte verschüttet sind, die es aber zu entwikkeln gilt, um das wahre Wesen der Welt, ihre unsichtbare Ordnung und Harmonie zu erfassen und in Beziehung zu ihr zu treten. Diese Ordnung und Harmonie ist nicht in einem abstrakten Einheitsprinzip begründet, sondern liegt – darin war die entscheidene Differenz zwischen Hemsterhuis und Fichte offenkundig – in der äußeren Erscheinungswelt *(l'univers visible)* verborgen. Freilich nicht, soweit wir sie von ihrer materiellen, physischen Seite her, als Welt der Dinge, sehen und verstandesmäßig zu erkennen suchen. Hier bleibt die Sehnsucht ewig unbefriedigt, und der Mensch findet nie das, was er sucht:

„Il alla plus loin, dans la vaine et folle espérance de trouver dans la quantité de ces objets finis et déterminés, cet infini analogue au grand prineipe indéterminé qui l'agitoit" *(Alexis,* T. II, p. 166; vgl. *Blüthenstaub* Nr. 1).

Aber durch die Mannigfaltigkeit der Gegenstände zieht sich ein geistiges Band, ein innerer Zusammenhang wirkender Kräfte, eine lebendige Einheit, die den Sinnesorganen verschlossen bleibt; diese andere, unbekannte Seite des Universums nennt Hemsterhuis die „moralische" *(la face morale de l'univers),* und ihr ist das moralische Organ im Menschen zugeordnet, „cet organe, qui est tourné vers les choses divines, comme l'œil est tourné vers la lumière" (T. II, p. 100): ein innerer Sinn, ein wissendes Fühlen um den verborgenen Zusammenhang aller Wesen, ihrer unendlichen Beziehungen zueinander wie unserer Verwandtschaft mit ihnen. Daher führt der Weg der wahren Philosophie nach innen: „Il feut entrer dans nous mêmes" (T. II, p. 95). Das moralische Organ in uns, die wunderbare Fähigkeit des Einblicks in diese unbekannte, höhere Welt, der Teilhabe an ihr und des Lebens in ihr, ist nach Hemsterhuis zwar von den intellektuellen Kräften des Menschen zurückgedrängt worden und daher noch unerschlossen, aber ein Keim davon, der bewußt entwickelt werden kann, ist in der *Liebe* wirksam (vgl. *Simon,* T. II, p. 231-233). Die Liebe ist ein universelles Gesetz der moralischen Welt, das auf der

Anziehung aller Wesen, auf dem Verlangen nach einer vollkommenen Vereinigung und Harmonie beruht, und zugleich ein Organ der Erkenntnis, das uns diese Welt zu erschließen vermag:

„Ce principe que vous sentez si bien, mon cher Aristée, cet amour, cette pente vers une union d'essence avec des êtres ou des choses quelconques, est une faculté qui lie en quelque façon les êtres ensemble, et qui agit en raison de l'homogénéité. Les loix qui dérivent de la nature de ce principe, ou de cette faculté, constitue le moral ..." *(Aristée,* T. II, p. 58).

Die prophetischen Erwartungen, die Hemsterhuis an die Ausbildung und Vervollkommnung des moralischen Organs knüpfte, mußten Novalis eben zu dem Zeitpunkt, da das Sophien-Erlebnis ihm die Erfahrung einer außersinnlichen, jenseits der Schranken von Raum und Zeit liegenden Welt vermittelt und seinen *„Beruf zur unsichtbaren Welt"* deutlich gemacht hatte, besonders nah berühren und zum Weiterdenken anregen. Wie die folgenden *Kant-Studien* zeigen, lag hier für ihn ein entscheidender Ansatzpunkt, um die Organtheorie des Holländers selbständig zu durchdenken und den neu gewonnenen „Begriff *von Sinn*' mit Kant und Fichte in Verbindung zu bringen (Nr. 46).[7] „Wissen wir denn – welche Entdeckungen uns auf dieser Seite noch vorbehalten sind –?", heißt es schon in den vorliegenden *Hemsterhuis-Studien.* „Die moralische Seite des Weltalls ist noch unbekannter und unermeßlicher, als der Himmelsraum –" (Nr. 29).

Daneben aber fesselte ihn die besondere Stellung, die Hemsterhuis bei seiner Kritik der intellektuellen Verstandeskräfte und der ihnen zugeordneten Wissenschaften der *Poesie* zuwies – der Poesie, die für ihn allen anderen Künsten oder Wissenschaften voransteht, die als Sprache des Gefühls, der Einbildungskraft und des Enthusiasmus mit vollem Recht die Sprache der Götter genannt wird: „D'ailleurs, ce n'est pas sans raison que la poësie est appelée le langage des dieux; du moins c'est le langage que les dieux dictent á tout génie sublime qui a des relations avec eux, et sans ce langage nous ferions très-peu de progrès dans nos sciences" (*Alexis,* T. II, p. 154). Denn in der Poesie, in der dichterischen Einbildungskraft ist jenes höhere Erkenntnisorgan wirksam, das uns die verborgene, unsichtbare Seite des Universums erschließt; es vermag den unendlichen Beziehungsreichtum der Ideen zu erfassen und diese zu einer vollkommenen „Coexistenz" zusammenzubringen, woraus die „großen Wahrheiten", das Schöne und Erhabene hervorgehen; das Wort des Dichters ist Offenbarung dieser anderen Welt und daher den rationalen Wissenschaften, die immer nur die gegenständliche Welt erfassen, überlegen:

„Je conçois pour la première fois ce que c'est que la poësie. Je sens que le raisonnement le plus profond, la marche la plus sage et la plus réfléchie de l'intellect, nous fourniroit très-peu de vérités nouvelles, si elle n'étoit soutenue, dirigée ou poussée par cet enthousiasme qui rapproche les idées ... Je sens que notre ignorance parfaite de la nature de cet enthousiasme actif, qui nous paroit souvent se confondre avec l'action d'un agent étranger, justifie votre opinion que l'homme n'est pas ici tout ce que demande la nature d'un être complet ... S'il est vrai, comme vous dites et comme je sens, que la philosophie doit beaucoup à la poësie; il l'est également, mon cher Dioclès, que sous votre conduite elle n'est pas ingrate. Je vous promets, et par une raison particulière, que cet enthousiasme, cette approximation singulière des idées, cette source féconde de la vraie poësie sera dorénavant le plus piquant objet de mon étude et de mes recherches ..." *(Alexis,* T. II, p. 161/62).

Dieser Gedanke traf Novalis im Kernpunkt seines schöpferischen Selbstbewußtseins, wie seine *Hemsterhuis-Studien* an eben jener Stelle zeigen, die diese Betrachtungen selbständig weiterführt und zugleich in charakteristischer Weise umformt (= Nr. 32-33). Wieder legen die folgenden *Kant-Studien* Zeugnis von einer Wendung seines Philosophierens ab, die er der Beschäftigung mit Hemsterhuis verdankt. Denn erst aus dem hier gewonnenen Poesiebegriff konnte der Plan einer „poëtischen" Behandlung der Wissenschaften erwachsen, der zum ersten Male in den *Kant-Studien* erwähnt wird (Nr. 45, letzter Absatz) und der dann in einem Briefe an A. W. Schlegel vom 24. Februar 1798 wiederkehrt:

„Künftig treib ich nichts, als Poësie – die Wissenschaften müssen alle poëtisiert werden – von dieser realen, wissenschaftlichen Poësie hoffe ich recht viel mit Ihnen zu reden."

Schon in Hemsterhuis' *Lettre sur l'homme et ses rapports* wird es als Aufgabe des Menschen bezeichnet, die vielfältigen und verborgenen Bezeihungsideen *(idées de rapport)* zwischen den Gegenständen und zwischen den einzelnen Wissenschaften zu erfassen, um in ihrer Zusammenmenschau eine Universalwissenschaft möglich zu machen, in der die Zersplitterung der Erkenntnisse und der Erkenntnisbereiche aufgehoben sein wird: „Si l'homme avoit les idées de tous les rapports, et de toutes les combinaisons de ces objets, il ressembleroit à Dieu, pour ce qui regarde la science, et pour ce qui regarde l'univers, autant que nous le connoissons, et sa science seroit parfaite" (T, I, p. 228). Novalis notiert sich aus diesen für ihn bedeutungsvollen Gedankengängen als selbständige Zusammenfassung und zugleich als Projekt, das seinen persönlichen Anteil verrät:

„Die Wissenschaften sind nur aus Mangel an Genie und Scharfsinn getrennt – die Verhältnisse zwischen ihnen sind dem Verstand und Stumpfsinn zu verwickelt und entfernt von einander.

Die größesten Wahrheiten unsrer Tage verdanken wir solchen Combinationen der Lange getrennten Glieder der Totalwissenschaft." (Nr. 27)

Da es aber die Poesie ist, die den langsamen Gang des Verstandes beschleunigt, und der Enthusiasmus, der eine einzigartige Annäherung der Ideen bewirkt („cette source féconde de la vraie poësie"!), müssen die Wissenschaften auf dem Wege zu ihrer Vereinigung „poëtisiert" werden – der „Mangel an Genie" ist ein Mangel an poetischem Genie, das dem Philosophen zur Hilfe kommen muß („la philosophie doit beaucoup à la poësie"!). Hier zeichnet sich also zum ersten Male der *poëtische Philosoph* als eine ideale Forderung ab, und auch die Idee einer *Encyklopädie* der Wissenschaften findet hier ihre erste Wurzel: ein Zusammenhang, den noch spätere Aufzeichnungen aus dem *Allgemeinen Brouillon* (s. Schriften Bd. III, 1968, Abt. IX, Nr. 197-199) deutlich festhalten. Die poetische Behandlung der Wissenschaften ist ein Vorhaben, das den zweiten spürbaren Einfluß erkennen läßt, den Hemsterhuis auf Novalis ausgeübt hat – in einer für die Lektüre charakteristischen Zusammenschau von Gedanken aus *Lettre sur l'homme et ses rapports* und aus *Alexis ou de l'âge d'or*, die Novalis mit der ihm eigenen Kühnheit der Kombination interpretiert.

Der dritte Gesichtspunkt, der ihn an der Philosophie des Holländers beschäftigte, geht vor allem aus einem späteren Briefe an Friedrich Schlegel vom 20. Juli 1798 hervor, in dem Novalis seine „Idee einer *moralischen* (im Hemsterhuisischen Sinn) Astronomie" entwickelt und von der „Entdeckung der Religion des sichtbaren Weltalls" spricht – „ob das nicht der rechte Weg ist, die Physik im allgemeinsten Sinn, schlechterdings *Symbolisch* zu behandeln?" Den ersten Schritt über Hemsterhuis hinaus auf dem Wege zu einer solchen „symbolischen" Behandlung der Physik offenbaren schon die folgenden *Eschenmayer-Studien* (vgl. Schriften Bd. II, S. 380-385, Nr. 43). Bei Hemsterhuis fand Novalis eine durchgehende Analogie des körperlichen und des seelisch-geistigen Lebens ausgesprochen; es sind die gleichen Grundkräfte, die diese Körperwelt und zugleich die moralische Welt durchwirken: die Attraktionskraft entspricht den seelischen Regungen des Verlangens, der Liebe und der Sehnsucht nach Vereinigung, die Zentrifugalkraft dem Prinzip der Individuation, der Selbstbehauptung, der Abstoßung des Heterogenen. So kann die Liebe als ein Weltgesetz des Universums bezeichnet werden,

„une loi qui dérive de notre essence, que Dieu a donnée aux êtres libres et actifs, pour s'aimer, pour s'unir ensemble; comme il a donné à la matière la loi d'inertie ou d'attraction, d'où dérive la réaction contre toute action contraire à cette loi: et si une particule de la matière inerte pouvoit sentir et parler, elle nous feroit un tableau de sa pente vers son homogène, de sa réaction contre tout ce qui voudroit l'en arracher, assez semblable au tableau que nous pourrions lui donner de notre conscience . . ." (*Aristée*, T. II, p. 98).

Vorgänge der Seele werden damit der Natur zugeschrieben und zu ihrer Erklärung herangezogen, wie umgekehrt „das innige, Erhabene Vergnügen der Wohlthätigkeit und Tugend – nach den Gesetzen einer *höhern Physik*/der Metaphys[ik] erklärbar" wird (Nr. 31). Schon bei Hemsterhuis war damit die Hoffnung auf eine neue, geistvollere Behandlung der Physik ausgesprochen worden: „Mais appliquez . . . l'amour à l'attraction, l'horreur du vuide à l'élasticité, la paresse à l'inertie, et voyez où la physique sera réduite" (T. I, p. 232). Auf Novalis mußten solche Gedanken umso anregender wirken, als er sich eben zu diesem Zeitpunkt mit naturwissenschaftlichen Problemen zu beschäftigen begann; in den *Hemsterhuis-Studien* finden sich einige charakteristische Zusätze, die zeigen, daß er hier ein ihm gemäßes Analogieprinzip ergriff und selbständig weiterführte:

„/Auflösung eines Problems – Ein Problem ist also eine feste, synthetische Masse, die man mittelst der *penetrirenden* Denkkraft – zerlegt. So ist umgekehrt das Feuer jene Denkkraft der Natur – und jeder *Körper* ein Problem./" (Nr. 39; vgl. ferner Nr. 27, 33, 37).

Die *Hemsterhuis-Studien* (= Nr. 14-39) bestehen aus verschiedenen Handschriftengruppen, die bisher unrichtig geordnet waren. Eine genaue Durchsicht der ersten französischen Gesamtausgabe (Œvres Philosophiques de M. F. Hemsterhuis, ed. J. Jansen, 2 Bd., Paris 1792) hat ergeben, daß Novalis diese Ausgabe benutzt und aus ihr selbständig übersetzt hat. Dadurch ist nunmehr eine endgültige Ordnung der Handschriften möglich geworden, und zwar im Vergleich zur 1. Auflage[8] wie folgt: Den Anfang der *Hemsterhuis-Studien* bildet Handschrift P, Bl. 1-2 (= Kl. 284-286, 26), ein gefalteter Foliobogen zu 4 SS. im Hochformat (33 × 12,5 cm), die eng beschrieben sind. Bl. 1b schließt mit einer freien Betrachtung über den Beginn von Hemsterhuis' *Lettre sur les désirs* ab (= Kl. 285, 1-13); B. 2a bringt dagegen Stellen aus *Lettre sur l'homme et ses rapports*

(= Kl. 285, 14ff.), die in keinem Zusammenhang zu der vorhergehenden Lektüre stehen und den bisherigen Anschluß als sinnlos erscheinen lassen. Zwischen Bl. 1 und 2 muß daher eine weitere Handschrift eingelegt werden. Der fortlaufenden Lektüre nach schließen sich hier die Exzerpte aus *Lettre sur les désirs* an, mit denen die Berliner Handschrift aus der Sammlung Varnhagen beginnt (= Kl. 300, 20-303, 3). Diese Handschrift, die ebenfalls aus einem gefalteten Foliobogen zu 4 SS. besteht (Bl. 2b trägt unten einen Vermerk „Von Novalis – L[udwig] T[ieck]") und die nach 1846 durch E. v. Bülow in den Varnhagen-Nachlaß gelangt ist, wurde als isoliertes Manuskript in der 1. Auflage irrtümlich an das Ende der *Hemsterhuis-Studien* gestellt. Das Original ist während des Krieges mit dem übrigen Handschriftbesitz der Berliner Staatsbibliothek verlorengegangen und befindet sich daher nicht unter den Nachlaßpapieren des Freien Deutschen Hochstifts; doch liegt eine Photokopie aus dem Besitz Richard Samuels vor, die zeigt, daß es nach Papierformat und -faltung mit Handschrift P genau übereinstimmt. Werden beide Handschriften ineinandergelegt (Hs. P, Bl. 1; Berliner Hs., Bl. 1-2; Hs. P, Bl. 2), so ergibt sich damit ein neuer und vollkommen schlüssiger Zusammenhang der Auszüge (= Nr. 14-26): 26): auf Kl. 285, 13 (= Nr. 19) folgen zunächst die Exzerpte aus dem gleichen Werk *Lertre sur les désirs* Kl. 300, 20ff. (= Nr. 20). Die fortlaufende Lektüre bleibt auch weiterhin gewahrt, denn das Exzerpt Kl. 301, 1-14 stammt nicht, wie in der 1. Auflage angenommen wurde, aus *Lettre sur la sculpture*, sondern entspricht der zusammenfassenden Schlußanmerkung zur *Lettre sur les désirs* (überschrieben „Remarque générale"). Daran schließt sich die selbständige Einleitung zur *Lettre sur l'homme et ses rapports* an (Kl. 301, 15-302, 21 = Nr. 21-22). Die Exzerpte aus dem gleichen Werk (= Nr. 23-26) führen, ebenfalls der fortschreitenden Lektüre folgend, von Kl. 302, 22 bis 303, 3 (Ende der Berliner Hs., Bl. 2b) und dann, im wörtlichen Anschluß („Sie sind nur mehr oder minder *geschwind* – im Successiven Überblick"), von Kl. 285, 14 („Die bloße Geschwindigkeit macht aber nicht allein die Vollkommenheit aus . . .") bis Kl. 286, 26 (Ende der Hs. P, Bl. 2b). Die Fortsetzung der Auszüge aus *Lettre sur l'homme et ses rapports* bringen die Handschriften M V und M II (Kl. 286, 27-290 = Nr. 27-28), 2 gefaltete und ineinandergelegte Bogen zu 8 SS. in etwas kleinerem Format (26,3×9,2 cm), die schon von Kluckhohn, unter Beobachtung des Lektürezusammenhanges, richtig angeordnet worden sind (M V d, a; M II a, b, c, d; M V b, c). Die beiden eingeschobenen Exzerpte *Von Dumas* (= Nr. 24 u. 28) stammen allerdings nicht aus der von Charles Guillaume Frédéric Dumas herausgegebenen „Bibliothèque des Sciences et des Beaux-Arts", wie in der 1. Auflage angenommen wurde, sondern sind den Fußnoten der französischen Hemsterhuis-Ausgabe von 1792 entnommen, die als *Note de M. Dumas* signiert sind (T. I, p. 138-141; 234-235). Daraus ergibt sich auch der Anschluß der nächsten Handschrift S13, Bl. 3-4 (= Kl. 290, 17-292, 14), eines einzelnen gefalteten Bogens von gleicher Papierbeschaffenheit wie die vorangegangenen Handschriften (Blattformat 26,3×9,3 cm), da Bl. 4a die Fußnote von Dumas fortsetzt (= Nr. 28, letzter Absatz) und dann die Auszüge aus *Lettre sur l'homme et ses rapports* zum Abschluß bringt (= Nr. 29). Die Blätter müssen daher in der Reihenfolge Bl. 4a, b; 3a, b gelesen werden.

Damit hat sich zunächst ein zusammenhängendes Exzerpt aus *Lettre sur l'homme et ses rapports* ergeben, das gegenüber den sonstigen Auszügen aus den Werken Hemsterhuis' erstaunlich umfangreich ist. Die in der letzten Handschrift begonnenen Auszüge aus dem Dialog *Aristée ou de la Divinité* (Kl. 291, 8-292, 14 = Nr. 30) setzen sich in Handschrift K, Bl. 56-63, fort, einem heftartigen Manuskript von insgesamt 16 SS., das aus 3 gefalteten und ineinandergelegten Bogen und einem angehefteten Einzelbogen besteht (Blattformat 22×12,8 cm). Auch diese Blätter sind bisher unrichtig geordnet worden. Bll. 56-58 bringen zunächst Auszüge aus der zweiten Hälfte des Dialogs *Aristée* (Kl. 292, 15-293 = Nr. 31) sowie Auszüge aus dem Dialog *Alexis ou de l'âge d'or* (Kl. 294-295, 14 = Nr. 32-33), die durch eine längere selbständige Betrachtung unterbrochen werden. Hieran schließen sich folgerichtig die ebenfalls selbständigen, aber von der Alexis-Lektüre ausgehenden Aufzeichnungen an, die sich auf den Bll. 62-63 finden (Kl. 298, 19-299, 24 = Nr. 34-36) – wie vor allem das Anschlußstück Nr. 34 erweist, das, wie bisher nicht erkannt worden ist, auf eine längere Dialog-Passage des *Alexis* Bezug nimmt und trotz seiner eigenwilligen Formulierung die fortlaufende Lektüre erkennbar macht (s. S. 194f.). Die durch Sophie v. Hardenberg falsch eingeordneten und signierten Bll. 62-63 müssen daher in die Mittellage des ganzen Konvoluts, zwischen Bl. 58 und 59, eingelegt werden, so daß sich ein zusammenhängendes Manuskript von 4 ineinandergelegten Doppelblättern ergibt (Bl. 56, 57, 58, 62-63, 59, 60, 61). Damit werden auch die Exzerpte aus dem Dialog *Simon ou des facultés de l'âme* in die richtige Reihenfolge gebracht, denn während Kl. 299, 25-300, 19 (= Nr. 37) die vorhergehenden Textstellen bringt und Novalis hier ausdrücklich, wie auch sonst beim Übergang zu einem neuen Werk, die Titelüberschrift *Simon* vermerkt, behandeln die nunmehr folgenden Blätter Kl. 295, 16-297, 28 (= Nr. 38) im genauen Anschluß daran den Dialog bis zum Ende. Erst damit wird deutlich, daß Novalis in der Lektüre der Schriften der Anordnung der französischen Ausgabe gefolgt ist, die im Unterschied zur deutschen Ausgabe nach dem *Alexis* den Dialog *Simon* und darauf die *Lettre de Dioclès à Diotime, sur l'athéisme* bringt (Kl. 297, 29-298, 18 = Nr. 39). Die letzte Seite dieser Handschrift (Bl. 61b) ist bis an den untersten Rand ausgeschrieben, so daß es zweifelhaft bleibt, ob die *Hemsterhuis-Studien* vollständig erhalten sind.

Es ergibt sich also gegenüber der 1. Auflage folgende neue Anordnung:

1. Auflage	*Handschriften*	*2. Auflage*
Kl. 284 -285, 13	Hs. P, Bl. 1	Nr. 14-19
Kl. 300, 20–303, 3	Berliner Hs., Bl. 1-2	Nr. 20–23 (6. Abs.)
Kl. 285, 14-286, 26	Hs. P, Bl. 2	Nr. 23 (7. Abs.)–26
Kl. 286, 27-292, 14	Hs. M Vd, a; M IIa, b, c, d; M V b, e; S 13, Bl. 4, 3	Nr. 27-30
Kl. 292, 15-295, 14	Hs. K, Bl. 56-58	Nr. 31-33
Kl. 298, 19-300, 19	Hs. K, Bl. 62-63	Nr. 34-37
Kl. 295, 15-298, 18	Hs. K, Bl. 59-61	Nr. 38-39

Der Beginn der Hemsterhuis-Studien (Nr. 14-17) bringt zunächst eine Aufzeichnung, die vermutlich eine Lektürenotiz darstellt, zu der aber eine Vorlage nicht ermittelt werden konnte. Vielleicht ist ein weiteres Blatt vorangegangen, da die Handschrift auf der 1. Seite oben voll beschrieben ist und keine Überschrift trägt. Es folgen einige wörtliche, von Novalis selbst gekennzeichnete Auszüge aus Johann Samuel Traugott Gehlers „Physikalischem Wörterbuch oder Versuch einer Erklärung der vornehmsten Begriffe und Kunstwörter der Naturlehre" (3. Theil, Leipzig 1790, S. 158) und drei weit auseinanderliegende Sätze aus A. W. Schlegels Aufsatz „Über Shakespeare's Romeo und Julia", der im 6. Stück der „Horen" von 1797 erschien (S. 23/33/43). Das Trauerspiel selbst beschäftigte Hardenberg während der Zeit der „Totenklage" (13.–16. Mai), und A. W. Schlegels „Zueignung des Trauerspiels Romeo und Julia" in Schillers Musenalmanach auf das Jahr 1798 ist im Brief vom 5. September 1797 erwähnt (s. Schriften Bd. I, 1960, S. 117). Die Notiz unter dem Stichwort *Hemsterhusiana* enthält, wie in der 1. Auflage nicht erkannt worden ist, einige verstreute Sätze aus Herders Abhandlung „Liebe und Selbstheit. Ein Nachtrag zum Briefe des Hr. Hemsterhuis über das Verlangen" (Suphan SW Bd. XV, S. 308/317/309), die sowohl in die deutsche Ausgabe von 1782 (Bd. I, S. 109-148) wie in die französische Gesamtausgabe von 1792 (T. I, p. 87-123) aufgenommen worden war. Das Exzerpt hält sich aber so eng an die deutsche Vorlage, daß es nicht aus der französischen Übersetzung ausgezogen und rückübersetzt worden sein kann. Die Vermutung liegt nahe, daß Novalis diesen Aufsatz Herders in den „Zerstreuten Blättern" (Bd. I, Gotha 1785; 2. Aufl. 1791) gelesen hat, da diese Sammlung bereits in seinem Bücherverzeichnis von 1790 aufgeführt wird. Die damit nachweisbare Kenntnis des Aufsatzes ist für die vorliegenden *Hemsterhuis-Studien* nicht ohne Bedeutung, da sich die freie Umdeutung einiger Gedanken am Beginn von *Lettre sur les désirs* und von *Lettre sur l'homme et ses rapports* (Nr. 19 u. 21) eng mit Herders Kritik des Holländers berührt. – Die Werke von Hemsterhuis, die Novalis studierte, sind *Lettre sur la sculpture* (Nr. 18), *Lettre sur les désirs* (Nr. 19-20), *Lettre sur l'homme et ses rapports* (Nr. 21-29), *Aristée ou de la Divinité* (Nr. 30-31), *Alexis ou de l'âge d'or* (Nr. 32-36), *Simon ou des facultés de l'âme* (Nr. 37-38, 41), *Lettre de Dioclès à Diotime, sur l'athéisme* (Nr. 39). Die Tatsache, daß die Fußnoten von Dumas zur *Lettre sur l'homme et ses rapports,* von denen Novalis zwei ausführlich exzerpiert (Nr. 24 u. 28), erst in die französische Gesamtausgabe von 1792 aufgenommen worden sind, während sie in der deutschen Ausgabe (1. Theil, Leipzig 1782) fehlen, ergibt ein sicheres Indiz für die Benutzung der französischen Ausgabe durch Novalis, so daß diese Frage als endgültig geklärt angesehen werden kann. Novalis hat Hemsterhuis also *übersetzend* exzerpiert – was durch einen Vergleich seiner Übersetzungsarbeit, die zwar sehr eigenwillig ist und eine ständige Beteiligung des eigenen Denkens verrät, die sich aber offensichtlich an die Terminologie des französischen Originals hält, mit der deutschen Ausgabe von 1782/1797 bestätigt wird. Zwei charakteristische Beispiele seien hier angeführt (die Hauptbegriffe sind durch *Kursivdruck* hervorgehoben):

Hemsterhuis	Novalis
„Dans le premier exemple, c'est le génie qui sert; Dans le second, c'est l'*esprit* qui devine, qui se hâte, et qui peut se tromper; Dans le troisième, c'est la *sagacité* qui cherche et qui trouve; Dans le quatrième, c'est la *stupidité* errante et aveugle.	„Hemsterh[uis'] Unterschied zwischen *Genie,* [Verstand] *Scharfsinn, Verstand,* und [Blödsinn] *Stumpfsinn.*
Il est évident, par ce que je viens de dire, . . . que c'est du *génie* qu'il faut attendre les vérités grandes et éloignées; de la *sagacité,* les vérités claires et sensibles pour tout le monde; de l'*esprit,* les vérités et les erreurs; et de la *stupidité,* les ténèbres." (T. I, p. 139/42)	Das *Genie* gibt – große, tiefe Wahrheiten – der *Verstand* – populaire – Allgemein Verständliche – der *Scharfsinn* – Irrthümer und Wahrheiten aller Art gemischt – der *Stumpfsinn* – todte, unzusammenhängende Masse." (Nr. 23 u. 26)

Deutsche Übersetzung

„In dem ersten Falle ist es das *Genie,* welches wahrnimmt. In dem zweyten Falle ist es der *Witz,* welcher räth, eilt, und sich betrügen kann. In dem dritten ist es der *Scharfsinn,* welcher sucht und findet. In dem vierten ist es die herumtappende, blinde *Dummheit.* Durch das, was ich gesagt, wird es augenscheinlich, . . . daß man nur dem *Genie* die großen und weit von einander liegenden Wahrheiten; von dem *Scharfsinn* die deutlichen, und Jedermann begreiflichen; von dem *Witze* Wahrheiten und Irrthümer; und von der *Dummheit* nichts als Finsterniß zu erwarten habe." (1. Th., S. 165/66)

Hemsterhuis	Novalis
„Ainsi, vous voyez que la poësie, soit qu'elle naisse de l'effort d'un *grand génie,* ou qu'un *souffle divin* la produise, préside à tous les arts et à toutes les sciences, et qu'elle est non-seulement à l'auguste vérité ce que les Grâces sont à l'Amour, mais ce que l'Aurore est à la *statue de Memnon* qu'elle éclaire, et qu'elle fait parler." (T. II, p. 158)	„*Genie* und *Göttliche Eingebung* wirken auf gleiche Weise – Sie scheinen oft vermischt. / Enthus[iasmus] ist Licht und Wärme – Es giebt aber auch Licht ohne Glut./ Der Geist der Poësie ist das Morgenlicht, was die *Statüe des Memnons* tönen macht." (Nr. 33)

Deutsche Übersetzung

„Du siehst also, daß die Poesie, sie mag aus der Anstrengung eines *großen Geistes* entsprungen, oder durch einen *göttlichen Hauch* hervorgebracht seyn, allen Künsten und Wissenschaften vorstehe, und daß sie der höheren Wahrheit nicht nur das sey, was die Grazien dem Liebesgotte, sondern was Aurora der *Bildsäule des Memnon,* die sie erleuchtet, und redend macht." (3. Th., S. 80/81)

Aus dem zweiten Beispiel wird bereits deutlich, daß sich die Grenze zwischen dem Exzerpt und den eigenen Gedanken Hardenbergs nicht immer scharf ziehen läßt. Ist es zunächst aufschlußreich zu verfolgen, was Novalis als seinem Wesen gemäß sich aus Hemsterhuis notierte und wie er es übersetzte, so liegt der eigentliche Reiz für den Betrachter dieser Studien in den selbständig weiter entwickelten Gedanken (vgl. Nr. 18-19; 21-22; 32; 34-36; 39), die zudem die Anregungen, die Hemsterhuis bot, unmerklich in eine verwandelte Sprache und eigene Gedankenwelt übertragen. So zeigt etwa schon die freie Betrachtung über den Beginn von *Lettre sur les désirs* (= Nr. 19) einen kritischen, wohl durch die Lektüre von Herders Abhandlung bestärkten Standpunkt gegenüber der passiv gestimmten Einheitssehnsucht des holländischen Philosophen, der an dem „offenen Widerspruch" leidet, in dem sich das nach Vereinigung strebende Universum befindet:

En vérité, tout ce qui est visible ou sensible pour nous, tend vers l'unité ou vers l'union. Pourtant tout est composé d'individus absolument isolés ... J'en conclus, que le tout visible ou sensible se trouve actuellement dans un état forcé, puisque, tendant éternellement à l'union, et restant toujours composé d'individus isolés, la nature du tout se trouve éternellement dans une contradiction manifeste avec elle-même" (T. I, p. 79).

Novalis dagegen betont den „ewigen *Reitz*" der unerreichbaren Idee und die ständige Wirksamkeit dieses Reizes, „welches er durch seine Erreichung aufhören würde zu seyn" (Nr. 19); ähnlich wie er in der freien Einleitung zur *Lettre sur l'homme et ses rapports* bemerkt: „Dieser Reitz kann nie aufhören Reitz zu seyn – ohne daß wir selbst aufhörten" (Nr. 21), und: „Der geheimnißvolle Reitz ... bleibt also ... und muß, damit die Intelligenz bleibe, in alle Ewigkeit so bleiben" (Nr. 22). Schon in den *Fichte-Studien* von 1796 war die Unerreichbarkeit des Ideals unter einem ganz ähnlichen Blickpunkt bejaht worden:

„Der Adel des Ich besteht in freyer Erhebung über sich selbst – folglich kann das Ich in gewisser Rücksicht nie absolut erhoben seyn – denn sonst würde seine Wircksamkeit, Sein Genuß i. e. sein Sieg – kurz das Ich selbst würde aufhören" (Abt. II, Nr. 508).

Eine solche Ineinssetzung von *Wircksamkeit* und *Genuß* war Hemsterhuis' passiver Natur fremd; für ihn bestand der vollkommene Genuß in einer Vereinigung der Wesen, die als Ziel des Verlangens zur Vernichtung und Auflösung des eigenen Daseins führt (vgl. T. I, p. 63). Dagegen hatte schon Herder zu dem gleichen Brief des Holländers kritisch bemerkt:

„Wir sind *einzelne Wesen*, und müßen es seyn, wenn wir nicht den *Grund* alles Genußes, unser eignes *Bewußtseyn*, über dem Genuß aufgeben, und *uns selbst* verlieren wollen ... Die Hyperbel nähert sich der Asymptote, aber sie erreicht sie nie: zu *unsrer* Seligkeit können wir nie den Begrif unsers Daseyns *verlieren*, und den *unendlichen* Begrif, daß wir *Gott* sind, *erlangen* ..." (SW Bd. XV, S. 321 u. 326).

Daß Novalis diesem in ihm angelegten und durch Fichte und Herder bestätigten Zug zur Tätigkeit und Wirksamkeit, dem Selbstgefühl des schöpferischen Geistes folgt, beweist vor allem die freie Fortführung jener *Alexis*-Stelle, in welcher der Poesie keine bloß intuitiv erfühlende, sondern eine bildende und verwirklichende Rolle gegenüber dem ersehnten „inneren Ganzen", der „Weltfamilie", zugeschrieben wird: „Durch *die Poësie* wird die höchste Sympathie und Coactivitaet – die innigste, herrlichste Gemeinschaft wircklich" (Nr. 32; vgl. dagegen Hemsterhuis T. II, p. 157). Ein scheinbar geringfügiger Zusatz zur *Lettre sur l'homme et ses rapports* zeigt, daß er hier über Hemsterhuis hinauszugehn gewillt ist und seine kritischen Vorbehalte stillschweigend in die Lektürenotizen einschaltet: „Die Welt – wie wir sie izt sehn, ist die Summe unserer jetzigen, von unsrer Seite *passiven* Verhältn[isse] mit Gott" (Nr. 29).

An anderen Stellen nimmt Novalis zwar einen Gedanken von Hemsterhuis auf, führt ihn aber im Sinne Fichtes weiter; wie überhaupt das Bestreben unverkennbar ist, den einen der beiden Denker durch den anderen zu interpretieren, ohne sich des Gegensatzes zwischen ihnen bewußt zu sein oder ihm polemischen Ausdruck zu geben – seiner eigenen harmonischen Natur vertrauend und im Grunde in allen Gedanken mit sicherem Instinkt sein persönlichstes Wesen wiederfindend. So zeigt etwa die „herrliche Stelle vom Geist und Buchstaben der Philosophie" (Nr. 35), wie Novalis sich hier von einem Gedanken hinreißen läßt und ihn in seinen Konsequenzen weiterdenkt, der bei Hemsterhuis nur flüchtig angedeutet wird und keinesfalls die grundsätzliche Bedeutung hat, die Novalis ihm beilegt:

„Mais, dans ces cas, c'est à lui qui écoute, d'y remédier, en s'attachant à la marche de l'intellect de celui qui parle, bien plus qu'aux mots qu'il prononce. Par ce moyen ces mots se traduiront d'eux mémes dans la tête de celui qui écoute et y seront remplacés par des signes qui lui sont plus familiers." (*Alexis*, T. II, p. 168)

Seine Interpretation dieser Stelle – die für das Verhältnis zu Hemsterhuis' Schriften überhaupt charakteristisch ist – erfolgt daher in einem Sinne, der deutlich auf Fichtes Unterscheidung vom *Geist und Buchstab in der Philosophie* und auf seinen Appell an die Selbsttätigkeit des Lesers zurückweist:

„Die Wissenschaftslehre ist von der Art, daß sie durch den bloßen Buchstaben gar nicht, sondern daß sie lediglich durch den Geist sich mittheilen läßt; weil ihre Grundideen in jedem, der sie studiert, durch die schaffende Einbildungskraft selbst hervorgebracht werden müssen . . ." (*Grundlage*, § 5; SW I, 284).

Wenn dagegen das echte Gesamtphilosophieren als „gemeinschaftlicher Zug nach einer geliebten Welt" gekennzeichnet wird („Man folgt der Sonne, und reißt sich von der Stelle los, die nach Gesetzen der Umschwingung unsers Weltkörpers auf eine Zeitlang in kalte Nacht und Nebel gehüllt wird"), so kommt darin wiederum die persönliche Nähe zu Hemsterhuis zum Ausdruck, auf dessen Bilder und Symbole Novalis hier zurückgreift (vgl. *Simon*, T, II, p. 248).

Charakteristisch für diese wechselseitige Interpretation der beiden für Novalis bestimmenden Denker – wodurch Hemsterhuis, ähnlich wie dies A. W. Schlegel in seinen Berliner Vorlesungen aussprach,[9] als „Prophet des transcendentalen Idealismus" begriffen werden konnte – ist ein Auszug aus *Lettre sur l'athéisme* (= Nr. 39). Bei Hemsterhuis wird der Trieb des Menschen, die Ursachen der Welt zu ergründen, auf drei verschiedene Erkenntniswege zurückgeführt:

„L'homme, ou plutôt tout être intelligent, a une propriété extrêmement curieuse et qui mériteroit bien d'être analysée; c'est que, dès les premiers instants de son activité, il court après les causes; soit qu'en se sentant cause à tout instant que sa velléité se détermine et agit, il cherche le *soi, l'agent*, son *homogène* dans tout ce qu'il voit; soit que sa pente vers le beau, le riche, le simple et le parfait, le mène vers cette liaison de cause et d'effet, qui fait un tout; soit enfin qu'il se flatte qu' en montant vers la cause, il trouvera de quoi s'éclairer dans sa descente vers le futur qui l'appelle." (T. II, p. 285)

Bei Novalis heißt es stattdessen, unter Verkürzung der Textstelle auf den einen, transzendentalphilosophischen Erkenntnisweg: „Der Mensch sucht überall *außer sich* das, was *ihm am angemessensten* ist – das Ich – das agens jedes Dings" (Nr. 39). Besonders auffällig ist die radikale Umdeutung am Beginn der *Lettre sur l'homme et ses rapports*, wobei es bezeichnend ist, daß diese Umdeutung stillschweigend erfolgt und keine Polemik gegen Hemsterhuis spürbar wird, da Novalis seine Studien offenbar von vornherein als eine selbständige Aneignung des Gelesenen betrachtet:

„Un être qui a la faculté de sentir, ne sauroit avoir une sensation d'une autre substance, que par le moyen des idées, ou des images, qui naissent des rapports qui se trouvent entre cette substance et entre cet être ... Cet être, en recevant l'idée d'un objet, se sent passif; car il ne peut cesser d'avoir l'idée, si la modification de l'objet et celle des organes reste la même. *Il se sent passif*, et par conséquent il sent qu'il y a un objet, ou une cause de l'idée, hors de lui; et si plusieurs de ces êtres ont à-peu-près la même sensation, la conviction en devient d'autant plus grande. *L'objet existe donc réellement hors de lui* ..." (T. I, p. 132/33).

„Jede Affection schreibt der Mensch einer andern Affection zu, sobald er zu denken anfängt ... So überträgt er den Begriff von Ursache, den er zu jeder Wirckung hinzudenken muß, zum Behuf einer Erklärung auf ein außer ihm befindliches Wesen – ohnerachtet er sich in einer anderen Rücksicht zu der Überzeugung gezwungen fühlt, daß nur er selbst sich afficire – diese Überzeugung bleibt aber trotz ihrer Evidenz auf einem höhern Standpunct auf einem Niederern, i. e. für den bloßen Verstand unbegreiflich – und der Philosoph sieht sich daher, mit voller Besonnenheit, *eingeschränkt urtheilen*. Auf dem Standpunct des bloßen Urtheilens giebt es also ein Nichtich ... *Passif* fühlt sich demnach der Mensch nur auf der Stufe des bloßen Urtheilens." (Nr. 22)

Hier wird der Standpunkt Fichtes deutlich gegen Hemsterhuis geltend gemacht, obwohl eine solche abweichende Auffassung sich fast unmerklich in das Verständnis der behandelten Schrift einfügt und erst durch einen Vergleich der Textstellen kenntlich gemacht werden kann. Es bedarf andererseits keiner weiteren Erläuterung, daß sich die Fichte-Kritik Hardenbergs ebenso stillschweigend in der Übernahme und Aneignung Hemsterhuis'scher Gedanken äußert, die sich – wie etwa die unmittelbar vorhergehende Betrachtung der *Geschichte* als einer idealen oder realen Auflösung der unendlichen Aufgabe, die der Mensch in seinem eigenen Dasein ergreift (Nr. 21) – oft denkbar weit von Fichte entfernen.

Die Spannweite dieser eigentümlichen Form des Exzerpierens, die vom wörtlichen Auszug über eine freie, aber stillschweigende Umbildung des Gelesenen bis zum selbständig entwickelten Gedankengang reicht, soll abschließend durch eine Gegenüberstellung von zwei Textabschnitten deutlich gemacht werden. Die erste Stelle Nr. 31 (letzter Absatz) folgt fast wörtlich dem Schlußabschnitt von Hemsterhuis' Dialog *Aristée* (T. II, p. 103), gibt dem Gedanken aber durch die scheinbar geringfügige Veränderung eines einzelnen Wortes („von der [festen] unwandelbaren Richtung unsers freyen Willens") eine Wendung, die den persönlichen Anteil Hardenbergs verrät und wohl zu seinem „Entschluß", Sophie nachzufolgen, in Beziehung gesetzt werden kann. Darauf deutet auch die auffällige Unterstreichung hin, die Novalis unmittelbar vorher bei einem an sich beiläufigen Gedanken zu Sokrates' Harmonie der Seelenkräfte vorgenommen hat: „*Das Unglück wird durch seine Berührung selbst zum Glück*". – Die zweite Stelle Nr. 34 erweist sich, wie in der 1. Auflage nicht erkannt worden ist und auch erst bei genauerer Betrachtung deutlich werden kann, als eine eigenwillige Zusammenfassung und Umformung einer längeren Dialog-Passage aus Hemsterhuis' *Alexis,* deren wichtigsten Stichworte hier wiedergegeben seien:

„Or, si vous voulez réfléchir sur l'espérance, qui paroît innée dans l'homme, non cette espérance journalière qui ne vise qu'à un meilleur comparatif à son état présent, mais sur cette espérance qui a pour but constant le meilleur absolu, quoiqu'indéterminé, vous serez convaincu que les désirs de l'homme, son instinct, son principe de perfectibilité, sont indéterminés et n'ont point de bornes sensibles pour nous dans l'ètat où nous sommes; et que par conséquent l'homme tient nécessairement à un autre état. – Parviendra-t-il à cet état? – Mais, mon cher, lorsque vous voyez un petit oiseau venant tout fraichement de sortir de sa coque, et que je vous montre ses aîles, en vous disant que sa nature est de voler, craignez-vous qu'il ne volera pas? – Non, sans doute, il volera un jour. – Si je vous montre un petit poisson qui par hasard vient de naître sur le rivage, et que je vous prouve par toutes ses parties qu'il ne sauroit vivre long-temps dans l'air, mais que sa nature exige qu'il soit dans l'eau; croyez-vous qu'il ne nagera pas à la première marée? – Assurément il nagera. – Et si je vous montre l'homme, qui par sa nature forme des désirs qui n'ont plus aucune analogie quelconque avec le peu que cette terre peut lui fournir en tant qu'il est animal; croirez-vous que cette terre est l'élément qui convient à sa nature? –" (T. II, p. 164/65).

Bei Novalis lesen wir stattdessen:

„Wünsche und Begehrungen sind Flügel – Es gibt Wünsche, und Begehrungen – die so wenig dem Zustande unsers irrdischen Lebens angemessen sind, daß wir sicher auf einen Zustand schließen können, wo sie zu mächtigen Schwingen werden, auf ein Element, das sie heben wird, und Inseln, wo sie sich niederlassen können." (Nr. 34)

Hier ist die Vorlage kaum noch erkennbar. Aus einem umfangreichen Abschnitt in der für Hemsterhuis charakteristischen Frage- und Antwortform ist ein „Fragment" geworden, das den Grundgedanken zusammenzieht und zugleich dessen Denkvoraussetzungen verschleiert. „Frage und Antwort sind *dogmatisch*", heißt es in den *Vorarbeiten zu verschiedenen Fragmentsammlungen* (Abt. VI, Nr. 66). „Aufgabe und Auflösung – *philosophisch*–." In diesem Sinne hat Novalis seine Fragmente als „Denkaufgaben" gekennzeichnet (s. Abt. VI, Nr. 194 ff.) und auf sie die in den *Hemsterhuis-Studien* gewonnene Einsicht angewendet, daß die echte Wahrheit ihrer Natur nach „wegweisend" sein müsse, daß es nur darauf ankomme, dem Leser „eine bestimmte Richtung auf die Wahrheit zu geben", und daß die echte Philosophie daher „lauter Themas, Anfangssätze" oder „*Stoßsätze*" darzustellen habe, während „die *analytische* Ausführung des Themas . . . nur für Träge oder *Ungeübte*" sei (Nr. 35) – was genau mit der späteren Charakterisierung seiner Fragmente zusammenstimmt, die als „Anfänge interessanter Gedankenfolgen – Texte zum Denken" bezeichnet werden (s. Brief vom 26. 12. 1798). Die angeführte Stelle aus den *Hemsterhuis-Studien* aber gewährt uns einen ersten Einblick in die bewußte Durchformung eines solchen Fragments, da hier die gedankliche Textvorlage erschlossen und verglichen werden kann. Hemsterhuis geht von den Wünschen und Hoffnungen des

Menschen aus, die über den gegenwärtigen Zustand hinausstreben und auch die ihm notwendig angelegten Schranken mißachten. Daraus wird, in einer fast aufklärerisch wirkenden Beweistechnik, gefolgert, daß der Mensch auf dieser Erde nicht das seiner Natur angemessene Element finde und notwendig zu einem höheren Zustand in Beziehung stehe. Zur Verdeutlichung wird der Vergleich mit einem soeben ausgekrochenen Vögelchen angeführt, dessen Flügel bereits auf das höhere Element der Luft hindeuten, in dem es sich einst notwendig bewegen wird; das Argument wird wiederholt durch den Hinweis auf den kleinen Fisch, der vom Ufer dem Element des Wassers zustrebt. Bei Novalis setzt das Fragment sogleich mit dem Bilde ein, ohne daß die rationale Vergleichsebene berührt würde: „*Wünsche und Begehrungen sind Flügel* . . ." (wobei er allerdings an ähnliche Bilder des Holländers anknüpfen kann: „Les organes de la conscience et du cœur . . . sont les aîles encore informes, cachés sous la peau de la nymphe", T. I, p. 241; „C'est avec des aîles semblables que quelques âmes heureuses s'élèvent . . . Elles se dégagent de tout ce qu'il y a de terrestre et de périssable autour d'elles", T. II, p. 247). Dieses dichterische Bild in seiner kühnen Zusammenziehung dessen, was in der Textvorlage rationales Argument und Beweismittel war, wird dann unter bewußtem Verzicht auf eine „analytische Ausführung des Themas" in verschlüsselter Symbolrede durchgeführt („mächtige Schwingen", „Inseln"), so daß lediglich die beiden mittleren Zeilen („ . . . die so wenig dem Zustand unsers irrdischen Lebens angemessen sind, daß wir sicher auf einen Zustand *schließen* können . . .") den diskursiven Gedankengang bei Hemsterhuis zusammenfassen. Das *principe de perfectibilité*, auf das es Hemsterhuis vor allem ankommt, wird nicht einmal erwähnt. Auch das ist charakteristisch für den persönlichen Einschlag des Gedankens. Auf diese Weise entsteht eines der ersten selbständigen Fragmente, das seiner Form und seinem Gehalt nach auf die Blüthenstaub Fragmente vorausweist. –

Als Exzerpte im strengen Sinne wird man daher nur wenige Partien der *Hemsterhuis Studien* bezeichnen können, obwohl gegenüber den *Fichte-Studien* die fortlaufende Lektüre der einzelnen Briefe und Dialoge deutlich zu verfolgen ist. [. . .] – Was Novalis Hemsterhuis verdankt und worin er sich, häufig schon während seiner Lektürenotizen, von ihm distanziert, zeigt sich am deutlichsten in einem Briefe an A. W. Schlegel vom 12. Januar 1798, also einige Wochen nach Abschluß der *Hemsterhuis Studien*. Hier wird erkennbar, daß es in der Tat die an Fichte vermißte „unendliche Idee der Liebe" war, die ihm Hemsterhuis' Schriften als Ausgleich für die Wissenschaftslehre darboten – daß er aber zugleich die Schwächen des Holländers erkannte und stillschweigend korrigierte, namentlich den eudämonistischen Kern seiner Genußlehre, in dem sich Hemsterhuis' Übergangsstellung zwischen Aufklärung und Romantik am deutlichsten äußerte:

„Man verfehlt die Natur der Liebe ganz, wenn man geradezu sich Liebe zur einzigen Beschäftigung wählt . . . Ohne Gegenstand kein Geist – ohne Bildung keine Liebe. Bildung ist gleichsam der feste Punct, durch welchen diese geistige Anziehungskraft sich offenbart – das nothwendige Organ derselben. Es ist, wie mit der Glückseeligkeit – Es ist eigentlicher Unsinn mit dem sogenannten Eudämonismus. Aber warlich bedauernswerth, daß man je sich auf ernsthafte Widerlegungen davon eingelassen – In der That ist es keinem nachdenkenden Menschen in den Sinn gekommen ein so flüchtiges Wesen, wie Glückseeligkeit, zum höchsten Zweck, gleichsam also zum ersten *Träger* des geistigen Universums zu machen. Eben so könnte man sagen, daß die Weltkörper auf Aether und Licht ruheten. Wo ein fester Punct ist, da sammelt sich Aether und Licht von selbst und beginnt seine himmlischen Reigen – Wo Pflicht und Tugend – Analoga jener festen Puncte – sind, da wird jenes flüchtige Wesen von selbst ein und ausströmen und jene kalten Regionen mit belebender Atmosphäre umgeben . . ."

Diese Hemsterhuis-Kritik – die freilich ohne Nennung des Namens erfolgt – wird bestätigt durch die Umarbeitung einer Notiz aus den *Hemsterhuis-Studien*, die Novalis in seine *Vorarbeiten zu verschiedenen Fragmentsammlungen* aufgenommen hat. Heißt es in Nr. 32 von der Poesie, daß sie wie die Philosophie, nur „in *Rücksicht des Genusses*", Mensch und Universum miteinander verknüpfe und das Ganze zum Organ des Individuums, das Individuum zum Organ des Ganzen mache –

„Das Ganze ist der Gegenstand des individuellen Genusses, und das Individuum der Gegenstand des Totalgenusses" –

so wird diese Aufzeichnung später in charakteristischer Weise abgeändert: „. . . So die Poësie, in Ansehung des *Lebens*", korrigiert sich Novalis hier. „Das Individuum *lebt* im Ganzen und das Ganze im Individuum" (s. Abt. VI, Nr. 31). Gerade der Zentralbegriff des „Genusses" *(jouissance)*, den Hemsterhuis an die Spitze seiner Theorie des Verlangens und der Liebe gestellt hatte, wird also getilgt und durch „*Leben*" ersetzt – ein Vorgang, der als stellvertretend für die kritische Betrachtung der Hemsterhuis'schen Philosophie gelten kann. – Überarbeitete Notizen aus den *Hemsterhuis-Studien* sowie weitere Bemerkungen zu Hemsterhuis, die sich auf die vorliegenden Blätter beziehen, finden sich ferner in den *Vermischten Bemerkungen* (Nr. 6, 7, 106), in den *Vorarbeiten zu verschiedenen Fragmentsammlungen* (Nr. 1, 3, 4, 179, 267), in den *Freiberger naturwissenschaftlichen Studien* (Nr. 4: Großes physikalisches Studienheft), im *Allgemeinen Brouillon* Nr. 197-200, 202-203, 782, 1082, 1096). Damit ist der ständig wirksame Einfluß von Hemsterhuis natürlich nur unzureichend bezeichnet, da alle Gedanken des Novalis, die vom „moralischen Sinn" und von der „Moralisirung" der Natur, des Menschen und Gottes sprechen, an den Grundbegriff der Philosophie des Holländers anknüpfen und den Kernpunkt seiner Wirkung auf Novalis bezeugen: „Hemsterhuis' Theorie d[es] moralischen Sinns – Seine Muthmaaßungen von der Perfectibilitaet und dem unendl[ich] möglichen Gebrauch dieses Sinns . . ." (Abt. IX, Nr. 782). Ein Zeichen für diesen fortan nicht mehr abreißenden Zusammenhang mit den Studien des Jahres 1797 ist es, wenn sich Novalis noch in den Aufzeichnungen der letzten Jahre notiert: „Neue Behandlung der *Moral* (vid. Hemsterhuis)" (Abt. XII, Nr. 38).

ANMERKUNGEN

1 R. Samuel in Zusammenarbeit mit H.-J. Mähl und G. Schulz (Hg.), *Novalis, Schriften* Bd II, Stuttgart 1965. Zitiert als: Schriften.

1[a] O. Walzel (Hg.), *F. Schlegels Briefe an seinen Bruder August Wilhelm*, Berlin 1890, S. 34

2 Vergl. *Hemsterhuis-Studien*, Schriften Bd. II, 1965, S. 360-378.

3 Th. Haering, *Novalis als Philosoph*, Stuttgart 1954, S. 629.

4 Der Ausgangspunkt dieser Theorie ist vielmehr von Fichtes Aufsatz „Von der Sprachfähigkeit und dem Ursprunge der Sprache“ bestimmt, wie in der Einleitung zu den *Fichte-Studien* (Schriften, Bd. II, S. 44) dargelegt wurde.

5 Vgl. Friedrich Schlegels wiederholte Bitten um Auskunft über die neue Ausgabe („Ist etwas drunter, was ich noch nicht kenne?“) in den Briefen vom 21. 8., 16. 9., 29. 9. und 13. 10. 1793. In A. W. Schlegels „Briefen über Poesie, Silbenmaaß und Sprache“ (*Die Horen*, Jg. 1795, 11. Stück, Jg. 1796, 1. und 2. Stück) wird „unser Liebling Hemsterhuys“ nach dieser französischen Gesamtausgabe zitiert.

6 J. Minor (Hg.), *F. Schlegel 1794-1802.* Seine prosaischen Jugendschriften, Bd. II, Wien 1882, S. 225.

7 Vergl. *Kant-Studien*, Schriften Bd. II, S. 385-394.

8 Mit R. Samuel hg. von P. Kluckhohn, Leipzig 1929.

9 *A. W. Schlegels Vorlesungen über Schöne Literatur und Kunst*, hg. von J. Minor. (Deutsche Litteraturdenkmale des 18. und 19. Jahrhunderts, Nr. 18.) Bd. II, S. 91-92.

Europa. Poetische Rede des Novalis:

Deutung der französischen Revolution und Reflexion auf die Poesie in der Geschichte. Vorwort

WILFRIED MALSCH

Der unter dem Titel „Die Christenheit oder Europa" bekannte Essay oder literarisch-rhetorische Versuch des Novalis gilt für gewöhnlich als erstes gewichtiges Zeugnis der Wende zur Romantik, zur Restauration und zum katholischen Christentum. Thomas Carlyle, der Tiecks Sophien-Legende über Novalis zurückwies, und Eichendorff, der dieses „katholische Christentum" in Zweifel zog, lasen und schätzten indes die erst 1826 erschienene Schrift als eine heftige Polemik gegen die Aufklärung. Als Polemik gegen Revolution und Republik und als ‚Sehnsucht' nach den Zuständen des Mittelalters wurde sie von den meisten gelesen. Diese Eindrücke wirkten sich nicht nur auf die Rezeption des Novalis und seiner Zeitgenossen verwirrend aus, sie prägten auch ein Geschichtsbild von der deutschen Literatur, in dem das Werk des Novalis schließlich die „Zurücknahme des Realismus, der Aufklärung, der Reformation, der modernen Naturwissenschaft, letztlich der bürgerlichen Emanzipation" repräsentiert. Freilich wurde in keiner dieser Auffassungen nach der dargestellten Intention des Essays gefragt, den Novalis in Form einer fingierten ‚Rede' poetisch gestaltet und programmatischen Zugriffen entzogen hat.

Von Novalis ist eine Erwähnung der Rede nur unter dem Titel „Europa" überliefert. Er bat unter dem 31. Jänner 1800 Friedrich Schlegel: „Die „Europa" schickt mir wieder – ich habe eine andre Idee damit – Sie kann mit einigen Veränderungen zu einigen andern öffentlichen Reden kommen . . ., z. B. Reden an Buonaparte, an die Fürsten, ans europäische Volk, für die Poesie, gegen die Moral, an das neue Jahrhundert". Vermutlich nannte er sie ‚öffentliche Reden', weil er sie „in der gewöhnlichen Landessprache" abfassen wollte, in der seine „Europa"-Rede geschrieben ist und von der in der Vorrede zu seiner Staatsschrift „Glauben und Liebe" erwogen wird: „Es käme auf einen Versuch an, ob man nicht in der gewöhnlichen Landessprache so sprechen könnte, daß es nur *der* verstehen könnte, der es verstehen sollte . . ."

Eine genauere Betrachtung ergibt, daß diese poetische Rede erstens eine Erzählung von Europa und zweitens eine an Europa gerichtete Deutung dieser Erzählung enthält. Alle in der Novalis-Rezeption begrüßte oder beklagte Rückwendung zur Vergangenheit gehört ausschließlich der Erzählung an, die vom Redner geschichtstypologisch gedeutet wird. Alle zum Frieden weisenden Möglichkeiten gehören der Deutung des Redners an, der sie in der Erzählung präfiguriert sieht und sie prophetisch beschwört. Krieg und Frieden sind in dieser Deutung unterschieden als unerkannte und als erkannte Form derselben einen – als Weltphantasie zu verstehenden – ‚Religion' oder ‚Poesie'. Mithin ist die Rede des Novalis eine hermeneutische Reflexion auf die ‚Poesie in der Geschichte', in der die unerkannte Poesie zu ihrer Selbsterkenntnis übergeht. Also definiert die Rede den

Poesiebegriff des Novalis, dessen bewußt hermeneutische Struktur im vergleichbaren Poesiebegriff des Symbolismus nicht oder wenigstens nicht bewußt erhalten blieb. Auch legt sie die Genesis dieses Begriffs in ihre Deutung der französischen Revolution. Die Revolution nämlich bedeutet in der Erfahrung des Novalis wie in der aller Frühromantiker und Idealisten die Entdeckung der ‚Geschichte' als des über alle verhängten und von allen zu verantwortenden Vermögens der menschlichen Selbstgestaltung. Novalis glaubte – ähnlich Hölderlin –, daß die geschichtshermeneutische Selbsterkenntnis der Poesie diesem Vermögen erst sein freies und friedenstiftendes Bewußtsein gebe. Seine poetische Rede erkennt daher diesen – nach seiner Ansicht erst durch die Selbsterkenntnis der Poesie ermöglichten – Übergang vom Kriege zum möglichen Frieden im Geschichtszeichen der Revolution. –

Die vorliegende Arbeit ging aus Studien zum geschichtlichen Zusammenhang von Klassik, Frühromantik und Idealismus hervor. Sie wurde unternommen, weil das verbreitete Fehlurteil über Novalis auch das Bild von seiner Epoche verfälscht. Sie stützt sich sowohl auf eine Betrachtung der poetischen Gestalt der „Europa"-Rede, ihrer Struktur und der Korrespondenzen ihrer typologischen Denkform, als auf eine geistes- und dichtungsgeschichtliche Begrenzung des Hardenbergschen Poesiebegriffs. Kontroversen sind weder mit literarhistorischen, noch mit philosophischen, sozialgeschichtlichen oder theologischen Vorstellungen von dieser Zeit zu vermeiden und sollen zum dialogischen Zusammenwirken der Fächer in diesen Streitfragen auch provozieren, weil die Werke dieser Epoche durch die Komplexität der seither disparat gewordenen Reflexionen gekennzeichnet sind.

Dieser Zerstreuung zufolge erscheinen jene Werke den einen als ganz der Geschichte entrückt, den anderen als fortschrittlich oder regressiv, rational oder irrational, revolutionär oder reaktionär, obwohl den Poeten und Philosophen dieser Zeit die Geschichte selber sowohl in ihrer fortschreitenden Rationalisierung des ‚Irrationalen' als in ihren stetigen „Progressen und Regressen" zu einem Thema wurde, das weder mit parteilich-politischen Thesen, noch mit bloßer Flucht ins Reich der Schönheit und Wahrheit zu bewältigen war: zum Thema ‚begriffener Emanzipation'. Dieses Thema, das die Veränderung der Zeiten und Epochen in Rücksicht aufs Ganze der Schönheit und Wahrheit zu formen verlangte und dem Hölderlins große Elegien und Hymnen nicht weniger als Goethes „Faust"-Dichtung und Hegels „Phänomenologie des Geistes" gewidmet sind, fand seine ersten geschichtspoetischen Darstellungen im Werk des Novalis, in den Plänen zum „Ofterdingen", im Gedicht „An die Nacht" und in der „Europa"-Rede. Schöpft das Gedicht „An die Nacht" aus den Progressen und Regressen der Geschichte das Ganze als „figurale Progression", die vom ‚Griechischen zum Hesperischen geht', so setzt in der poetischen Rede dieser Weg mit der „Periode des Übergangs von der griechischen Götterlehre zum Christentum" ein und findet sich selber im Geschichtszeichen der französischen Revolution als erkannte Geschichte oder begriffene Emanzipation.

Berechtigt auch nichts dazu, diese Werke als ‚Ausfaltungen' eines fiktiven ‚Geistes' der Klassik, der Romantik oder des Idealismus zu verstehen, so erlauben ihre verwandten und vergleichbaren Reaktionen auf die ihnen zugrundeliegende Geschichtssituation gleichwohl ihre Zusammenfassung unter einer Epoche. Ein erweiterter Begriff deutscher Klassik könnte ihnen insofern genügen, als sie den leitenden Ideen und Formen deutscher Vorklassik und Klassik vielfach verbunden bleiben und deren Züge und geistige Voraussetzungen bewußter machen. Nur daß sie die Geschichte in ihrem Wandel und einige auch den Zusammenhang der mit der Geschichte vorausgesetzten Natur zum Thema der Kunst oder Philosophie erheben, grenzt sie deutlicher von vorangehenden Werken der Klassik ab. Ihre Einordnung unter die gewohnte Vorstellung von deutscher Romantik führt dagegen an ihnen vorbei. Denn im Unterschied zu Tieck und Brentano, mit denen diese von Jean Paul vorbereitete und ihm und Goethe verpflichtet bleibende Literaturepoche beginnt, berührten Hölderlin, Novalis, Schlegel, Hegel und die Weimarer Goethe und Schiller nirgends in ihren Werken die Möglichkeit einer unversöhnlichen dissonanten Welt. Die Zersetzung der sozusagen ‚naiveren' Klassik forderte sie vielmehr dazu heraus, die Möglichkeit eines alles Getrennte durchherrschenden ‚Ganzen' geschichtspoetisch oder naturforschend oder auch, wogegen freilich Goethe Zurückhaltung übte, literaturkritisch oder philosophisch zu erproben. Als Name für diese eher der ‚Klassik" als der ‚Romantik' nahe kommende Epoche bietet sich der einer ‚kritisch-orphischen' Klassik an, wobei das ‚Orphische' in Umdeutung eines von Gundolf für Hölderlin gewählten Begriffes ihre geschichtspoetischen und das ‚Kritische' ihre theoretischen Erscheinungen betonen soll, ohne daß das eine vom anderen ganz getrennt werden könnte. Im Rückblick repräsentieren neben Goethes Zuwendung zur Geschichtspoesie wie in der „Pandora" besonders die damals unerkannten Dichtungen Hölderlins und auch die des Novalis die ‚orphische Klassik', in deren Nähe Karoline von Günderodes Poesien entstanden. Die ‚kritische Klassik', die von Kant und Fichte ermöglicht wurde, tritt in einigen Schriften Schillers, Schlegels und schließlich Hegels hervor; doch auch der ältere Schlegel, Humboldt und Schleiermacher gehören ihr auf verschiedene Weise an. Sie wurde aber auch, besonders für Schelling und Novalis, in Goethes Schriften zur Natur begründet, die in ihrem Fortgange gleichfalls zu ihr gehören. Friedrich Schlegel und Schelling begannen, die geistigen Voraussetzungen dieser ihrer Epoche kritisch zu zersetzen, und von Tieck läßt sich sagen, er sei mit Wackenroder enthusiastisch und kritisch durch diese Epoche hindurchgegangen und habe in ihr, nicht ohne auf sie zurückzuwirken, die Eigentümlichkeit seiner Romantik gefunden.

Wie mehr oder weniger alle Dichtung entspringen auch die Werke Tiecks, Brentanos, Arnims, Fouqués, Hoffmanns, Eichendorffs und Heines einem „Mißverhältnis des innern Gemüts mit dem äußern Leben" – so Hoffmann –, ohne daß in ihnen wie in den Werken Goethes, Schillers, Hardenbergs, Hölderlins und Hegels dieses Mißverhältnis poetisch oder philosophisch in Glauben und Hoffnung auf die Geschichte ‚gelöst' oder eine solche ‚Versöhnung' mit der Realität auch nur wie von Kleist versucht worden wäre. Sie machen keinen Anspruch auf gesetzliches Mitfühlen oder Mitwissen von Natur und Geschichte und verstehen sich alle – so verschieden sie dem „äußern Leben" auch mit Spott oder poetischer Erhöhung begegnen oder seinem „Mißverhältnis" zu Kunst und Liebe poetischen Humor abgewinnen – jenseits einer Möglichkeit vorfühlender oder vordenkender Führung der Weltphantasie oder des Weltgeistes. Ihre Autoren sind weit davon entfernt, die Phantasie und Denkkraft einer ,Erkenntnis' der ,Wirklichkeit' in schöpferischer Wiederholung der produktiven Natur oder in spekulativer Reflexion auf die geschichtliche Vernunft überhaupt für fähig zu glauben. In der poetischen Wirklichkeit geben ihre Werke vor allem die beseelende und kritische Kraft der Phantasie zu erkennen, die über dem entseelten „äußern Leben" triumphieren, aber im Verzicht auf antizipierte Geschichte nicht mehr mit ihm ,versöhnt' werden kann. Sie deshalb an Stelle der von ihnen beleuchteten „äußern" Realität für „krank" oder „substanzlos" zu halten, wie Goethe und Hegel es taten, setzt eben das in ihnen verlorene Vertrauen auf produktiv ergreifbare Urbildlichkeit oder Geschichtsdialektik als Maßstab voraus. Nach ihrem eigenen Verständnis ist die in ihnen dargestellte poetische Autonomie nicht mehr wie in der frühromantischen Theorie als vorweggenommene Freiheit der im „äußern Leben" gebundenen Geschichte zu begreifen. Sie prätendieren nicht „die große Kunst der Konstruktion der transzendentalen Gesundheit", die Novalis als Gehalt aller Poesie begriff. Sie deuten gleichfalls sich selbst, deuten auch kritisch oder verklärend auf die Realität und beseelen in einigen Werken Landschaften, Flüsse und Meere, aber sie deuten nicht zugleich wie Hölderlins Hymne „Der Rhein" das Werden der ganzen Geschichte.

Die mannigfachen ideen-, gesellschafts-, gattungs- und motivgeschichtlichen Zusammenhänge dürfen nicht darüber hinwegtäuschen, daß sich der diesen Werken immanente Poesiebegriff mit dem des Novalis und Friedrich Schlegels nur deckt in einer formalen Struktur, die allgemein genug ist, um sich überall entdecken zu lassen. Als in Deutschland längst die klassisch-frühromantisch-idealistischen Hoffnungen auf eine der poetischen Freiheit analoge Freiheit der Gesellschaft begraben waren, trat von Frankreich aus klarer und bewußter als in der deutschen ,Romantik' die latente poetische Hermetik dieses Dichtungsbegriffes im Symbolismus hervor, in dem sozusagen seine Not erst zur Tugend wurde. Indessen erhielt in Europa und Deutschland der Name ,Romantik' die Bedeutung partiell-nationaler und religionspolitischer Bemühungen um die Restauration. Schon seit 1807 begann in Deutschland der Name ,Romantik' aufzuhören, entweder Allgemeinpoetisches oder die nachantike gesamteuropäische Kunst zu bezeichnen, und wurde schließlich zum Namen dreier nicht gleichartiger Komplexe: der Literatur zwischen Klassik und Realismus, der nachidealistischen und vorpositivistischen Bestrebungen in Wissenschaft und Philosophie und der idealistischen Jenaer Schule, die gleichfalls erst nachträglich den Namen ,Romantik' bekam. Allein zusammen mit anderen vom einfachen Rationalismus und Klassizismus abzuhebenden Erscheinungen lassen sich mit ,Empfindsamkeit', ,Sturm und Drang' und ,Klassik' auch diese drei Komplexe unter einer europäischen ,Romantik' als Großepoche einer – freilich sehr verschiedenartig auf die Emanzipation zu beziehenden – Literatur noch vereinen. Sieht man aber ebenso wie von der älteren gesamtnachantiken oder allgemeinpoetischen auch von dieser doch sehr widersprüchlichen weiteren europäischen Bedeutung ab und hält sich enger an den ideenpolitischen Begriff partieller nationaler und religionspolitischer Intentionen oder an den dichtungsgeschichtlichen Aspekt latent hermetisch zu Gesellschaft und Geschichte stehender poetischer Autonomie – keineswegs treffen beide Komplexe in ihren geschichtlichen Erscheinungen überall zusammen, aber beide haben mit Enttäuschung und Ernüchterung über die Möglichkeit konkreter totaler Freiheit zu tun und unterscheiden sich darin von deutscher Klassik und Jenaer Schule –, dann ist der Name ‚Romantik' für die ‚das Ganze' der Menschheit, ihrer Geschichte und Natur in Rücksicht nehmenden ‚kritisch-orphischen' Dichtungen und Reflexionen nicht mehr geeignet. –

Die der kritisch-orphischen Klassik angehörenden Werke formen oder reflektieren auf vielfach zu unterscheidende Weise die Bewegung der Geschichte, in der sie entstanden, die sie als Thema enthalten und in der ihre Leser stehen. Die Maxime in der „Europa"-Rede: „An die Geschichte verweise ich Euch, forscht in ihrem belehrenden Zusammenhang", begreift den Redner, den Autor, den Leser und aller Herkunft mit der Möglichkeit der Zukunft in einem „Zusammenhang", der verlorengeht, wo die Geschichte zum geschichtslosen Objekt der Betrachtung wird. Diesen „Zusammenhang" oder dieses ‚System' des werdenden Ganzen metaphorisch oder hypothetisch wiederzugeben, prätendieren die kritisch-orphischen Werke, und sie beanspruchen, den Zusammenhang von Vergangenheit und möglicher Zukunft klarer und deutlicher darzustellen, als er jemals früher hervorgebracht wurde.

Eine Vermittlung solcher Prätensionen mit den Zweifeln und Antithesen zu versuchen, die seither gegen sie aufgetreten sind und die den Glaubensgrund oder ‚ideenoperativen Begriff' ihrer Werke zersetzten, scheint wohl weniger eine Aufgabe der Literaturwissenschaft als die vergangenen Intentionen in ihren historisch eigentümlichen Gestaltungen neu zu erkennen. Viele enthusiastische oder absprechende Urteile zumal über Werke des Novalis wurden zweifellos zu schnell gefällt. Das liegt vielleicht auch an zu eng gefaßten aktuellen Interessen, von denen sich die ja selber geschichtliche ‚literaturhistorische Einstellung' nie ganz frei machen kann, hängt vermutlich aber weit mehr mit einer gewissen Angst vor dem Thema aller Themen jener Zeit zusammen, mit der ‚Emanzipation', die weniger zu begreifen als zu vermeiden die vorwaltend für diese Bewertungen verantwortliche ‚kulturkonservative Einstellung' kennzeichnen mag. Diese hat jedenfalls der Literaturgeschichte noch hinterlassen, den in jenen Werken geformten Geschichts- und Emanzipationsbegriff zu erschließen, ehe den vergangenen Intentionen die ‚Bewegung mit spätern Ideen' wirklich zuteil werden könnte, in der nach Novalis die Literatur erst ihr Leben gewinnt.

Auf dem von der deutschen Klassik antizipierten Stande ‚mündiger Menschheit' wiederholen jene Intentionen die Friedenshoffnung der jüdischen und häretischen Propheten. Die Hoffnung auf Frieden durch Erkenntnis der religiös und politisch sich dunklen und verwirrten Weltphantasie können die zwei von Schiller „als eine aufgelöste Dissonanz" aufeinander bezogenen „Stücke" in Goethes „Iphigenie": Die „Erzählung von den Thyestischen Greueln und nachher der Monolog des Orest", belebt und verdeutlicht haben. Zudem liegt dem Dichten des Novalis und Hölderlins zugrunde, was Hegel an Klopstock vermißte und weder Hölderlin noch Novalis, nur sich selber zugestand: die vom Verlauf der Revolution „getäuschte" aber über ihr Ziel nicht verzweifelte „Hoffnung", die den geschichtlichen „Zusammenhang" der „Vernunftforderung in der Wirklichkeit" zu gestalten begann, „als dieser schöne Morgen der Freiheit sich in einen greuelvollen, blutigen, freiheitsmordenden Tag verwandelte".

Zur Wirkungsgeschichte Eichendorffs in Deutschland

EBERHARD LÄMMERT

Dem kulturprägenden Fortleben bedeutender Dichtungen dankt der Literarhistoriker sein Amt. Selten genug – und daran hat der seit zwei Jahrhunderten befestigte Glaube an die Zeitlosigkeit großer Kunst hohen Anteil – hat die Literaturwissenschaft in Deutschland ihr Augenmerk auf die historischen Bedingungen und Konsequenzen dieses Fortlebens gerichtet, zu deren Erscheinungsformen sie selbst gehört.

Die Ermutigung, dem Umgang mit Eichendorffs Dichtung in Deutschland nachzugehen und dabei womöglich auch über den Anteil der Poesie an der Ausprägung des deutschen Nationalbewußtseins im 19. Jahrhundert Aufschlüsse zu erhalten, danke ich den Eichendorff-Studien Richard Alewyns. Die hier vorgelegten Belegreihen zur Wirkungsgeschichte Eichendorffs, an deren Ermittlung Peter Wedekind und Klaus Scherpe beteiligt waren, und die daran geknüpften Überlegungen mögen ihm als Beitrag zu einer Wissenschaft vom Leben der Literatur willkommen sein.

Das alte Lied, das spiel' ich neu,
Da tanzen alle Leute.

„Wenn ich mit meinen Künstlerfreunden in Düsseldorf und mit meinen Studiengenossen in Bonn zusammen war, hatten wir die Schlegel, Tieck, Kleist und Brentano wohl gelesen, aber den lieben Eichendorff hatten wir gesungen."[1] So läßt sich ein jüngerer Zeitgenosse Eichendorffs, ein Freund und Kenner romantischer Literatur, zwei Jahre nach dessen Tod vernehmen. Von der Begeisterung, mit der bayrische Liedertafeln und Studentenrunden sich bereits um die Jahrhundertmitte die „wahren Volkslieder" des Schlesiers Eichendorff zu eigen machen, erfahren wir aus den Lebenserinnerungen eines angesehenen „Altmüncheners";[2] wenig später lagen bereits drei vertonte „Übersetzungen" seiner Lieder „in das Allemannische" vor.[3]

Unbehelligt von allen Vorwürfen, die die „romantische Schule" und auch einige Werke Eichendorffs sich in den folgenden Jahrzehnten von Lobrednern biedermännischer Tüchtigkeit und Bürgerpflicht zuziehen, werden Eichendorffs „unmittelbar zum Herzen" sprechende Natur- und Wanderlieder[4] schon während des späteren 19. Jahrhunderts ein Gemeinbesitz, der geeignet scheint, alle Klassen und Stände „unseres Volkes" sangesbrüderlich zu einen.[5] Dem entspricht die Übereinkunft, mit der Eichendorffs Poesie Epitheta wie „schlicht", „innig", „wahr" und „fromm" zugemessen werden, Lobesworte von einer Art, die zu weiterdringenden Erörterungen ihrer literarischen Eigentümlichkeit kaum mehr ermuntern. Vollends laden die persönliche Vertrauenswürdigkeit des Dichters, der patriotische Eifer seiner Jugend und die gottesfürchtige Gewissenhaftigkeit seines Alters zu fragloser Aneignung seiner Poesie ein, und der schlesische Standesgenosse, der mit aller Sicherheit bekundet, daß auch die „Thränen“ dieses Dichters „ächte Perlen“ seien, spricht zuvor bereits hellsichtig von der „süßen Narkose“, die die Lieder des reiselustigen „Taugenichts“ auszuüben im Stande sind.[6] Als schließlich Scharen von Gitarrenwanderern um die Jahrhundertwende aufbrachen, um Freiheit auf den Landstraßen, Atemluft auf Waldeshöhen und Erquickung des Herzens an frischen Quellen und blinkenden Strömen zu suchen, da ahnten sie nicht einmal mehr, daß die unverstellte Natur, die sie sich zu erobern meinten, in Wirklichkeit ein poetisches Erlebnismosaik war aus Bildsteinen und Klangfiguren, die ihnen von dem Liedzauberer Eichendorff mit seinen einfältigen Reimen an die Hand und in den Sinn gegeben worden waren und die sein vogelleichter Wanderer in Gottes Gunst, der „Taugenichts“, ihnen vorauferlebt hatte.

Seither hat kaum ein Dichter von Rang in Deutschland den Bannkreis des literarisch interessierten Publikums so widerstandslos überschritten und sich, wie es vor ihm die Magier der Wortmusik, Novalis und Tieck, und die Erneurer der Volksliedschätze, Brentano und Arnim, nur erträumen konnten, ganze Generationen eines Volkes als großen Resonanzraum seiner Poesie gewonnen.

Seit dem Anfang unseres Jahrhunderts mehren sich denn auch die Stimmen, die rückschließend unvergängliche Tugenden der deutschen „Volksseele“ in Eichendorffs Person und Werk gespiegelt finden.[7] Wilhelm Kosch, der seit dem Gedenkjahr 1907 für mehr als zwei Jahrzehnte als der rührigste Sachwalter von Eichendorffs Nachruhm tätig ist, faßt in seinem Vorwort zur historisch-kritischen Ausgabe (1921) eine opinio communis, die in jenen unruhevollen Jahrzehnten alle Wandlungen des literarischen Geschmacks und kulturpolitischer Wertsetzungen überdauert hat, in prismatischer Bündelung zusammen: „Eichendorff ist nicht nur der populärste, sondern auch der deutscheste der deutschen Dichter. In ihm spiegelt sich der alte Geist des deutschen Volkes am reinsten wider; deutsches Glauben, Hoffen und Lieben, das deutsche Gemüt, der aufrechte deutsche Mannesstolz, die innige deutsche Naturfreude, Kindlichkeit, Sehnsucht.“[8]

Es ist keine Laune der Geschichte, sondern macht nachgerade den besonderen Charakter des deutschen Nationalbewußtseins aus, daß bei der Bestimmung des deutschen Wesens seit dem Sturm und Drang immer wieder den Künsten und in erster Linie der Poesie der echteste Zeugniswert beigemessen wird. Hatte der Wandel der äußeren Geschichte des Deutschen Reiches und Bundes für lange Zeit den erwachten Nationalgeist nicht befriedigen können, so inspirierte der Glaube an die zeitlose Gültigkeit großer Kunstwerke die Vorstellung, das Deutsche in der Kunst am wahrsten ausgedrückt zu finden und sich an der Kunst wiederum der Unvergänglichkeit deutscher Eigenart und deutschen Wesens versichern zu können. Solchen Voraussetzungen dankt nach 1890 der „Rembrandtdeutsche“ seinen lange nachwirkenden Erfolg.

Im Falle Eichendorffs ist besonders gut zu beobachten, wie derartige Herleitungen zirkelschließend ineinander übergehen. Im Halbjahrhundert-Gedenkjahr seines Todes,

1907, heißt es in der Monatsschrift des Vereins „Breslauer Dichterschule" fast gleichzeitig, Eichendorff sei in seinen „Liedern die Stimme des deutschen Volkes"[9] und wurzele „tief und fest ... im uralten Waldboden völkischer Poesie"[10] und andererseits, „das deutsche Volk" habe „Eichendorffs Lieder in sich aufgenommen, wie einen köstlichen Trank" und werde „stets voll des seligen Rausches bleiben".[11] Selten ist vor dem ersten Weltkrieg die poetische Disposition, die zur Inanspruchnahme Eichendorffs als Eigentum und Stimme des Volkes führte, so leichthin und zugleich so ahnungsvoll aufgedeckt worden wie von dem letzten dieser drei Autoren, der zum Gedenkjahr selbst einen eichendorffschwangeren Dichtergruß beisteuerte.[12]

Man muß die langgehegte Sehnsucht der Deutschen nach einem Volksdichter, der die imaginäre Kluft zwischen Kunst- und Naturpoesie zu schließen vermöge, in Rechnung stellen, um die fromme Verehrung, mit der man Eichendorffs Lieder „unverfälschte Naturkinder"[13] nannte, recht zu würdigen. Seit langem hat darüber hinaus die doppelte Verwendung des Wortes „Volk" zur Bezeichnung des gesamten wie des „einfachen" Volkes in Deutschland dazu beigetragen, Idealzüge der naturnahen, unverbildeten Einfachheit, ja der reinen Einfalt dem deutschen Volkscharakter schlechthin zuzusprechen.

Den „Taugenichts" hatte schon der kaum vierzigjährige Fontane „after all ... nicht mehr und nicht weniger als eine Verkörperung des deutschen Gemüts, die liebenswürdige Type nicht eines Standes bloß, sondern einer ganzen Nation" genannt.[14] Karl von Eichendorffs Bibliographie führt zwischen 1850 und 1925 nicht weniger als hundert Neuauflagen und Nachdrucke auf. Insbesondere in den Weltkriegsjahren, in denen das Büchlein denn auch aufsehenerregende Auflagenhöhen erreichte, mußte sein liebenswerter Held wie geschaffen erscheinen, inmitten einer düsteren, Mord und Zerstörung kalkulierenden Welt tröstend und zugleich rechtfertigend die reine, gottvertrauende Einfalt des deutschen Wesens zu verkörpern. Wieviel unbewußte Selbstrechtfertigung, ja Schutzgebärde in solcher Huldigung verborgen war, davon gibt eines der kostbarsten „Taugenichts"-Portraits jener Zeit einen zureichenden Begriff: als Apologet einer von fremdem Zivilisationsgeist bedrohten Kultur nennt Thomas Mann in seinen „Betrachtungen eines Unpolitischen" diesen märchengleichen Hans im Glück gerade wegen seiner nachtwandlerischen Einfalt „exemplarisch deutsch", ja ein „in seiner Anspruchslosigkeit rührendes und erheiterndes Symbol reiner Menschlichkeit ...: des deutschen Menschen".[15] Von hier aus ist es nur ein Schritt zu der Feststellung Benno von Wieses aus dem Jahre 1932, daß ein so „restlos deutscher Dichter" „nur von deutschen Voraussetzungen verstehbar" sei.[16]

Allerdings blieb es für damalige wie für künftige Festlegungen seines spezifischen Deutschtums entscheidend, ob man sich zur Bestimmung des „Deutschen" wie Theodor Fontane, Thomas Mann und Benno von Wiese, den traumwandlerisch einfältigen Taugenichts zum Muster nahm oder den vermeintlich heroisch kampfbereiten Lützower Jäger, als der er im späteren 19. Jahrhundert[17] so gut wie in der nationalsozialistischen Zeit[18] zum Dichtervorbild erhoben wurde, oder schließlich den heimatverwurzelten Sänger eines waldesgrünen Schlesien oder Deutschland, als den man ihn nach dem ersten Weltkrieg[19] so gut wie 1938[20] oder 1954[21] preist. Als unstatthaft verkürzende, gleichwohl wegen ihrer Verbreitung höchst bemerkenswerte Rezeptionsweisen Eichendorffscher Dichtung müssen uns gerade die letzteren Bestimmungen später beschäftigen, nicht weniger freilich geschichtserhellende Synthesen von der Art, wie sie Friedrich Bethge in einem „Bekenntnis" zu dem „Sänger" und „Kämpfer" Eichendorff an dessen 150. Geburtstag formuliert: „So gehen auch hier Stille und Kanonendonner, Heroismus und Innerlichkeit eine echte deutsche Einheit ein."[22] Wirft diese Bündelung disparater Wertbegriffe Licht auf den gierigen Synkretismus des nationalsozialistischen „Kulturbewußtseins", so erweist sie sich doch als die konsequente Ausschreitung einer langgenährten Hoffnung, wenn man auf die Tradition des Eichendorff-Bundes zurückblickt, mit dessen Begründung Wilhelm Kosch 1917, „im vierten Jahr des blutigsten aller Kriege . . . von einem stillfriedlichen Heimgarten romantischer Schönheit" her eine „Bewegung" aller Deutschsprechenden zu erwecken hofft.[23]

Zuvor ist es allerdings nötig, sich dessen zu versichern, daß es keineswegs unabdingbar „deutscher Voraussetzungen" bedurfte, um Zugang zur Dichtung Eichendorffs zu finden. Der bald nach 1900 einsetzenden Reklamation des Dichters als Organ und Gemeinbesitz der Deutschen steht die Tatsache gegenüber, daß bereits im ersten Viertel unseres Jahrhunderts Übersetzungen seiner Hauptwerke in mindestens sechs europäische Sprachen vorlagen, auch diese freilich, entsprechend der Verbreitung seiner Werke in Deutschland, vorwiegend beschränkt auf einen ziemlich gleichbleibenden Kanon seiner Gedichte und den „Taugenichts". Ähnliche Qualitäten wie die Deutschen dürften also auch die Übersetzer wie die Leser in anderen Ländern an Eichendorffs Dichtung bevorzugt haben, ohne sich mit ihren exemplarisch deutschen Zügen identifizieren zu müssen. Dabei fällt auf, daß ein im Grunde nur schmaler Bereich Eichendorffscher Werke solche Breitenwirkung gehabt und das Erinnerungsbild an ihn geprägt hat.[24]

Es mangelt nun, mindestens in neuerer Zeit, nicht an gewichtigen und kundigen Unternehmungen, Eichendorff von dem so unverwandt tradierten und verfestigten Bild eines gemütsinnig schlichten Volksdichters abzurücken und der eigentümlichen poetischen Kunst des Lyrikers und Erzählers, aber auch der außergewöhnlichen geistigen Entschiedenheit des Kultur- und Literarhistorikers gerecht zu werden. Disziplinierte Stilanalyse, geistesgeschichtliche und soziologische Ortsbestimmung und aufmerksame Abwägung seines Gesamtwerkes geben der Zuversicht, daß „Eichendorff erkennend vor Freunden und Feinden [zu] retten" sei[25], in den letzten Jahren zunehmend Nahrung. Gleichwohl kann jene ungewöhnlich konstante Berufung auf den Widerklang elementarer Charakterzüge des deutschen Volkes in Eichendorffscher Poesie den Philologen nicht gleichgültig lassen; insbesondere die dabei wiederkehrenden Zirkelschlüsse legen ihm nahe, auch dem womöglich initiatorischen Beitrag dieser Poesie zur Herausbildung spezifischer Züge im Selbstverständnis der Deutschen auf die Spur zu kommen.[26]

Das erste Rätsel, das Eichendorffs Dichtung uns aufgibt, wenn wir nach den Gründen für ihre soziale Breiten- und Tiefenwirkung fragen, betrifft die Situation, in der wir den Liedersänger in seinen Gedichten und auch den liederreichen Helden im „Taugenichts" zumeist antreffen. Der Taugenichts singt in seiner Wandereinsamkeit oder nachts unter den Fenstern;[27] die meisten der vielgesungenen Natur- und Wanderlieder beschwören Bilder und Szenen herauf, die von Einsamen erfahren werden, sei es die blitzende Morgenfrische, die ein Wanderer im Aufbruch aus der beherbergenden Stadt oder nach langer Nachtwanderung begrüßt, sei es die abgelegene Höhe, von der aus sein Blick die Felder und Ströme und weit hinten die Dörfer und die geschäftigen Städte umgreift, oder der Baumwipfel, von dem aus er eine fremde Gesellschaft belauscht, sei es gar der umfangende Waldschatten oder die Mondnacht, die einem Einzelnen ihren Zauber erschließen, während die Welt umher seiner nicht achtet. Vor allem aber begegnen uns Wanderer, denen kein Ort, keine Sozietät dauernde Bleibe gibt, Wanderer, die sich allenfalls vorüberziehenden Gesellen anschließen oder ein keusches Liebesabenteuer im Fluge erhaschen, immer aber so jubelfroh beim Abschied wie wehmütig im Rückblick nach der verlassenen Heimat. Dabei sind sie nicht tragisch Umgetriebene, vielmehr, und das macht das Rätsel nur vollkommener, Einzelgänger aus einem Gemisch von Unbekümmerheit, Daseinslust und unbestimmter Sehnsucht, auch wohl von frommer Gottergebenheit, am allerwenigsten aber beseelt von bürgerlichem Fürsorgesinn oder gar sozialem Betätigungsdrang.

Selbst der Sonnigste und Schlichteste unter ihnen, eben der Taugenichts, hat nach ernstester Bindung, mit der volksläufige Erzähler die Abenteuerfahrt ihrer jugendlichen Helden abzuschließen pflegen, nach der Eheschließung nämlich, nichts eiliger im Sinn, als in der Gesellschaft von fahrenden Studenten nach Italien aufzubrechen. Findet er in Momenten der melancholischen Besinnung Klageworte für sein Nachteulen- und Rohrdommeldasein, so beschwichtigt er sich und seine Geige mit dem Trost: „Unser Reich ist nicht von dieser Welt!"[28] Ein Zuspruch, so weltlich wie geistlich zu verstehen: Sogleich in die Tat umgesetzt, heißt er Aufbruch vom sicher eingeschränkten Zöllnerdienst hinaus auf die „von dannen" führende „glänzende Landstraße".

Auch in den personenreichen großen Erzählwerken gehen am Ende Abschiednehmende einzeln ihrer Wege: Friedrich, der Held aus dem Jugendromen „Ahnung und Gegenwart", der selbst in ein Kloster eintritt, um einer ferneren Stunde des Aufbruchs zu harren, „sah . . . noch, wie von der einen Seite Faber zwischen Strömen, Weinbergen und blühenden Gärten in das blitzende buntbewegte Leben hinauszog, von der anderen Seite sah er Leontins Schiff mit seinem weißen Segel auf der fernsten Höhe des Meeres zwischen Himmel und Wasser verschwinden."[29] Mit dem Erzähler sehen wir am Schluß des Spätwerkes „Dichter und ihre Gesellen" „die rüstigen Gesellen auf verschiedenen Wegen das Gebirge langsam hinabreiten, und eine tiefe Wehmut befällt uns unter den leise rauschenden Bäumen."[30]

Wehmütig erfahrene Einsamkeit und gleichwohl geheime Sehnsucht nach unausgeschöpften Erlebnismöglichkeiten, lockende Ungebundenheit vom trägen Einerlei der Erwerbs- und Sorgepflicht, die Fata Morgana eines ewigen Sonntags: Hier ereignen sich die geheimen Wunschträume des sozial Gebundenen, hier begegnet der zu geregelter Arbeit, weil zu ständigem Erwerb Verpflichtete den ihm vom Leben nicht verstatteten Außerordentlichkeiten, die ihm obendrein – das ist für die christlich-deutsche Rezeption dieser Poesie besonders wichtig – als Gottes besondere Gunst ausgelegt werden.

Man muß sich wieder der vorbildgebenden Rolle der Kunst und insbesondere der großen deutschen „Kunstepoche" bei der Herausbildung des bürgerlichen Nationalbewußtseins im 19. Jahrhundert erinnern, um zu ermessen, welch hohes Idealbild ein so träumerisch sicherer, von aller erniedrigenden Zweckverhaftung entbundener Wanderer in Gottes Gunst abgeben konnte. Nicht zuletzt dieser poetischen Orientierung ist es zuzuschreiben, daß beim Umsatz von Kunst- zu Lebensidealen die Arbeitswelt, der Bereich der materiellen Existenzsorge, zunehmend als das nur pflichtgemäß zu bestehende „äußere" Leben eingeschätzt wurde. Selbst ein so auf zeitgemäße Lebenseinsicht eingestellter Autor wie Gutzkow kann darum in der Mitte des 19. Jahrhunderts die Arbeitswelt als die „Wochentagexistenz des Menschen" programmatisch aus der Dichtung bannen und nur den „Sonntag", d. h. „die Offenbarung seiner poetischen Natur" zu ihrem würdigen Gegenstand erklären.[31] Solche Abwertung des bürgerlichen Erwerbslebens im Zuge vulgarisierter Vorstellungen von der gottnahen goldenen Freiheit eines poesieerfüllten Daseins ist von hoher Bedeutung für die künftige Selbsteinschätzung der Deutschen als eines Volkes, das in dieser Welt dem materiellen Machtstreben seiner Nachbarn unterlegen, in seinem von Gott zugemessenen inneren Reichtum ihnen aber unendlich überlegen sei. Unter diesen Voraussetzungen konnten die gottvertrauenden Wanderlieder und ein in Gottes Hand geborgener, selig auf sich gestellter Wanderer wie der „Taugenichts" zu einem Vademecum werden, das alle Beschwernisse auf dem Weg zu solchem Reichtum gering erscheinen ließ.

Tatsächlich findet sich um 1910 in einer pädagogischen Zeitschrift bereits ein geistlicher Bewunderer Eichendorffs, der im „Wandern ohne Ziel und Zweck – nur um zu wandern in der schönen Gottesnatur" den „eigentümlich deutschen Charakter seiner Naturlieder" erkennt.[32] Hier ist das Mißverständnis bereits weit gediehen: Unversehens wird mit solcher Identifikation auch die Abtrennung Eichendorffscher Wanderstimmung von ihrem religiösen Hintergrund oder zumindest dessen Verblassen in harmloser Phraseologie zu einem Etikett des hier gemeinten „deutschen Charakters".

Aber auch der Lobpreis Eichendorffs als Dichter vom „ewigen Sonntag" hat sich um diese Zeit bereits zu einem Topos verfestigt. Er überdauert selbst in jenen Zeitläuften, in denen die „Arbeit" ihrerseits mit parareligiöser Weihe zum eigentlichen Lebensinhalt erhoben wird. So erscheint in den nationalsozialistischen Bekenntnissen zu Eichendorff in folgerichtiger Verkehrung der Dichter des „Seelenfriedens" und des „ewigen Sonntags des Gemüts" als ein Kraftspender für den Arbeiter und Kämpfer, und der „Traum" ‚den solche Poesie schenkt, als ein „frommer Dank an Gott, daß er uns Deutsche werden ließ". Schließlich, ins Praktische gewandt, wird der „Kamerad mit ewigem Sonntag im Gemüt . . . ein Aktivposten der Truppe".[33]

Mit der Bewunderung für das poetische Sonderdasein eines gottbegnadeten Wanderers entwickelt sich in ähnlicher Konsequenz der schwärmerisch tiefgefühlte Glaube an die außerordentliche „vollbürtige Besonderung" „hoher deutscher Kunst", in der sich die „Einheit und Ganzheit des deutschen Wesens" spiegele.[34] Auf diese Weise löst sich historisch – am Beispiel Eichendorff wie auch sonst – das Paradox, daß der fernenselige und zu allem Wochentagsgeschäft untaugliche Einzelne für eine ganze Sozietät zum Leitbild des eigenen Wunsches nach Außerordentlichkeit und besonderer Gottesnähe werden konnte.

Aber es gibt glühendere Beschwörer des außerordentlichen Lebens unter den deutschen Poeten. Größere Bilder vom einsamen Wanderer und tiefere Visionen von der Nacht und von Gefilden jenseits der alltäglichen, ja jenseits der sinnlich faßbaren Welt überhaupt bietet schon die Dichtung der Frühromantik in vergleichbar klingenden Strophen an. Weit inbrünstiger besingen die Verse des Novalis oder Brentanos die Lockungen und Seligkeiten unerfüllter Lebens- und Liebesträume. Ist es die oft vermerkte Simplizität der Formulierung, die Anspruchslosigkeit der Wortmelodien allein, die Eichendorffs Poesie so ungleich leichter in die Breite dringen ließ?

Prüfen wir eines der populärsten Lieder Eichendorffs, das Lied vom Mühlrad im kühlen Grunde, um über diesen Punkt Klarheit zu erlangen. Schon zu Lebzeiten seines Dichters wurde es so sehr zum Volkslied, daß seine Verfasserschaft weitgehend in Vergessenheit geriet. Mit einigem Recht, denn Eichendorff selbst hatte die ersten Strophen aus verschiedenen Vorlagen in Arnims und Brentanos „Wunderhorn" kontaminiert und Reimverse vom zerbrochenen Ringlein und gebrochener Treue in der gleichen Weise modelnd verarbeitet, in der die „Wunderhorn"-Sammler die Patina ihrer alten Schätze aufgefrischt hatten. Der Dichtername Florens, unter dem Justinus Kerner das Gedicht in seinem „Deutschen Dichterwald" 1813 erstmals veröffentlichte, wies zurück auf den taugenichtsähnlichen Jüngling aus Tiecks „Kaiser Octavian".[35] In mancherlei Hinsicht also erscheint uns Eichendorff als gelehriger Scholar im Kreise seiner romantischen Dichtergesellen, und die besondere Popularität, die er sich errang, scheint eine eher unverdiente Ernte aus den reicheren Gärten, die jene um ein Jahrzehnt älteren Neuerwecker solcher Poesie bestellt hatten. Dieselbe Gelehrigkeit bezeugt er in der gewandten Handhabung des Reimes, mit der er die abgeschliffenen Formen des herkömmlichen Vierzeilers klingen macht, und in der Aufnahme beliebter zeitgenössischer Motive, die er an die Eingangs-Strophe kettet: des Spielmanns, der in die Welt zieht und keine Heimstatt mehr hat, und des Reiters, der im Felde Nachtwache hält. Der Spielmann ist schon bei den älteren Freunden Gleichbild des eigenen vogelfreien Dichterlebens; im Reitersmann erkennen sich um 1810 die vaterlandsbegeisterten Jünglinge, die Freiheit vom gemeinen Leben im weiten Felde und im süßen Soldatentod beseligt herbeisingen.

Was also zieht die Zeitgenossen und die Späteren just an diesem Lied vom kühlen Grunde so sehr an, daß Eichendorff selbst bereits von der Ehre sprechen kann, die ihm mit seiner Erhebung zum Volkslied widerfuhr, und Justinus Kerner sich schon im Todesjahr des Dichters veranlaßt sieht, eine kleine Legende um das Manuskript zu flechten?[36] Wir setzen bei einer stilistischen Eigentümlichkeit an, die für die besondere Eingängigkeit Eichendorffscher Lieder mitverantwortlich scheint und die zugleich geeignet ist, die vielgerühmte Gefaßtheit seines „Sängerlebens" zu erläutern.

Der Spielmannsaufbruch und auch der Reiteraufbruch geschehen in Eichendorffs Lied nicht wirklich, der Sänger bringt sie optativisch vor, als erwünschte Varianten der eigenen Lebensbahn: „Ich möcht' als Spielmann reisen", singt der Bursche nach dem Treuebruch seiner Liebsten, und „Ich möcht' als Reiter fliegen . . ."

Eichendorff studiert in diesen Jahren Jura, und er wird bald ein ordentliches Examen machen und darauf als kundiger und wohlbestallter Staatsbeamter und Familienvater seinen Pflichten nachgehen und den „Taugenichts" an seiner Statt auf selig-sehnsüchtige Wanderschaft schicken. Und selbst der Taugenichts wird noch singen:

> Wenn ich ein Vöglein wär',
> Ich wüßt' wohl, wovon ich sänge,
> Und auch zwei Flüglein hätt',
> Ich wüßt' wohl, wohin ich mich schwänge!

Dieser Dichter kennt alle Sehnsüchte, alles Fernenweh, allen Schmerz des Ungenügens an der bürgerlichen Existenz, er hat sie von früh auf, schon während des Studiums in Halle, im Umgang mit seinen Dichterfreunden auf Giebichenstein, vollends im „Eleusischen Bunde" in Heidelberg, samt den immergleichen Themen romantischer Poesie eingesogen, aber er weiß die Formen des Wünschens und Sehnens von der eigenen Lebensform abzusondern. Sehnsuchtsmotive, die etwa für Brentano so gut Dichtungs- wie Lebensmotive sind, werden in seinen Liedern erstmals bewußt poetisch gebändigt, d. h. sie werden als das erkannt, was sie sind, nämlich Wunschgebilde schweifender Phantasie."[37] Nicht Strophen vom Spielmann und vom Reiter also, sondern Wunschformeln zur Nachempfindung des Spielmanns- und des Reiterlebens bietet der Dichter in seinem Liede an.

In solch unscheinbaren Symptomen kündigt sich bereits beim gerade zwanzigjährigen Eichendorff, und noch dazu im scheinbar undistanzierten Volksliedton, die Absonderung der Poesie vom praktischen Leben an, die erste Vorstufe einer realistischen Distanzierung vom Lebenstraum der Romantik. Freilich wird gerade durch solche Wendung jener Lebenstraum poetisch tradierbar, und wir finden eine erste Begründung dafür, warum romantische Stimmung von späteren, romantik-fernen Generationen gerade dieser Dichtung Eichendorffs leichter abgewonnen wurde als Gedichten des frühen Brentano und selbst des Novalis. In dieser Poesie bildet bereits die Sprache selbst die Schwelle aus, von der man das ferne Land erblicken kann, ohne selbst sein ganz normales Leben aufzugeben und sich einsaugen zu lassen vom verführerischen Sehnsuchtstrieb romantischen Daseins. Solche Lieder des „Ich möchte gerne" kann man sonntags in den Wäldern singen, wenn man genau weiß, daß man montags wieder auf dem Alltagshosenboden sitzt. Man kann sich den Spielmann, den Reiter, den Wandergesellen erträumen, ohne doch der Umgetriebene jemals wirklich zu sein. Aus dem unersättlichen Fernentrieb, der einen Kleist und einen Brentano an keinem Orte und im ganzen Leben nicht Ruhe finden ließ, wird ein stilles Fernenweh, das all das ahnen und genießen läßt ohne den bösen Zauberzwang des Nichtanderskönnens.

> Alte Zeiten, linde Trauer,
> Und es schweifen leise Schauer
> Wetterleuchtend durch die Brust.

Solche lustvoll-wehmütigen Nachklänge romantischer Lebensgewitter hat Eichendorff der Nachwelt vermacht, und indem er die existentielle Bewegtheit der romantischen

Dichtergeneration so genau und zugleich so distanzierend in Sprache faßte, hat er sie praktikabel gemacht für unzählige Spätere, die ihren Kitzel ohne ihre Gefahr auskosten, ihren Reiz ohne ihre Bedrohlichkeit genießen wollten.

So denn auch die letzte Strophe unseres Liedes:

> Hör' ich das Mühlrad gehen:
> Ich weiß nicht, was ich will –
> Ich möcht' am liebsten sterben,
> Da wär's auf einmal still!

Eichendorff hat früh und bis auf den Grund die tödliche Macht der unablässigen Seelenbewegtheit aufgefaßt, die Tieck, Novalis und Brentano mit der kunstvollen Einfältigkeit ihrer gemütserregenden geistlichen und weltlichen Lieder zu erwecken sich vorgesetzt hatten. Zur Erfüllung der Sehnsucht nach Geborgenheit und Frieden, die solche Bewegtheit unerbittlich nach sich zieht, erscheint sehr bald schon der Tod die einzig rettende Brücke. Wie unversehens die vorgesetzten Ziele der unstillbaren Sehnsucht: Vereinigung mit Gott, Vereinigung mit der Geliebten, freiwilliger Einklang aller brüderlichen Seelen, sich in bloße Anlässe zu solch todessüchtiger Bewegtheit wandeln, davon zeugt bereits in der kurzen Spanne zwischen 1800 und 1815 der immer lebhaftere Motivaustausch zwischen geistlicher, erotischer und politischer Stimmungslyrik.

Aufs einfachste Bild und in vermeintlich älteste und schlichteste Form gebracht, erscheint solche zielentbundene Bewegtheit in der letzten Strophe des Liedes vom Mühlrad in einem kühlen Grunde. Von aller künstlichen Entzündung der Todessehnsucht scheint jene einfache Regung des Liebesschmerzes, die der Nachhall des gehenden Rades erweckt, denkbar weit entfernt. Auch der Sterbenszwang und das Sterbensbegehren, das jene poetischen Sehnsuchtserwecker zur Vorbedingung aller Erlösung erhoben hatten, klingt in diesem Liedschluß ab zu einem träumerisch ausgesponnenen Wunsch, in dessen Ausmalung Wehmut und Trost gemeinsam beschlossen sind.

Eichendorffs „Ich möcht' am liebsten . . ." zieht keinen Erfüllungszwang mehr nach sich. Mit Eichendorff braucht man den Liebestod nicht mehr ernsthaft sterben zu wollen, wie mit dem Sänger der „Hymnen an die Nacht" oder mit Brentanos verzaubertem Schiffer, oder anders mit Körners mystischer Braut, dem Schwert an seiner Linken: mit Eichendorff darf man die Möglichkeiten der Poesie auskosten und wissen, daß es ferne Möglichkeiten sind und bleiben sollten. Freilich ist dies zugleich ein bedeutungsvoller Schritt in der Richtung eines Daseins auf zweierlei Weise, hin zur Trennung von Lebens-Ideal und Lebens-Wirklichkeit, ein Schritt also, der die Wirklichkeitsfremdheit und den sozialen Anachronismus späterer romantischer Ideologien vorbereiten hilft. Wanderer „zwischen" beiden Welten, und nicht nur Gitarrenwanderer, hat man im 20. Jahrhundert auf diesem Wege in nicht geringer Zahl fortschreiten sehen.

Im Falle des Mühlenliedes wird man für die verführerische Faßlichkeit, in die Eichendorff die anspruchsvollen Motive romantischer Poesie transponierte, zu gutem Teil den schlichten und lang vertrauten Volksliedton verantwortlich machen.[38] Es empfiehlt sich deshalb, unsere Beobachtungen an einem ungleich reicher instrumentierten Gedicht zu ergänzen, das ebenfalls schon vor 1850 als Wanderlied im Umlauf war[39] und seither zu den bekanntesten Eichendorff-Gedichten zählt, obwohl es zur Verwechslung mit einem anonymen Volkslied kaum Anlaß bot.

Es schienen so golden die Sterne,
Am Fenster ich einsam stand
Und hörte aus weiter Ferne
Ein Posthorn im stillen Land.
Das Herz mir im Leib entbrennte,
Da hab' ich mir heimlich gedacht:
Ach, wer da mitreisen könnte
In der prächtigen Sommernacht!

Eichendorff gab diesem Gedicht 1834 seinen Platz in „Dichter und ihre Gesellen" und fügte es später unter dem Titel „Sehnsucht" seinen „Wanderliedern" ein. Jenes „Schwellenphänomen", das wir den optativischen Hilfsverben des Volksliedes vom Mühlrad ablasen, hat in der ersten Strophe dieses Gedichtes eine bildliche Konkretion erfahren, die zum Kernbestand Eichendorffscher Motive gehört. Richard Alewyn hat als erster diese Schwellenfunktion des Fenstermotivs bei Eichendorff deutlich gemacht.[40] Der Ort am Fenster ist derjenige, der die Enge des Hauses vergessen läßt, von dem aus man das nahe und das ferne Draußen sehen, hören, ja einatmen kann, ohne doch selbst unbehaust zu sein.

Sehr unbestimmt bleibt die Landschaft, in die der Sehnsüchtige hinausblickt. Unbestimmt bleibt auch, mit wem der Lauschende, von den Sternen gezogen und vom Posthorn gelockt, mitreisen möchte. Unbestimmt bleibt das Ziel der Reise. Konkret bietet sich dem Fensterspäher so gut wie dem Zuhörer nur eine Reise mit dem Klang an, der in der Stille das einzig Schwebende, Lebendige ist.[41] Betrachten wir zunächst nur zwei Verse näher: „Es schienen so golden die Sterne" – „Und hörte aus weiter Ferne". „Golden" als Bestimmung des Sternenscheins, „weit" als Attribut der Ferne: Das sind eingewurzelte, allgemeinste Epitheta, fast schon Pleonasmen, wie sie sich beim Übergang kunstvoller Strophen zu Volksliedern schon vor Jahrhunderten an Stelle preziöser Wortverbindungen eingestellt hatten. Hier aber wird gerade ihre Vertrautheit das Kunstmittel, die schon gebahnten Assoziationen auf die einfachste und sicherste Weise neu zu beleben: Das ist alt und wahr, daß die Sterne golden sind und daß die Ferne weit ist, darüber braucht man nicht zu reflektieren, das schmiegt sich dem Unterbewußtsein ein wie ein Kindergebet, das man noch behält, wenn man Gott schon halb vergessen hat.

Tieck und der junge Novalis hatten in Hunderten von Reimetüden versucht, der Urpoesie der Sprache auf die Spur zu kommen, von der Herder versichert hatte, daß sie am Anfang der Menschheitentwicklung, vor der Entfremdung des Menschen von der wahren Natur geherrscht habe. Es sollte eine Sprache gewesen sein, in der Wortklang und -sinn zusammenfielen, in der Wahrheit deshalb unverfälscht gesagt und vom Hörenden in der Melodie der Worte noch unverfälscht aufgenommen werden konnte. Die einfachsten, sinnlichsten dieser seither vielfach erprobten Reimfügungen hat Eichendorff sich zu eigen gemacht, und indem er an die Stelle des Wortreichtums und der schweifenden Reimvielfalt Brentanos einen Kanon wiederkehrender Leitwörter, Klänge und Reime setzte, konnte er nun durch Wiederholung des Immergleichen neuerlich zu ungefragter, mythischer Wahrheit erheben, was moderner Zweifel einer differenzierteren Redeweise nicht mehr willig abgenommen hätte.

Zwei junge Gesellen gingen
Vorüber am Bergeshang,
Ich hörte im Wandern sie singen
Die stille Gegend entlang:
Von schwindelnden Felsenschlüften,
Wo die Wälder rauschen so sacht,
Von Quellen, die von den Klüften
Sich stürzen in die Waldesnacht.

Sie sangen von Marmorbildern,
Von Gärten, die überm Gestein
In dämmernden Lauben verwildern,
Palästen im Mondenschein,
Wo die Mädchen am Fenster lauschen,
Wann der Lauten Klang erwacht
Und die Brunnen verschlafen rauschen
In der prächtigen Sommernacht. –

Die Gesellen singen die Gegend entlang – eine ungewöhnliche Fügung, aber doch gegenständlich gemachte Bewegtheit von Bild und Klang; der Hörer bedarf keiner hochsensiblen Vorstellungskraft mehr, um die Seelenbewegtheit des romantischen Sängers zu erfahren. Eichendorff hat solche Zustände der Bewegtheit – das hat wiederum Richard Alewyn uns sehen gelehrt[42] – förmlich dingfest gemacht in der Fülle der Richtungspräfixe, die er Zustandsverben voranstellt.

Unterm „Entlangsingen" der Gesellen wandeln und vervielfältigen sich die Bilder vorüberziehender Landschaften, entspinnt sich eine Kette nächtlicher Bilder und Klänge bis hin zum Bilde der Mädchen, die wiederum vorüberziehenden Lautenklängen nachlauschen. Diese ganze Bilderflucht aber wird für den Lauschenden nur hörbar im Liede der Vorüberziehenden. Das ist nun der zweite Schalltrichter, oder der zweite Fokus, wenn man es romantisch ausdrücken will, die zweite Potenz jedenfalls der Vermittlung ferner Herrlichkeiten durch das Lied. Im Vorüberziehen erwecken die Sänger mit ihrem Lied eine Fülle bewegter Bilder, die noch ungleich größer ist als die, die das Auge von einem Fenster aus wahrnehmen kann: Nun kann – noch dazu im unbestimmten Plural – die Rede sein von Felsenschlüften, Wäldern, Marmorbildern, Palästen im Mondschein, Brunnen, Mädchen am Fenster: Zaubernacht in der Zaubernacht, und in der Wiederholung des Fensterbildes mit den lauschenden Mädchen noch einmal unabsehbare Vervielfältigung der doch immer gleichen Melodien. Die ganze unwirkliche Fülle wird in einem Augenblick erlebbar – aber nur für den, der am Fenster verharrt und es dem Liede überläßt, die Wirklichkeiten herbeizuzaubern.

Die Lieder der Wandernden müssen schon gar nicht mehr ausgefaltet, in extenso dem

Gedicht eingefügt werden, um die Vorstellung zu beflügeln. Weil es die bekannten, die immer wiederkehrenden alten Bilder sind, kann die Phantasie des Lesers oder Hörers sie bei bloßer Nennung rasch mit einem „Ich weiß schon" quittieren. Ihre Fülle übersteigt die Erlebnismöglichkeiten des äußeren Daseins nicht nur graduell, sondern grundsätzlich. Von welchem Orte wären Wälder, Schlösser, Felsschluchten, Gärten, Wasserstürze, Brunnen und lauschende Mädchen mit einem Blick zu umfassen? Das Lied aber, das die Situation einer einzigen Sommernacht vorzustellen scheint, macht solchen Weitblick möglich. Es läßt in den aufgestellten Spiegelwänden weiterer erlauschter Lieder die unendliche Vielfalt möglicher Sommernächte erscheinen. Für den, der seine Phantasie auf die Reise schicken möchte, entwirft es den Kosmos einer Wunschwelt, wie sie ihm im Leben nie begegnen, wie sie vielmehr allein das Lied realisieren kann.

Der poetische Vorgang, der in diesem Sehnsuchtslied selbst zum Thema wird: die Vervielfältigung des Immergleichen zu einer Wunschwelt, die ganz und unabsehbar erfüllt ist von schönen und vertrauten Dingen und dabei paradiesisch unberührt vom Wandel der Zeit, enthüllt sich bei aufmerksamer Prüfung als geheimes Generalthema der sorgfältig komponierten Sammlung der Gedichte.[43] Die schon früh bemerkte Stereotypie Eichendorffscher Motive und Sprachfiguren vermag bei reihenweisem Singen seiner Lieder oder bei anhaltender Lektüre dieselbe Bezauberung auszulösen, die das Spiegelkabinett der Sehnsuchtsbilder in unserem Liede entstehen läßt. Dabei beruht Eichendorffs große und unverwechselbare Kunst nicht etwa auf der besonderen poetischen Ausschmückung seiner wiederkehrenden Motive, sondern darauf, daß er durch ihre bloße Nennung ihren poetischen Charakter gerade vergessen macht. Der Zauber, der von seinen Gedichten ausgeht, besteht nicht zuletzt darin, daß es ihm durch solche scheinbare Zurückhaltung gelingt, seine persönliche Stimme zum Verschwinden zu bringen und dem Hörer oder Leser zu suggerieren, die elementaren Gegenstände: Wald, Himmelszelt, aber auch die Stimmungen: Wanderlust, Heimweh, sprächen eindeutig, einfach und klar sich selber aus.

In dem berühmten Vierzeiler „Wünschelrute" hat Eichendorff sich auf diese eigentümliche Fähigkeit seiner „Zauberworte" besonnen. Wie gründlich er sich die Magie solcher „Erweckungspoesie" bewußt gemacht hatte und wie wichtig er sie nahm, zeigt nicht nur der Titel dieses Gedichtes an, sondern auch seine von Eichendorff mindestens gutgeheißene Einordnung am Schluß der Abteilung „Sängerleben".

Man kann es am „Taugenichts" und an anderen Erzählungen Eichendorffs nachprüfen, wie seine eigenen Helden durch Naturstaffagen, die den Blick wandern machen, und durch bewegte Klänge zu Liedern ermuntert werden, in denen sich die erweckte Stimmung archetypisch vereinfacht und verallgemeinert artikuliert, d. h. so, daß das subjektiv interessante Moment dieser Stimmung ganz zurücktritt. Darum kann es geschehen, daß selbst literarisch gebildete Liebhaber Eichendorffs nicht einer situationsbedingten Stimmung, sondern dem puren An-sich-sein der Dinge in solchen Liedern zu begegnen meinen. Paul Heyse hat in den neunziger Jahren einen Romanhelden, der im übrigen deutlich ein an Eichendorff orientiertes Dichterideal verkörpert, über diese Nachwirkung Eichendorffscher Lieder sich aussprechen lassen. „Keiner unserer Lyriker" sagt der junge

Georg Falkner, „hat diesen heimatlichen Zauberklang, der in so rührender Eintönigkeit mit so wenigen Bildern und Akkorden unser Herz gefangen nimmt. Ich weiß ihn auswendig, und doch ist er immer wieder neu wie die Stimmen der Natur selbst . . .“[44] Hier wird die Denkbahn erkennbar, auf welcher in den folgenden Jahrzehnten jene erwähnten Pauschalurteile entstehen konnten, die Eichendorffs Stimme mit den Stimmen der Natur oder des Waldes genauso unmittelbar identifizieren wie mit der Volksseele oder auch mit seiner schlesischen Heimat.

Welche Konsequenzen diese zweifellos von Eichendorff selbst nahegelegte Auslöschung aller Differenz zwischen Wort und Sache für das Realitätsbewußtsein einer natursehnenden Wanderjugend um die Jahrhundertwende zeitigte, bezeugt in aller Deutlichkeit der mehrfache Bericht Paul Fechters über sein Erweckungserlebnis durch Eichendorffs „Mondnacht“-Gedicht: „Was die jungen Menschen damals erfuhren, was sie widerstandslos hinriß – das war die bis dahin immer dunkel gesuchte, immer erhoffte und ersehnte Berührung mit der Wirklichkeit, die sich ihnen von diesen kleinen unscheinbaren drei Strophen aus zum ersten Mal hinreißend und beglückend – und unverlierbar auftat . . . Der angebliche Romantiker Eichendorff ist nämlich in Wahrheit der erste Führer zur Wirklichkeit des Draußen gewesen, zur Natur, zur Landschaft, den wir im Reich gehabt haben . . .“[45] Dies wohlgemerkt anläßlich eines Liedes, das mit einem „Als ob“-Auftakt beginnt und mit einer „Als ob“-Klausel schließt.[46] Fechter gibt selbst die Brücke an, die von solcher Verwechslung der „Wirklichkeit des Draußen“ mit einer stimmungserzeugten Vision zu einem umfassend poetischen Weltverständnis führt: „Seit den Versen des Mannes aus Lubowitz im Kreise Ratibor ist für die deutsche Sprache der Abstand zwischen Wort und Wirklichkeit des Draußen aufgehoben, besitzen wir recht eigentlich erst unser Draußen und unsere Umwelt als unsere Wirklichkeit, d. h. als das, in dem und mit dem wir unser Leben als ganzes haben.“[47]

Weit über die Rezeption von Eichendorffs Dichtung hinaus reichen die Konsequenzen, die sich aus solchem „Leben aus der Hand der Dichtung“ für den derart Beschenkten ergeben. Schon die Wanderjugend, die sich um 1900 singend ihrer „Umwelt“ bemächtigte, und noch jene Heimatflüchtigen, die um 1950 in Eichendorff „ihren Genius und Patron, . . . den Sänger auch ihrer unverlierbaren Güter“[48] erblickten, konnten auf solchem Wege zu dem Glauben gelangen, daß die Natur, die Heimat, wie sie die Poesie ihnen vorstellte, mit der Realität der erwanderten Natur oder der verlassenen Heimat identisch sei. Das wiederum mußte ihnen die Einsicht in den in Wahrheit optativischen Charakter, die Wunschweltexistenz der Naturklänge und Heimatbilder in Eichendorffs Dichtung verwehren. Um diesen Preis schließlich konnte Eichendorff in fast unbestrittenem Consensus „schlicht und gerade und wahr“[49] genannt werden.

Nicht nur der Form, sondern auch der Sache nach boten freilich Eichendorffs Texte sich verführerisch leicht dazu an, die jeweils eigenen Wunschvorstellungen in ihnen wiederzufinden. Richard Alewyn hat darauf aufmerksam gemacht, daß Eichendorffs formelhafte Bilder „mehr sind als nur private und subjektive Erlebnisse“, daß sie „vielmehr Grundbestände unserer Welterfahrung ausdrücken, die allen gemein sind“.[50] Eben das Vertrauen auf die Gemeinverständlichkeit und die überzeitliche Gültigkeit der Eichendorffschen Bilder und ihrer Bedeutungen hat aber auch dahin geführt, daß die Veränderungen, die ihre Auslegung und Anwendung im Wandel der Geschichte erfuhr, nahezu unbemerkt blieben. Tatsächlich verdankt Eichendorff die fortdauernde Popularität, die er um 1850 unter Rheinländern und Bayern, um 1900 in Salons und auf den Landstraßen, um 1920 „bis in die linksstehendsten Arbeitervereine"[51] und 1940 bis in die „Reichsjugendführung" genoß, nicht nur der Eingrenzung seiner Motive auf „die elementaren Kategorien unserer Welterfahrung",[52] sondern auch Schwerpunktverlagerungen und Umdeutungen tiefgreifender Art, die – gerade weil sie sich auf so elementare Gegenstände beziehen – nicht nur den Literarhistoriker angehen.

Greifen wir gleich den folgenreichsten Fall solcher Umdeutung auf. In der Kernzone das Kanons wiederkehrender und zusammenhängender Motive findet sich bei Eichendorff eine Anzahl von „Zauberworten", die mit der wehmütigen Rückerinnerung an seine schlesische Heimat in Zusammenhang zu bringen sind. Solcher Zusammenhang ist nicht nur niemals in Zweifel gezogen worden; die aus diesem Kernbezirk seines Motivschatzes abgeleitete, sehensuchtsvolle Treue zu seiner schlesischen und deutschen Heimat hat vielmehr zu seiner Verehrung als „Nationalbesitz" erst den Grund gelegt. Wo immer von Heimweh als Sittengebot, von der Treue zum angestammten Boden und Sehnsucht nach dem Wiedergewinn alter Heimat in Deutschland die Rede ist – heute so gut wie in der wirren Zeit der Kleinstaatbündnisse und Kleinstaatzwiste des 19. Jahrhunderts – kann Eichendorff als Kronzeuge zitiert werden: „... ich halte es gerade in der heutigen Zeit für bedeutungsvoll, sich dieses berühmten deutschen Romantikers zu erinnern ... seiner schlesischen Heimat zutiefst verbunden, hat er in seinen Werken doch allen deutschen Stämmen unseres Volkes die Liebe zu unserer großen deutschen Heimat nahegebracht", so schreibt der deutsche Bundeskanzler von 1958.[53] Sein letzter Satz trifft den historischen Sachverhalt durchaus, und was den geographischen Sachverhalt angeht, so hält er gute Nachbarschaft mit einem Bekenntnis im „Neuen Deutschland", wo in einer ganzseitigen Würdigung Eichendorffs die Überzeugung Ausdruck findet: „Eichendorff ist der Entdecker der unendlichen Schönheiten deutscher Landschaft in der modernen Lyrik. Seine Gedichte sind das hohe Lied auf das Bild unserer Heimat. Darin gerade besteht sein großer und echter Patriotismus."[54] Hier freilich ist es zum Schluß nicht der Heimatverlust, sondern „die prosaische Herrschaft des Geldes", gegen die Eichendorff „das gefährdete unverstellte Empfinden der deutschen Heimat" verteidigt. Wir haben zu fragen, welche Art von Ausdeutung es erlaubt, Eichendorffs „Zauberworte" so nachhaltig und zugleich so unterschiedlich in Gebrauch zu nehmen.

Es steht außer Zweifel, daß Eichendorff sein Leben lang dem Heimweh nicht wehrte nach dem Paradies seiner Jugend, dem Schloß Lubowitz, nach den weitläufigen Besitzungen seines freiherrlichen Geschlechts, den Parks und Wäldern, den Wiesengründen und Bächen, nach den Bergwanderungen und den Jagden und den prächtigen Festen seiner Jugendzeit. Als durch den Tod seines Vaters, durch Verkauf und politische Enteignung dieses Paradies seiner Kindheit unwiederbringlich verloren ging und er die Früchte seines zunächst auf ungezwungene Bildung angelegten Studiums zur Etablierung in einem bürgerlichen Beruf nutzen mußte, hat sich diese wehmütig rückgewandte Sehnsucht nur verstärkt. Sicher half die noch schier ungebrochen barocke Kultur des katholischen Schlesien und die früherfahrene Wälderpracht der oberschlesischen Landschaft den Grund legen zur stereotypen Wiederkehr der Marmorbilder, Brunnen, Gärten, Waldeshöhen seiner frühen und späten Lyrik.

Eines seiner beliebtesten Lieder, das schon 1890 als Lehrstück herangezogen wurde, um die Gleichung „Wald = deutsches Vaterland, deutsche Art und Sitte" aufzustellen,[55] gibt uns Anlaß, noch einmal der Form nachzugehen, in der er solche Motive poetisch nutzt:

O Täler weit, o Höhen.
O schöner, grüner Wald,
Du meiner Lust und Wehen
Andächt'ger Aufenthalt!
Da draußen, stets betrogen,
Saust die geschäft'ge Welt,
Schlag noch einmal die Bogen
Um mich, du grünes Zelt!

Wird in diesem Sehnsuchtsruf nach der angestammten Heimat eine Landschaft reproduziert, die sich durch ihre bestimmten „einmaligen"[56] Merkmale auszeichnet? Weite Täler, Höhen, schöner grüner Wald: wieder die allgemeinsten, die immer-wahren Bestimmungen: aber die dreifache Interjektion unterstreicht in beinahe aufdringlicher Weise, daß es sich um magische Namen handelt, die etwas viel Umfassenderes bedeuten als einzelne Landschaften, die man aus ihnen beliebig komponieren kann. Schon die nächste Strophe singt von Auferstehung aus trübem Erdenleid, und die Anrufungen der ersten Strophe: „andächtiger Aufenthalt", „grünes Zelt" deuten es demjenigen, der nicht nur sein sinnliches Apperzeptionsvermögen wecken läßt, schon an: Was hier Form gewinnt, ist ein mehrdeutiges Gedenkbild von Kindesheimat, Ruhestatt des unsteten Lebens, frommer Geborgenheit in der ursprünglichen Heimat des Menschen. Jenes unübertreffliche Abendlied, in dem die Seele durch die stillen Lande fliegt, „als flöge sie nach Hause", hält im konjunktivischen Vergleichssatz diese Mehrdeutigkeit und damit die innegehaltene Bindung an das ewige Zuhause mit aller erwünschten syntaktischen Genauigkeit fest. In der Sammlung der Gedichte findet man dieses Heimatgedenken im Abbild einer Abendstimmung eingefügt unter die geistlichen Lieder.

Sehr viele seiner Lieder bieten den gleichen Sachverhalt. Für den Kenner der literarischen Tradition flechten sich die Erinnerung an die Geborgenheit in der „schönen alten Zeit", an die „Liebesheimat" und schließlich an die Poesie selbst, an „meine alte Heimat", wie schon der Neunundzwanzigjährige schreibt,[57] in den Akkord möglicher Bedeutungen ein. Dabei sind die Namenszeichen, die Eichendorff setzt, gerade in ihrer unspezifischen Allgültigkeit Hohlgefäße, die jeder Hörer oder Leser, der mit einem raschen „ich weiß schon" zur Hand ist, nach seinem Bedarf füllen kann, und in dieser Eigenschaft ist einer der Hauptgründe dafür zu sehen, daß große wie bescheidene Geister aus Eichendorffs Liedern sehr verschiedene Wohltaten empfangen können – und nicht nur Wohltaten. Schon während der Freiheitskriege hatte die magische Verschränkung geistlicher und sinnlicher Wortbedeutung in Wortklängen und Symbolen von betörender Einfachheit zur ungehinderten und auch unkontrollierten Übertragung von ästhetischen Erlebnissen in religiöse wie von religiösen Heilsvorstellungen in nationale geführt.[58] Das Treuebekenntnis zum leidenden Christus und das Treuegelöbnis zu Kaiser und Reich erhielt nicht nur der gleichen Melodien wegen ununterscheidbaren Klang. Ähnlich verhält es sich mit der Geschichte der deutschen Heimattreue und des Heimwehs im 19. und 20. jahrhundert.

Eine so umfassende Gefühlskultur wie die Romantik konnte auch zwischen geistlichem und irdischem Trennungsschmerz die Funken überspringen lassen. Damit konnte auch die Sehnsucht nach der irdischen Heimat den ethischen Rang und den spirituellen Charakter erhalten, mit dem seither das Wort „Heimweh" ausgezeichnet ist.

Gewiß hat Eichendorff mehr als jeder andere Dichter seiner Zeit zur Einbürgerung dieses umfassenderen Heimwehgefühls beigetragen. Während jedoch der poetische Heimwehruf in der Dichtung eines Hölderlin oder Novalis noch ziemlich unverblümt Heimkehr des Geistes in ein goldenes Friedensreich und Einkehr in ein Paradies ewiger Liebesvereinigung meinte, geht Eichendorff sowohl in der Verallgemeinerung als auch in der Verdinglichung solchen Heimatverlangens einen entscheidenden Schritt über seine Vorgänger hinaus. Das entspricht Eigentümlichkeiten seiner Poesie, wie wir sie anderwärts beobachtet haben: Die romantische Bewegtheit wird vergegenständlicht in Bewegungsverben und zahllosen Richtungskomposita, das romantische Möglichkeitsdenken wird syntaktisch handgreiflich in der Bevorzugung des Konjunktivs und der modalen Hilfsverben. Ebenso lokalisiert sich im System seiner poetischen Phantasie alle Sehnsucht nach himmlischer und irdischer Geborgenheit in dem konkreten Heimweh, das sich auf das Land seiner Kindheit, Oberschlesien, und auf das Vaterhaus Lubowitz richtet. Verhältnismäßig selten nur – sieht man von den Liedern aus der Zeit der Freiheitskriege ab – wenden sich Grüße fernweilender Reisender oder Sänger allgemeiner an Deutschland, „an das grüne Vaterland", labt sich die Erinnerung am „deutschen Waldesrauschen".[59] Weil jedoch Eichendorff sein Kindheitsparadies Lubowitz und den nächsten Umkreis seiner oberschlesischen Heimat in den Erinnerungsbildern seiner Gedichte auf dieselben magisch-generischen Nennwörter reduziert wie andere Wunschlandschaften, können individuelles Heimweh so gut wie provinzielle oder vaterländische Heimatverehrung in solchen Texten ihre jeweils eigene Bestätigung und Stimulierung finden.

So konnte der Sänger „von ‚Tälern weit', vom ‚kühlen Grunde' " nach 1900 das „Deutsche Erlebnis" erwecken helfen[60], konnte das Treuegelöbnis zur oberschlesischen Heimat sich an dem Dichter „von dem Ringlein, das zersprungen" entzünden[61] – zur gleichen Zeit, in der für andere „Wandern ohne Ziel und Zweck"[62] den spezifischen Reiz seiner Gedichte ausmachte. Auch in diesem Bereich gelangt die Eichendorff-Verehrung zu den typischen Zirkelschlüssen, die allerdings, weil sie sich an vermeintlich konkreten Bildern orientieren, in einer politisch aufgeregten Zeit nicht mehr nur poetische Stimmungen, sondern gleichsinnige politische Wunschvorstellungen zu nähren vermögen. Der wortmächtigste Beförderer solcher Eichendorff-Verehrung wird nach 1930 Herbert

Cysarz; ihm gedeiht unter der Hand ein eigener Kosmos von Bestimmungen des „echten“ Eichendorff: „Echt schlesisch, echt sudetendeutsch[!] sein Einklang von Heimattreue und Drang zum ganzen Deutschland“. Ein genealogisch-organischer Volksbegriff läßt Verschränkungen solcher Art als Naturgegebenheiten erscheinen und begünstigt deutlich auch die folgenden Übertragungen: „Gesamtdeutsch alles, was er aus mütterlichem Boden zieht; was immer aus schlesischer Heimaterde emporsteigt, wird zur umfassenden Botschaft und Bürgschaft deutscher Art.“ Dieser Mythos deutscher Art – so ziehen sich die Kreise weiter – „gibt auch christlichen Inhalten deutsche Wurzelung und gesamtdeutsche Ausstrahlung“[63]. Die magische Identifikationsrhetorik kann nicht verdecken, daß hier unter der Hand eine gründliche Verkehrung aller Verweisungsziele in Eichendorffs Heimwehvokabular vorgenommen wird: Nicht zu heilsamer Weitung des Blicks vom Haus über das Land und die Erde zu einer menschenversöhnenden Ewigkeit, sondern zur stumpf konzentrierten Nabelschau auf die imaginäre „deutsche Art“ gedeiht hier die Verschränkung aller Bilder und Begriffe. Aus der mythisch brauenden Hochsprache in das Alltagsdeutsch der politischen Forderung umgesetzt, lautet derselbe Kreisschluß bei Hans Christoph Kaergel: „Wenn wir nun wissen, daß Eichendorff alles, aber auch alles aus seinem Wesen, aus der oberschlesischen Seele empfing, so haben wir damit der ganzen Welt den Beweis erbracht, daß Oberschlesien bestes deutsches Land ist. Denn es wird keinen Menschen in der Welt geben, der nicht im Liedersänger Eichendorff den deutschesten Sänger erkennen würde.“[64]

Gewiß ist in solchen Fällen Eichendorffs Dichtung schon zum bloßen Instrument der politischen Agitation degradiert; aber der Kerngedanke, um den alle diese Argumente kreisen: die Unterstellung, daß Eichendorffs Wesen mit der Volksseele identisch sei, gründet sich in den dreißiger Jahren bereits auf eine so lange und andauernde Tradition, daß er, wie vordem die Naturbilder des Dichters, unbefragt für wahr gehalten wird. „Wer Eichendorff nennt, der leistet einen Beitrag für unser Heimatrecht“ – so kann im Jahre 1957 guten Gewissens nur jemand argumentieren[65], dem der Name Eichendorff selbst zum „Zauberwort“ geworden ist. Nicht weniger guten Gewissens aber stellt ein Autor aus dem kommunistisch regierten Deutschland im Jahre 1962 die Formel auf, daß Eichendorff, dessen Gedichten er „Wirklichkeitsnähe des Inhalts“ und „Volkstümlichkeit der Form“ nachrühmt, deshalb zu lieben sei, „weil er selbst . . . seine deutsche Heimat . . .‘“ liebte. Auch zu diesem Bekenntnis gibt das vielzitierte Gedicht vom „kühlen Grunde“ wieder einmal den unmittelbaren Anlaß.[66] Hier wie dort wird Eichendorff in sehr verschiedener Absicht neuerlich zum Kronzeugen für das Heimatrecht der Deutschen auf Schlesien und für die rechtmäßige Heimatliebe der DDR-Bürger erhoben, und wir haben zu fragen, warum sich im Zuge einer hundertjährigen Wirkungsgeschichte seiner Heimwehlyrik gerade solche Manifestationen von beschränkter Geradsinnigkeit oder demagogischem Eifer unverwandt erneuern, so daß mit den wechselnden historischen Verhältnissen sogar einander widerstreitende Rechte unter seinem Namen geltend gemacht werden können.

Eichendorff selbst hat solcher Pragmatisierung gerade im Falle des so vielzitierten Heimatgedichtes „O Täler weit, o Höhen“ bewußt entgegengewirkt. Das Gedicht war bei seinem Aufbruch nach Wien entstanden und trug in der Handschrift zunächst den Titel „An den Hasengarten“ – das ist oder war ein Teil des Lubowitzer Schloßparks: stufenweise veränderte Eichendorff sodann diesen Titel – „Im Walde bei L[ubowitz]“ – „Im Walde der Heimat“ –, bis es schließlich in der Gedichtsammlung von 1837 die Überschrift „Abschied“ fand.[67] Damit erst waren die konkret bezogenen Verse vollends geöffnet für das religiöse Gleichbild von Lebensfahrt, Erdenleid und des Menschen rechtem Hort. Schon in seiner frühesten, noch längeren Fassung macht jedoch dieses Gedicht mit keinem Worte den „Ort wo einer glücklich war“ näher kenntlich; dafür umgreift die letzte Strophe mit der Erinnerung an die vergangene Lebenszeit auch den ganzen Strom der eigenen Lieder. So wird in der handschriftlichen Fassung der „schöne, grüne Wald“ bereits ein allgegenwärtig möglicher Paradiesort der Phantasie, von dem aus das „Draußen“ des Lebens weit zu überblicken und in dessen Stille Gottes Stimme nah und der eigene Wesensgrund „unaussprechlich klar“ zu erfahren ist. Ihre metaphorische Valenz beziehen die Wörter „Täler“, „Höhen“, „Wald“ wie die Bilder vom auferstehenden Morgen dabei keineswegs in erster Linie von der besonders ins Auge gefaßten Landschaft, vielmehr aus einer literarischen Tradition, die ihre Assoziationswerte bereits vertraut gemacht hatte.

Wer die Geschichte solcher hergebracht metaphorischen Anwendung von Vokabeln wie „grüner Wald“ und „deutscher Wald“, „Morgenfrühe“ und „Morgenrot“, „Herz“, „Blut“, „Herzblut“ und auch zahlreicher Wörter im Umkreis von Lebensgrund, Heimweh und Heimkehr vom 19. ins 20. jahrhundert verfolgt, wird bemerken, daß alle diese so nachhaltig poetisch aufgeladenen und aufgewerteten Begriffe zunehmend auf ihren plan sinnlichen Gehalt reduziert werden. Unter solcher Rückführung auf ihren konkreten Wortsinn, an der gerade das Ressentiment gegen die romantische Vieldeutigkeit im späteren 19. Jahrhundert einen erheblichen Anteil hat, bleiben aber nun die Konkreta von all den poetischen Wunschvorstellungen mitbelastet, die zuvor im Bereich der Poesie ihr Oszillieren zwischen direkter, metaphorischer und geistlicher Bedeutung ermöglicht hatten. Nicht schon diese gegenseitige Durchdringung, sondern erst die nachträgliche Reduktion eines durch solche Kommunikation angereicherten Begriffs auf einen konkreten Inhalt gefährdet, ja pervertiert die ihm eingegebenen, umfassenderen Werte.

Zugleich aber erfährt notwendig der isolierte Wertbereich durch die Bedeutungsfracht, die dem Begriff zuvor beigegeben war, eine unangemessene sittliche oder gar religiöse Aufhöhung, die letzten Endes auch verantwortlich ist für das subjektiv gute Gewissen, mit dem die radikalen Verkürzer und Vereinseitiger dann den schlechtesten Gebrauch von ihm machen. Dies nicht nur in der Literatur.

So lassen sich viele spätere Wirkungsweisen der Eichendorffschen „Zauberworte“ begreifen, für die nicht schon er, wohl aber poetische Zauberlehrlinge, die sich der gleichen Vokabeln bemächtigen, verantwortlich zeichnen. Eine derartige nachträgliche Kontamination zwischen materieller und poetisch erhöhter Wortbedeutung, die zugleich darüber aufklären kann, in welchem Maße auch im NS-Staat ausgebeutete poetische Magie an die Stelle nüchternen Weltbegreifens getreten war, führt der in seiner Schlichtheit ungeheuerliche Satz Baldur von Schirachs uns vor: „Der Wälder sind viele im deutschen Reich, aber es gibt nur einen deutschen Wald, den des Freiherrn von Eichendorff."[68] Solche poetisch-politische Equilibristik gereicht dem heutigen Leser – so steht zu hoffen – eher schon zur Erheiterung als noch zur Andacht. Nicht erheitern können uns zwei Dramenfiguren der späten zwanziger Jahre, ein Hauptmann und ein junger Kriegsfreiwilliger von 1914, die sich zu einem Sturmangriff mit Eichendorff-Versen wappnen. Der Freiwillige trägt, wie so viele, seinen Eichendorff in der Rocktasche. Der Hauptmann, barschen Sinnes, aber seinen Eichendorff im Herzen, malt ihm, wie es weiland dem Taugenichts angesichts des heiligmäßigen Rom wiederfuhr, „wie mit einer magischen Beschwörungsformel" den Einzug in die Heilige Stadt aus:

> Und wenn es einst dunkelt,
> Der Erd' bin ich satt,
> Durchs Abendrot funkelt
> Eine prächt'ge Stadt:
> Von den goldenen Türmen
> Singet der Chor,
> Wir aber stürmen
> Das himmlische Tor.

Dies „angesichts der schrapnellumflammten Türme der Kathedrale des brennenden Reims".[69] Selbst in diesem Schreckbild des deutschen Jünglings und seines Mentors manifestiert sich weniger chauvinistische als vielmehr poetische Verblendung, die Eichendorffs Todesvision des Soldaten in eine Aufmunterung zu frommem Blutvergießen umwandelt.

Ich führe solche Zerrbilder aus der Wirkungsgeschichte eines der tatsächlich liebenswürdigsten deutschen Dichter nicht deshalb auf, um zu erweisen, daß Mißbrauch eines Dichters allerorten möglich ist. Bei Eichendorff müssen uns solche bis zur förmlichen Kontrafaktur gedeihenden Materialisierungen seiner Heilsvorstellungen besonders interessieren, weil er selbst einen außergewöhnlich scharfen Blick für die Verführungsmacht seiner poetischen Bilder und Zeichen hatte. Das Heimatgedicht „An meinen Bruder" mündet in die Klage, daß es aus dem Bann erweckter Zauberklänge kein Entrinnen gebe, und in der handschriftlichen Fassung hat dieser Schluß noch Anklänge an das Nixenmotiv vom Untergang in verwunschenen Wassern. Bei gründlicherer Prüfung erweist sich, daß außer den direkten Verweisen auf das himmlische Zuhause kaum eines der Heimatlieder frei ist von Beiklängen einer magischen Verlockung, die ähnlich nur denjenigen Bildern eignet, in denen die poetische Phantasie selbst als der lockende Abgrund erscheint.[70] Schon der Vierzigjährige läßt eine seiner Dramenfiguren einem lockenden Wechselgesang entgegenrufen:

> Schweigt, schweigt! ich will das Lieder nicht weiter hören! –
> Falsch ist Musik, verträumte Fernen lügt sie,
> Wo silbern Ströme gehn von blauen Bergen –
> Und wenn wir folgen, bricht der Zaubergrund
> Und mit den Klängen zieht uns die Sirene
> Hinab ins bodenlose Meer von Wehmut. –[71]

Wenn wir folgen: Damit erhält in der Rückbetrachtung auch das Fenstermotiv eine weitere, noch gewichtigere Funktion. Eingangs war die Rede vom Bürger, der seinen Eichendorff gefahrlos genießen kann, weil er ihn unbürgerliche Einsamkeit als Wunschwelt kosten läßt, ohne daß er sie aus ihrem „konjunktivischen"Dasein in sein wirkliches Leben übernehmen müßte. Für seine Person fand Eichendorff im katholischen Glauben den Rückhalt vor dem hingerissenen Sprung in den Abgrund eines nur poetischen Daseins. Er bot ihm die Möglichkeit, über die Lockbilder und Klänge irdischer Wunschlandschaften hinweg und noch im Zauberwort „Heimat" „einer viel ferneren und tieferen Heimat" zu gedenken, „von welcher jene nur ein lieblicher Widerschein zu sein scheint".[72] Wohl weiß er die Poesie als Anfechtung durchzukosten und rät keineswegs zum Verzicht auf den unvergleichbaren Weitblick, den sie dem Standfesten erschließt. Aber er kennt nicht nur für seine Person den Preis, den eine volle, geistig unabgesicherte Hingabe an die „alten Lieder" kosten würde, er macht ihn auch in seiner Dichtung selbst – und nicht etwa nur in seinen geistlichen Liedern – dem aufmerksamen Zuhörer und Leser deutlich erkennbar. Wenn er seinen Wanderer Otto in „Dichter und ihre Gesellen" von „irren alten Liedern" in die Waldeinsamkeit locken und ihn damit sein bürgerliches Leben verfehlen und schließlich zu Grunde gehen läßt, so gibt er bereits mit dieser erzählerischen Explikation eines zauberhaften Liedes auch dem Leser Mittel an die Hand, seine Bilderschrift genauer zu verstehen. In dem Lied „Die zwei Gesellen" ruft der Sänger nicht nur vom Wege des Philisters, der den erweiternden Blick in die Welt jenseits von Haus und Hof und Geschäften erst gar nicht gesucht hat, sondern auch vom Wege des Anderen, den die Sirenen in den farbig klingenden Schlund ziehen, alle Nachfolgenden fürbittend zurück.

In neuerer Forschung ist diese Dialektik von Verführung und Mahnung, die Eichendorffs Poesie innewohnt, mit zunehmender Aufmerksamkeit behandelt und insbesondere an der Ambivalenz seines Heimat-Begriffes demonstriert worden.[73] Es bleibt abzuwarten, wie bald und wie weit solche behutsam-gründliche Korrektur des Eichendorffbildes, das in der ersten Hälfte unseres Jahrhunderts vorherrschte, auch auf den Umgang mit seiner Dichtung in den eigentlichen Domänen der Eichendorff-Rezeption, „in der Jugend, in der Schule, im Gesangverein"[74], Einfluß nimmt. Jedenfalls lassen diese Forschungsleistungen des letzten Jahrzehnts heute schärfer als zuvor erkennen, von welcher Art die Mißverständnisse waren, die dahin führen konnten, ihn in der zweiten Hälfte des 19. Jahrhunderts seinen romantischen Vorgängern und Zeitgenossen gegenüber als Muster eines schlichten Dichtergemüts und braver Lebensführung auszugeben. Ebenso gründlich und womöglich folgenreicher als diese philisterhafte Verkennung war jedoch das Mißverständnis, das zu Anfang unseres Jahrhunderst zu seinen Liedern greifen ließ, als Sangesrunden und schließlich ganze Generationen sich anschickten, ihre natürliche Heimat jenseits ihrer eigenen bürgerlich-sozialen Gegebenheiten zu suchen, die Wälder ihrer Umgebung zu Stätten sittlicher Reinigung und religiöser Einkehr zu erheben, der Städte geschäftiges Treiben banal und abgeschmackt zu finden, kurzum: aus dem Fenster ihres geschichtsgebotenen Daseins zu springen und dem Sinnenzauber eigener Lieder zu folgen.

Erst solche „indikativische"Auslegung von Erträgen einer großen Kunstepoche, die Eichendorff nur zu einem System besonders bündiger und scheinbar dingfester Leitwörter ausgemünzt hatte, trieb dahin, Bewegtheit ohne Ziel, aufsässige Begehrlichkeit nach viel weiteren Räumen und Schätzen, als Vernunft und eigene Kraft sie erreichen ließen, als Tugenden der praktischen Lebensführung aufzufassen. Die Verschränkung solcher Mißverständnisse[75] schließlich trug mindestens katalysatorisch bei zur Herausbildung einer immer breiteren sozialen Schicht, die von ihrer bürgerlichen Sicherheit nicht lassen will, dabei aber mit Gleichgesinnten, privat so gut wie politisch, ihr „eigentliches" Leben in einer selbstgewählten Wunschwelt führen möchte. Man kann sagen – und damit wäre Eichendorffs Reklamation als „deutschester" Dichter vielleicht am besten erläutert –, daß die Geschichte des deutschen Bürgertums im 20. Jahrhundert weithin vom Entwurf poetisch-politischer Wunschwelten und dem Versuch ihrer Erstürmung geprägt ist, zugleich aber von dem Schutzbedürfnis, sich im Getriebe der prosaischen Welt umher, der andrängenden technischen und sozialen Erfordernisse, ein poetisches Reich zu schaffen, in dem das „einfache Leben" im Mantel altvertrauter Wahrheiten, sozusagen unter dem Schirm der eigenen Wälder, noch zu leben war. Zu erkennen, daß unter solchem Schirm im 19. Jahrhundert allenfalls das Große noch zu träumen, aber nicht mehr die Wirklichkeit zu bemeistern war, behinderte eben die unreflektierte Verdinglichung der poetischen Vokabeln von Fernenweh und Heimatsehnsucht, vom Rauschen der eigenen Wälder und des eigenen Blutes, vom einfachen Volke und schließlich von der Morgenröte einer neuen Zeit, die Eichendorff, vorsichtig genug, noch poetisch gebändigt „Aurora" genannt hatte.

Ich habe zu zeigen versucht, wie besonders leicht es dieser Dichter seinen deutschen Lesern gemacht hat, die Sehnsüchte ihres eigenen Horizontes in seinen Liedern gespiegelt zu finden. Man darf paradoxerweise sagen, daß sich die Deutschen, die diesen Dichter als „deutschesten" wählten, gerade dadurch, daß in ihrer Sprache die poetischen Zeichenwörter Eichendorffs unvermittelt mit den pragmatischen Vokabeln Wald, Heimatland, Volk identisch wurden, Zugangshürden zu seiner Dichtung geschaffen haben, die erst behutsam wieder abzutragen sind, ehe ihre Einfachheit nicht bloß als gedankliche Schlichte, sondern als ein Gedenkspiel von besonders klaren Konturen erkannt werden kann.

In den gebotenen Bildern seiner Zeit gedenkt Eichendorff alter und einfacher Wahrheiten. Ein gutes Jahrhundert nach seinem Tode legen gereiftes Verständnis und historische Erfahrung es den Verehrern seiner Dichtung nahe, nicht „seligen Rausches" seinen Bildern zu verfallen, wohl aber im harmonischen Maß seiner Verse und der Klarheit seiner Prosa Verlorenes zu begreifen und Beständiges zu suchen.

ANMERKUNGEN

1 Wolfgang Müller von Königswinter, In's alte romantische Land, in: Westermanns ... Monatshefte 6, 1859, S. 433; vgl. Joseph Freiherr von Eichendorff, Sämtliche Werke, Hist.-krit. Ausg., hrsg. v. W. Kosch, 1908ff. [künftig = HKA.], I, 2, S. 788.

2 H[yazinth] Holland, Lebenserinnerungen eines 90jähr[igen] Altmüncheners, 1921, S. 45; ders., Joseph Freiherr von E., in: Hochland 5, 1907/8, S. 272.

3 Lieder von August Corrodi, Cassel 1853, S. 227-232; zit. nach: Ein Jahrhundert Eichendorff-Literatur. Bibliographie, zusgest. v. Karl Freiherrn von Eichendorff (1924), HKA, XXII, S. 128.

4 Franz Kern, Zur Erinnerung an J. v. E. zum 10. März 1888, in: Kern, Zu deutschen Dichtern. Ges. Aufs., 1895, S. 138. Ähnlich Heinrich Keiter, J. v. E. Sein Leben und seine Dichtungen, Köln 1887 (= 3. Vereinsschr. d. Görres-Ges. für 1887), S. 86ff., 112 u. passim. Ausdrückliche positive Abhebungen von der „romantischen Schule" auch in den abgewogenen Darstellungen von Jacob Minor, Zum Jubiläum E's, in: ZfdPh. 21, 1889, S. 232, und Hermann Palm, J. v. E., in: ADB 5, 1887, S. 726.

5 Heinrich Keiter (vgl. Anm. 4), S. 112; dort heißt es illustrierend: „sie [= E's Lieder] werden gesungen vom fröhlichen Wandergesellen, vom flotten Bruder Studio, von der sentimentalen Salondame und der verliebten Bauerndirne." Beachtenswert ist, in welchem Maße hier auch die Bezeichnung der einzelnen „Stände" literarischen Schablonen folgt.

6 Conrad von Prittwitz-Gaffron, J. v. E., Vortrag, geh. am 1. März 1881, S. 27; S. 23

7 Auf die knappste Formel gebracht bei Gustav Falke, E., in: Die Dichtung, hrsg. v. P. Remer, Bd. 41, 1906, S. 69: „Er ist ein Stück deutscher Volksseele"; bei Franz Faßbinder, E's Lyrik, Köln 1911 (= 1. Vereinsschr. d. Görres-Ges. für 1911), S. 8: „Er ist einfach wie die Volksseele."

8 Wilhelm Kosch, HKA. I, 1 (1921), S. VIII.

9 Hans Zuchold, Eichendorffliteratur, in: Der Osten, Lit. Monatsschr. d. Vereins „Breslauer Dichterschule", 33, 1907, Heft 11, S. 208.

10 Franz Faßbinder, E's Lyrik und die Volksdichtung, ebd., Heft 11, S. 193.

11 Paul Albers, E. und die Romantik, ebd., Heft 12, S. 219.

12 Ebd., Heft 11, S. 206f. Das Gedicht wird bekrönt von den Versen, die Eichendorff in den Mund gelegt werden. „In der Heimat – sprach er – an dem Mutterherzen / nur gedeiht die echte Kunst! Drum lieb't die Heimat!"

13 Franz Faßbinder (vgl. Anm. 10), S. 193.

14 Brief an Paul Heyse vom 6. Januar 1857; im Auszug abgedruckt bei Paul Stöcklein, E. in Selbstzeugnissen und Bilddokumenten, Reinbek 1963 (= Rowohlts Monographien 84), S. 168, und Georg Hyckel, Theodor Fontane und E's „Taugenichts", in: Aurora 19, 1959, S. 99.

15 Thomas Mann, Betrachtungen eines Unpolitischen. Gesammelte Werke, Frankfurt 1960, Bd. 12, S. 381f.; diese Wendungen zuerst in: Dt. Rundschau 27, 1916, S. 1482f.

16 Benno von Wiese, Rede über E., in: Zs. f. dt. Bildung 9, 1933, S. 72.

17 Dabei wird vor allem das Argument, daß sein Dichtertum ihn nicht hinderte, sich dem Vaterland „zu opfern", immer wieder hervorgekehrt; vgl. Heinrich Keiter (vgl. Anm. 4), S. 32 u. ö.; Franz Kern (vgl. Anm. 4), S. 124; Paul Keller, J. Frh. v. E., in: Der Osten 33, 1907, S. 71.

18 Dieselbe Gedankenverbindung bei Hans Christoph Kaergel, Bekenntnis zu E., in: Der Oberschlesier 20, 1938, S. 639f.; Hans Brandenburg, Das Zaubernetz. Der Liebesroman des jungen Eichendorff, 1939 (zuerst unter dem Titel „Madame Hahmann", in: Schicksalsreigen, 1933), S. 213.

19 Grosser, E., der Dichter des Waldes, in: Der Oberschlesier 3, 1921, S. 728f.
20 Herbert Cysarz, E. und das große Deutschland, in: Die Literatur 40, 1937/8, S. 709-12 u. ö. – Baldur von Schirach, E. – der Seele ein Friede, in: Wille und Macht 11, 1943, Heft 3, S. 5.
21 Paul Fechter, E. heute, in: Aurora 14, 1954, bes. S. 14ff.; Abdruck in: Der Wegweiser. Zs. f. Vertriebenen- und Flüchtlingswesen, Kulturheft 28, 1957.
22 Friedrich Bethge, Bekenntnis zu E., in: Der Oberschlesier 20, 1938, S. 637.
23 Abdruck des „Appells" in: Eichendorff-Kalender 1919, S. 5-9; vgl. die früheren, dezidierten Äußerungen Wilhelm Koschs in der Einleitung zur Neuausgabe der Geschichte der poetischen Literatur Deutschlands, 1906, S. XIX. – Dieselben Elemente, die Kosch im „Appell" noch als Gegensätze begreift, rafft der Nationalsozialismus dann in seinem Losungswort „stählerne Romantik" zusammen, für das – etwa von Rainer Schlösser (Von Traum und Tat. E. und die Romantik, in: Wille und Macht 11, 1943, Heft 3, S. 8-12) – Eichendorff als historisches Vorbild reklamiert werden kann.
24 Für die Verbreitung der Erzählungen läßt die Bibliographie von Karl von Eichendorff erschließen, daß – ganz abgesehen von der Höhe der Auflagen – die posthumen Ausgaben des „Taugenichts" bis 1925 die aller anderen Erzählungen und Romane zusammen um das Anderthalbfache übertreffen (vgl. HKA. XXII, S. 92–101). – Unter den ausländischen Ausgaben der Erzählwerke zwischen 1934 und 1955 verzeichnet Wolfgang Kron in der Eichendorff-Bibliographie im Anhang zu: E. heute, hrsg. v. P. Stöcklein, München 1960, S. 288f., sechs „Taugenichts"-Ausgaben (zwei niederld., je eine frz., dän., ital., südafr.) gegenüber nur zwei Ausgaben anderer Erzählungen; ebd. sechs Übersetzungen (russ., span., finn., schwed., serbokroat., engl.) gegenüber einer Übersetzung einer anderen Erzählung. – Dazu auch Adolf Dyroff, Über die Wirkung der Eichendorffschen Poesie, in: Eichendorff-Kalender 1927/28, hrsg. von W. Kosch, 1927, S. 79.
25 Theodor W. Adorno, Zum Gedächtnis E's, in: Adorno, Noten zur Literatur (I), Frankfurt 1958, S. 109.
26 Eine entsprechende These, Eichendorff habe „zu der Vorstellung dessen, was man unter ‚deutsch' begreift, außerordentlich viel beigetragen", findet sich bereits 1924 in Hans F. Helmolts „Ehrenbuch des deutschen Volkes". Ich entnehme diese Stelle dem ersten Teil der materialreichen Übersicht von Franz Ranegger, E's Lyrik im Urteil von Mit- und Nachwelt, in: Aurora 14, S. 49-55 (hier S. 53) und 15, 1955, S. 68-73.
27 Sechs von acht Liedern singt der Taugenichts für sich allein, eines unterm Fenster seiner vermeintlich noch anwesenden Herren, das achte ist ein Ständchen für seine „schöne Frau", im Boot gesungen. Demgegenüber gibt es im „Taugenichts" nur zwei Chorlieder (das Lied der Prager Studenten und den Jungfernchor aus dem „Freischütz"). Im übrigen singt Guido zwei Lieder für sich allein, ein drittes, während der Taugenichts einschläft; nur die junge Dame, die den Taugenichts bekränzt, singt in einer Runde.
28 Eichendorff, Werke und Schriften, hrsg. v. G. Baumann [künftig = Werke], Bd. 2, S. 368. – In „Die Glücksritter" ist es die Nacht, „die wunderbare Königin der Einsamkeit", deren Reich „nicht von dieser Welt" ist; Werke, Bd. 2, S. 906.
29 Ebd., S. 303.
30 Ebd., S. 728.
31 Karl Gutzkow, Der Roman und die Arbeit (1855). Werke, hrsg. v. R. Gensel (Bong), 10. Teil, S. 139.
32 Gerhard Furchs, J. v. E., in: Zs. f. d. dt. Unterricht 23, 1909, S. 211.
33 So Rainer Schlösser (vgl. Anm. 23), S. 7, 8.
34 So Herbert Cysarz (vgl. Anm. 20), S. 711.

35 Dazu ausführlich Paul Gerhard Klussmann, E's lyrische Hieroglyphen, in: Literatur und Gesellschaft. Festgabe für Benno von Wiese, hrsg. v. H. J. Schrimpf, Bonn 1963, S. 115-117. – Über die Einfügung des Liedes in „Ahnung und Gegenwart" siehe Hermann Kunisch, Freiheit und Bann – Heimat und Fremde, in: E. heute (vgl. Anm. 24), S. 152.

36 Beide Dokumente abgedruckt in HKA. I, 2, S. 786ff.

37 Dazu noch detailliertere biographische Hinweise bei Paul Stöcklein (vgl. Anm. 14), S. 56ff. – Über die Gleichnishaftigkeit des Wandermotivs im „Taugenichts" vgl. bes. Robert Mühlher, E's Erzählung „Aus dem Leben eines Taugenichts", 1962 (= Schriftenreihe Kulturwerk Schlesien), S. 29f.

38 Im ersten Jahrzehnt des 20. Jahrhunderts, in den Jahren also, in denen die Identifikation Eichendorffs mit der „Volksseele" einen Höhepunkt erreicht, bieten Echtermeyers „Deutsche Gedichte", Wolffs „Poetischer Hausschatz des Deutschen Volkes" und Fränkels (Avenarius') „Hausbuch deutscher Lyrik" in ihren Eichendorff-Auswahlen jeweils mehr Gedichte in der vielzeiligen „Volksliedstrophe" als in allen übrigen Strophen- und Versformen; im übrigen bevorzugen sie deutlich die bereits vertonten Gedichte. Profil gewinnt diese gemeinsame Vorliebe bei einem Vergleich mit der Eichendorff-Auswahl in der Sammlung „Deutsche Dichtung", die Stefan George und Karl Wolfskehl 1902 veranstalteten. Dort wird in dem Bande „Das Jahrhundert Goethes" bewußt ein anderer Eichendorff, dem man erst in den sechziger Jahren dieses Jahrhunderts wieder größere Aufmerksamkeit zukommen läßt (s. S. 222), hervorgekehrt, und dabei treten nicht nur die Sonette, sondern auch andere kunstmäßigere Versfügungen so in den Vordergrund, daß der „volksliedartige Vierzeiler" nurmehr in drei von 22 Gedichten anzutreffen ist.

39 Vgl. Wolfgang Müller, zit. in HKA. I, 2, S. 641.

40 Richard Alewyn, Ein Wort über E., in: E. heute (vgl. Anm. 24), S. 15-17 (zuerst unter dem Titel „E's Dichtung als Werkzeug der Magie" in: Neue dt. Hefte 43, 1957/8, S. 977-985).

41 Vgl. dazu Paul Gerhard Klussmann, der in seiner eingehenden Interpretation des Gedichts (vgl. Anm. 35), S. 136-140, zu Ergebnissen gelangt, die sich mit einigen der hier zu ziehenden Schlüsse nahe berühren. – Wichtiges zu diesem Gedicht findet sich in Oskar Seidlins Interpretation: „Sehnsucht", zuerst in: Aurora 19, 1959; jetzt in: Seidlin, Versuche über E., Göttingen 1965, S. 56-58 u. 65f., und bei Theodor W. Adorno (vgl. Anm. 25), S. 130-133.

42 Richard Alewyn, Eine Landschaft E's, in: E. heute (vgl. Anm. 24), S. 19-43 (zuerst Euph. 51, 1957, S. 42-60).

43 Ob eine spätere Bemerkung Hermann von Eichendorffs, nach der Anordnung, Überschriften und Textredaktion von einem jüngeren Freund des Dichters besorgt worden seien, tatsächlich Anspruch auf Authentizität hat, wie Richard Dietze in seiner Ausgabe (E's Werke, 1891 [Meyers Klassiker], S. 405) und nach ihm Franz Uhlendorff (Studien um E's Berliner Nachlaß, in: Aurora 14, 1954, S. 27) annehmen, bedarf wohl noch weitergehender Klärung, insbesondere angesichts der Möglichkeit, daß Hermann von Eichendorff damit eigene Arrangements seiner Ausgabe von 1864 entschuldigte. Vgl. dazu eine Notiz von Karl von Eichendorff, HKA. XXII, S. 74.

44 Paul Heyse, Merlin (1892). Romane und Novellen, Bd. 6, 1903, S. 180f. – Vgl. bereits Freiligraths frühe Äußerung über die Wirkung von Eichendorffs Poesie (Brief an August Schmelzer vom 27. 2. 1837): „man hört das Laub, man riecht den Wald und wird warm in seiner durch Zweige glitzernden Sonne" (abgedruckt in: Aurora 19, 1959, S. 98).

45 Paul Fechter, E. heute, in: Aurora 14, 1954, S. 13. Über die wiederholten Äußerungen Fechters zu diesem Erlebnis vgl. Sabine Fechter, Ein Leben mit E., in: Aurora 25, 1965 S. 98f.

46 Hans-Henrik Krummacher zeigt in seiner ergiebigen Analyse: Das ‚als ob' in der Lyrik, Köln-

Graz 1965 (= Kölner germ. Stud. 1), daß die Fähigkeit dieser Sprachfigur zu „schwebend bildhaften Sprachbeziehungen ... in E's Lyrik ihren Höhepunkt" erreicht (S. 214); der Nachweis ihrer besonderen stilistischen Mannigfaltigkeit bei E. (S. 55-77) gewinnt jedoch erst angesichts der suggestiv „indikativischen" Wirkungen solcher Poesie seine volle Bedeutung. Die bisher wichtigsten methodischen Erörterungen und historischen Hinweise zu diesem Problem finden sich bei Albrecht Schöne, Zum Gebrauch des Konjunktivs bei Robert Musil, in: Euph. 55, 1961, S. 196-220.

47 Paul Fechter (vgl. Anm. 45), S. 13f.

48 Hans Brandenburg, Was bedeutet E. unseren Tagen? In: Dt. Rundschau 83, 1957, S. 1268.

49 Franz Faßbinder (vgl. Anm. 7), S. 8. – Ebenso Karl Schodrok am Ende seines „Rückblick auf das Eichendorff-Gedenkjahr 1957", in: Aurora 18, 1958, S. 110: „Er ist ... schlicht und wahr, echt und klar ..."; vgl. ders., Für E., in: Schlesien, Vjschr. für Kunst, Wissenschaft und Volkstum, 2, 1957, S. 133.

50 Richard Alewyn, Ein Wort über E. (vgl. Anm. 40), S. 17; den gleichen Sachverhalt erörtert Wilhelm Emrich, Dichtung und Gesellschaft bei E., in: E. heute (vgl. Anm. 24), S. 61, zuerst in: Aurora 18, 1958, S. 11-17.

51 Grosser (vgl. Anm. 19), S. 729.

52 Richard Alewyn, vgl. Anm. 50.

53 Aus einem Brief Konrad Adenauers an die Eichendorff-Stiftung; zitiert nach: Aurora 18, 1958, S. 104; vgl. Hans Friederici, Untersuchungen zur Lyrik E's, in: Weimarer Beitr. 8, 1962, S. 102.

54 Joachim G. Boeckh, O Täler weit, o Höhen ... Zum 95. Todestag von J. v. E. in: Neues Deutschland, Nr. 279, 27. 11. 1952, S. 6. (Ohne die Eingangs- und Schlußabschnitte nachgedruckt in: Ost-Probleme 5, 1953, S. 4-6; dazu auch Aurora 14, 1954, S. 122f.).

55 Otto Lyon, Der Jäger Abschied. Für die Schule erläutert und behandelt, in: Z. f. d. dt. Unterricht 4, 1890, S. 79f. Dazu kritisch Franz Uhlendorff, E., ein Dichter der wirklichen Natur, in: Aurora 19, 1959, S. 16 (dann in: E. heute [vgl. Anm. 24], S. 275f.).

56 Joachim G. Boeckh (vgl. Anm. 54), S. 6.

57 So im Brief an Friedrich de la Motte Fouqué vom 2. 12. 1817, HKA. XII, S. 21; auch der vielzitierte Satz aus „Dichter und ihre Gesellen"; „Wer einen Dichter recht verstehen will, muß seine Heimat kennen", weist mit seinem Nachklang des Goetheschen Mottos auf „Dichters Lande" zurück.

58 Vgl. dazu Paul Stöcklein (vgl. Anm. 14), S. 78f.

59 HKA. I, 1, S. 51; 142; 55.

60 Siehe das Gedicht von Trinius, abgedruckt von Harry Pross, Jugend, Eros, Politik. Die Geschichte der deutschen Jugendverbände, Bern/München/Wien 1964, S. 331f.

61 Paul Albers, Im Lubowitzer Park (vgl. Anm. 12), S. 206.

62 S. o. S. 355.

63 Herbert Cysarz (vgl. Anm. 20), S. 711, und: E. und der Mythos, in: Internationale Forschungen zur deutschen Literaturgeschichte. Fs. Julius Petersen, 1938, S. 160.

64 Hans Christoph Kaergel (vgl. Anm. 18), S. 641.

65 Karl Schodrok, Für E., in: Schlesien 2, 1957, S. 134.

66 Hans Friederici (vgl. Anm. 53), S. 100.

67 Vgl. HKA. I, 2, S. 653; dort auch die später weggefallene letzte Strophe. Zum Komplex der Lubowitz-Motive vgl. die bemerkenswerten Ausführungen von Hermann Kunisch, J. v. E. „Das Wiedersehen", in: Aurora 25, 1965, S. 24-30.

68 Baldur von Schirach (vgl. Anm. 20), S. 5.

69 Friedrich Bethge, Selbstzitate aus seinem Kriegsdrama „Reims" (1930) in „Bekenntnis zu E." (vgl. Anm. 22), S. 637.

70 Eine komplette Übersicht über die Belegstellen „Heimat", „Heimweh", „zu/nach Hause", die hier nicht auszubreiten ist, erhärtet diesen Tatbestand.

71 Werke, Bd. 1, S. 866f. Ich verweise dankbar auf die Erörterung dieser Stelle bei Oskar Seidlin, Versuche (vgl. Anm. 41), S. 210.

72 Diese Äußerung entstammt der nahezu unverhüllt autobiographischen „Jugendgeschichte", die E. seinem Helden Friedrich in „Ahnung und Gegenwart" (I, 5) in den Mund legt. Werke, Bd. 2, S. 48.

73 Aus der Reihe förderlicher Arbeiten nenne ich neben den zitierten Aufsätzen von Hermann Kunisch (vgl. Anm. 35 u. 67) namentlich Oskar Seidlins Versuche (vgl. Anm. 41), die schon durch ihre schöne Anordnung und überdies mit einer Reihe bündiger Feststellungen in den beiden Schlußkapiteln auf dieses Thema eingehen.

74 Richard Alewyn (vgl. Anm. 40), S. 8.

75 Systematisch deduziert Wilhelm Emrich (vgl. Anm. 50), S. 62, die Bedingunge, auf Grund deren „die Konfrontation Philister-Genie" in eine geheime Identität übergeht.

Fragment und Ironie beim jungen Friedrich Schlegel

Versuch der Konstruktion einer nicht geschriebenen Theorie

FRANZ NORBERT MENNEMEIER

Der für ihn charakteristischen Erfahrung von der „unendliche(n) Kluft"[1] zwischen Wesen und Erscheinung, zwischen absolutem und empirischem Ich und der auf diese Erfahrung antwortenden, durchaus optimistischen Idee eines unaufhörlichen, aus der Kraft der Freiheit zu bewerkstelligenden geistigen Progresses[2] hat Friedrich Schlegel, wie man weiß, mehr durch das Scheitern seines eigenen Philosophierens Ausdruck verliehen als durch eine den Werken Fichtes, Schellings, Hegels vergleichbare systematische Leistung.

Schlegel vermochte gewissermaßen von Haus aus und nicht aus schlichtem Mangel an intellektueller Potenz kein System zu schaffen. Auch hatte er von diesem Unvermögen zur systematischen Mitteilung seiner Gedanken durchaus ein systematisches Bewußtsein. Schlegel stellte sich bewußt in Opposition zur ‚mathematischen' Methode der Philosophie, Gesinnungsgenosse eines Pascal, der seinen aphoristischen ‚esprit de finesse' gegen den ‚esprit de géométrie' entwickelte, eines Shaftesbury, der sagte: „The most ingenious way of becoming foolish is by a system", eines Lichtenberg, der, auf Bacon sich berufend, konstatierte, „daß in einer Wissenschaft nicht viel mehr erfunden wird, sobald sie in ein System gebracht worden". Der junge Schlegel äußert sich ganz ähnlich wie diese aphoristischen Geister: „Man kann nur Philosoph werden, nicht es sein. Sobald man es zu sein glaubt, hört man auf es zu werden."[3] „Auch das größte System ist doch nur Fragment."[4] Die Schlußfolgerungen, die Schlegel aus dieser Erkenntnis zieht, sind paradox; sie zeigen, daß Schlegel als Philosoph nicht in die unkommunikativen Bereiche der Mystik, der Irrationalität auszuweichen gewillt ist. „Es ist gleich tödlich für den Geist, ein System zu haben, und keins zu verbinden."[5] Ein Satz aus der Einleitung der Jenaer Transzendentalphilosophie, der ein Licht auf Schlegels Position zwischen modernem Historismus und klassischer Metaphysik wirft, drückt den paradoxen Gedanken eines nicht-systematischen Systems folgendermaßen aus: „Die Idee der Philosophie ist nur durch eine unendliche Progression von Systemen zu erreichen. Ihre Form ist ein Kreislauf."[6] Das heißt mit anderen Worten: Das Fragment soll zum System, die Nicht-Form zur Form erhoben, die unendliche Linie soll zum Kreis gerundet werden. Die gleiche paradoxe Vorstellung, in der die Idee des Fragments und die der Kreisform miteinander verbunden sind, taucht in der Bestimmung des Fragments als kleiner literarischer Form wieder auf: „Ein Fragment muß gleich einem kleinen Kunstwerke von der umgebenden Welt ganz abgesondert und in sich selbst vollendet sein wie ein Igel."[7] Auf solche Vereinigung des Unvereinbaren deutet auch eine aus dem Nachlaß veröffentlichte Notiz, die offensichtlich jedoch nicht das einzelne Fragment, sondern die Fragmentsammlung meint: „Die Form der Fragmente ist die reine Form der Classicität und Progressivität und Urbanität.“[8]

Die System-Kritik und mit ihr die Reflexion auf eine neue Form philosophischer Mitteilung melden sich im Schaffen Schlegels schon sehr früh. Bereits 1793 schreibt Friedrich Schlegel an seinen Bruder August Wilhelm:

> Wie System und Vielseitigkeit verwandt sind, würde man nicht fragen, wenn System nicht auch einer der Fremdlinge wäre, die mit Feuer und Dolch getilgt werden müssen, wenn die Wissenschaft gedeihen soll. Bestimmtheit des Erklärens, Genauigkeit der wissenschaftlichen Bezeichnung heißt man oft systematisch. Ich redete aber bloß von Vollständigkeit der Einsicht, innrer Vollendung. Daß Vielseitigkeit zur Allseitigkeit der Weg sey, ist doch einleuchtend?[9]

Diese Stelle ist der Keim zu einer ganzen Reihe neuer Schlegelscher Form-Ideen, vor allem aber zur Idee des Fragments und der Fragmentsammlung und der in ihnen sich manifestierenden vielseitigen, zur „Allseitigkeit“ tendierenden Art der Mitteilung.

Die Universalität des Ausdrucks ergibt sich dadurch, daß Schlegels Fragmente, mögen sie auch zum Teil zur epigrammatischen, in sich gerundeten Form streben, unter einander in einem Konnex der Verweisungen stehen. Schlegel selbst sprach gelegentlich von einem „System von Fragmenten“,[10] von einer „große(n) Synfonie“;[11] er zeigte sich besorgt, hier „eine Zerstückelung eines Ganzen“[12] zu vermeiden. Er schrieb an August Wilhelm, „daß das Einzelne sehr verschiedenartig seyn solle“, betonte aber zugleich, daß es „ein Ganzes sey“[13]. Gegen die „Mißbilligung“ des Bruders will er „durchfechten, daß auch in Fragmenten der Ausdruck mit dem Inhalt übereinstimmen muß, und der Inhalt in vermischten Gedanken die Buntheit nicht scheuen darf“[14]. Ein strenger, anspruchsvoller Begriff von Universalität leitet ihn. Er will nicht den „Witz“, der „bloß petilliert“. Der Wert des Fragments soll vor allem „nach dem Gewicht“ bestimmt werden. Es ist seine „innigste Überzeugung (. . .), daß die Lizenz der Gattung nur durch die größte Universalität und durch tüchtige pfündige Gedanken und durch häufige Spuren von dem heiligen Ernst gerechtfertigt werden kann“[15]. Die „größte Masse von Gedanken in dem kleinsten Raum“, „επιδειξις von Universalität“, heißt es an anderer Stelle.[16] Diese Universalität soll bis ins Stilistische gehen: „Über die ein- und untheilbare Schreibart bin ich durchaus nicht Deiner Meinung wenn sie die andre verdrängen soll und alles auf gleichem Fuß behandeln will.“[17] Das ist ein Plädoyer für Wechsel der Töne, Programm romantischer Gattungsmischung im Feld des Essayistischen. Zumal mit den Athenäum-Fragmenten beabsichtigte Schlegel „eine ganz neue Gattung“; die aphoristische Form sollte durch „kondensirte Abhandlung und Charakteristik, Recensionen“ erweitert werden. Schlegel wollte „dabey Universalität ordentlich suchen, nicht philosophische und kritische Fragmente trennen, wie im Lyceum (. . .) sondern mischen; dazu auch moralische nehmen (. . .)“[18]. Eine enzyklopädische Form also, Vorklang des späteren Enzyklopädie- und Bibel-Projekts; Philosophie in liberalster Gestalt, „vom kriegerischen Schmuck des Systems“[19] entkleidet; Ausdruck eines Geistes, „der gleichsam eine Mehrheit von Geistern, und ein ganzes System von Personen in sich enthält“[20]; Vorläufer zweifellos auch der Idee des ‚Romantischen‘, die das *Gespräch über die Poesie* (1800) als „künstlich geordnete Verwirrung", als „reizende Symmetrie von Widersprüchen", als „wunderbare(n) ewige(n) Wechsel von Enthusiasmus und Ironie" charakterisiert[21].

Mit seinen im *Lyceum* und im *Athenäum* veröffentlichten Fragmenten hat Schlegel seine literarische und gedankliche Leistung vollbracht. Die gelegentlich geäußerte Kolossalidee einer in einer Progression von Systemen vorwärts und zugleich nach innen, auf einen Mittelpunkt zu sich bewegenden Philosophie hat Schlegel, der den Versuch dazu immerhin wagte, nicht zu realisieren vermocht. Doch das Schreiben von Fragmenten in Anlehnung an die Tradition des Aphorismus hat er mit Erfolg unternommen. Was immer man von den zwischen 1797 und 1800 entstandenen Fragmenten Schlegels halten mag – der wirkungsgeschichtliche Befund bestätigt ihnen eine noch heute anregende, bisweilen geradezu elektrisierende geistige Lebendigkeit.

Dieser Erfolg der Schlegelschen Fragmente ist nun wesentlich das Resultat des außerordentlich produktiven Verhältnisses, das Schlegel nicht zwar als Poet, wohl aber als Proseschriftsteller zu dem Problem der sprachlichen Vermittlung als einem zentralen Problem der transzendentalen Reflexion besaß. Schlegel faßt es als ein dialektisches Problem, das nur durch eine Art Kompromiß zu lösen ist[22]. Das Vermögen, das zu diesem Vergleich in der Sphäre des transzendentalen Bewußtseins befähigt, nennt Schlegel in den Jahren 1797 und 1798 mit Vorliebe „Ironie". Kritik am systematischen Philosophieren und Ironie-Begriff gehören in Schlegels Denken eng zusammen: „Ironie ist die Pflicht aller Philosophie die noch nicht Historie nicht System ist."[23] – „Die Philosophie ist die eigentliche Heimat der Ironie, welche man logische Schönheit definieren möchte: denn überall wo in mündlichen oder geschriebenen Gesprächen, und nur nicht ganz systematisch philosophiert wird, soll man Ironie leisten und fordern (. . .)"[24] Die Ironie antwortet auf folgendes spezielle sprachliche Problem: „Das Wort ist endlich und will unendlich werden – der Geist ist unendlich und will endlich werden."[25] In anderer Formulierung, in der für *Wort* und *Sprache* wegen deren Fixierungstendenz *Buchstabe* eingesetzt ist und gleichzeitig auf eine mögliche Lösung hingewiesen wird: „Ohne Buchstabe kein Geist, der Buchstabe nur dadurch zu überwinden, daß er flüssig gemacht wird."[26] Das Einbringen einer durch dieses linguistische Bewußtsein bestimmten, fundamentalen Besinnung in das Philosophieren macht für Schlegel das Wesen der Kritik aus, ein Wort, das hier im transzendentalphilosophischen Sinn zu verstehen ist: „In der Kritik ist die Hochzeit der Philologie und Philosphie zur Konstitution der Wahrheit."[27] Diese tätige Kritik ist das, was eigentlich die Ironie ausmacht. Ironie stellt ein an der Sprache sich entzündendes, in der Sprache sich bewährendes kritisches Bewußtsein nicht herkömmlich grammatikalischer, sondern transzendentaler Art dar, das geprägt ist durch die Erfahrung einer unendlichen Kluft zwischen Absolutem und Relativem. Schriftsteller im vollen Sinn des Worts ist für Schlegel erst, wer aus solchem kritischen Sprach-Bewußtsein, dem Bewußtsein der Ironie heraus schreibt.

Wesentlich auf den sprachlichen Vollzug, auf das Phänomen der (schriftstellerischen) Mitteilung gerichtet ist, was Schlegel im Lyceum-Fragment 108 als sokratische Ironie interpretiert: sie „enthält und erregt ein Gefühl von dem unauflöslichen Widerstreit des Unbedingten und des Bedingten, der Unmöglichkeit und Notwendigkeit einer vollständigen Mitteilung." In dem Essay *Über die Unverständlichkeit,* einer witzigen Selbst-Rechtfertigung der im *Athenäum* angeschlagenen Tonart, negiert Schlegel die Illusion einer keinen Zweifel lassenden, das Höchste und das Tiefste enthüllenden „reellen" Sprache, und er verteidigt dort die ironische Mitteilungsform als unausweichliche Konsequenz des Versuchs, entscheidende Wahrheiten zu formulieren. Ironische Sprache ist ihm die Alternative zu einer anderen, unmöglichen, utopischen Sprache, zu jener „große(n) Raserei", jener „Kabbala, wo gelehrt werden sollte, wie des Menschen Geist sich selbst verwandeln und dadurch den wandelbaren ewig verwandelten Gegner endlich fesseln möge".[28] Im Lyceum-Fragment 37, das den Gedanken Fichtes von der notwendigen Selbstbeschränkung des Ichs aufgreift und ins Poetologische wendet, hat Schlegel den Anspruch eines von seiner Sache erfüllten Schriftstellers, „alles sagen (zu) wollen", als Naivität entlarvt und als beste Voraussetzung zur Erlangung objektiven Ausdrucks jenen indifferenten Gemütszustand bezeichnet, der das Produkt von „Selbstschöpfung und Selbstvernichtung" ist und in dem man sich für seinen Gegenstand „nicht mehr (. . .) interessier(t)".

Alle die erwähnten Äußerungen Schlegels wurzeln in der allgemeine Gültigkeit beanspruchenden Erkenntnis von dem Beschränkten und der Beschränkung als Bedingung der Möglichkeit gerade der universalen, objektiven schriftstellerischen Existenz. Auf das unumgängliche und unüberwindliche Paradox, als das der hier gemeinte Sachverhalt sich darstellt, zielt Schlegels Deutung der sokratischen Ironie. Diese Deutung ist toto genere von der Hegelschen verschieden. Hegel faßte die Ironie des Sokrates als „Manier der Konversation"[29], als „Benehmungsweise im Umgang". Als substantielles Prinzip des Philosophierens galt Hegel allein, was er unter Dialektik verstand; „die Dialektik ist Gründe der Sache, die Ironie ist besondere Benehmungsweise von Person zu Person. Was er (Sokrates) damit bewirken wollte, war, daß sich die Anderen äußern, ihre Grundsätze vorbringen sollten."[30] Das ist eine im weiteren Sinn rhetorische Auffassung der sokratischen Ironie; diese erscheint als Akzidenz sprachlicher Mitteilung und als Form eines vergangenen Stadiums der Reflexion. Hegels Betonung des Primats seiner Dialektik und die Verdammung moderner, ‚romantischer' Ironie als Ausdruck angeblich gehaltloser Subjektivität zeigt den radikal unironischen Geist, der das Absolute auf den objektiven Begriff zu bringen unternimmt, der die Vermittlung zwischen Unendlichem und Endlichem als System, in totaler Ausdrücklichkeit des Formulierens realisieren will.

Für Schlegels Denken jedoch ist die im Begriff des Fragmentarischen wurzelnde Theorie der sprachlichen Mitteilung fundamental. Der ‚kritischen' Tendenz zum Fragment noch vor allen besonderen sprachlichen und literarischen Ausformungen hat Schlegel mit der speziellen Form seiner Lyceum- und Athenäum-Fragmente einen gewissermaßen radikalen Ausdruck verliehen. Hier insbesondere hat er sein Ideal einer „Sprache in der Sprache"[31] zu verwirklichen getrachtet. So sehr schien ihm hier eine ihm angemessene Form gegeben, daß er ‚Kritik' und ‚Fragment', zu August Wilhelms Verwunderung, als tautologische Begriffe benutzte. Der dezidiert moderne Geist, dessen ins Unendliche strebende Eigenart Schlegel in sich wirken fühlte und dessen Signatur er zugleich in der Möglichkeit der Wiederherstellung einer der Struktur der griechischen ‚Bildung' analogen, neuen Harmonie der Geisteskräfte erblickte, schien ihm in der Fragmentsammlung am ehesten sein Ziel erreichen zu können.

Das etwa läßt sich als Kernmotiv zu Schlegels Konzeption einer fragmentarischen Mitteilung, die als fragmentarische zugleich eine universelle Mitteilung sein sollte, herausschälen. Schlegel hat seine Gedanken über das Fragment ebenso wenig wie die über die Ironie im Zusammenhang entwickelt. Aber man kann sie durch Kombination verstreuter Bemerkungen, auch solcher, die nicht unmittelbar auf diesen Gegenstand bezogen sind, erschließen. Auch ist Schlegels eigene Praxis als Autor von Fragmenten, eine Praxis, die am Ende des vorliegenden Versuchs andeutend umrissen werden soll, ergiebig für den theoretischen Aspekt: eine weitgehende, im Schaffen Schlegels keineswegs selbstverständliche Kongruenz von Geplantem und tatsächlich Bewerkstelligtem läßt sich hier feststellen.

Der letztgenannte Sachverhalt, diese Nähe von Theorie und Praxis, unterscheidet Friedrich Schlegel von seinem Bruder August Wilhelm. Im Gegensatz zu seinem stilistisch gewandteren, aber konventionelleren Bruder, der zwar eine transzendentalphilosophisch begründete Sprachtheorie skizzierte, doch als Schriftsteller aus ihr nirgends die Konsequenzen zog, hat Friedrich Schlegel in einem höchsten praktischen Sinn auf das Phänomen der schriftstellerischen Mitteilung reflektiert. Was in den frühen Briefen an August Wilhelm in puncto Stil verhandelt wird, zeigt zunächst noch naives Sprachbewußtsein. Wohl meldet sich einmal charakteristische, in den Ironie- und Fragment-Horizont vorausweisende Sprachskepsis; der Brief vom 13. Oktober 1793 etwa erwähnt „Einzelne reichhaltige Beobachtungen" und fährt sentenzhaft fort: „aber ist es nicht barbarisch diese so in dem schwankenden Umfange irgend eines Wortes, neben einander aufzuhäufen?"[32] Im übrigen gibt Schlegel zu erkennen, daß er sich bemüht, seine „Sprache leicht, und den Zusammenhang fließend zu machen, das Gehackte zu meiden (. . .)"[33]. Er strebt „im Philosophischen nach der höchsten Bestimmheit" – ohne Frage ein ganz unironisches Ideal der Mitteilung; und rührend geradezu, einem noch ganz unschlegelschen, aufklärerischen Trachten Ausdruck verleihend, schreibt er hin: „Eben wenn ich durch bin, so wird mein Styl klar werden."[34] Noch 1796 fragt er bei seinem Bruder an – und vielleicht steckt da nun ein Gran brüderlicher Ironie darin –: „Fandest Du meinen Styl in Rücksicht der Deutlichkeit und Klarheit etwas fehlerfreyer?"[35]

Die Wendung zu einem ‚ironischen' Sprachbewußtsein (wie es kurz genannt sei) zeigt sich dagegen vollzogen in dem Briefwechsel mit Novalis. Hier wird deutlich, daß Schlegel einen „Apoll" verehrt, „der nicht verschweigt und nicht sagt, sondern andeutet"[36]. Novalis beklagt sich Schlegel gegenüber – und diese Klage beschwört bereits etwas von der späteren Kierkegaardschen kritischen Deutung der Ironie als der das Wesentliche vorenthaltenden, ‚vampyrhaften'[37] Geistesart –:

> Deine Rezension von Niethammers ‚Journal' hat den gewöhnlichen Fehler Deiner Schriften – sie reizt, ohne zu befriedigen – sie bricht da ab, wo wir nun gerade aufs Beste gefaßt sind – Andeutungen – Versprechungen ohne Zahl – kurz man kehrt von der Lesung zurück, wie vom Anhören einer schönen Musik, die viel in uns erregt zu haben scheint, und am Ende, ohne etwas Bleibendes zu hinterlassen – verschwindet.[38]

Selbstbewußt antwortet Schlegel, zum Teil in wörtlichem Anklang an Lyceum-Fragment 108, seine diplomatisch verfaßte Rezensenten-Prosa vielleicht etwas voreilig als Meisterleistung sokratischer Ironie hypostasierend:

Ich bin zufrieden mit der Recension des Niethammerschen ‚Journals' nicht weil sie gelobt wird, sondern weil ich *meine* innerste Absicht vollkommen dabei erreicht. Das wollte ich eben: Niethammer sollte mich verstehn, Fichte aber nicht. Herr Jedermann sollte es vollkommen verstehn, aber jeder anders. Ganz klar und doch unergründlich tief. (. . .) Da es nun mein Debut auf dem philosophischen Theater war, und ich von so unzähligen äußern Ketten geengt war: so erlaubst Du mir immer, diese leichte Formation (. . .) als einen wichtigen Fortschritt meines Geistes anzusehn. Alles was ich vorher schrieb (. . .), betrachte ich jetzt als Kinderei. Es ist gewissermaßen der größte Triumph für mich, daß sogar Du, dem das Geheimnis doch gesagt war, durch meine sokratische Verstellungskunst bist – wenn Du mir den groben Ausdruck für eine sehr würdige Absicht verzeihn kannst – angeführt worden. Ich sehe es mit Freuden, daß ich meinen philosophischen Mimus wie ein Roscius spielen werde.[39]

Die Erwähnung des „philosophischen Mimus", der Ausdruck „leichte Formation" haben hier durchaus nicht die oberflächliche Bedeutung, die ein empirisch-moralisches Bewußtsein damit verbindet; gemeint ist die „transzendentale Buffonerie", von der Lyceum-Fragment 42, freilich seinerseits mit ironischer Lust am Paradoxen, spricht:

Im Innern, die Stimmung, welche alles übersieht, und sich über alles Bedingte unendlich erhebt, auch über eigne Kunst, Tugend, oder Genialität: im Äußern, in der Ausführung die mimische Manier eines gewöhnlichen guten italiänischen Buffo.

Nicht in der philosophisch explizierenden Prosa im Stil der Niethammer-Rezension (auch nicht im Stil der späteren exoterischen Vorträge und Aufsätze, in denen Schlegel nach einem treffenden Wort seines Bruders „conciliatorische Filzschuhe"[40] anlegte) fand dieses differenzierte Sprachbewußtsein das adäquate Medium, sondern – wie Schlegel ebenfalls in einem Brief an Novalis schreibt – in der „Chamfortsche(n) Form, oder lieber" in der „synthetische(n) Form" und deren besondrem Stil[41]. „Mir ist keine Schreibart ganz natürlich und leicht, als die in meinen Fragmenten", bekennt Schlegel seinem Bruder[42]. In der „synthetischen" Form, in dem Fragment suchte Schlegel die aus der Sache selbst stammende Schwierigkeit und nicht die, die sich aus – im engern Sinn – politischer Rücksicht ergibt, durch progressive Kreisform der Reflexion zu überwinden, suchte er als Extrakt und Machtwort zu präsentieren, was in der eigentlich sokratischen Ironie langhingezogen, als episch breite Methode der Gedankenentfaltung erscheint. Nunmehr kommt ihm sein genialer, aber streckenweise von rhetorischem Dröhnen erfüllter Studium-Aufsatz von 1795 als „manierierter Hymnus in Prosa" vor;[43] ihn und stilistisch Verwandtes tut er als die „frühern philosophischen Musikalien"[44] ab; das für sie charakteristische „beständige Wiederholen des Themas",[45] das unironische Alles-sagen-wollen erscheint ihm als Zeichen schriftstellerischer Unreife. Schlegel strebt jetzt nach einer gedrungenen Prosa, die jene „dicke feurige Vernunft" aufzunehmen vermag, von der Lyceum-Fragment 104 spricht, „welche den Witz eigentlich zum Witz macht, und dem gediegenen Styl das Elastische gibt und das Elektrische". Ins Polemische gewandt, erscheint dieses neue Stil-Ideal Friedrich Schlegels in dem seinem Bruder erteilten Rat, „noch mehr δεινως (zu) rezensiren", „mehr sententiae vibrantes fulminis instar, die wie Römische Schwerdter zuschlagen", zu gebrauchen.[46] Hier waltet ein – mit Schlegel zu sprechen – „zynisches"[47] Ideal von Sprache, basierend auf der Verachtung der herkömmlichen Rhetorik, gleichwohl gespeist aus der Idee des Erhabenen und weit entfernt vom genus humile dicendi, das etwa ein Lichtenberg anwandte, um seine „kleinen Infusionsideechen" schriftstellerisch festzuhalten.[48] Diese ‚zynische' Sprach-Auffassung, die der ironischen Einstellung nicht nur nicht widerspricht, sondern die deren unmittelbarer Ausdruck ist (im Bewußtsein der Idee des Unendlichen konzipiert sich das Sprechen als Ausdrucksminimum), ist eine der Ursachen, die Schlegel beispielsweise an Lessings Stil das diesem eigne pikante „Gemisch von ruhiger inniger tiefer Begeisterung und naiver Kälte"[49] bewundern lassen.

Noch genauer muß die von Schlegel intendierte stilistische Struktur der Fragmente bestimmt werden, soll der sie konstituierende Zusammenhang mit dem Begriff der Ironie deutlich werden. Zunächst: diese Fragmente entfalten ihren Gehalt nicht – ein Zug, den Schlegels Fragmente scheinbar mit den Aphorismen z. B. der französischen Moralisten gemeinsam haben. Schlegel vermeidet die „genetisch historische Erklärungsart", die auch er später als das Wesen der philosophischen Methode bezeichnen wird.[50] Dafür gibt er „die reinen Fakta der Reflexion ohne Verhüllung, Verdünnung und künstliche Verstellung", die „notwendigen Förmlichkeiten der Kunstphilosophie", welche „in Etikette und Luxus" ausarten, ignorierend.[51] Die „formale Logik", die Schlegel unter die „philosophische(n) Grotesken" zählt,[52] wird mit Geringschätzung behandelt. Schlegel kultiviert, was er in dem Kapitel Logik seiner Kölner Vorlesungen „die analoge Schlußart" nennt, die „auf der Idee der unendlichen Einheit und unendlichen Fülle, und dem Grundsatze eines allgemeinen organischen Zusammenhangs aller Dinge" gründet. Der von Schlegel mit Vorliebe benutzte analoge Schluß ist, wie er sagt, „ein Enthymema ganz eigener Art", in dem nicht der Mittelsatz, sondern der Obersatz „verschwiegen und stillschweigend vorausgesetzt" wird; denn dieser Obersatz stellt praktisch „die ganze Summe philosophischer Wahrheit dar, soweit der menschliche Forschungsgeist diese durchdrungen und ergründet hat, welches aber in einem einzelnen Satze doch auf keine Weise zusammengefaßt werden kann".[53] Mit der durchgängigen ‚Anwendung' des so definierten Enthymemas, mit dieser ironischen Syllogistik als Grundform einer Philosophie, die „doch immer in der Mitte" anfangen muß „wie das epische Gedicht",[54] durchbricht Schlegel grundsätzlich, und zwar semantisch sowohl wie stilistisch, das Prinzip der klassischen Aphoristik. Die künstlich, aber nicht willkürlich verwirrten Prosamassen der Fragmente lassen als Ideal etwas von der in einigen unveröffentlichen Schlegel-Manuskripten divinierten „arabesken Prosa" erkennen, in der „der logische Stil parodiert" wird, jener „Absolute(n) Logik", deren Wesen „Magie, Mystik" ist.[55] Schlegel möchte überdies „die überraschende Zufälligkeit" nachahmen, mit der die „wichtigsten wissenschaftlichen Entdeckungen" entstehen; er möchte „das Kombinatorische des Gedankens", „das Barocke des hingeworfenen Ausdrucks" ungeschminkt wiedergeben.[56] Jedes Fragment soll gewissermaßen eine „Explosion von gebundenem Geist" sein.[57] Der „Witz", der als ein „architektonischer" Witz im Ganzen der Fragmente arbeitet, ist ironischen Wesens, nämlich „ordentlich systematisch (...) und doch auch wieder nicht"; „bei aller Vollständigkeit" scheint „dennoch etwas zu fehlen (...) wie abgerissen",[58] und ihn färbt bisweilen „eine Bizarrerie der Begeisterung, die sich mit der höchsten Bildung und Freiheit verträgt."[59] Mit einem beliebten, in seinem griechischen Sinn zu verstehenden Schlegel-Wort dieser Epoche zu sprechen: diese Fragmente suchen als einzelne, aber vor allem im Gesamt ihrer absichtsvoll desintegrierten Form, das Chaos des Geistes zu reproduzieren. „Nichts ist origineller als das Chaos", schreibt Schlegel in den *Philosophischen Lehrjahren.*[60] „Ironie ist klares Bewußtsein der ewigen Agilität, des unendlich vollen Chaos."[61] Das Chaos reproduzieren meint: der ironische Autor bringt die Ideen der unendlichen Fülle und Einheit in alle Vorstellungen und Begriffe hinein; er sorgt dafür, daß „der Buchstabe flüssig gemacht wird". Er läßt, was in den Begriffen oft nicht begriffen ist, überraschend durchblicken. Wirkungspsychologisch heißt das: er verwirrt den Leser durch die nervöse, sprunghafte Aussagestruktur; er setzt, den Erwartungshorizont des schlichten Gebildeten zerstörend, dessen Geistes- und Affekte-Zustand in produktive Bewegung. Das ist ein wesentlicher Aspekt dieser Prosa. Wie dieser Effekt selbst in einem einzelnen Fragment gelegentlich erreicht werden kann, zeigt das besonders glanzvolle Fragment über Jean Paul;[62] hier behauptet sich semantische Mannigfaltigkeit als Schein gegen die semantische Einheit, die durchaus vorhanden ist, die aber kunstvoll dissimuliert wird; das witzige, sprühende Äußere, quasi ein farbiges Kaleidoskop aus Antithesen, Zeugma, Antiklimax, verbirgt als positive Substanz einen überlegenen Begriff von idealer humoristischer Dichtung; dieser Begriff, ironisch in den Formulierungen versteckt, ermöglicht es dem Autor, seine Kritik wie ein Spiel aus souveräner Distanz abrollen zu lassen.

Mit voller Absicht, ohne die Freiheit des eignen Geistes preiszugeben, sucht der Fragment-Autor bisweilen Ärgernis zu erregen:

> Das Beste dürfte wohl auch hier sein, es immer ärger zu machen; wenn das Ärgernis die größte Höhe erreicht hat, so reißt es und verschwindet, und kann das Verstehen dann sogleich seinen Anfang nehmen. Noch sind wir nicht weit genug mit dem Anstoßgeben gekommen (...)[63]

- eine einschlägige Bemerkung Schlegels, die zeigt, daß die polemischen, provokatorischen Nuancen Schlegelscher Fragment-Prosa nicht Selbstzweck, sondern Mittel zur Erreichung des Ziels der idealen Verständigung sind. Ebenso gilt: was häufig an Schlegel-Fragmenten als Sprach-Gestus snobistischer Exklusivität kritisiert worden ist, das hat sich Schlegels eigenem Verständnis durchaus folgerichtig als Resultat einer dialektischen Interpretation des Begriffs der Popularität dargestellt; so schreibt Schlegel einmal, mitten in der Athenäum-Arbeit, an seinen Bruder:

> Was aber das Paradoxe betrifft, bin ich nicht Deiner Meynung, und ich glaube die Erfahrung setzt es außer Zweifel, daß nur die mittlern Grade der Popularität unpopulär sind, die höchsten aber wieder absolut populär.[64]

Diese Konzeption der Fragment-Sprache wäre nicht möglich gewesen, wenn Schlegel nicht im Wissen von der Kluft zwischen intendiertem höchsten Gehalt und der Sprache als bloßem Buchstaben zugleich ein starkes Bewußtsein von der Freiheit und der logischen Einbildungskraft als Agenten des begrifflichen Vermögens besessen hätte. Ironie besagt unter anderm: durchschauen, daß Sprache Setzung ist, fähig, durch neue Setzung verändert, vervollkommnet zu werden. Dieses linguistische ‚Ethos' prägt die sprachliche Form der Schlegelschen Fragmente von Grund auf. Wie wichtig diese Seite Schlegel war, kann man rückblickend aus den Kölner Vorlesungen von 1805-1806 erkennen, in denen Schlegel im Gegensatz zu Fichte und Kant die überragende Bedeutung des Willens und der Einbildungskraft bei der Entstehung der (sprachlichen) Begriffe betont; Schlegel weist auf die „freie willkürliche Richtung und Bewegung der Aufmerksamkeit", die die Vorstellungen bestimmen.[65] „Der Begriff also ist eine *durch Freiheit bestimmte und ausgebildete Vorstellung*", erklärt er.[66] Jeder Begriff enthält überdies ein antizipatorisches Moment, ist Resultat eines Akts der Einbildungskraft. In einer Schlußanmerkung resümiert Schlegel:

Das Wesen des Begriffes liegt in der willkürlichen Begrenzung und Bestimmung, daher kann jede Vorstellung, auch die ganz niedere und sinnliche, zu einem Begriffe erhöht und ausgebildet werden. Aber auch diejenige, die schon bestimmt ist, kann immer noch mehr bestimmt und entfaltet werden. Es kann diese Bestimmung der Vorstellung ins unendliche fortschreiten, sie hat gar keine Grenzen. Es muß wenigstens jetzt noch zweifelhaft gelassen werden, ob es einen ganz vollständig bestimmten, durchaus vollendeten Begriff geben könne. Ein solcher würde nicht mehr in die Klasse der übrigen gehören.[67]

Diese Theorie des Begriffs ist geeignet, den Komplex des Ironischen bei Schlegel zusätzlich zu verdeutlichen. Ironisches Bewußtsein ist, von hier betrachtet, nichts anderes als Reflexion auf die Tatsache, daß, was dem Normalverstand als unwandelbares Sprachmedium erscheint, nur mehr Augenblick in einem unendlichen Prozeß empirischer Setzungen ist, daß im Hinblick auf die unmöglichen oder noch nicht erreichten vollendeten Begriffe Sprache sich als bloß vorläufiger, seiner eigenen Überholbarkeit nicht bewußter Sprachzustand erweist. Ironische Sprache als produktive Reaktion auf diese Einsicht bleibt zwar ihrerseits an das Schicksal aller Sprache als einer jeweils fixen geschichtlichen Größe gebunden; doch sucht sie in der Fixierung zugleich die Antizipation auf ihre eigene Negation und selbst die Negation dieser Negation zu bewerkstelligen.

Diese Einsicht und Erfahrung ist, zumindest als Tendenz, in Schlegels Fragment-Sprache und -Komposition eingegangen, sie bedingt ihr Gerichtetsein letztlich auf einen einzigen, alles umfassenden, vom Autor notwendig verschwiegenen Begriff. Es ist das jene Struktur, die Walter Benjamin in seiner Dissertation *Der Begriff der Kunstkritik in der deutschen Romantik* mit der treffenden paradoxen Formulierung „unanschauliche Intuition des Systems" bezeichnet hat. Mit Recht hebt Benjamin hervor, daß Schlegel bei seinem extremen Unterfangen sich nicht auf „intellektuelle Anschauungen und entrückte Zustände" berufe.[68]

Diese – manches beharrlich festgehaltene Vorurteil angreifende – Einsicht in die wesentliche Begrifflichkeit und Sprachlichkeit der Schlegelschen Reflexion muß freilich ergänzt werden durch den Hinweis auf die innere Form der Fragmente als auf ein spezielles poetologisches Moment, das sie – Schlegels Selbstverständnis zufolge – als zugehörig dem Bereich der „höhern Kunst und Form"[69] qualifiziert. Der Begriff der inneren Form, der innigen Korrespondenz zwischen dieser und dem mit ihr eigentlich Gemeinten[70] ist zentral für das Verständnis der Ästhetik Schlegels im allgemeinen und seines Ideals einer Fragmentsammlung im besonderen, und es ergeben sich daraus Einsichten in das Wesen Schlegelscher Ironie. Der Umweg über eine kurze Analyse der Lessing-Charakteristik Schlegels kann verdeutlichen, worum es geht. Schlegel – um es so auszudrücken – fragmentarisiert Lessing systematisch, indem er die semantischen Intentionen der Lessing-Texte mit einer unendlichen Sinn-Dimension in Beziehung setzt. Was der Kritiker Lessing an gegenständlicher Wissenschaft erarbeitet hat, wird von Schlegel durch einen künstlichen Akt ironischer Hermeneutik eliminiert. Als Substanz bleibt, was Schlegel als das „Interessanteste und Gründlichste", „das Reifste und Vollendetste" gilt und weswegen er Lessing noch in der Wiener Literaturgeschichte von 1812 rühmend unter die außer allem System stehenden ausgezeichneten „Selbstdenker" rechnete, ihn selbst über Kant stellend; es sind das: „Winke und Andeutungen", „Bruchstücke von Bruchstücken":

> Das beste, was Lessing sagt, ist was er, wie erraten und erfunden, in ein paar gediegenen Worten voll Kraft, Geist und Salz hinwirft; Worte, in denen, was die dunkelsten Stellen sind im Gebiet des menschlichen Geistes, oft wie vom Blitz erleuchtet, das Heiligste höchst keck und fast frevelhaft, das Allgemeinste höchst sonderbar und launig ausgedrückt wird. Einzeln und kompakt, ohne Zergliederung und Demonstration, stehen seine Hauptsätze da, wie mathematische Axiome; und seine bündigsten Räsonnements sind gewöhnlich nur eine Kette von witzigen Einfällen.[71]

Ausgehend von der Prämisse, daß „unbegrenzte Verachtung des Buchstabens ein Hauptzug in Lessings Charakter" war,[72] getreu seiner Gewohnheit, „mit Ironie (zu) bewundern",[73] entdeckt Schlegel durch eine Art Lektüre, die er seltsamerweise „Studium, d. h. uninteressierte, freie, durch kein bestimmtes Bedürfnis, durch keinen bestimmten Zweck beschränkte Betrachtung und Untersuchung" nennt,[74] Lessings Wahrheit in Gestalt der verborgenen, symbolischen Form seiner Bücher. Diese Form ist „exzentrisch", was hier im genauen Wortsinn zu nehmen ist.

> Gibt es wohl ein schöneres Symbol für die Paradoxie des philosophischen Lebens als jene krummen Linien, die mit sichtbarer Stetigkeit und Gesetzmäßigkeit forteilend immer nur im Bruchstück erscheinen können, weil ihr eines Zentrum in der Unendlichkeit liegt?
>
> Eine solche transzendente Linie war Lessing, und das war die primitive Form seines Geistes und seiner Werke.[75]

Mit Blick auf die poetologischen Prämissen der Lessing-Charakteristik und das in ihr sichtbar werdende Ideal der „höhern Kunst" schriftstellerischer Mitteilung wäre die innere Form der Schlegelschen Fragmentsammlung als Resultat des Versuchs zu bezeichnen, die paradoxe, primitive Struktur, die „krumme Linie", die sich in Lessingschen Texten dem überlegenen, nicht an den Buchstaben gefesselten Interpreten offenbart, nachzuahmen ohne das breite gegenständliche, verstandesmäßige Räsonnement, das jene Struktur und die innerste Wahrheit bei Lessing Schlegel zufolge offensichtlich noch benötigten, um sich zu verwirklichen. Novalis erriet diese Beziehung zwischen Lessing und Schlegel. „Du bist dephlogistisierter Lessing. Deine ‚Fragmente' sind durchaus neu – echte, revolutionäre Affichen", schrieb er im Brief vom 26. 12. 1797.[76]

Schlegels hermeneutische Einstellung auf die Texte Lessings wirft ein aufschlußreiches Licht auf die innere Genese eines großen Teils seiner Fragmente, ja auf die Haltung ihres Verfassers überhaupt gegenüber Tradition, Geschichte, empirischer Erfahrung und empirischem Verstand. Diese Fragmente geben sich als Produkte eines Geistes zu erkennen, der sich – mit Schlegel zu reden – Studium im Sinn einer umfassenden „interesselosen" Reflexion zur Aufgabe gemacht hat. „Studium ist absichtliches Fragment", lautet ein beziehungsreiches Nachlaßfragment Schlegels.[77] Was in der Beziehung Schlegel-Lessing letzten Endes zur Debatte steht und dem poetologischen Begriff der inneren Form seine geschichtliche Relevanz gibt, ist der von Schlegel hellsichtig erkannte, in dem scheinbar extravaganten Studium-Begriff aufleuchtende Unterschied zwischen einem Autor, der gegenüber der Historie ein naives, und einem Autor, der ihr gegenüber ein fundamental aufgeklärtes, transzendentales Bewußtsein, fichtisch gesprochen: das Wissen des Wissens zu besitzen glaubte, konkret ausgedrückt: der Unterschied zwischen einem Lessing, der beispielsweise die Gesetze der Dramaturgie mit pietätvoller Rücksicht auf Aristoteles zu entwickeln unternahm, und einem Schlegel, der das imposante intellektuelle Ergebnis dieser Bemühung als eine Art quantité négligeable, als ein Stück Geistesgeschichte unter anderen behandelte und der es sich – um ein Wort A. W. Schlegels aus der Kunstlehre zu gebrauchen – als „schöne Prosa" deutete, es zu einem „Labyrinth", einem magischen Chaos,[78] einer „transzendente(n) Linie,"[79] kurz: zur inneren, symbolischen Form ironisierte.

Der – ästhetisch fundierte – Historismus, das Äquivalent der transzendentalphilosophischen Position, die Schlegel seit etwa 1795 allen Fragen gegenüber einnahm, trennt Schlegels Fragmente grundsätzlich von den an die Empirie sich haltenden Aphorismen der vor ihm schreibenden Moralisten[80] und der meist von ihnen prätendierten zeitlosen Gültigkeit der Formulierungen. In Schlegels Fragmenten bemerkt man eine hochgezüchtete, im Material der Geschichte wirkende, an schon artikulierte Ideen sich anschließende und sie potenzierende, oft „parodierende"[81] Reflexion, die eben dadurch etwa von Pascals aphoristischen „Prinzipien des Feinsinns" völlig geschieden ist, insofern diese – wie der Franzose sagt – „allgemein im Gebrauch und jedem gegenwärtig" sind und sie zu begreifen „nichts nötig (ist) als ein scharfes Auge".[82]

Die inhaltliche Seite des Fragment-Begriffs ist damit in den Blick gerückt. Im Athenäum-Fragment 22 hat Schlegel das charakteristische Verhältnis des modernen Menschen zur Geschichte unter dem Gesichtswinkel des Fragments zu begreifen gesucht. Das geschichtliche Sichentwerfen, strukturell verwandt dem geschichtlichen Verstehen („Der Historiker ist ein rückwärts gekehrter Prophet"[83]), bezeichnet Schlegel hier mit dem Ausdruck „Projekt", der dem des „Fragments" sinnverwandt ist. Witzig sagt er, daß man Projekte „Fragmente aus der Zukunft" nennen könnte, und fährt fort:

> Das Wesentliche ist die Fähigkeit, Gegenstände unmittelbar zugleich zu idealisieren, und zu realisieren, zu ergänzen, und teilweise in sich auszuführen. Da nun transzendental eben das ist, was auf die Verbindung oder Trennung des Idealen und des Realen Bezug hat; so könnte man wohl sagen, der Sinn für Fragmente und Projekte sei der transzendentale Bestandteil des historischen Geistes.

Fragmente und Projekte in diesem Sinn, als Ausdruck ‚ironischen' Handelns des transzendentalen Geistes in der Zeit, entstehen durch „praktische Abstraktion", wie Schlegel gern sagt. Speziell dem aus Schlegels Fragmenten ja nicht wegzudenkenden „Witz", einem Exekutivorgan der Ironie, gelegentlich apostrophiert als „unbedingt geselliger Geist, oder fragmentarische Genialität",[84] wird von Schlegel die Aufgabe zugewiesen, als „wissenschaftlicher Witz" im Materialen der Geschichte zu wirken.[85] Der Witz besorgt das „Wirklichwerden alles dessen, was praktisch notwendig ist".[86]

Witz gehört zur historischen Logik, als angewandte, mystische, politische, synthetische. Witz ist der Anfang der materiellen Logik.[87]

Schlegel hat den ‚Witz', vergleicht man etwa mit Chamforts berühmter handfest gesellschaftlicher Bestimmung der ‚plaisanterie',[88] transzendentalisiert und gelegentlich in unmittelbare Nähe von ‚Ironie' gerückt; Lessings ‚Witz' sagt er nach, was er in Lyceum-Fragment 108 als Struktur sokratischer Ironie kennzeichnet, nämlich energisch ernsten Charakter, „der mit klarer Einsicht und streng ihren Weg sich bahnender Absicht so innig verbunden war, daß man nicht mehr sagen kann, dies ist Vernunft und dies ist Phantasie; dies ist der Ernst, der gemeint ist, und dies nur das Geistreiche des Ausdrucks".[89] In den Kölner Vorlesungen bezieht Schlegel den Witz nachdrücklich auf das Fragmentarische als das Eigentümliche des menschlichen Bewußtseins. Dessen stückhafter Charakter offenbart sich auf schöpferische Weise im Witz. Witz ist der Versuch, zwischen „der sichern Erkenntnis der Einheit und der ungewissen der Fülle (zu) vermitteln". Witz ist „kombinatorischer Geist", „Prinzip der wissenschaftlichen Erfindsamkeit", durch ihn kann, „was sich auf unendliche Fülle bezieht, (. . .) durch eine Art von Divination erkannt werden".[90]

Noch ein anderer, bedeutsamer Aspekt der Begriffe des Fragmentarischen und des Ironischen in Schlegels Denken ist zu beachten. Dieser Aspekt ist besonders geeignet, der Schlegelschen Position des seine Lage ästhetisch, nämlich durch den Begriff der ‚höhern Kunst', überwindenden Historismus, der mit dem Historismus des 19. Jahrhunderts wenig gemeinsam hat, das Odium der Leichtfertigkeit zu nehmen. Es ist dies der Komplex des Erhabenen. Dieser Zug ist wesentlich für den Stil der Schlegelschen Fragmentsammlung und ihr ironisches Sprachbewußtsein. Bezeichnend hierfür bereits eine Nuance des Briefwechsels, der Protest Schlegels gegen die Neigung seines Bruders, „Fragmente wie kleine Fastnachtsspiele zu betrachten (. . .), welches sie nun (seiner) Meinung nach gar nicht sind".[91] Die in den Fragmenten bekundete Vorliebe für dunklen Stil, hingeworfenen Ausdruck weist trotz allem Neuen fraglos zurück in die Tradition des Sublimen, auf Longin und seine Schrift Περὶ ὕψους.[92] Lyceum-Fragment 48 statuiert lapidar einen Zusammenhang zwischen Ironie, Paradox und sittlicher Größe, der banalem Ironie-Verständnis krass widerspricht: „Ironie ist die Form des Paradoxen. Paradox ist alles, was zugleich gut und groß ist." Exzentrische, erhabene Sittlichkeit und ironische, ‚mystische' Redeweise sind auch in Athenäum-Fragment 414 kombiniert; es spricht von der „unsichtbare(n) Kirche", „jener großen Paradoxie, die von der Sittlichkeit unzertrennlich ist" und der ein „gewisser Mystizismus des Ausdrucks (. . .) als Symbol ihrer schönen Geheimnisse" dient.

In dem Aufsatz *Über die Philosophie* (1799) hat Schlegel die fragmentarische moderne Existenz aus dem überlieferten Gesichtswinkel des Erhabenen zu deuten versucht. Aus der Analogie des hier Gesagten erkennt man, daß es Schlegel auch dort, wo sein poetologisches Vokabular sich formalistisch, vage mathematisierend anhört (wie etwa im „Beschluß" der Lessing-Charakteristik), um die Durchsetzung des Begriffs des Unendlichen geht, daß die spielerischen, polemischen, ‚interesselosen' Nuancen seiner Fragmente zurückweisen auf ein Denken großen Ernstes, daß also die ‚Ironie' der Fragmente nicht aus der Negation, sondern aus der Reflexion auf eine höchste Position stammt, nicht – mit Hegel zu reden – aus der „sich in sich verhausenden Subjektivität", sondern aus der genuinen Stimmung des Erhabenen, in der das Subjekt „sich über alles Bedingte unendlich erhebt, auch über eigne Kunst, Tugend, oder Genialität".[93] Nicht zufällig bricht in der letzten Fragmentsammlung Schlegels, den *Ideen*, das religiöse Motiv hervor, nicht als ‚Bildung', nicht unter dem Eindruck Schleiermachers anempfunden, sondern als Ausdruck einer schon in den Athenäum-Fragmenten vorhandenen Tendenz.

Auf das Thema Fragment in anspruchsvollstem, religiösem Sinn ist abgezielt, wenn Schlegel in jenem als Brief an Dorothea fingierten Philosophie-Aufsatz schreibt:

> Und daß Du nicht zu jenen eleganten Ausnahmen gehörst, ist mir sehr lieb. Ich mag lieber, daß das Göttliche zu hart, als zu zierlich sey. Unvollendung giebt dem Erhabenen für mich einen neuen höheren Reiz.[94] Seine Würde erscheint mir dadurch unmittelbarer, reiner (...) Und so wie die Physiognomien die interessantesten für mich sind, die so aussehen, als hätte die Natur in ihnen ein großes Dessein angelegt, ohne sich Zeit zu lassen, den kühnen Gedanken auszuführen, so geht mir's auch mit den Menschen.

Und wie ein Motto zum Stil seiner Fragmente klingt Schlegels Satz: „Göttlichkeit mit Härte verbunden ist mir das Höchste (...)"[95] Ein Satz, der unmittelbar hinüberweist nach Athenäum-Fragment 394, in dem Schlegel die – wie man ohne sonderliche Übertreibung sagen kann – verborgen numinose Witz-Struktur einiger seiner Fragmente implizit charakterisiert, wenn er schreibt:

> Es ist ein großer Irrtum, den Witz bloß auf die Gesellschaft einschränken zu wollen. Die besten Einfälle machen durch ihre zermalmende Kraft, ihren unendlichen Gehalt und ihre klassische Form oft einen unangenehmen Stillstand im Gespräch. Eigentlichen Witz kann man sich doch nur geschrieben denken, wie Gesetze (...)

Selbst was als das eigentlich Anstößige speziell der Schlegelschen Fragmente, noch vor allen anstößigen Formulierungen im einzelnen, empfunden zu werden pflegt, das Transitorische, die Moment-Struktur, rechtfertigt Schlegel durch eine im Kern moralische, an die Tradition der Philosophie des Erhabenen sich anschließende Interpretation. Sein Begriff der Energie und des energischen Menschen kann hier herangezogen werden; dieser Begriff hat unübersehbar ein sittliches Vorzeichen, ist keineswegs etwa aus Vorstellungen eines wertfreien vitalistischen Intellektualismus geschöpft.

> Der energische Mensch – heißt es in Athenäum-Fragment 375 – benutzt immer nur den Moment und ist überall bereit und unendlich biegsam. Er hat unermeßlich viel Projekte oder gar keins: denn Energie ist zwar mehr als bloße Agilität, es ist wirkende, bestimmt nach außen wirkende, aber universelle Kraft, durch die der ganze Mensch sich bildet und handelt.

Das sittliche Moment dieser Konzeption der ‚energischen' Existenz hebt scharf wieder der Philosophie-Aufsatz heraus. Was Schlegel andern Orts quasi pragmatisch stilistisch in dem Hinweis auf die Notwendigkeit, den Buchstaben ‚flüssig' zu machen, umriß, das ist hier mit Rücksicht auf Existenz schlechthin in den Blick gebracht, wenn der Autor mit dem Gestus der Aufforderung zum Mut der Offenheit das gefährdete zeitliche, ‚flüssige' Dasein des Menschen beschwört, der in einem Augenblick alles gewinnen oder verlieren kann und der in der Gefährdung selbst, in der Freiheit zum einen wie zum andern, seine Größe besitzt:

> (...) scheint es nicht oft, als könnten wir, mit Rücksicht auf unser eigentliches Selbst, mit einem Streiche alles verlieren was wir haben? (...) So ist das Heiligste unendlich zart und flüchtig, und die Sittlichkeit der einzelnen Menschen, wie des ganzen Geschlechts, muß ein Spiel des Zufalls scheinen, weil sie unmittelbar von der Willkühr abhängt. In andern Arten seines Wirkens (...) ist der Gang des menschlichen Geistes bestimmt und festen Gesetzen unterworfen. (...) Nicht so im Gebiet der Sittlichkeit; da heißt es überall: Nichts oder Alles. Da ist in jedem Augenblicke von neuem die Frage von Seyn oder Nichtseyn. (...) Wie die Liebe entspringt die Tugend nur durch eine Schöpfung aus Nichts. Aber eben darum muß man auch den Augenblick ergreifen; was er giebt, für die Ewigkeit bilden, und Tugend und Liebe, wo sie erscheinen, in Kunst und Wissenschaft verwandeln.[96]

Das hier artikulierte Pathos des ‚Bildens' und ‚Verwandelns' bestimmt auch Schlegels ‚Theorie' des Fragments.

Reflexion nicht als abstrakte zeitlose logische Tätigkeit, sondern als konkreter sprachlicher Vollzug[97] und sittliche Handlung hier und jetzt bringt das „Gute" – wie der junge Schlegel die höchste Kategorie gern nennt – erst wahrhaft zur „Erscheinung". Dieser Entwurf des Schreibens als sittlicher Aktion, der Schlegels Denkvoraussetzungen zufolge zugleich als ein ästhetischer Entwurf anzusprechen wäre, reicht ins Persönlichste zurück, ist eins der individuellsten Motive Friedrich Schlegels; in einem Brief von 1791 begründet er seinen Entschluß zur schriftstellerischen Existenz „nicht sowohl aus Liebe zum Werke als aus einem Triebe, der mich von früh an schon besessen, dem verzehrenden Triebe nach Thätigkeit, oder wie ich ihn noch lieber nennen möchte die Sehnsucht nach dem unendlichen".[98] Im Fragment – so darf man folgern – im Fragment im weiteren und engeren Sinn ist für den jungen Schlegel der geschichtliche Auftrag, den das „Allgemeine" an den „Einzelnen" richtet, am unmittelbarsten und wahrhaftigsten zu erfüllen; das Fragment ist die Individuation par excellence des Geistes. In konzessiver Formulierung spricht Schlegel diese Ansicht am Schluß des Philosophie-Aufsatzes aus: „Lächle nicht über die vielen Projekte. Ein Projekt, was lebendig und ganz aus unserm Innersten entspringt, ist auch heilig und eine Art von Gott".[100] Es ist kein Zufall, daß Wendungen und Vorstellungen des Philosophie-Aufsatzes wieder auftauchen in dem Essay über die Unverständlichkeit, der nun nicht mehr von der ‚Philosophie', sondern von der Literatur handelt. Dieser Essay verfolgt die Absicht, den ironischen Fragment-Stil des *Athenäum* gegen die Unverständigen zu verteidigen. Jene Wendung des Philosophie-Aufsatzes, in der von dem Heiligsten die Rede ist, das „unendlich zart und flüchtig" sei, findet sich hier in hyperbolischer Fassung wieder, wenn Schlegel Ironie als das Medium bezeichnet, das imstande sei, „den heiligen, zarten, flüchtigen, luftigen, duftigen gleichsam imponderablen Gedanken chemisch zu binden".[101] (In der Forster-Rezension tritt an die Stelle dieser Wendung zur Bezeichnung des gebundenen Elements eine ganz ähnliche Wendung zur Bezeichnung des bindenen Elements, wird Ironie selbst als „zartes, geflügeltes und heiliges Ding" apostrophiert.[102]) Die metaphorische Formulierung von der chemischen Bindung durch Ironie ist nicht mißzuverstehen; sie meint eine Vermittlung zwischen Endlichem und Unendlichem, in der bei aller Annäherung der Hinweis auf das in letzter Instanz Unmögliche solcher Vermittlung als die wesentliche Leistung der Vermittlung enthalten ist. Auch die den hohen Rang des Fragments und seines ironischen Stils theologisierend näherrückende Vorstellung der „Göttlichkeit mit Härte verbunden" begegnet implizit im Aufsatz über die Unverständlichkeit wieder; dort nämlich, wo nach einer kapriziös polemischen Fuge, in der lächerlich gemacht wird, was empirisches Bewußtsein unter Ironie versteht und als Ironie praktiziert, Schlegels transzendentales Bewußtsein von Ironie und Fragment sich in einem zugleich komischen und ernsten Ausruf Luft verschafft:

> Welche Götter werden uns von allen diesen Ironien erretten können? das einzige wäre, wenn sich eine Ironie fände, welche die Eigenschaft hätte, alle jene großen und kleinen Ironien zu verschlucken und zu verschlingen, daß nichts mehr davon zu sehen wäre (. . .)[103]

Hier wird noch einmal deutlich: Schlegels Ironie-Begriff impliziert das Scheitern aller gewöhnlichen Ironie. Allein im Scheitern des ‚Verstandes' und dessen Sprache, letzlich herkömmlicher Sprache überhaupt, das heißt aber als ‚Fragment' ist die Anwesenheit der unendlichen Vernunft für den jungen Schlegel empirisch möglich. Das Schlegelsche Fragment ist der Versuch, das Fragmentarische, das allem Denken, aller Sprache innewohnt, durch kritische Reflexion auf eben diesen Tatbestand sprachlich zu ‚setzen', um es – Schlegel adäquat – mit einer fichteschen Vokabel zu sagen. In dieser ‚Setzung', der eigentlichen ironischen Leistung, entdeckt und produziert der transzendentale Autor zugleich etwas Nicht-Fragmentarisches, frühidealistisch ausgedrückt: das absolute Ich; theologisch: das Göttliche in ihm. Es wächst ihm aus sich selber eine Kraft zu, die den besten Schlegel-Fragmenten den „Äther der Fröhlichkeit"[104] gibt, der einmal in der Wilhelm-Meister-Rezension als hervorragende Leistung ironischen Stils gerühmt wird. Schlegels Fragment ist Fragment des Fragments in einem Sinn analog dem, den Schlegel mit seinem Begriff der Transzendentalpoesie verband, die – wie Athenäum-Fragment 238 sagt – „überall zugleich Poesie und Poesie der Poesie" sein solle.

Bleibt noch eine kurze Skizzierung des ironischen Verfahrens übrig, wie es sich in der Skukzession der Eindrücke dem Leser der Fragmente praktisch darstellt. Wie Büchners Danton „Mosaik" „macht", um sich aus Körperfragmenten das ideale Weib zusammenzusetzen, so muß auch der Fragmente-Leser ständig das Zerstreute kombinieren. Doch die Kombination liefert keineswegs schon durch einfache Zusammenstellung das Ganze, Eigentliche. Dieses bleibt vielmehr „tief versteckt"[105]. Das gilt von allen zentralen Begriffen, und zwar allgemeinen wie Philosophie, Politik, Poetik, Moral und speziell Schlegelschen wie liberal, chemisch, Reflexion, Zynismus, Mystik. Daß, was diese Begriffe meinen, noch lange nicht voll hervorgetreten sei, wird explizit oft gesagt. Zum Beispiel: „(. . .) das wahre Weltsystem der Poesie (ist) noch nicht entdeckt";[106] oder: einem späteren „organischen Zeitalter" wird das jetzige „chemische" wie bloße „nützliche Jugendübungen der Menschheit" erscheinen[107] usw. Solche Äußerungen weisen auf die utopische Struktur der Fragmente; überall wird suggeriert, daß das tiefversteckte Unendliche ein noch nicht offenbar gewordenes Endliches ist. Doch bliebe das leere Rhetorik, wäre nicht gleichzeitig in den Fragmenten, durch ihre reflektierende Leistung, ein großer Schritt auf diesen utopischen Bereich hin getan. Der Leser wird in die unendliche Tendenz eines Denkens, dem alle Gegenstände zu „Einem Gegenstande" werden,[108] konkret hineingezogen. Nicht durch schwärmerische Insinuationen, vage Sehnsucht, sondern durch eine oft harte, drastische, meist außerordentlich kühn und praktisch zugreifende Denkungsart. Es ist da Ironie als „permanente Parekbase" eines überlegen Positiven am Werk.[109] Das angeschlagene Tempo der Mitteilung ist enorm. Trotz dieser Progression aber ordnen sich die Assoziationen zu einem Kreis oder besser einer Kugel. Konzentrisch geht alles auf einen im Unendlichen liegenden Punkt. So umreißt sich auf den ersten Seiten Zug um Zug ein neuer Begriff von Philosophie. Kritik an Kant und den Kantianern ist ein Moment dieses Aufrisses. Daß es dabei um eine neue Position geht, sagt bereits das dritte Fragment.[110] Verlangt ist eine Philosophie, die über sich selber philosophiert,[111] die eine neue Logik entwickelt[112] usw. Aus diesem Komplex entwickelt sich ‚organisch', wobei eins das andre erhellt, eins durch das andre sich potenziert, die Diskussion von Begriffen wie kritisch, Kritik, Reflexion, und diese Begriffe wiederum wachsen sich zu regelrechten Denk-Strukturen, zu Grundfiguren aus, die etwa auch im poetologischen Bezirk, aber auch im historischen und selbst im moralischen wieder auftauchen. Vorstellungen wie die Selbstbeurteilung, das Sichselbstanlächeln des Geistes, das in-der-Mitte-Schweben der Reflexion begegnen z. B. an den verschiedensten Orten, durch Nuancen sich voneinander unterscheidend. Im Grunde muß man sie alle kennen, um den an einer Stelle intendierten Sinn richtig zu treffen. Die an Jean Paul getadelte „Selbstbeurteilung"[113] erklärt sich beispielsweise selbst näher durch die Korrespondenz zu dem positiv gemeinten Satz über „Sinn der sich selbst sieht"[114] und dem andern, der besagt, daß es „ein erhabener Augenblick" sei, wenn „eine große Natur sich mit Ruhe und Ernst betrachtet".[115] Diese Vorstellungen wiederum ‚reflektieren' die berühmte, umstrittene Vorstellung aus dem Athenäum-Fragment 116, von der in der Mitte schwebenden poetischen Reflexion, reflektieren ferner die nah verwandte Idee aus dem Fragment über Transzendentalpoesie, jenen Satz über die Elegie, aber auch die Wendung über die künstlerische Reflexion, durch die „das Produzierende mit dem Produkt" dargestellt werden solle,[116] was alles dann wieder auf den Begriff des Humors abfärbt, von dem es ebenfalls heißt, daß sein eigentliches Wesen „Reflexion" sei und daß er „am liebsten über leicht und klar strömenden Rhapsodien der Philosophie oder der Poesie" schwebe[117] – eine Bemerkung, an die man sofort sich erinnert, wenn man im Jean-Paul-Fragment die Rühmung von Leibgebers „humoristischem Dithyrambus" liest[118] usw. usw. In diesem Gespinst von Kreuz- und Querbezügen, die alles andre als ein törichtes Versteckspiel oder

Ausdruck steriler Willkür sind, umreißt sich andeutungsweise die Kategorie, die oft als die des Transzendentalen apostrophiert wird und mit der, wo sie als spezielle poetologische Kategorie aufzufassen ist, offenbar etwas andres anvisiert wird als triviale Kunstgriffe wie Illusionsdurchbrechung, vorgeschobener, sich selbst erläuternder Erzähler im Stil Jean Pauls und dergleichen.

Kritik, Reflexion, Transzendentales – was in diesen Begriffen auf ein einziges zugrundeliegendes Prinzip hindeutet, blitzt, wie angedeutet, auch in den Fragmenten auf, die moralische Fragen, das Thema Existenz allgemein behandeln. Kritik erscheint dort als „Surrogat der von so manchen Philosophen vergeblich gesuchten und gleich unmöglichen moralischen Mathematik und Wissenschaft des Schicklichen".[119] Auch hier wird das Gewohnte, Gewöhnliche umgekehrt und gewissermaßen die Möglichkeit einer transzendentalen Reflexion auch im Gebiet des Sittlichen vergegenwärtigt. So wird das Denken über Selbstmord beispielsweise radikal umgewertet.[120] Aus dem scheinbaren Kontrast der Äußerung über das Vermessene, eigene Gedanken haben, ja individuell existieren zu wollen,[121] und der andern Äußerung, daß die meisten Menschen nur „Prätendenten der Existenz", jedoch keine Existenzen seien[122] – ergibt sich eine Ahnung von einem alles Subjektive weit hinter sich lassenden, bislang unerhörten freiheitlichen und doch zugleich bescheidenen, ‚zynischen' Dasein. Dessen Umriß wird gefüllt durch eine neue Definition von Ehe,[123] Freundschaft,[124] von der es heißt, daß deren Universalität auf dem Seltensten basiere, der Anerkennung der „notwendigen Grenzen" nämlich – eine paradoxe Nuance, die thematisiert in ganz andern Zusammenhängen, in der immer wieder auftauchenden Vorstellung von „Selbstschöpfung und Selbstvernichtung",[125] begegnet. Eben dieser Aspekt findet wiederum ‚Antwort' in geschichtsphilosophischen Reflexionen, etwa in dem Projektbegriff, der die ganz ähnliche Idee der Notwendigkeit, sich „zugleich zu idealisieren und zu realisieren", zu seiner transzendentalen Prämisse hat.[126] Man sieht, wie hier in der Tat allenthalben – mit Benjamin zu rden – ein „System" intendiert wird. Dieses System liegt hinter den ‚treuherzig' offenen Einzelstücken verborgen, als Resultat notwendiger Selbstbeschränkung, die sich der Weisheit des Ironikers verdankt, daß ‚alles' sagen zu wollen unmöglich ist und daß der Versuch dazu ins andre Extrem, in die Nichtssagenheit, umschlägt. Der übertrieben scheinende Ausdruck, der Schlegel oft vorgeworfen wird, widerspricht diesem Befund nicht; gerade der krasse, extravagante Ausdruck ist, auf der Ebene des hier anliegenden Problems der Mitteilung, als Ergebnis schriftstellerischer Selbstbeschränkung aufzufassen. Von ihm gilt, was Schlegel, der in vielen Fragmenten seinen eigenen Stil mittelbar reflektiert, bemerkt: „Moderantismus ist Geist der kastrierten Illiberalität."[127] Eine Äußerung von zugleich moralischer und stilistischer Relevanz.

Natürlich findet sich Ironie auch auf vordergründigerer Ebene, auch versammelt auf knappstem Raum. Schlegel verwendet bisweilen eine polemische Ironie, bei der der Angegriffene verschwiegen wird, z. B. in den nicht wenigen Fragmenten, die eine Auseinandersetzung mit Schillers Ästhetik bieten. Die speziell provokante Nuance besteht hier darin, so zu tun, als hätte Schiller zu der verhandelten Sache überhaupt noch nichts geäußert.[128] In diesen Fragmenten steckt zweifellos ein Moment, das an die Grenze des Parodistischen auch im gewöhnlichen Sinn des Wortes reicht. In Athenäum-Fragment 108 ist Kant versteckt, dessen bekannter Bestimmung der Satz entgegengestellt wird: „Schön ist, was zugleich reizend und erhaben ist." Direktere Ironie dagegen stellt das ‚Lob' Ciceros im Athenäum-Fragment 152 dar; hier ist jedes Prädikat im Grunde eine schneidende Negation, verstärkt im zweiten Teil durch Verwendung des Irrealis; ‚versteckt' ist in diesem einen Satz freilich auch noch etwas: ein unerhört anspruchsvoller Begriff von wahrer Philosophie und Sittlichkeit; auf ihn wird man anläßlich Ciceros aufmerksam gemacht. Als ironisch im Schlegelschen Sinn kann vielleicht auch noch der scheinbar ganz klare, scheinbar nichts verbergende Satz aufgefaßt werden: „Ein blühendes Mädchen ist das reizendste Symbol vom reinen guten Willen."[129] Dieser Satz kann Gedankengänge veranlassen, deren Gegenstandsbereich sich vom Kavaliermäßigen bis hinauf zu den hintergründigen Beziehungen zwischen vegetabilischer Natur und Moral erstreckt: das Wort *Symbol,* das die Aussage inhaltlich qualifiziert, weist auf die Spannung zwischen Erscheinung und Wesen; die wahrscheinlich vorauszusetzende banale Ausgangsvorstellung vom unschuldigen gutwilligen Mädchen erhält auf diese Weise Tiefendimension; die Adjektive *rein* und *gut,* die zum Substantiv *Willen* treten, bringen überdies einen leisen pathetischen Zug in den Satz hinein.

Antithesen verwendet Schlegel häufig. Wo das in ihnen gedanklich Entgegengesetzte als real vereinigt gedacht werden muß, kann das nicht genannte Moment, das diese Vereinigung ermöglicht, die Befindlichkeit, die sie erzwingt, als der ironisch verborgene wesentliche Gegenstand der Aussage gedeutet werden; je unausweichlicher und überraschender die Antithesen, umso substantieller, produktiver die Ironie. Die auffällige Konstruktion von Widersprüchen zwischen Fragment und Fragment, etwa des Fragments über Ernst und Größe[130] und des gleich darauf folgenden über „Größeres als die Größe",[131] fällt in diese Klasse des Paradoxen; das hier verwandte Verfahren dient am offenkundigsten der Vertiefung des Begriffs, es handelt sich um ein Definieren durch systematisches Indefinisieren. Eine einzelne paradoxe Wendung, wenn sie nur paradox genug ist, wie „Begeistrung der Langenweile",[132] kann den gleichen Effekt schon erreichen. Der Fragment-Autor vermag den eigentlichen aktuellen Gehalt der Aussage auch etwa in einem Nebensatz zu verstecken, wie es in Athenäum-Fragment 55 der Fall ist; es handelt vom Übel der Klassifikationen, jener Spekulation en gros, die Schlegel verabscheute, spielt dieses Thema ins Universalhistorische, ordnet die Neueren den Griechen und Römern wie nur aufzählend bei und kommt dann mit einem durch ein *als ob* raffinierten Nebensatz heraus, in dem die wesentliche These untergebracht ist, eine These, die für ein christliches oder kantisch dualistisch denkendes, säkularisiert christliches Publikum Herausforderung genug enthält:

> Bei den Neuern redet man immer von dieser und jener Welt, als ob es mehr als eine Welt gäbe.

Etwas Kühnes so selbstverständlich, so leger hinsetzen, eine ungewohnte Idee wie etwas ganz Gewohntes behandeln, das ist auch ein Ton des tönereichen ironischen Stils Schlegelscher Fragmente.

ANMERKUNGEN

1 *Kritische Schriften,* hrsg. von W. Rasch, München ²1964 (im folgenden: Rasch), S. 177.
2 Vgl. Athenäum-Fragment (im folgenden: AF) 168.
3 AF 54.
4 *Literary Notebooks 1797-1801,* hrsg. von H. Eichner, London 1957, Nr. 921.
5 Af 53.
6 *Kritische Friedrich-Schlegel-Ausgabe,* hrsg. von E. Behler / J. Anstett /H. Eichner, München/ Paderborn/Wien 1958ff. (im folgenden: *Krit. Ausg.*), Bd. 12, S. 10.
7 AF 206.
8 *Literary Notebooks,* Nr. 805.
9 *Friedrich Schlegels Briefe an seinen Bruder August Wilhelm,* hrsg. von O. Walzel, Berlin 1890 (im folgenden: *Briefe*), S. 126.
10 Ebd., S. 336.
11 Ebd., S. 366.
12 Ebd., S. 365.
13 Ebd., S.358.
14 Ebd., S. 360.
15 Ebd., S. 361.
16 Ebd., S. 376.
17 Ebd., S. 377.
18 Ebd., S. 315.
19 Rasch, S. 500.
20 AF 121.
21 Rasch, S. 501.
22 Vgl. *Über die Form der Philosophie,* Rasch, S. 445ff.
23 *Krit. Ausg.*, Bd. 18, S. 86, Nr. 678.
24 Lyceum-Fragment (im folgenden: LF) 42.
25 Nachlaß; mitgeteilt bei: H. Nüsse, *Die Sprachtheorie Friedrich Schlegels,* Heidelberg 1962 (im folgenden: Nüsse), S. 91.
26 Ebd., S. 95.
27 Ebd., S. 107.
28 *Krit. Ausg.*, Bd. 2, S. 364.
29 *Sämtliche Werke,* hrsg. von H. Glockner, 20Bde., Stuttgart 1927ff., Bd. 18, S. 64.
30 Ebd., S. 60.
31 Friedrich Schlegel, *Seine prosaischen Jugendschriften,* hrg. von J. Minor, 2 Bde., Wien 1906 (im folgenden: Minor), Bd. 2, S.335.
32 *Briefe*, S. 124.
33 Ebd., S. 191.
34 Ebd., S. 235.
35 Ebd., S. 275.
36 AF 325.
37 Vgl. Sören Kierkegaard, *Über den Begriff der Ironie mit ständiger Rücksicht auf Sokrates (= Gesammelte Werke,* 31.Abt.), Düsseldorf/Köln 1961, S. 49.
38 *Friedrich Schlegel und Novalis.* Biographie einer Romantikerfreundschaft in ihren Briefen, hrsg. von M. Preitz, Darmstadt 1957 (im folgenden: Preitz), S. 80.
39 Ebd., S. 84.

40 Brief an Windischmann vom 29. Dezember 1834, in: August Wilhelm Schlegel, *Sämtliche Werke,* hrsg. von E. Böcking, 12 Bde., Leipzig 1846-1847, Bd. 8, S. 291.

41 Preitz, S. 107.

42 *Briefe,* S. 356. - Vgl. *Caroline. Briefe aus der Frühromantik,* hrsg. von G. Waitz/E. Schmidt, Leipzig 1913, Bd. 1, S. 439.

43 LF 7.

44 LF 66.

45 AF 322.

46 *Briefe,* S. 267.

47 Zum Begriff des Zynismus bei Schlegel vgl. *Über Lessing,* Rasch, S. 372.

48 Vgl. P. Requadt, *Lichtenberg.* Zum Problem der deutschen Aphoristik, Hameln 1948.

49 Rasch, S. 369.

50 *Krit. Ausg.*, Bd. 13, S. 251.

51 AF 82.

52 AF 75.

53 *Krit. Ausg.*, Bd. 13, S. 316.

54 AF 84.

55 *Ideen zu Gedichten,* unveröffentlichte Notiz, mitgeteilt bei K. K. Polheim, *Die Arabeske,* München/Paderborn/Wien 1966, S. 121.

56 AF 220.

57 LF 90.

58 AF 383.

59 AF 429. - Den Witz als „kompositionelles Prinzip" der Schlegel-Fragmente analysiert E. Lewalter, *Friedrich Schlegel und sein romantischer Witz,* Leipzig 1917.

60 Friedrich Schlegel, *Schriften und Fragmente,* hrsg. von E. Behler, Kröners Taschenausgabe Bd. 246, Stuttgart 1956 (im folgenden: Kröner), S. 158.

61 Idee 69.

62 AF 421.

62 *Krit. Ausg.*, Bd. 2, S. 367.

64 *Briefe,* S. 321.

65 *Krit. Ausg.*, Bd. 13. S. 233.

66 Ebd., S. 234.

67 Ebd., S. 237.

68 W. Benjamin, *Schriften,* 2 Bde., Frankfurt a. M. 1955, Bd. 2, S. 455.

69 Vgl. Rasch, S. 381.

70 Vgl. Ju. Striedter, „Die Komposition der Lehrlinge zu Sais", *Der Deutschunterricht* Jg. 7/1955, H. 2, S. 23.

71 Rasch, S. 359.

72 Ebd., S. 356.

73 Ebd., S. 378.

74 Ebd., S. 358.

75 Ebd., S. 382.

76 Preiz, S. 108. - Es gibt also etwas wie eine schriftstellerische Lessing-Nachfolge Schlegels; von dem „Beschluß" seines Lessing-Aufsatzes schreibt Schlegel: „Die Form des Ganzen ist (. . .) dieselbe wie die Grundlinien von Lessing's Form." (*Aus Schleiermachers Leben.* In Briefen, hrsg. von L. Jonas und W. Dilthey, 4 Bde., Berlin 1858-1863, Bd. 3, S. 269 f.).

77 *Literary Notebooks,* Nr. 534.
78 Rasch, S. 358.
79 Ebd., S. 382.
80 Vgl. H. Krüger, *Studien über den Aphorismus als philosophische Form,* Frankfurt a. M. 1956, S. 32 und S. 60.
81 Vgl. *Krit. Ausg.*, Bd. 18, S. 112, Nr. 995: „Die Parodie ist eigentlich die Potenzirung selbst . . ."
82 „(. . .) dans l'esprite de finesse, les principes sont dans l'usage commun et devant les yeux de tout le monde; (. . .) il n'est question que d'avoir bonne vue (. . .)" - *Pensées,* Fragment 1 Brunschvicg; deutsch nach: B. P., *Über die Religion,* übersetzt und hrsg. von E. Wasmuth, Berlin 1937, S. 1.
83 AF 80.
84 LF 9.
85 Vgl. AF 121.
86 AF 90.
87 Kröner, S. 158.
88 *Maximes et pensées, Kap. 3* („De la société, des riches, des gens du monde"), „C'est la plaisanterie qui doit faire justice . . ."; deutsch in: *Die französischen Moralisten,* übersetzt und hrsg. von F. Schalk, Wiesbaden o.J., S. 256, „Der Witz muß . . ."
89 Rasch, S. 423.
90 *Krit. Ausg.*, Bd. 12, S. 403 f.
91 *Briefe,* S. 360.
92 Vgl. C. Enders, *Friedrich Schlegel.* Die Quellen seines Wesens und Werdens, Leipzig 1913, S. 46 ff.
93 LF 42.
94 Hervorhebung von mir.
95 Minor, Bd. 2, S. 328.
96 Ebd., S. 330 f.
97 Daß Schlegel als Autor entsprechend verfuhr, dafür gibt es Hinweise in den Briefen; aber auch der Stil mancher Fragmente verrät es. A.-H. Fink, *Maxime und Fragment,* München 1934, beobachtet, daß sie die „Kurve des Entstehens" nachzeichnen, und spricht von „Schneeballstil" (S. 68); ähnliches stellt Franz H. Mautner fest („Der Aphorismus als literarische Gattung", *Zeitschrift für Ästhetik* Bd. 27/1933, S. 162).
98 *Briefe,* S. 18.
99 Vgl. Rasch, S. 177.
100 Minor, Bd. 2, S. 337.
101 *Krit. Ausg.*, Bd. 2, S. 364.
102 Rasch, S. 336.
103 *Krit. Ausg.*, Bd. 2, S. 369.
104 Ebd., S. 137.
105 LF 108.
106 AF 434.
107 AF 426.
108 *Krit. Ausg.*, Bd. 2, S. 363.
109 Kröner, S. 159.
110 AF 3.
111 AF 1.

112 Z. B. AF 75 und 83.
113 AF 421.
114 AF 339.
115 AF 342.
116 AF 238.
117 AF 305.
118 AF 421.
119 AF 89.
120 AF 15.
121 AF 23.
122 AF 27.
123 AF 34.
124 AF 359.
125 Z. B. AF 51 und 305.
126 AF 22.
127 AF 64.
128 Vgl. AF 238 über Transzendentalphilosophie, AF 51 über das Naive.
129 AF 30.
130 AF 419.
131 AF 420.
132 AF 52.

Roman und Märchen

Ein formtheoretischer Versuch über Tiecks „Blonden Eckbert"

HEINZ SCHLAFFER

I

Wer Max Lüthis Bestimmungen des europäischen Volksmärchens zur Hand nimmt, um die Gattungszugehörigkeit von Tiecks „Bondem Eckbert", der 1797 in der Sammlung seiner „Volksmährchen" erschienen ist, zu überprüfen, wird die einzelnen Elemente im Stoff vertraut, doch in der Erscheinung unvertraut, ja den Gattungsnormen entgegengesetzt wiederfinden. Die Abweichungen liegen nicht neben den Übereinstimmungen, sondern bilden mit ihnen ein einziges, komplexes Phänomen, konvergieren im selben Motiv, in denselben Formmomenten.

Wie im Märchen ereignet sich im „Blonden Eckbert" Wunderbares, aber „etwas Selbstverständliches"[1] ist es hier nicht, vielmehr etwas sehr Verwunderliches – was Bertha schon am Beginn ihrer Erzählung bewußt macht, wenn sie den Märcheninhalt bestätigen will, indem sie die Märchenform zurückweist: „Nur haltet meine Erzählung für kein Märchen, so sonderbar sie auch klingen mag" (146).[2] Wunderbar, seltsam, sonderbar, außerordentlich, abenteuerlich – das sind Leitworte, mit denen die Heldin den Eindruck des Erlebten wiedergibt. Berthas „Neugier war außerordentlich gespannt" (152), als sie die Hütte der Alten betrat, während der Held des Volksmärchens in ähnlicher Situation von den Jenseitswesen nicht weiß, „woher sie kommen und wohin sie wieder verschwinden, er weiß nicht, wer ihnen ihr Wissen und ihre Zauberkräfte verliehen hat, und er fragt auch nicht danach."[3] An Berthas Reaktionen ist ihre Gefühls- und Innenwelt in einem Ausmaß beteiligt, wie es dem Volksmärchen fremd ist, das sie nur erwähnt, „wenn sie die Handlung beeinflussen. Und auch dann nennt es sie nicht bei Namen, sondern drückt sie in Handlungen aus [. . .] denn das Märchen zeigt uns flächenhafte Figuren, nicht Menschen mit lebendiger Innenwelt."[4] Dagegen empfindet Bertha in ihrer Märchenwelt, sie spürt Neugier, Sehnsucht, Furcht, Verzweiflung, paradiesisches Glück und immer wieder Einsamkeit. Diese Emotionen bestehen nicht unabhängig von der Märchengeschichte, sie sind der genaue Niederschlag der gattungsüblichen Begebenheiten, allerdings in einem Bereich, der im Märchen wohl vorausgesetzt, aber nicht dargestellt ist: in der Psyche.

Besonders das im „Blonden Eckbert" zentrale Motiv der Einsamkeit stammt aus dem geringen, doch unüberbrückbaren Abstand zum Vorbild, dem Volksmärchen. Seine Figuren sind stets isolierte, die sich durch die unbekannte, weite Welt bewegen;[5] aber die lächerliche Winzigkeit und fürchterliche Verlorenheit gegenüber der großen, gleichgültigen Landschaft, dem tiefen Wald, dem hohen Gebirge wird ihnen nicht bewußt und im Märchen nie genannt. Auch Bertha läuft wie eine Märchenfigur von ihren Eltern davon, gerät in einen Wald, „in den der Tag kaum noch hineinblickte" (148), und nach mehreren Tagen der Wanderung in ein unbewohntes Gebirge. Im Vergleich zu den kargen, generalisierenden Angaben im Volksmärchen ist jedoch die Gebirgslandschaft im „Blonden Eckbert" ausführlich beschrieben, wenngleich ihre Gestalt als Ungestalt und ihre Wirkung im Mangel der gewohnten Wirklichkeit erscheint, – „hier traf ich aber keine menschliche Wohnung, und konnte auch nicht vermuthen, in dieser Wildniß auf eine zu stoßen" (149), – ja in der Abwesenheit von Wirklichkeit schlechthin: „Als ich aber oben stand, war alles, so weit nur mein Auge reichte, eben so, wie um mich her, alles war mit einem neblichten Dufte überzogen, der Tag war grau und trübe, und keinen Baum, keine Wiese, selbst kein Gebüsch konnte mein Auge erspähn, einzelne Sträucher ausgenommen, die einsam und betrübt in engen Felsenritzen empor geschossen waren" (149f.). Die dingliche Armut des Volksmärchens, sein Verzicht auf räumliche Ausbreitung und Kontinuität, seine Beschränkung auf die schmale Linie, der entlang der Held eindimensional durch eine abstrakte Welt geht – all diese Elemente konstituieren auch die Welt, von der Bertha erzählt, doch mit eben dem Verwundern, das ihr Verhältnis zur erfahrenen Märchenwelt überhaupt charakterisiert und das den Sinn des vorgegebenen Motivs wider die Regeln der Gattung verändert und verkehrt. Was dem modernen Standpunkt auffällt, die Lückenhaftigkeit der Weltdarstellung und das Alleinsein des Helden im Volksmärchen, thematisiert und poetisiert Tiecks Reflexion; die Märchenwelt zeigt sich ihm in schrecklicher Leere, die Märchenheldin fühlt sich in der Einsamkeit verlassen („Ich war ganz trostlos, ich weinte und schrie, und in den Felsenthälern hallte meine Stimme auf eine schreckliche Art zurück" 149). So wird der unbewußte Zustand der isolierten Märchenfigur: das Alleinsein, in den bewußten: die Einsamkeit, transformiert.

Werden die märchenhaften Lebensbedingungen bewußte, dann verändern sie auch ihre emotionale Qualität. Der Held des Volksmärchens ist stimmungslos, aber trotz der fehlenden Innerlichkeit dominiert ein optimistischer Oberton, den die geradlinigen Bewegungen und das glückliche, exakte Eintreffen des vorgezeichneten und mit Vorzeichen versehenen Plans erzeugen (den der Zuhörer oder Leser des Märchens schon aus dem Gesetz der Gattung kennt). Dagegen ist Berthas Schritt unsicher und zögernd: „Ich wußte nicht, ob ich weiter gehn sollte" (149). Sie wechselt ihre Entschlüsse: „ich setzte mich nieder und beschloß zu sterben. Aber nach einiger Zeit trug die Lust zu leben dennoch den Sieg davon, ich raffte mich auf" (150). Als Mangel an Orientierung erfährt Bertha subjektiv das Märchengesetz, daß der Held weder einen planenden Überblick noch lokale Kenntnisse besitzt – obwohl er unfehlbar den rechten Weg geht. Auch Bertha gelangt schließlich ans Ziel, zur Hütte der Alten, aber die selbstverständliche, lenkende Macht, die im Volksmärchen ungenannt wirkt, muß ihr problematisch werden und – da sich Bertha als Subjektivität im Zentrum der Geschehnisse begreift – im eigenen Unterbewußtsein angesiedelt erscheinen. Das Unbewußte, im Märchen eine poetische Implikation, kehrt bei Tieck bewußt und nun psychologisch als das Unterbewußte verstanden und expliziert wieder: „wunderbarste Phantasien" (147) bringen Bertha auf die Idee, eine andere Welt zu suchen; sie geht aus ihrem Elternhaus fort, „fast ohne daß ich es wußte" (148); und als sie sich anschickt, die Hütte zu verlassen, weiß sie „selbst nicht, warum ich so beängstigt war; es war fast, als wenn mein Vorhaben schon vor mir stände, ohne mich [sic!] dessen deutlich bewußt sein" (157). Tiecks fragende Einfühlung spürt, wie erklärungsbedürftig die Beweggründe der Märchenhandlung für ein modernes, psychologisch rationales Verständnis sind, und stellt, weil sie deren Erklärung nicht finden kann, wenigstens ihre Unerklärbarkeit und Irrationalität fest, was zugleich auf einen möglichen Zusammenhang in einer noch unbekannten psychologischen Tiefenschicht hinweisen soll.

Der Schauplatz der märchenhaften Ereignisse verlagert sich in die Seele der erlebenden Heldin, und hier wandelt sich das zuversichtlich stimmende Geschehen des Märchens ins schreckliche Erlebnis, weil Tieck das im Volksmärchen Ausgeschlossene mitdenken, mitfühlen muß: den weiten, öden Raum, der die schmale Linie, auf der sich der Held bewegt, zum verlorenen, schwachen Strich schrumpfen läßt; die Vielzahl der möglichen Wege, von denen alle außer dem einen (wer garantiert ihn?) in die Irre führen; die Abwesenheit anderer Menschen in dieser Wildnis („Es ist unbeschreiblich, welche Sehnsucht ich empfand, nur eines Menschen ansichtig zu werden, wäre es auch, daß ich mich vor ihm hätte fürchten müssen" 150). Der Schrecken begleitet jedoch Bertha nur, wenn sie sich durch die Märchenwelt bewegt, auf dem Weg bis zur Hütte und später auf dem Weg von ihr fort. Wenn sie dagegen in deren Umkreis kommt, Aufenthalt nehmen kann, färbt sich die Gegend idyllisch: „über den Feldern lag der entzückende Schein, die Wälder und die Blätter der Bäume standen still, der reine Himmel sah aus wie ein aufgeschlossenes Paradies, und das Rieseln der Quellen und von Zeit zu Zeit das Flüstern der Bäume tönte durch die heitre Stille wie in wehmüthiger Freude" (151). Auch das Leben im „grünen Tal", in der „kleinen Hütte" (151f.), bei der frommen Alten, mit der kleinen Wirtschaft, der Sorge für Hund und Vogel, zeigt idyllische Züge. In der Idylle, mit deren Weltbild Bertha ihre Ankunft an einem Märchenort interpretiert, ist der Schrecken des unbegrenzten, unbestimmten Raumes, durch den sie gegangen war, überwunden; in der Idylle sind alle Dinge und Tätigkeiten sinnvoll und lückenlos auf den Menschen in ihrer Mitte zugeordnet. Wie Tieck den Weg des Märchenhelden als Gefühl der schrecklichen Einsamkeit wiedergibt, so steigert er den Aufenthalt zum paradiesischen Glück. Die naive Geschichte der Figur im Volksmärchen, die sich im Wechsel von Weg und Station knüpft, intensiviert der „Blonde Eckbert" sentimentalisch als die literarischen Welten des Schaurigen und des Idyllischen, als polare Emotionen, als wäre die Heldin „aus der Hölle in ein Paradies getreten" (150). Aus Raumgebärden werden Seelenerschütterungen.

Die Konfrontation von Tiecks Märchen mit dem von Max Lüthi beschriebenen Typ des Volksmärchens ließ die Abweichungen vom Vorbild gerade dort sichtbar werden, wo jenes dieses begreifen wollte. In dieser Absicht nähert sich der Standpunkt des Dichters Tieck dem des Gelehrten Lüthi: beide erkennen die Eigenart der Märchenwelt als Andersartigkeit, im Unterschied zur Struktur der rationalen, aufgeklärten, modernen Welt, am Abstand des Historischen zu einer archaischen Form; beide denken in den Kategorien des Geschichtsbewußtseins, das in Deutschland Herder begründet hat, den „das geschichtliche, das wandelbare und oft mißachtete Seelenleben mit seinen bisher unverstandenen Rätseln des Werdens"[6], die vergangene Poesie des Volkes, angezogen hatte. Doch wo Lüthi die Ferne und Fremdheit zu wissenschaftlicher Erkenntnis nutzt, der die Freiheit vom und zum Gegenstand vorausgehen muß, versucht Tieck, Reflexion auf und Einfühlung in den fernen und befremdlichen Gegenstand für dessen poetische Wiederholung zu verwenden. Während der Wissenschaftler die Erkenntnis und ihr Objekt, die eigene Gegenwart und die vergangene Dichtung auseinanderhält, muß der Dichter, dessen Bewußtsein schon den Stand erreicht hat, den nur mehr die wissenschaftliche Kritik des altertümlichen Weltbilds und seiner Einfachen Formen adäquat artikulieren könnte, dieses Bewußtsein in die Reproduktion des Vergangenen selbst hineintragen. Tieck hat – wie er in der Einleitung zum „Phantasus" schreibt, der als erstes Märchen den „Blonden Eckbert" enthält – angenommen, er könne über der Einfühlung in „ein anderes Wesen" sich selbst vergessen, „indem wir es mit aller Anstrengung unserer geistigen Stimmung darzustellen suchen" (100).[7] Aber „unsere geistige Stimmung" tönt aus dem dargestellten „anderen Wesen" zurück; die Perspektive seiner Erfassung wird am wiederholenden Werk vergegenständlicht; die Einfühlung des dichtenden ‚Wissenschaftlers' setzt sich ins Gefühl der Märchenfigur Bertha um, welche die Sünde der Erkenntnis ihre alte, als arkadische interpretierte Unschuld gekostet hat,[8] so daß sie sich der Naivität ihres Typs sentimentalisch als Person erinnert.

Das historische Bewußtsein und die damit verbundene psychologische Differenzierung haben die Aufnahme einer so abseitigen Form und Welt wie der des Volksmärchens erst möglich gemacht. Deshalb sind sie, die Zeichen der Moderne, auch beim Nachvollzug am Werk und schreiben nun der Leere Bedeutung, der Bewegung Schrecken, dem Aufenthalt Erfüllung, dem Wunder Seltsamkeit, dem Geschehenen Geheimnis, der Geste Ausdruck, den Figuren Innerlichkeit, dem Unbewußten Unterbewußtes, dem Selbstverständlichen Verstand zu. Die Rezeption hat die Implikationen als Explikationen zum Vorschein gebracht, am Anderen das Eigene (nämlich das Wissen von diesem Anderssein) enthüllt. Diese andere Form steht nicht mehr in der Kontinuität der traditionellen Gattungen, in deren festen und variablen Bahnen sich die europäische Literatur bis ins 18. Jahrhundert gehalten und entwickelt hatte, sondern wird bewußt aus ihrer geschichtlichen Distanz in die grundsätzlich veränderte Gegenwart hereingeholt. Doch das kritische Bewußtsein von der fernen, archaischen Gattung hat diese beim Versuch der Wiederholung verändert und zerstört: aus der Einfachen Form Volksmärchen ist die reflektierte Form Kunstmärchen entstanden.

Weil diese verändernde Reflexion auf das Vorbild sich nicht in einer historisch-kritischen Methode, sondern in der nachschaffend-poetischen Aneignung realisiert, können auch die Kategorien der Einwirkung und Veränderung nicht wirklich wissenschaftliche sein (die ja, des Abstands eingedenk, die Nachahmung verböten), vielmehr literarische – die allerdings zu den wissenschaftlichen im Verhältnis der Analogie stehen müssen. Schon eine theoretische Überlegung kann die literarische Gattung finden, deren Formelemente am ehesten die Arbeit zu leisten vermögen, die der wissenschaftlichen Reflexion entspricht: die Gattung, die Poesie kritisch und Kritik poetisch darstellt, den Roman. Er ist die Gattung des bürgerlichen Zeitalters und doch voll Rückblicks auf vorbürgerliche Verhältnisse; sein Standpunkt liegt so hoch, daß er noch die entferntesten literarischen Welten betrachten und als Einlagen der eigenen poetischen Landschaft angliedern kann,[9] die dadurch erst ihre spezifische Gestalt, Buntheit, Fülle und Breite erhält; er ist die Form des neuzeitlichen Bewußtseins, das sich seiner Höhe und Überlegenheit an der wohlwollend-kritischen Behandlung der anderen begrenzten Formen versichert – in sie ist nur ein kleiner Ausschnitt von Welt, nur eine dumpfe Schicht des Bewußtseins eingegangen, und diese muß nun in dieser hellen, intellektuellen Umgebung selbst ihre Kleinheit und Dumpfheit auf den Begriff bringen und explizieren: er ist die Form der menschlichen Isoliertheit (die Tieck so gut an der Einsamkeit der Märchenfigur thematisieren kann), denn „die Geburtskammer des Romans ist, geschichtlich gesehen, die Einsamkeit des Individuums, das sich über seine wichtigsten Anliegen nicht mehr exemplarisch aussprechen kann, selbst unberaten ist und keinen Rat geben kann."[10] Dieser Hypothese, daß der Roman der poetische Ort für die Reflexion einer Einfachen Form sei, liefert der „Blonde Eckbert" viele Indizien, obwohl niemand dieses dreißig Seiten lange Werk für einen Roman ansehen mag[11] – nicht als verwirklichte große Form, sondern nur als Prinzip des Begreifens kann der Roman am Märchen vom „Blonden Eckbert" wirksam werden.

Anton, eine Figur aus der Rahmengeschichte des „Phantasus" und hier der Erzähler des „Blonden Eckbert", gesteht, daß er während seiner Krankheit, von der er gerade genesen ist, Romane von Gellert, Spieß und Cramer mit großem Vergnügen gelesen habe. Die Lektüre des – allerdingst später hinzugedichteten – Erzählers scheint für den Stil des von ihm Erzählten nicht folgenlos gewesen zu sein: manches im „Blonden Eckbert" erinnert an den bürgerlichen Roman des späten 18. Jahrhunderts, besonders der trivialen und schauerlichen Spezies, in der sich Tieck in seiner Berliner Frühzeit selber lesend und schreibend umgetan hatte. An der schrecklichen Geschichte Eckberts und selbst an der märchenhaften Berthas lassen sich leicht die Merkmale des Schauerromans wiedererkennen. Wie dessen Held wird Bertha „dazu gebracht, seine alte Umgebung zu verlassen und einen ungewohnten Weg einzuschlagen, um sich unter die Herrschaft einer anderen Ordnung zu begeben. Mit wenigen Schritten ist der räumliche Wechsel vollzogen: Nach einer kurzen Wanderung betritt der Held die wundersame Welt in wortwörtlichem Sinne."[12] Gestalt und Wirkung des wilden Felsgebirges,[13] in das Bertha gerät, sind aus dem Trivialroman vertraut: „die Felsen wurden immer furchtbarer, ich mußte oft dicht an schwindlichten Abgründen vorbeigehn, und endlich hörte sogar der Weg unter meinen Füßen auf" (149), so erzählt Bertha von ihrem Erlebnis, das viele Vorgänger im Roman mit ähnlichen Worten beschrieben hatten: „Immer trüber, immer höher zogen sich die Wege, immer enger verworren unter Abstürzen, unter reißenden Bächen und verwachsenem Gehölz. Steinwände erhoben sich hinter den Wäldern, unzugängliche Felsen umkränzten die Spitzen der Berge."[14] Ebenso typisch ist der schnelle Wechsel von der heroisch-schrecklichen zur idyllisch-freundlichen Landschaft; am Ende der Wildnis sieht Bertha „Wälder und Wiesen mit fernen angenehmen Bergen wieder vor mir liegen" (150) und steigt mit der Alten, die sie trifft, „nun einen Hügel hinan, der mit Birken bepflanzt war, von oben sah man in ein grünes Thal voller Birken hinein, und unten mitten in den Bäumen lag eine kleine Hütte“ (151f.). Diese Abfolge entgegengesetzter Räume stimmt wiederum mit den Bauformen des Trivial- und Schauerromans überein: „Unmittelbar auf die Gruppen der schauerlichen Lagen, die mit ihrem stürmischen Verhalten dem Lebenskampf des Helden entsprechen, folgt eine oder folgen mehrere Lagen, in denen die Natur mit völlig entgegengesetzten Werten beladen ist. Eine stille, friedliche Landschaft breitet sich unerwartet vor dem Helden aus. Ein angenehmer Wechsel von Wald und Wiesen, von sanftgeschwungenen Hügeln und ebenmäßigen Tälern bietet sich dar.“[15] Berthas empfindsame Schwester Wilhelmine Arend schildert ihre Reise durch den Harz ebenfalls in einer Folge von schauererregenden und schauerlösenden Eindrücken: zuerst breitete die Traurigkeit „ihre schwarzen Flügel über alles, was ich erblickte: [. . .] Kaum waren wir über Steine und Wurzeln in den Abgrund hinabgetaumelt, so wartete schon wieder ein ungeheurer Berg auf uns, woran wir hinaufklettern sollten“,[16] doch dann „wich der Wald, wir übersahen Gründe mit weidendem Vieh, Menschenwohnungen, die in Seen von zusammengelaufenem Regenwasser zu schwimmen schienen, nahe und ferne blauliche Berge, mit blaulichen Wäldern belastet, einzel und in Gruppen.“[17]

Selbst Motive, die der erste Blick allein vom Märchen ableiten würde, finden sich bei weiterer Umsicht in den Romanen der Zeit wieder, sprechende Tiere[18] wie der Vogel in der Hütte, der das leitmotivische Lied von der „Waldeinsamkeit“ singt, oder die Alte, die samt ihrer Hütte und ihrem „geistlichen Lied“ (151) an die im Schauerroman verbreitete Figur des Einsiedlers erinnert. Zugleich übernimmt sie die dort typische Rolle der Schicksalsfigur, die aus einem geheimnisvollen Hintergrund das Geschehen leitet, alle Verhältnisse weiß, in verschiedenen Gestalten auftritt und endlich die Aufklärung der verworrenen Schicksale durch ihre Nachricht über die Verwandtschaft der Hauptpersonen einleitet. Alle diese romanhaften Züge und Funktionen erfüllt die Alte im „Blonden Eckbert“, und doch ist sie auch die Märchenfigur, für die sie der harmlose Leser ausschließlich hält: ihm gilt sie als ‚Jenseitige‘, die am fernen Märchenort lebt, den Helden prüft, Macht zur Gnade und Ungnade besitzt; ihr Wechsel der Gestalten („Niemand als ich war dein Freund Walther, dein Hugo“ 169) ist das vertraute Märchenmotiv der Verwandlungen.

Der Roman hält also schon Formen und Motive bereit, mit deren Hilfe sich Tieck die andere Welt des Märchens aneignen kann. Er erkennt an diesem, was er aus der gewohnten Welt des Romans kennt; das Alte hilft bei der Erschließung des Neuen. Dadurch entstehen die ambivalenten Phänomene des „Blonden Eckbert“, deren Stoff dem Märchen, deren Interpretation dem Roman angehört. Ihren Ausgangspunkt nimmt diese Interpretation im Rahmen der Geschichte, ehe Bertha von ihrer Kindheit zu erzählen beginnt. Mag sich der erste Satz: „In einer Gegend des Harzes wohnte ein Ritter, den man gewöhnlich nur den blonden Eckbert nannte“ (114) noch in den erwarteten Märchenstil fügen – obwohl dieser Ortsangaben meist unterläßt –, so lenkt der zweite Satz in eine ganz andere Richtung: „Er war ohngefähr vierzig Jahr alt, kaum von mittler Größe, und kurze hellblonde Haare lagen schlicht und dicht an seinem blassen eingefallenen Gesichte.“ Hier und bei der Schilderung des eingezogenen Lebens mit Bertha und Walther auf den ersten zwei Seiten des „Blonden Eckbert“ gelten Stil und Weltbild zeitgenössischer Prosa uneingeschränkt. Statt der klaren, abstrakten Gegensätzlichkeit des Märchens herrschen im Vorspann das Gewöhnliche, Durchschnittliche – beispielhaft in Eckberts Physiognomie –, psychologische Differenzierung, ein Interesse für spezielle Lebensart und soziale Verhältnisse: Tugenden, die der bürgerliche Roman des 18. Jahrhunderts entwickelt hat.

Damit ist der Standpunkt festgelegt, von dem aus Berthas Erzählung als Märchen und auch als keines erscheint: „Nur haltet meine Erzählung für kein Märchen, so sonderbar sie auch klingen mag" (146). Von diesem realistischen Rahmen her erwartet der Leser in der Tat kein Märchen, sondern nur die Vorgeschichte der Person zu hören, und die ersten Sätze scheinen seine Erwartungen zu erfüllen: „Ich bin in einem Dorfe geboren, mein Vater war ein armer Hirte [. . .]" (146). Berthas Märchen gibt sich als Biographie aus, in der sich das psychologische Interesse des Vorberichts in die Kindheit der Heldin fortsetzt. Der Umschlag der aufklärerischen Geringschätzung des Volksmärchens als Ammenmärchen zur späteren romantischen Adaption als Kindermärchen zeichnet sich in Tiecks erstem Märchen ab, wenn er es von einer Erwachsenen als Geschichte ihrer Kindheit im autobiographischen Rückblick erzählen läßt. Die Spannung zwischen Roman und Märchen wiederholt sich formal als Schachtelung von Rahmen und Kernerzählung, psychologisch als Unterschied von Erwachsensein und Kindheit, historisch als Abstand von Gegenwart und Vergangenheit. Daß Romanperspektive, Psychologisierung und modernes Bewußtsein, die sich in der Darstellung der entwickelten Subjektivität treffen, im „Blonden Eckbert" durchgängig dominieren, beweist die Ich-Erzählung, in der Berthas Geschichte gehalten ist und die im alten Volksmärchen unmöglich wäre. Denn die Flächenhaftigkeit seiner Figuren und ihre Realisation in reiner Handlung verträgt nicht die rückblickende, analysierende Ich-Perspektive, durch die Erlebnis, Innerlichkeit und Reflexion erscheinen. Die Ich-Erzählung macht Berthas Märchen innerlich abhängig von einer Welt, die es zur untergeordneten Erzählung einer kuriosen, poetisch phantastischen, aber psychisch rätselhaften Geschichte verwandelt, die „sonderbar [. . .] klingen mag." Deshalb leuchtet ein, daß die Erzählung ihren Titel nicht der Heldin des Märchens, Bertha, verdankt, sondern der Rahmenfigur Eckbert, der die Verwunderung und dann den Schrecken des Lesers teilt, dem die Märchenwelt zunächst fremd bleibt.

So sehr auch das moderne Bewußtsein Ausgangspunkt und Katalysator einer archaischen Welt ist – die dann, ihrer Eigenständigkeit beraubt, zu einem seiner Bewußtseinsinhalte wird –, dennoch fordert gerade diese Überlegenheit die Frage heraus, warum die Modernität sich nicht selbst genügt, sondern vom Rückständigen und Sonderbaren affiziert ist, warum sich der Geist des Romans nach dem Stoff des Märchens sehnt. Den Verdacht, daß die gewöhnliche, prosaische Welt eine geheime Prädisposition zur ungewöhnlichen, märchenhaften hat, nährt bereits der Erzählrahmen: Eckbert ist ein Ritter, er lebt einsam auf einer kleinen Burg in einer Waldgegend, über Märchen- oder Romananfang ist damit noch nicht entschieden. Ähnlich zweideutig erscheint Eckberts Freund Walther, er „hielt sich aber oft über ein halbes Jahr in der Nähe von Eckberts Burg auf, sammelte Kräuter und Steine, und beschäftigte sich damit, sie in Ordnung zu bringen" (145); als Romanfigur betrachtet, würde ihn seine Beschäftigung mit Kräutern und Steinen dem

Typ des Sonderlings aus dem humoristischen Roman zuordnen, doch kann er auch – innerhalb einer Märchenwelt – einer der ‚Jenseitigen' sein, denen die Märchenhelden oft beim Kräutersammeln im Wald begegnen. Daß Walther tatsächlich ein ‚Jenseitiger' ist, enthüllt der Schluß der Erzählung, wenn sich die alltägliche Wirklichkeit zum bloßen Schein verflüchtigt hat, hinter dem sich das Wunderbare als poetische und zugleich „wirklichere" Wirklichkeit etabliert hat. Das Märchen begnügt sich nicht mehr mit seinem bloßen Erzähltwerden, mit seiner spielerischen Funktion als literarischer Bewußtseinsinhalt; es verselbständigt sich und schlägt auf die Welt zurück, von der es abhängig sein sollte. Wenn Walther, der Zuhörer, den Namen des Hundes Strohmian weiß, den Bertha vergessen hatte, ragt das Vergangene in die Gegenwart, das erzählte Märchen in die Wirklichkeit.[19] Im wahnsinnigen Ende wird die märchenhafte Welt die reale überwältigen. Die Märchenwelt setzt sich gegen die des Romans durch, obwohl deren Perspektive von Anfang bis Ende nicht aufgehoben, vielmehr ihr Widerspruch nur durch sie begriffen wird. Deshalb siegt das Märchen nicht als Märchen, sondern als Schauerroman; nicht die Selbstverständlichkeit und Eigenheit der Märchenwelt interessieren, sondern ihre Differenz zur gewöhnlichen: die dort so freundliche Alte kehrt als Walther und Hugo in bedrohlicher Gestalt wieder, das märchenhafte Wissen des rechten Namens bringt Bertha den Tod, das wunderbare Vogellied („Waldeinsamkeit . . .") löst jetzt Eckberts Wahnsinn aus: „Jezt war es um das Bewußtsein, um die Sinne Eckberts geschehn; er konnte sich nicht aus dem Räthsel heraus finden, ob er jetzt träume, oder ehemals von einem Weibe Bertha geträumt habe; das Wunderbarste vermischte sich mit dem Gewöhnlichsten, die Welt um ihn her war verzaubert, und er keines Gedankens, keiner Erinnerung mächtig" (168f.); und als schließlich alle Märchengestalten und -dinge sich um ihn drängen, ist sein Ende nah: „Eckbert lag wahnsinnig und verscheidend auf dem Boden; dumpf und verworren hörte er die Alte sprechen, den Hund bellen, und den Vogel sein Lied wiederholen" (169). Das Märchen dient Tieck als Zwischenstufe, um vom aufklärerischen Roman des realistischen Genres zum präromantischen Schauerroman zu gelangen – in der Abfolge von Vorspann, Erzählung und Schluß hat diese literarhistorische Entwicklung ihr formales Abbild erhalten.

Der Begriff Roman wird zur formtheoretischen Bestimmung des „Blonden Eckbert" nur verwendet, um seine Kategorien und Intentionen zu bezeichnen – das aus der Vermischung des „Wunderbarsten" mit dem „Gewöhnlichsten", der gegenseitigen Interpretation von Märchen und Roman entstandene Werk selbst hat eine Form gewonnen, die keiner der beiden Gattungen zugehört. Schon im Äußerlichsten weicht Tiecks Erzählung von den beiden Formtypen ab, deren Auseinandersetzung jene geschaffen hat: für ein Märchen ist sie zu lang, für einen Roman zu kurz. Der Umfang könnte am ehesten auf eine Novelle deuten, zu der auch eine innere Verwandtschaft besteht – zwar nicht zur älteren Novelle, die ihren Anfang in der Renaissance genommen hatte und in durchsichtiger Form exemplarische und exzeptionelle Liebesgeschichten mit variablem Verlauf erzählt, doch zur neueren Novelle, die im 19. Jahrhundert eine der wichtigsten Gattungen der deutschen Literatur werden sollte. Deren Strukturmerkmale nimmt Tieck vorweg, wenn er einen alltäglichen Rahmen mit einer ungewöhnlichen Binnenerzählung kontrastiert, den Abstand von Gegenwart und Vergangenheit thematisiert, die Rationalität des nun Bestehenden durch die Irrationalität des einst Geschehenen aufhebt, das Unheimliche als psychisches Phänomen aufklärt und wieder verrätselt, aus der einmaligen „unerhörten Begebenheit" das Unglück des jetzigen Lebens ableitet. Auch die Novelle behält den Standpunkt der Rahmenerzählung bei, dämpft aber deren Wirkung, indem sie auf die Ausbreitung der größeren Romanwelt – welche die Geltung der Einlage stark vermindern und mehr kompositorisch als inhaltlich behandeln würde – verzichtet und sie zum dünnen Rahmen schrumpfen läßt, der zwar die moderne Perspektive gewährleistet, aber durch die Spannungen des inneren fremden Bildes verborgen wird. Es wäre voreilig, wollte man in der Synthese von Roman und Märchen, die Tieck im „Blonden Eckbert" als erster in Angriff nahm, den historischen Ursprung der deutschen Novelle sehen; doch eine ihr analoge Konstellation ist hier entstanden, in der die Wege der literaturgeschichtlichen Entwicklung in Deutschland vorgezeichnet sind, die sich bei der Konstitution der Novelle treffen werden: der Mangel an entfalteter Welt, die Sehnsucht nach dem Irrationalen, so daß von den zwei wesentlichen Elementen des Romans, reflektierende Subjektivität und prosaische Welt, nur das erste erhalten blieb, während das zweite auf den Schicksalsnexus reduziert und mythisiert wurde – diese neuen, etwas zweifelhaften ‚Qualitäten' gewann Tieck, indem er durch den Roman die ferne, wunderbare, ganz für sich bestehende Welt des Märchens als eine poetische Tiefenschicht ins moderne Bewußtsein hob und der bürgerlichen Literatur die Dichtung des Volkes verfügbar machte.

II

Wenn der von Tieck geschaffene Typ der Märchenerzählung am Anfang einer später so bedeutenden Gattung wie die Novelle steht, so muß er einen zentralen historischen Vorgang spiegeln, an dem die Bedingungen der bürgerlichen Literatur sichtbar werden, gerade weil sie sich bemüht, eine außer- und vorbürgerliche Poesie zu rezipieren. Das Anwachsen der Romanproduktion seit der zweiten Hälfte des 18. Jahrhunderts[20] geht mit dem Aufstieg seiner Leserschaft, dem Bürgertum, Hand in Hand. „Daneben lebt ein unterschwelliges Schrifttum weiter, das dem primitivsten Unterhaltungs- und Wissensbedürfnis dient. Es speist sich aus überliefertem Volksgut und läßt seine Wurzeln bis in die mündliche Erzähltradition und die literarischen Vorbilder des späten Mittelalters zurückverfolgen."[21] Diese Literatur der sozialen Unterschicht, Erbauungsbücher, Kalender, Volksbücher, Märchen, wird samt dem Kirchen- und Aberglauben, den sie vermitteln, vom volkspädagogischen Eifer der Aufklärung weitgehend beseitigt, dadurch aber – von den gesellschaftlich disqualifizierenden Bedingungen, von denen sich frühere Erzähler von Volksmärchen wie Musäus mit überlegener Ironie distanziert hatten, nun befreit – für das wissenschaftliche Studium und die literarische Phantasie erst recht dienstbar. Der historische, unaktuelle Charakter dieses Gegenstands zeigt sich daran, daß man ihn gern mit der Aura des Mittelalters umgibt (auch im „Blonden Eckbert" deuten Burg, Ritter und Armbrust auf diesen Zeitraum), in der der gesellschaftliche und intellektuelle Abstand als geschichtlicher ausgegeben und verklärt wird. In dem Augenblick, da „die Reste aller lebendigen Volksdenkart [. . .] mit beschleunigtem letzten Sturze in Abgrund der Vergessenheit hinab"[22] wollen, beginnt der Versuch, diese Volkspoesie für die bürgerliche Literatur zu retten.

Die Alternative, statt der alten eine neue Volksdichtung zu schaffen, war mit dem Hauptvertreter dieses Gedankens, Bürger, schon gescheitert. Dessen Absicht, „Poesie für eine Kunst zu halten, die zwar von Gelehrten, aber nicht für Gelehrte, als solche, sondern für das Volk ausgeübt werden muß",[23] macht den ursprünglichen demokratischen und revolutionären Kern der Idee von der Volkspoesie offenbar; noch Goethe versteht im Rückblick Herders neuen Begriff der Volkspoesie politisch und gesellschaftlich so, „daß die Dichtkunst überhaupt eine Welt- und Völkergabe sei, nicht ein Privaterbteil einiger feinen gebildeten Männer"[24] – aber zu dieser Zeit war schon entschieden, daß die Klassenunterschiede sich nicht aufheben ließen, sondern sich durch den Aufstieg des Bürgertums noch mehr verschärfen würden. An Schillers Kritik von Bürgers Gedichten ist deshalb der Hinweis auf die soziale und damit kulturell-literarische Schichtung des Publikums, das darum kein einheitliches sein kann, der gewichtigste Einwand gegen die neue Volksdichtung: „Unsre Welt ist die homerische nicht mehr, wo alle Glieder der Gesellschaft im Empfinden und Meinen ungefähr dieselbe Stufe einnahmen, sich also leicht in derselben Schilderung erkennen, in denselben Gefühlen begegnen konnten. Jetzt ist zwischen der Auswahl einer Nation und der Masse derselben ein sehr großer Abstand sichtbar, wovon die Ursache zum Teil schon darin liegt, daß Aufklärung der Begriffe und sittliche Veredlung ein zusammenhängendes Ganzes ausmachen, mit dessen Bruchstükken nichts gewonnen wird. Außer diesem Kulturunterschied ist es noch die Konvenienz, welche die Glieder der Nation in der Empfindungsart und im Ausdruck der Empfindung einander so äußerst unähnlich macht".[25] Dieses Argument Schillers gebraucht auch August Wilhelm Schlegel gegen Bürgers Rückgriff auf vergangene Verhältnisse, der zugleich ein Vorgriff auf utopische sein sollte, doch dabei die Bedingungen der Gegenwart verfehlt, in der „Volk" sich nicht einmal als „Mittlerer Durchschnitt" aus den verschiedenen Ständen rekonstruieren läßt, „denn in betreff des Angebildeten und Erworbenen gibt es einen solchen mittleren Durchschnitt überhaupt nicht, indem die an wissenschaftlicher und konventioneller Bildung teilnehmenden und die davon ausgeschloßnen Stände gänzlich getrennt bleiben."[26] Volksdichtung wird also im bürgerlichen Zeitalter nie Dichtung für das Volk, sondern Dichtung für die Bürger sein, der das Einfache als exotischen Reiz goutiert. Volk bleibt als Idee vom Bewußtsein des Bürgers ebenso abhängig wie auf der literarischen Ebene – wo sich der Vorgang hauptsächlich abspielt (erst später greift er als völkische Idee verhängnisvoll auf die politische Ebene über) – das Märchen vom Roman im „Blonden Eckbert".

Der gleiche Streit um die Volksdichtung wiederholt sich, jedoch unter Verzicht auf das gesellschaftliche Argument, zwischen Arnim und Brentano auf der einen Seite, welche die alte Volkspoesie beleben wollen – obwohl Arnims Nachwort zum „Wunderhorn" melancholisch das Absterben der Poesie im Leben des Volkes konstatieren muß (und daraus eine Kritik der bürgerlichen Gesellschaft ableitet) – und den Brüdern Grimm auf der anderen, die den Nachdichtern vorwerfen, „sie [= Brentano und Arnim] wollen nichts von einer historisch genauen Untersuchung wissen, sie lassen das Alte nicht als Altes stehen, sondern wollen es durchaus in unsere Zeit verpflanzen, wohin es an sich nicht mehr gehört, nur von einer bald ermüdeten Zahl von Liebhabern wird es aufgenommen. So wenig sich fremde edele Thiere aus einem natürlichen Boden in einen andern verbreiten lassen, ohne zu leiden und zu sterben, so wenig kann die Herrlichkeit alter Poesie wieder allgemein aufleben, d. h. poetisch; allein historisch kann sie unberührt genossen werden."[27] Die romantischen Dichter wollten „das Alte [...] durchaus in unsere Zeit verpflanzen" und glauben, „daß viele Sagen/In unsern Zeiten erst recht wieder tagen",[28] um der von ökonomischer Rationalität und kritischer Aufklärung bedrohten Poesie in der Volksdichtung einen historischen und sozialen Rechtsgrund zu geben – der aber wegen seiner unzeitgemäßen Ferne selber nur poetische Gestalt annehmen konnte und dadurch seine Überzeugungskraft wiederum verlor. Dagegen bestanden die Brüder Grimm darauf, im Umgang mit der Dichtung des Volkes, einer vergangenen Zeit und einer niederen Klasse das Bewußtsein der Gegenwart, den geschichtlichen Abstand und die soziale Überlegenheit nicht zu verschleiern. Die Behandlung des fernen Objekts Volkspoesie soll sich auf die einzig angemessene Form beschränken, die historische Wissenschaft – das literarische Korrelat dieses Bewußtseinsstandes ist nicht die Nachahmung der alten Dichtung, sondern der Roman. Historische Wissenschaft und Roman, zwei der bedeutendsten Leistungen des bürgerlichen Geistes, haben deshalb in den Brüdern Grimm gleichzeitig ihre Verteidiger gefunden. In seiner Rezension von Arnims „Gräfin Dolores" attestiert Wilhelm Grimm dem Roman, er sei die einzige moderne Gattung, die noch das Leben berühre; Jacob Grimm tadelt Märchenbearbeitungen als „böse Formen", hält die Dichter zur Unterscheidung der Zeiten an und rät ihnen, sie sollten „mehr aus der Gegenwart aufnehmen und bewahren, sie werden dadurch historisch und leisten etwas, was gerade die Historie ausläßt."[29] Poesie, seit Herder[30] als ein Produkt der Frühzeit verstanden, ist in der Moderne überhaupt problematisch geworden; nur mehr die unpoetische, problematische Form des Romans ist zeitgemäß, da dessen hohes Maß an Bewußtheit und Reflexion ihm seinen Platz in der bürgerlichen Epoche sichert.

Diesen historischen Kontrast von Bürger und Volk, Moderne und Frühe hat Tieck zwar ebenfalls erkannt, aber in seinen Konsequenzen für die Literatur, wo sie für die Gegenwärtigkeit des Romans und gegen die Wiederholbarkeit des Märchens entschieden hätten, nicht anerkennen mögen. Er sah den Widerspruch der Einfachen Formen der Volksdichtung zum jetzigen Stand der Gesellschaft und ihres Geistes, aber er sah auch den Reiz dieses Widerspruchs, den die selbst widersprüchliche bürgerliche Gesellschaft in der Literatur genießen wollte und im Genuß wieder aufhob. Dem bürgerlichen Konsum von Poesie zuliebe retuschierte er die historische und wirtschaftliche Situation der bürgerlichen Epoche: „Das ökonomische Treiben, die Verehrung kleinlicher List, die Vergötterung der neuesten Zeit ist fast erstorben, eine höhere Sehnsucht hat unsern Blick in die Vergangenheit geschärft, und neueres Unglück für die vergangenen großen Jahrhunderte den edleren Sinn in uns aufgeschlossen“ (14). Doch das „ökonomische Treiben“ hat nie aufgehört, ist immer stärker geworden, und die „höhere Sehnsucht“ verlor sich in leere Idealität, die wohl den Blick auf die bürgerliche Wirklichkeit verstellen, aber diese nicht beseitigen konnte. Vielmehr produzierte der „Blick in die Vergangenheit“, selber zum ökonomischen Treiben auf dem Buchmarkt geworden, gerade die Art von Dichtung, welche die bürgerliche Gesellschaft brauchte; denn sie brauchte nichts so sehr wie die „höhere Sehnsucht“ als Verschleierung und Trost für die wirklichen Verhältnisse: „Es gewährt einen eignen sonderbaren Genuß, Dein Jahrhundert und die Gegenstände um Dich her aus dem Gedächtnisse zu verlieren.“[31] Das Leiden an der Rationalität als dem Prinzip der bürgerlichen Ökonomie sucht Heilung, zumindest Linderung in der Irrationalität der bürgerlichen Literatur, in der archaischen Exotik der vorbürgerlichen Formen, denen die romanhafte Bearbeitung als rätselhafte Tiefe der Seele den Schein von psychologischer Wahrheit und Aneignung verleiht. Mit Bertha gehen der Autor und seine Leser den Weg in das verlorene poetische Paradies, die märchenhafte Welt der Frühe; doch dieser Weg ist bloß ein poetischer Spaziergang, um der Langeweile, Kargheit und Entfremdung der eigenen Zeit zu entfliehen – wie alle Spaziergänge folgenlos und mit der Rückkehr zum Ausgangspunkt zu Ende. Expressis verbis fragt E. T. A. Hoffmann im „Goldenen Topf“, einem „Märchen aus der neuen Zeit“, den Leser, „ob du in deinem Leben nicht Stunden, ja Tage und Wochen hattest, in denen dir all dein gewöhnliches Tun und Treiben ein recht quälendes Mißbehagen erregte, und in denen dir alles, was dir sonst recht wichtig und wert in Sinn und Gedanken zu tragen vorkam, nun läppisch und nichtswürdig erschien?“[32] und bietet ihm als Erlösung von diesem Überdruß das poetische Märchenreich an, in dem er versuchen solle, „die bekannten Gestalten, wie sie täglich, wie man zu sagen pflegt im gemeinen Leben, um dich herwandeln, wiederzuerkennen. Du wirst dann glauben, daß dir jenes herrliche Reich viel näher liege, als du sonst wohl meintest.“[33] Die utopische Idee, die solche Rückkehr zum Bild des ungeteilten Lebens tragen könnte, wird zum poetischen Reiz verflacht, der als vorübergehende Erregung den Ekel am Alltag kurz verdeckt, aber keine Alternative zeigt und nur zur Wiederholung von Arbeitslast und literarischer Entlastung führt und sich so im Kreislauf der bürgerlichen Existenz dreht.

Aber Tiecks poetische Lüge fördert ihre eigene Wahrheit zutage, weil er das Glück des Märchens – das die sonst so skeptischen Brüder Grimm wenigstens den Kindern, die vom Unglück ihrer Zeit noch nichts wissen, vermitteln wollten – mit Hilfe jener Form begreift, in der das Unglück der bürgerlichen Gesellschaft zum Thema geworden ist, des Romans. Er, die einzige Gattung, welche die Klasse, die jene hervorgebracht hat, nicht verklärt, sondern kritisiert, zeigt am Griff nach dem Fremden, das Erlösung bringen sollte, auch die Hände, die Erlösung verlangen. Darum kommt in Tiecks „Blondem Eckbert“ an der Erzählung die Erzählsituation, an der Schönheit des Vergangenen der Schrecken der Gegenwart, am poetischen Zauber die prosaische Wirklichkeit, am Reiz der frühen Dichtung das Leid der modernen Gesellschaft, an der Form der kollektiven Vorstellungen, dem Volksmärchen, die Form der isolierten Innerlichkeit, der bürgerliche Roman, zum Vorschein. Tieck hat die Verwandlung des Märchens durch die Aufgabe, die Leere der Zeit mit poetischen Gestalten zu bevölkern, genau, wenn auch auf den psychischen Vorgang beschränkt, beschrieben – ein letzter Beweis für die Gegenwart seines kritischen Bewußtseins beim Dichten in anscheinend so einfachen Formen: „selbst die schönste Gegend hat Gespenster, die durch unser Herz schreiten, sie kann so seltsame Ahndungen, so verwirrte Schatten durch unsere Phantasie jagen, daß wir ihr entfliehen, und uns in das Getümmel der Welt hinein retten möchten. Auf diese Weise entstehn nun wohl auch in unserm Innern Gedichte und Märchen, indem wir die ungeheure Leere [. . .] mit Gestalten bevölkern, und kunstmäßig den unerfreulichen Raum schmücken; diese Gebilde aber können dann freilich nicht den Charakter ihres Erzeugers verläugnen. In diesen Natur-Mährchen mischt sich das Liebliche mit dem Schrecklichen, das Seltsame mit dem Kindischen, und verwirrt unsre Phantasie bis zum poetischen Wahnsinn, um diesen selbst nur in unserm Innern zu lösen und frei zu machen" (128f.).

ANMERKUNGEN

1 Max Lüthi, Das europäische Volksmärchen. Form und Wesen (Bern 1947), S. 72.

2 Zitate und Seitenzahlen des „Blonden Eckbert" und des „Phantasus" nach: Ludwig Tieck, Schriften, Bd. 4 (= Phantasus, T. 1), (Berlin 1828).

3 Lüthi, Volksmärchen, S. 15.

4 Ebd., S. 20f.

5 Vgl. ebd., S. 49.

6 Friedrich Meinecke, Die Entstehung des Historismus (München 1959), (= F. M., Werke, Bd. 3), S. 357.

7 Ähnlich hat Tieck in seinem Aufsatz über „Die altdeutschen Minnelieder" (1803) den Abstand zwischen der „alten Poesie" und der „neuen Zeit" erkannt und zugleich aufheben wollen: „So erklärt und ergänzt die alte Zeit die neue, und umgekehrt. Wenn es uns vielleicht unmöglich fällt, die alte Poesie ganz auf ihre eigenthümliche Art zu verstehen und zu fühlen, so macht wieder die Entfernung ein innigeres Verständnis möglich, als es die Zeitgenossen selbst fassen konnten." (L. T., Kritische Schriften, Bd. 1 [Leipzig 1848], S. 188f.).

8 Vgl. Friedrich Gundolf, Ludwig Tieck, Jb. d. Fr. Dt. Hochstifts 1929, S. 144: „Die Volksbücher selbst setzen die Unschuld des Geistes voraus, Tieck das Wissen um den Wert dieser Unschuld."

9 Vgl. gerade für die Epoche Tiecks: Erika Voerster, Märchen und Novellen im klassisch-romantischen Roman (Bonn 1964), (= Abh. z. Kunst-, Musik- und Lit.wiss. 23).

10 Walter Benjamin, Oskar Maria Graf als Erzähler, Alternative 10 (1967), S. 218.

11 Immerhin spricht Robert Minder von Tiecks Märchen als einem „roman raccourci", begründet den Romancharakter jedoch bloß damit, daß „il raconte lui aussi l'évolution morale des adolescents." (R. M., Un poète romantique allemand: Ludwig Tieck, Paris 1936, p. 103).

12 Hansjörg Garte, Kunstform Schauerroman (Diss. Leipzig 1935), S. 21.

13 Vgl. Marianne Thalmann, Der Trivialroman des 18. Jahrhunderts und der romantische Roman (Berlin 1923), (= German. Studien 24), S. 21ff.

14 Friedrich Wilhelm Meyern, Dya-Na-Sore oder Die Wanderer, Bd. 3 (Leipzig 1789), S. 162.

15 Garte, Schauerroman, S. 69.

16 Johann Karl Wezel, Wilhelmine Arend oder die Gefahren der Empfindsamkeit (Karlsruhe 1783), Bd. 2, S. 168f.

17 Ebd., S. 172.

18 Vgl. Garte, Schauerroman, S. 118.

19 Vgl. Paul Gerhard Klussmann, Die Zweideutigkeit des Wirklichen in Ludwig Tiecks Märchennovellen, ZfdPh 83 (1964), S. 440.

20 Vgl. Eva D. Becker, Der deutsche Roman um 1780 (Stuttgart 1964), S. 26f.

21 Marion Beaujean, Der Trivialroman in der zweiten Hälfte des 18. Jahrhunderts (Bonn 1964), (= Abh. z. Kunst-, Musik- u. Lit.wiss. 22), S. 29.

22 Herder in der Vorrede zum 1. Teil der „Alten Volkslieder" (1774), s. Herders Sämtliche Werke, hg. von Bernhard Suphan, Bd. 25 (Berlin 1885), S. 11.

23 Vorrede zur zweiten Ausgabe der Gedichte (1789), in: Gottfried August Bürger, Werke und Briefe, hg. von Wolfgang Friedrich (Leipzig 1958), S. 321.

24 Goethe, Dichtung und Wahrheit, 10. Buch (Gedenk-Ausg., Bd. 10, 2. Aufl. [Zürich 1962], S. 448).

25 Schillers Rezension von G. A. Bürgers Gedichten (1791), in: F. S., Sämtliche Werke, hg. von Otto Güntter und Georg Witkowski, (Leipzig [Hesse] o. J.), Bd. 19, S. 230f.

26 August Wilhelm Schlegel, Bürger, in A. W. Sch. Kritische Schriften, hg. von Emil Staiger (Zürich und Stuttgart 1962), S. 136.

27 Jacob an Wilhelm Grimm (1809), in: Briefwechsel zwischen J. u. W. G. aus der Jugendzeit, hg. von Hermann Grimm und Gustav Hinrichs (Weimar 1881), S. 98.

28 Arnim in der Zueignung des Novellenbandes „Isabella von Ägypten" (1812) an die Brüder Grimm, denen sich „die Sagenwelt/Als ein geschloss'nes Ganzes schon gesellt" hatte, d. h. zum historischen Gegenstand geworden war.

29 Jacob Grimm an Arnim (24. 9. 1810), in: Achim von Arnim und die ihm nahe standen, hg. von Reinhold Steig und Herman Grimm, Bd. 3 (Stuttgart und Berlin 1904), S. 73.

30 „Ueber die neuere Deutsche Litteratur. Zwote Sammlung von Fragmenten" (1767), Nr. 5: „Die gesittete Freiheit, in der wir leben, läßt Künste und Wissenschaften blühen; die etwas rauhere, die mit Gährungen des Staats und mit Unterdrückungen kämpft, läßt wie bei den Römern und Griechen, die Beredsamkeit ihre Wunder thun; aber wilde Einfalt ist das Feld der Dichter." (Herder, Sämtl. Werke, Bd. 1, S. 270)

31 Tieck in der „Vorerinnerung" zu der „Geschichte von den Heymons Kindern, in zwanzig altfränkischen Bildern" (1796), in: L. T., Schriften, Bd. 13, S. 3.

32 E. T. A. Hofmann, Fantasie- und Nachtstücke, hg, von Walter Müller-Seidel (München 1964), S. 197.

33 Ebd., S. 198.

Gedichte in der Isolation

Romantische Lyrik am Übergang von der Autonomie – zur Zweckästhetik[1].

WOLFGANG FRÜHWALD

I.

In Dieter Fortes dramatischer Satire ‚Martin Luther und Thomas Münzer oder Die Einführung der Buchhaltung' sagt die strickende Frau Luther in einem Dialog, der die totale Unterwerfung Luthers unter die Herrschaft der Fürsten und seinen Verrat an der – im Sinne Fortes – Sache des Volkes verdeutlicht, zu ihrem Mann: „Ärger dich nicht, mach ein Liedlein."[2] Es entbehrt nicht der Pikanterie, daß dieses von Luther dann verfaßte „Liedlein" sich als der am Ende des Stückes – von Forte in der Tradition Brechts – satirisch verwendete Text „Ein feste Burg ist unser Gott" zu erkennen gibt.[3]

Die Literaturwissenschaft kennt den oft behaupteten Kompensationscharakter lyrischer Texte. Sie kennt das bei Forte zum satirischen Klischee erstarrte Postulat der „Verwandlung von Leben in Kunst",[4] die angebliche Erledigung des Problems durch die Gestalt, die Behauptung des „Von-sich-weg-Formulierens", wie etwa Elisabeth Langgässer ihre Schreibintentionen in einem Brief an Hermann Broch zu erklären versucht hat.[5]

Satirisch verwendet erscheint eine solche Kompensationsformel schon in einem Gedicht, das Clemens Brentano am 22. Juni 1834 an Emilie Linder nach Karlsbad sandte. Dieser Text, in dessen Zentrum die fiktive Scheltrede der Geliebten auf den Autor steht, endet im postumen Erstdruck mit der Strophe:

> „Und als sie so gesungen,
> Ein Bischen süß gegaukelt,
> Und sich herumgeschwungen,
> Geschlungen und geschaukelt,
> Rief sie: ‚Gut' Nacht! mein Brüderchen,
> Addio! schreib, mach Liederchen.'"[6]

In der Handschrift Brentanos allerdings folgen dieser Schlußstrophe des von den Herausgebern überarbeiteten Erstdruckes noch elf Verszeilen, die als Antwort auf die fiktive Ermunterung zum Ersatz des Lebens durch die Kunst einen für die prüde, altjüngferliche Adressatin sicherlich schockierend-erotischen Text gestalten:

> „Nun streifet mein Gebieterchen
> Schon ab das feine Miederchen
> Und streckt die reinen Gliederchen,
> O Engel seine Hüterchen,
> Deckt sie mit dem Gefiederchen,

Und singt ihr kleine Liederchen,
Baut eure keuschen Nesterchen
Und legt ein englisch Pflästerchen
Ans Herz dem neuen Schwesterchen,
Daß es, was gut es eingeschnürt,
Nun aufgeschnürt nicht gleich verliert!"[7]

Der von Emilie Brentano und dem Aschaffenburger Gymnasialprofessor Joseph Merkel überarbeitete Erstdruck des Gedichtes aus dem Jahre 1852 endet also pointiert mit der Kompensationsformel und dokumentiert nicht die Überspielung der Formel in der Gestalt des Originales. Die fast doxologische Akzentuierung des Gedichtschlusses im Erstdruck gehört dabei zu jenen Bearbeitungstendenzen, welche die – wie es in der Zeit heißt – „ächten Perlen der Brentano'schen Muse"[8] in die Nähe einer resignativen Rückzugslyrik stellen, die der Rezensent der ‚Deutschen Volkshalle' im Jahre 1851 schon wie folgt beschrieben hat: „So viel Ursprünglichkeit, so viel wahrhaft naive Kindlichkeit mit dem weisen Ernst der Tugend zusammen, – und Alles aus einer glühenden Lebensquelle natürlich hervorsprudelnd! das hat etwas Paradiesisches an sich, und gar willig läßt man sich aus der von Maschinengeknarr, von Dampf- und von Bühnenreden erfüllten Alltagswelt weit, weit hinwegtragen, in den Garten, wo das Geheimniß einfältiger Zufriedenheit seine süßduftenden Schätze aufschließt."[9]

Verwies der satirische Gebrauch der Kompensationsformel auf eine Krise autonomen Kunstverständnisses, so geschieht dieser Verweis noch deutlicher durch die Editionspraxis. Brentano selbst hat nicht einmal das gekürzte Gedicht publiziert, ganz zu schweigen von dem durch die erotische Weiterführung neu orientierten Text. Er hat sein Werk bewußt in einen isolativ-privaten und einen journalistisch-öffentlichen Teil getrennt, von welch letzterem er sich durchaus öffentliche Resonanz erwartet und mit dem er sie auch gefunden hat.

Im Bewußtsein des Autors ist diese Werkspaltung früh angelegt, nachdem Brentano schon im Jahre 1802 die „unendliche Unabhängigkeit" seines Freundes Achim von Arnim „von allem Zeitgeschmacke" rühmt und diese Unabhängigkeit zum Kriterium des Dichterischen macht. Der Dichter solle es, so schreibt Brentano an Savigny, „nie mit seiner Zeit, sondern mit aller Zeit als der seinigen zu tun haben . . .". Gleichzeitig aber beklagt er die eigene Abhängigkeit vom Zeitgeschmack: „ . . . vom Zeitgeschmacke hange ich so ab, daß ich so zwischen Ob- und Subjectivität hänge wie Christus zwischen den Schächern."[10]

Voll und bewußt, mit allen Konsequenzen für Stil und Struktur des Werkes, wird die Spaltung freilich erst in den Jahren der beginnenden Restauration durchgeführt, und der bekannte Brief an Johann Friedrich Böhmer aus dem Jahre 1837, in dem der Autor den Verlust der „öffentlichen Basis" beklagt und seine krankhafte Angst vor aller Öffentlichkeit bekennt,[11] ist als Endpunkt dieses Spaltungsprozesses anzusprechen. In das Bewußtsein der Literaturgeschichtsschreibung ist dieser für die Literatur der Zeit modellhafte Spaltungsvorgang nie eigentlich eingedrungen, weil das Pendant zur liberalen Literatur des frühen 19. Jahrhunderts, die überkonfessionell beginnende und sich im Zuge der vordringenden Unterscheidungslehren rasch konfessionell verengende, konservative, politisch-religiöse Zweckliteratur nicht der Untersuchung wert schien. Die hier an lyrischen Texten zu exemplifizierende Spaltung im Werk Brentanos korrespondiert der in den dreißiger Jahren des 19. Jahrhunderts längst zu Gunsten der Zweckästhetik entschiedenen Auseinandersetzung zwischen autonomer und tendenzieller Lyrik, wobei Brentano für den in seinem Sinne autonomen, d. h. isolativ-privaten Teil des Werkes die innere Gesetzmäßigkeit der Poesie behauptet, also im Bannkreis der aus „idealistischer Säkularisation" hervorgegangenen Kunstautonomie verharrt,[12] während er für den öffentlichen Teil dieses Werkes Regeln akzeptiert, die außerhalb des ästhetischen Bereiches entstanden sind. Der Agitator und der Esoteriker – zwei bestimmende Gestalten der Lyrik des 19. Jahrhunderts – sind bei Brentano noch in *einer* poetischen Person vereinigt, die individuelle Lösung eines Widerstreites von Autonomie- und Zweckästhetik ist in der gespaltenen Werkstruktur gegeben.

II.

Man ist über das Wort Brentanos, vor einer eventuellen Veröffentlichung seiner Märchen, darin doch ja alles zu vernichten, „was im mindesten ein reines Herz verletzen könnte"[13], meist mit einem Achselzucken hinweggegangen, ohne zu bemerken, daß damit eine der Grundregeln konservativer Zweckliteratur des 19. Jahrhunderts formuliert ist; diese Grundregel absoluter Moralität feiert wenig später in den großen Bücherverarbeitungsprojekten (etwa des Borromäus-Vereines) und ihrer vor allem erbaulichen Literatur Triumphe.

Am Anfang des 19. Jahrhunderts erweiterte sich das lesende Publikum in einem bis dahin noch nicht gekannten Ausmaß. Das preußische Generallandschulrecht, welches die allgemeine Schulpflicht für ganz Preußen einführte, wirkte sich zuerst voll auf die Generation der Romantiker und ihre Zeitgenossen aus; in Frankreich wurde der Schulzwang erst 1822 eingeführt. Innerhalb der Lebens- und Schaffenszeit der romantischen Generation änderte sich demnach nicht nur die Zusammensetzung des Lesepublikums, es war – wie Brentano sich ausgedrückt hätte – die denkende und die lesende Klasse nicht mehr weiterhin identisch,[14] es änderten sich mit der Zusammensetzung des lesenden Publikums auch die Lesebedürfnisse und die Lesegewohnheiten dieses Publikums.

War Lessings Veröffentlichung der ‚Reimarus-Fragmente' noch auf einen relativ engen Kreis interessierter Fachleute und Laien eingegrenzt, so erzwang ihre journalistische Popularisierung in Gutzkows Roman ‚Wally, die Zweiflerin' (1835) das Eingreifen der Zensurbehörden – zumal die Romanform nur durch die Zensurpraxis der Zeit bedingt wurde; waren Schleiermachers ‚Vertraute Briefe über Friedrich Schlegels Lucinde' (1801) in ihrer Skandalwirkung noch vor allem auf die romantische Gemeinde begrenzt, so wirkten sie 1835 mit Gutzkows Vorrede revolutionär im Sinne liberaler Emanzipationsbestrebungen auf breite bürgerliche Kreise.[15] Die „Journalisierung der Literatur“, wie Helmut Arntzen diesen entscheidenden Vorgang im 19. Jahrhundert genannt hat,[16] die Journalisierung, welche durch die sich wandelnden Lesegewohnheiten und Lesebedürfnisse begründet ist, die Journalisierung, welcher der Prosaismus des frühen 19. Jahrhunderts entspricht,[17] macht vor der Lyrik, der bevorzugten Gattung der romantischen Epoche, nicht halt. Brentanos konfessionell verengte Agitationslyrik, die er in Blättern wie etwa ‚Der Katholik; eine religiöse Zeitschrift zur Belehrung und Warnung‘ oder in dem bekannteren ‚Geistlichen Blumenstrauß‘ Melchior von Diepenbrocks anonym publizierte,[18] gehorcht nicht ästhetischen, sondern moraltheologischen Regeln, wie sie exemplarisch in Georg Rieglers ‚Christlicher Moral nach der Grundlage der Ethik des Maurus v. Schenkl‘ (Augsburg 1828) formuliert sind und in jenem Jahrgang des ‚Katholiken‘ besprochen werden, zu dem auch – wie man erst heute nachweisen kann – Brentano anonyme Prosabeiträge geliefert hat.[19] Die Warnungen vor dem „Lesen gefährlicher Bücher“, zumal vor der Lektüre billiger Taschenbücher, laufen in Brentanos Äußerungen zum Schulwesen seiner Zeit und in der „besonderen Pflichtenlehre“ Rieglers, des Professors der Theologie am Königlichen Lyceum zu Bamberg parallel. Der Moraltheologe und der Dichter als Journalist wider Willen kommen zu fast gleichlautenden Urteilen: „So viel Gefährliches und Verderbliches“, schreibt Riegler, „so unzählbare und unberechenbare böse und giftige Früchte aus dem Lesen unnützer, gefährlicher und schlechter Bücher, – und doch ist des Büchermachens kein Ende (Pred. 12, 12), ja der Drang, Bücher zu schreiben, die Speculation der Drucker, die unaufhaltbare Lesesucht fast in allen Ständen, besonders unter der Jugend, scheint mehr und mehr zu wachsen; – wohin kann und wird, ja muß diese steigende Ausschweifung und Leidenschaft führen?“[20] Brentano meint offensichtlich eine Antwort geben zu können, wenn er von den Schulen, deren Unchristlichkeit der ‚Katholik‘ häufig beklagt, behauptet, daß der Schüler durch die dort praktizierten Erziehungsmethoden und Lehrinhalte wie von selbst „auf den so sehr nahe liegenden Satz“ komme: „Folge deiner Natur, deinen Gelüsten; sey ein freier Mensch; genieße dein Leben; sey ein denkender Geist; gehe mit der Zeit vorwärts; kaufe und lies alle Neun-Kreuzerbändchen; laß die Pfaffen schwätzen, mache den Eltern ein x für ein u; sehe dich in Zeiten nach einer edeln deutschen Jungfrau um; kannst du nicht für deutsche Freiheit sterben, so seufze und prahle für griechische Freiheit; lach und höhne den Lehrern hinter dem Rücken, so sparst du ihnen die Mühe, sich es einander selbst zu thun! Welch ein Vortheil für die Universitätsjahre!“[21] Unschwer wird man in dieser Philippika gegen das Schulwesen des frühen 19. Jahrhunderts die Emanzipationsideale des Frühliberalismus wiedererkennen, die Postulate der Emanzipation des Geistes, des Fleisches und der Emanzipation auf politischem Gebiet.

Der Frontstellung gegen diese Zeitideale dienen die von Brentano geplanten und teilweise auch ausgeführten billigen Bücherverbreitungsprojekte, in deren Zusammenhang seine Zwecklyrik zu sehen ist. Sie ist weniger nach ihren ästhetisch-formalen, als nach ihren persuasiven Qualitäten[22] zu beurteilen, da Brentano in diesem Bereich einem Grundsatz folgt, den er im Brief vom 19. November 1827 an seinen Freund Melchior von Diepenbrock so formuliert: „Was das Liederbüchlein anbetrifft, und wiefern man altes und Neues durcheinander hineinbringen soll, bin ich ein schwieriger Rathgeber, denn mein Geschmack hat Launen, und am Ende ist mir alles Eins, wenn es nur katholisch ist. Nicht, als wolle ich den Protestanten in einer zeitlichen Begeisterung einen hohen Schwung des Liedes absprechen, aber wären auch alle Waffen Goliaths von lauterem Gold, so sind mir doch Davids Kiesel rührender, man soll aber aus Keuschheit und Treue das Gebein einer Jungfrau, die den Götzen nicht opfern wollte, freudiger küssen, als alle Schönheitsformen der Antike usw."[23] So suchte er also seine Zwecklyrik von allen, wie er meinte, subjektiven Elementen zu reinigen und sie auf dogmatische Lehrsätze auszurichten.

Ein Beispiel, dessen Mißlingen er dann allerdings selbst eingesehen hat, ist der Versuch einer gereimten Evangelienharmonie, aus der ich hier den Text „Am ersten Sonntag nach Epiphanie" auf die Bibelstelle Lukas 2,42 herausgreife:

„Jesu Worte lehren, heilen,
Teilen Licht und Leben aus;
O, wie selig ist's zu weilen
Bei ihm in des Vaters Haus.

Als sie suchten nach dem Kinde,
War im Tempel Jesus Christ.
‚Nur in dem ich mich befinde',
Spricht er, ‚was des Vaters ist'.

Und so weiß ich, wo ihn finden,
Wo mit ihm des Vaters sein,
Den Verlornen auch, aus Sünden
Führt er rein zur Kirche ein."[24]

An diesem Text kann die Ausrichtung auf den Lehrsatz besonders deutlich demonstriert werden, da hier schon die Quellenwahl Verengung bedeutet. Zugrundegelegt wird nicht ein beliebiger oder ein vom Autor in künstlerischer Absicht speziell gewählter Schrifttext, sondern die sanktionierte Auswahl, die von der Autorität der Kirche verordnete Perikope des Kirchenfestes. Die Quellenwahl bedeutet also Beschränkung auf einen autorisierten Ausschnitt aus dem Gesamtangebot der Bibeltexte; wer nun zusätzlich die Quelle in ihrem Verhältnis zum Text Brentanos betrachtet, wird bemerken, daß der Autor aus einem sehr komplexen und schwierig auszulegenden Schrifttext[25] einen Lehrgehalt abstrahiert, indem er in der zweiten Strophe des Gedichtes, fast unmerklich, ein „nur" interpoliert. Die Tendenz der Verengung und des Ausschneidens wird in dieser Interpolation fortgeführt, ja diese Tendenz zwingt zur Interpolation, d. h. zur Entstellung und zur Umdeutung der Quelle. Der Bibeltext ist damit in der von Brentano angegebenen Übersetzung nichts anderes als die Umschreibung des bekannten Lehrsatzes: „Extra ecclesiam nulla salus", wobei der Satz hier ganz im Stile der Kontroverstheologie des 19. Jahrhunderts und das heißt polemisch, agitatorisch, nicht eigentlich exegetisch gebraucht wird.

Für solche Lyrik und solche Zweckliteratur überhaupt hatte Brentano in seiner Zeit eine breite öffentliche Basis, ein gemeindehaftes Publikum, von dem aber – zu seinem Leidwesen – die „denkende Klasse" ausgeschlossen blieb. Die soziale Schichtung dieses seines Publikums beschreibt uns der Autor selbst, wenn er beklagt, daß sein als Schlüsselroman konzipiertes, aber in den Auseinandersetzungen der Zeit als Erbauungs- und Andachtsbuch mißverstandenes Werk ‚Das bittere Leiden unsers Herrn Jesu Christi' nur von Bürgern und Bauern gelesen werde und er eine wohlfeile Volksausgabe dieses Buches vor allem deshalb verweigert, weil er ein weiteres Absinken in den „Mittelstand" verhindern wollte.[26]

Das Publikum des jungen Brentano ist ein anderes als das des alten; nicht so sehr, weil der Autor sich gewandelt hätte, sondern weil das Publikum sich gewandelt, mit der Quantität auch die Qualität sich verändert hat; immer aber ist dieses Publikum im Sinne Karl Eibls „Gemeinde – Öffentlichkeit", ob es sich um das Publikum der „ästhetischen Kirche" in Jena handelt oder um das Publikum der neupietistischen Gemeinde im Berlin des frühen 19. Jahrhunderts oder um das Publikum der beginnenden katholischen Bewegung in Deutschland. In jeder dieser Gemeinden hatte der Dichter eine relativ breite „öffentliche Basis", die von ihm ebenso mitgeprägt wurde, wie sie seinen Stil geprägt hat. Es ist eine Frage, ob Brentano, ein Autor für die „happy few", wie ihn Claude David genannt hat,[27] jemals außerhalb einer Gemeindeöffentlichkeit wirksam werden konnte. Die Wirkungsgeschichte von ‚Des Knaben Wunderhorn' ist hier kein Gegenbeweis, da sie großenteils auf einem nationalistischen Mißverständnis beruht.[28]

III.

Neben der Assimilation an das Journalistische bleibt, nach Helmut Arntzen, der Literatur im 19. Jahrhundert in ihrem Verhältnis zur Öffentlichkeit nur die Möglichkeit einer Isolierung von den breiten Schichten des bürgerlichen Publikums. Auch dies kann schon an der Lyrik Clemens Brentanos exemplifiziert werden, da die esoterische Strukturlinie seines Werks von der journalistischen lediglich überlagert wird, die Verwirklichung des Glaubens an die Kunstautonomie von der „Autorität der Zweckliteratur"[29] in die gleichsam private Sphäre abgedrängt wurde. Die Lyrik, die völlig unbeachtet, weil unbemerkt von einer breiten Öffentlichkeit neben und mit der Zweckliteratur entstand, hat aber ebenfalls eine „Öffentlichkeit", Gemeindeöffentlichkeit im eigentlichen Sinne, nämlich den esoterischen Zirkel, der sich nur in wenigen Fällen auf die Person der angesprochenen Geliebten reduziert. Die Mehrzahl der im Verborgenen entstandenen und nie für eine Veröffentlichung bestimmten Gedichte ist einem Kreise eingeweihter Freunde bekanntgemacht und vorgelesen worden. Dieser Kreis, ein genaues Spiegelbild früherer Freundeskreise Brentanos, ist – und darauf verweist eben seine spiegelbildliche Struktur – im Bewußtsein des Autors identisch mit der von der Zeit in die Isolation gedrängten Romantik und das heißt hier: er verweist auf den von der herrschenden Zweckästhetik zurückgedrängten Glauben an die Eigengesetzlichkeit der Kunst.

Die in diesem Bereich entstehende Lyrik ist somit strukturiert vom Bewußtsein der Isolation und des Resonanzverlustes, vom Bewußtsein des Verlustes einer breiten Öffentlichkeit, schließlich vom Bewußtsein der Unzeitgemäßheit. So ist auch diese Lyrik nicht unabhängig und unbeeinflußt von den Zeitereignissen, sondern Widerspruch und Ablehnung der „aktiven Zeittendenzen"[30] prägen unter dem Isolationsdruck einen expressiven Spätstil. Thematisch ist sie bestimmt von Antinomien wie Ruhe und Bewegung, Ordnung und Freiheit, erotische Emanzipation und religiöse Askese, Autonomie der Individualität und Sehnsucht nach Gemeinschaft, – Themen, die sich unschwer den Problembereichen der Zeit zuordnen lassen. Stilistisch sind solche Antinomien in den Antithesen, den Paradoxen, den Entstellungen, Montagen und in der Redundanz der Bildreihen zu fassen:

„O unnennbar lebend Sterben,
Himmelsbrot in Erdennot,
Lachen in uns selbst die Erben,
Macht der Tod die Wangen rot.

Tagsanbruch im Augenbrechen
Glühnden Durst machst du zum Trank,
Dornen blühn, wenn Rosen stechen,
Erdenheil ist himmelskrank."[31]

Fortschritt und Bewegung sind Zentralbegriffe der liberalen Literatur in den dreißiger Jahren des 19. Jahrhunderts;[32] sie finden sich in zahllosen Synonymen aufbereitet in der Spätlyrik Brentanos, in der die Sehnsucht nach Ruhe thematisiert wird und Bewegung auch im Sinne des „mouvement" erscheint, also der Schritt vom individuellen Ruhebedürfnis zum Begriff „öffentlicher" Ruhe und Sicherheit, einer gegen die liberalen Emanzipationsbestrebungen gerichteten Zentralformel der Metternichschen Restauration, getan wird. Dabei ist auffällig – und dies scheint für die Gattung Lyrik typisch zu sein –, daß in den esoterischen Gedichten Brentanos die individuelle Bedeutungsbreite des Ruhe- und Bewegungsvokabulars sichtbar wird, politische Bedeutungen stärker dort hervortreten, wo – mit Heinrich Heine zu sprechen – den Autor die Prosa „in ihre weiten Arme" aufnimmt.[33]

Heinrich Heine, der mit seiner bekannten Charakterisierung des im Katholizismus eingemauerten Brentano[34] zuerst auf die esoterische Isolation des Romantikers in der Zeit jungdeutscher Bewegungsliteratur verwiesen hat, ist in seinem Zeitgefühl stark von Brentano beeinflußt. Das Bewußtsein, durch die Zeit an der vollen Entfaltung der ästhetischen Möglichkeiten verhindert zu sein, hat Brentano dadurch zu kompensieren versucht, daß er sein Werk im Verborgenen sammelte, in der trüben Hoffnung, es einem kommenden „Glaubenszeitalter" bewahren zu können; – daß dieses „Glaubenszeitalter" ein Kunstzeitalter im Sinne der Kunstautonomie sein werde, hat Brentano, und mit ihm sein Antipode Heine stets betont: „Jetzt haben die Völker allzu viele politische Geschäfte, wenn aber diese einmal abgetan sind, wollen wir Deutsche, Briten, Spanier, Franzosen, Italiener, wir wollen alle hinausgehen in den grünen Wald und wollen singen, – Nachtigall soll Schiedsrichter sein."[35]

Das spezielle Vokabular etwa der Linder-Lyrik des Jahres 1834 und der ihr entsprechenden, zu Prosagedichten sich weitenden Briefmonologe weist auf ein Zeiterlebnis, wie es „vor der deutschen Romantik kaum vorhanden war". Die Herstellung von Zeittiefe und der Erfahrbarkeit der Zeitlichkeit des Dichtens, wie Richard Alewyn diese Leistung der deutschen Romantik genannt hat,[36] gelingt nicht in der Zwecklyrik journalistischer Provenienz, sondern ausschließlich in den esoterisch isolierten lyrischen Texten, die damit allein über den Tag hinauswollen und hinauswirken.

Wenn der „Journalismus der Schriftsteller zur Flucht vor der Reflexion der eigenen Position"[37] wird, so lebt im Gegensatz dazu die notwendig entjournalisierte, weil esoterisch von der Öffentlichkeit isolierte Lyrik Brentanos geradezu von der Reflexion der eigenen Kunstposition, ja sie ist Artistik in modernem Sinne, da sie die Kunstreflexion thematisiert und Zeittiefe zunächst durch die Reflexion der eigenen Vergangenheit herstellt. Die autobiographisch akzentuierte Lyrik, mit ihren oft nur noch privat auflösbaren Details, ist aus dieser Position erklärbar, deren Prävalenz innerhalb der Romantik Krisensymptom der Kunstautonomie ist. Formal wirkt sich diese Reflexion im Extremfall darin aus, daß Gedichte aus früheren Werkphasen, zum Teil mehrere Jahrzehnte alte Texte, wieder aufgegriffen und in zarter Modulation aktualisiert werden. ‚Im Wetter auf der Heimfahrt' ist ein Gedicht aus dem Jahre 1817 für Luise Hensel überschrieben. ‚Im Wetter auf der Heimfahrt. Am Dienstagnacht des Winters von 1833–34 gegeben 17. September 1834' überschrieb Brentano das gleiche, nur wenig veränderte Gedicht, als er es 1834 an Emilie Linder richtete[38]. Ein guter Teil der fast unlösbaren Datierungsprobleme in der Lyrik Brentanos ist durch diese genuin esoterische aber auch genuin romantische Reflexions-Position bedingt, wie etwa auch Luise Hensel und Emilie Linder, die nach Brentanos Tod, in Unkenntnis der Doppelungen, um ihre Anteile im Sinne von Besitz – weil Adressatenverhältnissen stritten, zu unschuldigen Opfern dieser Position wurden.

Thematisch und formal wirkt sich die esoterische Isolation in einer unerhörten, bis dahin kaum gekannten Kühnheit der Erotismen aus, die aber erst auf dem Hintergrund des asketisch-theologischen Kontrastvokabulars voll wirksam werden. Der Koinzidenzpunkt, in dem die beiden Themenbereiche, der erotische und der asketische zusammentreffen, scheint die bevorzugte Quelle dieser lyrischen Texte zu sein, das ‚Hohe Lied' Salomonis aus dem Alten Testament.[39]

Da diesen Texten die letzten Rücksichten auf ein breiteres Publikum fehlen, da sie grundsätzlich von einer Druckpublikation ausgeschlossen bleiben, da sie oft alleine auf das Schriftbild oder häufiger noch auf die „accentuierende"[40] Stimme des Vorlesers angewiesen sind, da ihnen nicht nur die Rücksichtnahme auf ein soeben erst für das Lesen begeistertes, wenig von schriftlichen Bildungstraditionen belastetes Publikum, sondern auch die Rücksichtnahme auf eine ästhetisch bestimmte, literarische Gemeinde fehlt, sind sie in Thematik, Motivik, Form etc. häufig gleichsam im Rohzustand überliefert, dies auch dann, wenn sie in „Reinschriften" erhalten sind, da die Reinschrift bei Brentano oft Entwurfcharakter hat. Die Zahl der unvollendeten, vorzeitig abgebrochenen oder nur entworfenen Gedichte ist in Relation zu den reinschriftlich überlieferten allerdings unverhältnismäßig hoch, auch dies eine unmittelbare und notwendige Folge der Abkehr von der Öffentlichkeit.

Wichtiger als diese fast selbstverständlichen Konsequenzen der Isolation sind die strukturellen Folgen in Einzeltexten, wie sie z. B. in dem bekannten Text „Durch die weite öde Wüste" zu beobachten sind. Das an Emilie Linder gerichtete Gedicht ist in der postumen Erstdruckfassung von den Herausgebern aus einem umfangreichen Entwurf herauspräpariert und den „Geistlichen Liedern" zugezählt worden. Sie bemerken dazu, daß das Lied an einem Abend entstanden sei, „an welchem Pater Geramb von seinen Reisen im Orient erzählt hatte".[41] Emilie Brentano unterbrach den von ihr gelegentlich ergänzten Text an einer Stelle, an welcher Brentano selber durch eine Auswahlvariante ein mögliches, verschleierndes Ende des Liebesgedichtes markierte.
Aus Brentanos Entwurf, der in der Handschrift lautet:

„Norden Mittag, Abend, Morgen
Wurden selig tief erquickt
Und ich (1) hab (2) sah mit großen Sorgen
Neben mir das Kind erblickt.
<*am Rande:*> /meine Garbe mir entrückt./"

wird in den ‚Gesammelten Schriften':

„Norden, Mittag, Abend, Morgen
Wurden selig tief erquickt,
Und ich sah mit großen Sorgen
Meine Garbe mir entrückt."

Bis zu diesem Vers ist der Ton des vielstrophigen Lied-Entwurfes einheitlich, bekenntnishaft, ernst. Dann aber folgt in einer Reihe zusätzlich entworfener Strophen ein Imaginationsbruch, die Selbstdeutung des Gedichtes, die in der Auflösung der Chiffrensprache, in der ironischen, fast satirischen, weil vernichtenden Dissonanz den Stilbruch und das artistische Bewußtwerden der poetischen Produktion verdeutlicht:

„In des Wolken Zeltes <*darüber:*> / Raumes oeder / Mitte
(1) Saß (2) Stand das dumme dumme Kind
(1) S (2) Stand das süße bitte Bitte
Stand das arme arme Lind. –

Sie war, das von fern ich grüste
Das geliebt, gelobte Land –.
Sie mein Dursten in der Wüste
Herr von Geramb war der Sand.

<. . .*etc.*>"[42]

Solche Stilbrüche, von Heinrich Heine innerhalb der veröffentlichten Gedichte gebraucht und dadurch bekanntgeworden, werden bei dem romantischen Autor als strukturelle Konsequenz der Isolation hauptsächlich innerhalb des esoterischen Werkteiles sichtbar.

Dabei werden diese Texte aber nicht etwa als autonome Kunstprodukte gegen die Zeit- und Umwelteinflüsse abgedichtet, wie es Walter Benjamin von der Konzeption des Gesamtkunstwerkes behauptet hat,[43] diese Abdichtung geschieht vielmehr intentional nur in den überarbeiteten, arrondierten, moralisch und metrisch geglätteten Erstdrucken der biedermeierlichen Restauratoren Emilie Brentano und Joseph Merkel. In der Selbstauflösung der fast symbolistischen Gedichtstrukturen am Ende der Originalmanuskripte solcher Texte sind die Einbrüche des Zeiterlebnisses deutlich. Brentanos, sonst primär aus biblischem Bildschatz gespeiste Wüstenmetaphorik[44] empfängt jetzt Anregungen aus den zahllosen exotischen Reisebeschreibungen und Reiseschilderungen der Zeit. Realismen in großer Zahl durchsetzen die Bildsprache der späten Lyrik. Wenn auch Industrialisierung und Technisierung noch ohne erkennbaren Einfluß auf die Wort*wahl* dieser Gedichte bleiben, sie haben offensichtlich Einfluß auf die Wort*qualität* und die Struktur der lyrischen Texte, da das Entstellungsverfahren, welches Hans Magnus Enzensberger an der Spätlyrik Brentanos demonstrierte,[45] zu dem Bereich realistischer Einbrüche in den Symbolraum der Gedichte gehört und das hier gestaltete Zeiterlebnis die Krisensituation der Übergangsepoche tiefer und genauer spiegelt als die scheinbar detailtreuen prosaischen Wirklichkeitsdarstellungen des journalistischen Zeitgeistes.

Die Entfremdungsproblematik des Menschen nicht nur von seinem Produkt, sondern des Menschen vom Menschen, von der Natur, von seiner Umgebung, die radikale Veränderung aller Erfahrungen der Natur- und der Menschenbegegnung am Übergang vom Zeitalter der Postkutsche zu dem des Dampfwagens, die durch Kierkegaard gekennzeichnete, hier schon beginnende Identitätskrise mit den Symptomen von Sprachthematik und Sprachkrise, all dies ist in der Rast- und Ratlosigkeit solcher Gedichte präsent. Ein Ausweg aus der Entfremdungssituation scheint sich dieser Lyrik nur in der Liebeserfüllung anzubieten, zu deren vornehmsten Kriterien – nochmals ein unmittelbarer Zeitbezug und ein Einbruch der Zweckliteratur in die Isolation – die religiöse Identität, der im Text ganz offenkundig ausgeübte Konversionszwang gemacht wird.[47]

Wie Brentano versucht hat, Zwecklyrik und autonome Lyrik miteinander zu verbinden, läßt sich am besten an seiner Bearbeitung der Gedichte Luise Hensels belegen. Eine ausführliche Schilderung dieses Verfahrens muß einer größeren Darstellung vorbehalten bleiben, ich gebe daher nur einige wenige abschließende Hinweise.

Den neupietistischen Liedern der Linumer Pfarrerstochter hat Brentano, wie zu beteuern er nicht müde wurde, ein zentrales Erweckungserlebnis zu verdanken.[47] Diese Gedichte gehören, zumal sie insgesamt von ihm überarbeitet und auch nur in diesen Fassungen überliefert sind, zum Kern seines Werkes, den er schon früh esoterisch zu isolieren und auf den Kreis der Berliner Erweckten einzuschränken versuchte. Aus diesen, ihm vertrauten, erinnerungsträchtigen Berliner Fassungen nun stellt Brentano später Texte her, welche unter Verzicht auf die neupietistische überkonfessionelle Erweckungsthematik, unter Tilgung der Liebesszenerie und unter Reduzierung der bekenntnishaften Stilzüge in seinem Sinne als publikationsfähig in den Zeitschriften der katholischen Bewegung gelten konnten. „Alles, was im mindesten persönlich erscheint", sei, so behauptet Brentano, „ausgemerzt und mit großer Delikatesse verfahren" worden. Die Lieder, so schreibt er weiter, „stehen nicht mehr als Ergüsse von persönlichen Leiden da, einige sind gewissermaßen Parabeln und Balladen geworden", ein „poetisch romantisches Costüm" habe er in „Kleider für Arme und Altarschmuck" umgeschneidert.[48] Die hier angesprochene soziale Motivation der Veröffentlichung hat der Autor im Alter von seinen journalistischen Arbeiten auf die wenigen veröffentlichten künstlerischen Texte übertragen[49] und diese damit oberflächlich der Zweckästhetik der Zeit angeglichen.

Bei der Bearbeitung der Hensel-Gedichte aber verwendet Brentano ein Prinzip, das schon in seiner Jugendlyrik erkennbar ist, das auf die substantiell esoterische Struktur romantischer Lyrik überhaupt verweist. Wie er in der Zeit der Sophien-Lyrik seine von der Öffentlichkeit verborgene Arbeit den unter der Wasseroberfläche verborgenen Pflanzenwäldern vergleicht, von denen dem Publikum nur eine grüne Rinde sichtbar ist,[50] so teilt er nun die von ihm bearbeiteten Gedichte Luise Hensels in private und öffentliche, esoterische und journalistische Fassungen und stellt damit vor dem eigenen Bewußtsein, in der jeweils gezielt unterschiedlichen Bearbeitung ein und desselben Textes, für eine je unterschiedliche Gemeindeöffentlichkeit, die individuelle Einheit seines Werkes her. –

Es ist nach der hier vorgelegten Skizze der Werkstruktur von Brentanos später Lyrik wohl nur zu verständlich, daß eine weiterreichende, innerliterarische Wirkung nicht von Brentanos Zwecklyrik, sondern nur von seinen esoterischen Texten – im 19. Jahrhundert in ihrer von Emilie Brentano und Joseph Merkel hergestellten Gestalt – ausgegangen ist. Die Zwecklyrik mag historisch aufschlußreich sein, gegenüber der Dynamik der esoterischen, lyrischen Texte ist sie statisch und im eigentlichen Sinne restaurativ, da sie ihr Publikum von den Zeitbewegungen abzuschirmen sucht und in der Unbeweglichkeit starrer Orthodoxie verharrt. Daß die den Gesetzen der goethezeitlichen Autonomieästhetik unterworfene isolative Lyrik Brentanos, deren Dynamik, Modernität und Zeitzugewandtheit nur im Kontrast zu der den Regeln konservativer Zweckästhetik unterworfenen Journallyrik erkennbar ist, bis weit in das 20. Jahrhundert, man könnte sagen bis in unsere Tage hinein, nur auf esoterische Literatur gewirkt hat, ist demnach historisch aus dem Wandel literarischer Autoritätsstrukturen am Beginn des Zeitalters der Restauration zu erklären. Brentanos Einfluß auf Baudelaire und den französischen Symbolismus ist noch wenig untersucht; gewirkt hat er unter anderem auf den französischen und den deutschen Surrealismus und auf die konkrete Poesie unserer Tage. Es ist nur konsequent, daß die Wiederentdeckung dieses romantischen Autors im 20. Jahrhundert über seine Spätgedichte erfolgt und vom Kreis um Stefan George ausgegangen ist.

Thesen

1. Das zentrale Postulat klassischer Autonomieästhetik, die „Verwandlung von Leben in Kunst", erscheint schon bei Brentano satirisch in einer Kompensationsformel gefaßt. Dies ist ein erster deutlicher Hinweis auf die Krise und Übersteigerung der Kunstautonomie im Übergang von der idealistischen Literatur der Romantik zur stärker realistischen des 19. Jahrhunderts.

2. Brentanos Gesamtwerk ist überschattet von der Krise der Kunstautonomie in Deutschland. In der Konsequenz des Krisenbewußtseins teilt der Autor sein Spätwerk (etwa ab 1815) bewußt in einen von Zweckästhetik bestimmten, journalistisch-öffentlichen und einen von Autonomieästhetik bestimmten, esoterischen Teil. Der journalistische Werkteil gehorcht dabei den Regeln zeitgenössischer Moraltheologie, der esoterische einer – vom Autor angenommenen – kunstimmanenten Gesetzlichkeit der Poesie.

3. Primärursache der Werkspaltung ist der mit Schulzwang, Technisierung und Journalisierung schlagwortartig zu kennzeichnende Interessenwandel des Lesepublikums. Durch die quantitative Erweiterung des Lesepublikums entstehen qualitative Veränderungen, so daß durch die Neustrukturierung der lesenden Öffentlichkeit auch die Lesebedürfnisse geändert werden. Dabei hat Brentano für jeden seiner Werkteile in jeweils unterschiedlichen Lesergruppen eine fest umrissene öffentliche Gemeindebasis.

4. Die nach ihren argumentativen oder persuasiven Qualitäten zu beurteilende Zwecklyrik Brentanos, die das Gedicht auf den Lehrsatz reduziert und seine Publikation nicht mehr ästhetisch oder kunstimmanent, sondern sozial motiviert, mißachtet notwendig den zweiten Teil des aufklärerischen Postulates des „prodesse et delectare". Diese Lyrik, gereimte Moraltheologie, sucht ihr Publikum vom Zeiterlebnis fernzuhalten und das Krisenbewußtsein durch dogmatische Fixierung zu verdrängen.

5. Die neben der Zwecklyrik entstehende esoterische Lyrik bildet unter dem Isolationsdruck einen „expressiven" Stil, der in all seinen Elementen die Antiposition zu den journalistischen Texten bildet. Das Verhältnis von autonomer Lyrik und Zwecklyrik im Spätwerk Brentanos könnte dabei unter anderem mit folgenden Gegensatzpaaren umschrieben werden: Idealistisch – realistisch, bildhaft – unbildlich, erotisch – asketisch, evokativ – argumentativ (bzw. persuasiv), formenreich – formenarm, entworfen – abgeschlossen, skeptisch – dogmatisch, ironisch – eifernd, dynamisch – statisch etc.

6. Der Stil der esoterischen Lyrik weist darauf hin, daß diese Texte – bewußt oder unbewußt – stark unter dem Einfluß der „aktiven Zeittendenzen" stehen, daß sie in ihrer totalen Antiposition in Thematik, Motivik und Form die neue Wirklichkeit des beginnenden 19. Jahrhunderts spiegeln, deren Erfassung der konservativen Zwecklyrik nicht gelingt (vgl. Brentanos eigene Hinweise: „Notharbeit, die vergebens blieb", Brief an Melchior von Diepenbrock vom 19. November 1827).

7. Die scheinbar so unerklärliche, paradoxe Werksituation des späten Brentano gewinnt durch die Darstellung ihrer Historizität auch Logizität und wird so modellhaft für zeitgenössische Literaturströmungen.

ANMERKUNGEN

1 Diese Skizze der Spätlyrik Clemens Brentanos am Übergang vom Geltungsbereich der Kunstautonomie zu dem der Zweckästhetik darf nicht unabhängig von ihrem Charakter als Vortrag innerhalb der Sektion ‚Lyrik, Geschichte, Gesellschaft' [während der Tagung der deutschen Hochschulgermanisten 1972] gesehen werden. Sie knüpft thematisch, nicht chronologisch an das vorausgehende Referat Karl Eibls an und endet mit einem Hinweis auf das Referat von Manfred Durzak über Stefan George.

Dabei ist zu bemerken, daß die chronologisch geringe Distanz vom 18. Jahrhundert bis zur Spätromantik tiefer dimensioniert ist als die zeitlich so große Distanz von der Zeit Brentanos bis zu der Georges. Auf die Lyrik des späten Brentano ist das Referat deshalb eingegrenzt, weil dieser Lyrik Modellcharakter für bestimmende Literaturströmungen am Anfang des 19. Jahrhunderts zugesprochen werden kann. –

Dem Referat wurde die Vortragsform belassen, doch wurden für den Druck die nötigen Nachweise angefügt.

2 Dieter Forte, Martin Luther & Thomas Münzer oder Die Einführung der Buchhaltung, Berlin 1971, S. 135.

3 Vgl. Forte a.a.O. S. 138 und dazu Bert Brechts ‚Hitler-Choräle' Nr. V (werkausgabe edition suhrkamp Bd. 9, Frankfurt 1967, S. 449ff.).

4 Vgl. dazu Max Wehrlis Artikel ‚Literatur und Ästhetik', in: Reallexikon der deutschen Literaturgeschichte, Bd. II, Berlin 1965, S. 82.

5 Wilhelm Hoffmann, Der Briefwechsel zwischen Elisabeth Langgässer und Hermann Broch, LJb NF V, 1964, S. 312 (Brief E. Langgässers an H. Broch vom 21. 11. 1948).

6 Clemens Brentano's Gesammelte Schriften. Hrsg. von Christian Brentano [Emilie Brentano und Joseph Merkel], Bd. II, Frankfurt am Main 1852, S. 247 (zitiert als GS).

7 Clemens Brentano, Werke, Bd. I hrsg. von Wolfgang Frühwald, Bernhard Gajek und Friedhelm Kemp, München 1968, S. 553 (zitiert als Werke I).

8 Vgl. die in der Beilage zu GS VIII (1855) aufgeführte Werbung für die Miniaturausgabe von Brentanos Gedichten: „Diese Gedichte erscheinen zum ersten Mal in einer äußerst gelungenen Auswahl. Sie enthält nur ächte Perlen der Brentano'schen Muse."

9 Diese Besprechung wurde vom Verlag Sauerländer 1855 zur Werbung für die Gesamtausgabe verwendet.

10 Das unsterbliche Leben. Unbekannte Briefe von Clemens Brentano. Hrsg. von Wilhelm Schellberg † und Friedrich Fuchs, Jena 1939, S. 279 (Brief aus Düsseldorf an Savigny, von Fuchs auf den 15. Dezember 1802 datiert).

11 Vgl. Brentanos Brief vom 15. Januar 1837, GS IX, S. 353f.

12 Wehrli, Literatur und Ästhetik a.a.O. S. 81.

13 Brief an Böhmer vom 16. Februar 1827, GS IX, S. 176.

14 Vgl. Brentanos Urteil über Möhlers ‚Symbolik' (GS IX, S. 274): „Von solchen Werken wird öffentlich nicht viel gesprochen, aber sie werden doch von den rechten Leuten gelesen, da das Buch schon nach sechs Monaten vergriffen ist. Sie wirken auch auf die denkende Klasse, und führen neues, gutes Wasser an die Wurzeln."

15 Schleiermachers Vertraute Briefe über die Lucinde. Mit einer Vorrede von Karl Gutzkow, Stuttgart 1835 (S. V-XXXVI).

16 Helmut Arntzen, Literatur und öffentliche Meinung, in: Dichtung, Sprache, Gesellschaft. Akten

des 4. Internationalen Germanisten-Kongresses 1970 in Princeton. Hrsg. von V. Lange und H.-G. Roloff, Frankfurt am Main 1971, S. 184 (zitiert als: Arntzen).

17 Zum Begriff des Prosaismus vgl. die Ästhetik des Jungen Deutschland, u. a. Heinrich Heines ‚Vorrede' zum ‚Buch der Lieder' (1837): „Seit einiger Zeit sträubt sich etwas in mir gegen alle gebundene Rede, und wie ich höre, regt sich bei manchen Zeitgenossen eine ähnliche Abneigung . . ."

18 Rosa Pregler hat – nach meinen Hinweisen – Brentanos anonyme Beiträge zu der Zeitschrift ‚Der Katholik' identifiziert, darunter auch den folgenden: ‚Geistlicher Liederkranz, gesammelt im Garten Gottes. Von verschiedenen Verfassern', in: Der Katholik Bd. XXIII, 1827, S. 1–14. – Geistlicher Blumenstrauß aus spanischen und deutschen Dichtergärten, den Freunden der christlichen Poesie dargeboten von Melchior Diepenbrock . . ., Sulzbach 1829.

19 Vgl. Anm. 18. Es handelt sich hier um den Beitrag ‚Gedanken und Winke über das Schulwesen', in: Der Katholik Bd. XXIX, 1828, S. 280 bis 285; die Besprechung von Rieglers ‚Moraltheologie' ebd. S. 350–357. – Die Auseinandersetzungen um Didaktik und Methodik des Unterrichts sind in dieser Zeit, in der die Folgen des allgemeinen Schulzwanges deutlich werden, besonders heftig. Ein weiterer Beitrag Brentanos in dem genannten Band des ‚Katholiken' ist: ‚Ein Brief aus dem Hanövrischen über Das und Jenes' (S. 50–57).

20 Vgl. den Abschnitt „Unnütze und schädliche Bücher" in der genannten Besprechung, ‚Der Katholik' Bd. XXIX, 1828, S. 354 ff.

21 [Clemens Brentano] Gedanken und Winke über das Schulwesen a.a.O. S. 283 f. Vgl. dazu auch: ‚Der Katholik' Bd. XXVII, 1828, S. 78 ff: ‚Über die herrschende Unchristlichkeit in Volksschulen . . .'

22 Zur persuasiven Kommunikation als Beurteilungskriterium publizistischer Lyrik vgl. Ulla C. Lerg-Kill, Dichterwort und Parteiparole. Propagandistische Gedichte und Lieder Bertolt Brechts, Bad Homburg 1968.

23 Brief Brentanos an Melchior Diepenbrock, datiert: „Coblenz, 19. November 1827", in: Ungedruckte Briefe von und an Kardinal Melchior von Diepenbrock . . . Hrsg. von Alfons Nowack, Breslau 1931, S. 25.

24 Werke I, S. 483.

25 Der – von Brentano häufig verwendete – Vulgatatext zur zweiten Strophe lautet (Luk. 2, 48 f.): „Et dixit mater ejus ad illum: Fili, quid fecisti nobis sic? ecce pater tuus et ego dolentes quaerebamus te. Et ait ad illos: Quid est quod me quaerebatis? nesciebatis quia in his, quae Patris mei sunt, oportet me esse?«

26 Vgl. dazu Brentanos ungedruckten Brief an Apollonia Diepenbrock vom 9. Januar 1834 (FDH Inv. Nr.: G 94), worin es u. a. heißt: „Mein Buch [Das bittere Leiden] ist schon vergriffen, und ich werde zur zweiten Auflage schreiten müßen. Hier zu Lande lesen es alle frommen Bürger und Bauern. Man will schon eine populaire Ausgabe davon machen, aber ich widersetze mich. Es ist so schon zu sehr in den Mittelstand gekommen." Vgl. auch Wolfgang Frühwald, Brentano und Frankfurt. Zu zeittypischen und zeitkritischen Aspekten im Werke des romantischen Dichters, Jb FDH 1970, S. 241.

27 Claude David, Clemens Brentano, in: Die deutsche Romantik. Poetik, Formen und Motive. Hrsg. von Hans Steffen, Göttingen 1967, S. 159.

28 Vgl. dazu u. a. Wolfgang Frühwald, Clemens Brentano, in: Deutsche Dichter der Romantik. Ihr Leben und Werk, Berlin 1971, S. 289 ff.

29 Zum vorausgehenden Zitat vgl. Arntzen S. 186. – Zur „Autorität der Zweckliteratur" vgl. Friedrich Sengle, Stilistische Sorglosigkeit und gesellschaftliche Bewährung. Zur Literatur der

Biedermeierzeit, in: Sengle, Arbeiten zur deutschen Literatur 1750–1850, Stuttgart 1965, S. 172.

30 Vgl. Carl Schmitt, Politische Romantik, München und Leipzig ²1925, S. 227, dazu: Frühwald, Clemens Brentano a.a.O. S. 306 Anm. 27.

31 Werke I, S. 572 (Im Wetter auf der Heimfahrt, 2. Fassung).

32 Vgl. dazu bes. Wulf Wülfings wertvolle und materialreiche Arbeit: Schlagworte des Jungen Deutschland, in: Zeitschrift für deutsche Sprache Bd. 21 (1965) bis Bd. 26 (1970).

33 Vgl. Heinrich Heine, Briefe ... hrsg. von Friedrich Hirth, Bd. 1, Mainz 1950, S. 270.

34 Vgl. Heines Charakterisierung Brentanos in der ‚Romantischen Schule'.

35 Heines Werke, ed. Walzel Bd. VIII, S. 144.

36 Richard Alewyn, Brentanos ‚Geschichte vom braven Kasperl und dem schönen Annerl', in: Deutsche Erzählungen von Wieland bis Kafka, Frankfurt 1966 (Fischer-Bücherei 721), S. 123ff.

37 Arntzen S. 187.

38 Werke I, S. 394 und 570 (vgl. auch den zugehörigen Kommentar).

39 Vgl. etwa das Nachwort zu: Clemens Brentano, Briefe an Emilie Linder. Mit zwei Briefen an Apollonia Diepenbrock und Marianne von Willemer. Hrsg. und kommentiert von Wolfgang Frühwald, Bad Homburg 1969, S. 301ff. und Bernhard Gajek, Homo Poeta. Zur Kontinuität der Problematik bei Clemens Brentano, Frankfurt am Main 1971, S. 398ff.

40 Vgl. den oben Anm. 23 genannten Brief an Melchior von Diepenbrock (S. 28): „Ich wollte Dir gern die gereimten Evangelien schicken, aber ich finde, sie sind das Porto nicht wehrt, wenn ich sie lese, kann man sie wohl hören, weil ich ... accentuire, für andre Leser sind sie der Wörtlichkeit und Gedrängtheit wegen ... hart und starr. Es war eine Notharbeit, die vergebens blieb."

41 GS I, S. 549 (das Gedicht erschien im Band ‚Geistliche Lieder').

42 Zitiert wird hier nach einer Handschrift des Freien Deutschen Hochstifts. In der Umschrift bedeuten Ziffern in Klammern die Korrekturstufen, kursive Hinweise in Winkelklammern Zusätze des Hrsg., Worte zwischen Schrägstrichen nicht getilgte Auswahlvarianten des Autors. Der hier gedruckte Text soll einen kritischen Text nicht ersetzen, die textkritische Genauigkeit entspricht vielmehr der Zitatfunktion im vorliegenden Referat.

42 Vgl. Walter Benjamin, Paris, die Hauptstadt des XIX. Jahrhunderts, in: W. B. Illuminationen. Ausgewählte Schriften, Frankfurt am Main 1961, S. 161, S. 196f.; vgl. dazu Arntzen S. 186f.

44 Zur Wüstenmetaphorik Brentanos vgl. u. a. Gajek a.a.O. S. 105 Anm. 131.

45 Hans Magnus Enzensberger, Brentanos Poetik, München 1961.

46 Zu diesem Konversionszwang vgl. das Nachwort zu der Ausgabe von Brentanos Linder-Briefen (s. o. Anm. 39) und das Gedicht „Das Mägdlein gieng zur Linde" (Werke I, S. 592ff.).

47 Vgl. Brentanos Brief an seinen Bruder Christian vom 3. Dezember 1817: „Indem ich sie [d. i. die Lieder Luise Hensels] mittheile, theile ich Dir das Liebste, was ich habe, theile ich Dir, was mir noch immer das innerlich Erweckendste und Beweglichste ist, das mich stündlich mahnt und tröstet, mit." (GS VIII, S. 238)

48 Der Brief an Luise Hensel (datiert: Koblenz den 9. Januar 1829), aus dem hier zitiert wird, muß zusammengesetzt werden aus den Teildrucken GS IX, S. 216 bis 220, Franz Binder (Luise Hensel. Ein Lebensbild ..., Freiburg i. Br. ²1904) S. 236 und Hermann Cardauns (Allerhand von und über Clemens Brentano, in: Historisch-politische Blätter Bd. 158, 1916), S. 10.

49 Vgl. dazu vor allem die ‚Herzliche Zueignung' zum großen Gockelmärchen (Werke III, S. 619).

50 Vgl. Briefwechsel zwischen Clemens Brentano und Sophie Mereau ..., hrsg. von Heinz Amelung, Bd. I, Leipzig 1908, S. 146.

Das *Goldene Zeitalter* in der deutschen Romantik

Zur sozialpsychologischen Funktion eines Topos

Hans-Joachim HEINER

„Der revolutionäre Wunsch, das Reich Gottes zu realisieren, ist der elastische Punkt der progressiven Bildung, und der Anfang der modernen Geschichte. Was in gar keiner Beziehung aufs Reich Gottes steht, ist in ihr nur Nebensache."
(Friedrich Schlegel, Athenäum-Fragment 222)

Die folgende Untersuchung der Vorstellung des „goldenen Zeitalters" im Werk von Friedrich Schlegel, Novalis und E. T. A. Hoffmann versucht, drei Fragen zu beantworten:

1. Anknüpfend an die Arbeiten zum selben Thema von J. Petersen[1], W. Veit[2] und H.-J. Mähl[3] soll zunächst die Frage geklärt werden, welche Bedeutung der Topos für das einzelne Werk besitzt und wie die Autoren ihn gestaltet haben. Diese Fragestellung hat die Toposforschung nach Curtius immer wieder beschäftigt. Man hat Curtius zu Recht den Vorwurf gemacht, daß er zu wenig auf den autorenspezifischen Aspekt, auf den „Stellenwert" des Topos im Werk eines bestimmten Autors, eingegangen ist.[4] Genauere Analysen einzelner Werke hätten diskontinuierliche Entwicklungen aufgewiesen, eine Erkenntnis, die Curtius vermieden hat, weil es ihm unter dem Vorwand einer „historischen Topik" auf den Beweis der Kontinuität abendländischer Literatur und Kultur ankam. Seiner Definition des Topos als etwas „Anonymes", das dem Autor sozusagen unter die Feder fließt und seiner Absicht, bis zu den „unpersönlichen Stilformen" vorzudringen, liegt die Annahme überzeitlicher Gesetze der Geschichte im Sinne von C. G. Jungs Theorie des kollektiven Unbewußten zugrunde.[5]

2. Die durch Textinterpretationen gewonnenen Ergebnisse führen zu der weiteren Frage, in welcher Weise sich der Topos des goldenen Zeitalters von der Frühromantik zur Spätromantik entwickelt hat. Diese Fragestellung muß aufgrund des untersuchten Materials allerdings eingeschränkt werden. Denn von der Spätromantik ist nur E. T. A. Hoffmann Gegenstand dieser Untersuchung. Generelle Aussagen über „die" Entwicklung des Topos in „der" Romantik können nicht gefolgert werden. Die Frage lautet vielmehr: Wie entwickelte sich der Topos von Friedrich Schlegel und Novalis zu E. T. A. Hoffmann?

3. In ihren Bestrebungen, den autorenspezifischen Aspekt zur Geltung zu bringen, hat es die Toposforschung versäumt, die soziale und psychologische Vermittlung der Topoi zu untersuchen. Der in der Literaturgeschichte auftretende Funktionswandel der Topoi hat zwar zu geistesgeschichtlichen, nicht aber zu soziologischen Erklärungsversuchen geführt. Die Toposforschung ist „ideologisch" geblieben, insofern sie sich ausschließlich innerhalb der von einem Autor gesetzten Normen und Werte bewegt hat.[6] Um die Frage zu beantworten, in welchem Verhältnis zur Realität die Wunschphantasien von Friedrich

Schlegel, Novalis und E. T. A. Hoffmann stehen, bedient sich diese Untersuchung eines bestimmten Interpretationsmodells, das in Kürze darzustellen ist.[7] Da die Beantwortung der Frage nach der sozialpsychologischen Funktion des Topos beansprucht, die Antworten auf das Warum der unter 1. und 2. gestellten Fragen zu geben, ist dieses Interpretationsmodell ein Erklärungsmodell. Die vorausgegangenen werkimmanenten Interpretationen werden durch das Heranziehen sozialpsychologischer Faktoren ihrerseits wieder interpretiert und in gesellschaftliche Zusammenhänge einbezogen.

Die große Bedeutung von Träumen und Phantasien für die menschliche Psyche hat S. Freud mit dem Lustgewinn des Phantasierens erklärt: „Man darf sagen, der Glückliche phantasiert nie, nur der Unbefriedigte. Unbefriedigte Wünsche sind Triebkräfte der Phantasien, und jede einzelne Phantasie ist eine Wunscherfüllung, eine Korrektur der unbefriedigenden Wirklichkeit."[8] Der „Mechanismus" des Phantasierens funktioniert nach Freud in der Weise, daß ein aktueller Eindruck, ein Anlaß in der Gegenwart, der imstande ist, einen Wunsch zu wecken, von der Erinnerung an frühere Erlebnisse, in denen der Wunsch erfüllt war, aufgegriffen und auf eine in die Zukunft entworfene Situation bezogen wird. Der Zustand des Phantasierens tritt nach Freud nur dann ein, wenn der Wunsch nicht unmittelbar befriedigt werden kann. Die antizipierenden Phantasien, daran ist festzuhalten, entlasten den psychischen Apparat von der unmittelbaren und mit Unlust verbundenen Befriedigung des Wunsches in der Realität, d. h. sie erfüllen die Funktion der Kompensation. Es ist allerdings durchaus möglich, daß die Erstzbefriedigung im Verhältnis zur Realität im Rahmen einer kleinen Gruppe, in der andere Normen als in der sozialen Umwelt herrschen, die entgegengesetzte Funktion der Bestätigung erfüllen können. Bei der Ermittlung von sozialpsychologischen Funktionen kommt es darauf an, welcher Bezugsrahmen gesetzt wird, ob die Primärgruppe, die Sekundärgruppe oder die gesamtgesellschaftliche Realität gemeint ist. Für die Frühromantiker gilt, darauf wird noch zurückzukommen sein, daß die Phantasien vom goldenen Zeitalter im Bezugsrahmen der gesamtgesellschaftlichen Realität kompensatorische Funktion besitzen, im Bezugsrahmen des romantischen Freundeskreises aber bestätigend wirken.

Je nach der Bewegungsrichtung der Triebenergie wird man zwischen regressiven und antizipierenden Ausprägungen der Ersatzbefriedigungen unterscheiden können. Der Zustand psychischer Regression tritt ein, wenn „die Realität unerbittlich bleibt" auch wenn die Libido bereit ist, ein anderes Objekt anstelle des versagten anzunehmen. Die Libido wird dann genötigt, „die Befriedigung in einer der bereits überwundenen Organisationen oder eines der früher aufgegebenen Objekte anzustreben" (XI, 373). Es entsteht der Zustand der „Introversion", in dem sich die Unterschiede zwischen Phantasie und Wirklichkeit verwischen (XI, 389). Im Zustand der Antizipation hingegen sucht sich die Befriedigung einen Weg zur Wirklichkeit anstatt sich nach innen zu wenden.

Die von der Phantasie artikulierten Wunschträume sind also alles andere als „Schäume". Sie geben Aufschluß sowohl darüber, wie der „Träumer" die Realität erlebt, als auch darüber, welcher Art die Realität ist, die bestimmte Wünsche hervortreibt und ihre Befriedigung versagt. Je nachdem, wie die Realität beschaffen ist, entstehen andere Wünsche und Bedürfnisse, sie verändern sich mit den Veränderungen der Realität.

Der Topos des *goldenen Zeitalters* im 18. Jahrhundert

Vergegenwärtigen wir uns zunächst einige Aspekte der Entwicklung des Topos im 18. Jahrhundert. Er wird hier in sehr unterschiedlicher Weise verwendet.[9] Da ist zunächst die in der Schäferdichtung gängige Vorstellung eines vergangenen goldenen Zeitalters der Unschuld. Das goldene Zeitalter der Vergangenheit steht im Gegensatz zur Kultur der Gegenwart, vor allem der Stadtkultur. Überfluß der Natur, Bedürfnislosigkeit, sorglose Muße, unschuldige Liebe und „Zufriedenheit" suggerieren einen idyllischen Freiheitsraum, zu dem die Phantasie, des Zeitgenössischen überdrüssig, jeder Zeit Zuflucht nehmen kann. Die Hirten „sind frei von allen sklavischen Verhältnissen und von allen Bedürfnissen, die nur die unglückliche Entfernung von der Natur notwendig machet" – obwohl es andererseits feststeht, daß der Bauer „mit saurer Arbeit seinem Fürsten und den Städten den Überfluß liefern muß und Unterdrückung und Armut ihn ungesittet und schlau und niederträchtig gemacht haben".[10] Auch Gottsched sieht diesen Widerspruch.[11] Er löst ihn, indem er auf die moralisch-normative – nicht die realistische – Funktion der Dichtung hinweist. Das Schäferleben, das es darzustellen gilt, ist „vorzeiten" geführt worden, in der „patriarchalischen Zeit vor und nach der Sündfluth" im „güldenen Weltalter". Nur eine Schilderung frei von „Lastern", die sich „durch die Bosheit der Menschen allmählich eingeschlichen haben", macht das Wesen eines echten Schäfergedichts aus.

Den sentimentalischen Charakter der Schäfergedichte als „künstliche Kopien der Natürlichkeit" hat Friedrich Schlegel in Anlehnung an ähnliche Gedanken Herders und Schillers aufgedeckt.[12] „Wenn das Interesse des Idylls im Stoff und im Kontrast desselben mit der individuellen umgebenden Welt des Publikums liegt, so ist das absolute schlechthin verwerfliche ästhetische Heteronomie" (ebd.). Ästhetisch heteronom ist Schlegels Auffassung zufolge alle Poesie, die ein „interessiertes" Wohlgefallen weckt. Die „interessante" Poesie der Modernen ist auf „Täuschung" berechnet, um den notwendigen Glauben an das Ideal eines „Himmels auf Erden" hervorzubringen (M I, 81). Die bukolischen Darstellungen des goldenen Zeitalters entwerfen ein „verschönertes Bild von der sorgenlosen Freiheit des Wilden", das der „müde Anbauer, der so oft den Pflug der Bildung mit Schweiß und Pein treibt", sich vergebens zurückwünscht (M I, 215f.).

In entgegengesetzte Richtung weist die zweite Verwendungsform des Topos. Die Gedichte Hagedorns, Uz', Gleims, Pyras, Langes und Ramlers preisen die Gegenwart und verherrlichen in Friedrich II. den Stifter einer neuen goldenen Zeit. Friedrich Schlegel hat diese Versuche der Deutschen, Engländer und Franzosen, sich wie Vergil und Horaz ein goldenes Zeitalter zuzulegen, wiederholt verspottet.[13] Seine Ahnung einer neuen Morgenröte der Poesie und die Vorstellung eines goldenen Zeitalters der Aufklärung schlossen sich aus. Das Zeitalter Lessings war ihm „per antiphrasin die goldene Zeit"[14].

Die religiöse Weissagung einer kommenden „güldenen Zeit" beherrscht die Erbauungsliteratur der schwäbischen Pietisten. Wie schon in der mittelalterlichen Tradition des Chiliasmus tritt auch hier die Utopie eines „tausendjährigen Reiches" in den Dienst moralisch-politischer Weltverbesserung. Ewiger Frieden, das Paradies auf Erden in der Form einer Christusmonarchie, Gleichheit der „Untertanen", Gemeinschaft der Güter und Freiheit von jeglicher Dienstbarkeit stehen im Mittelpunkt dieser zwischen politischem Reformprogramm und messianischer Endzeiterwartung schillernden „güldenen Zeit". Lessing, Kant, Schiller, Hölderlin, Hegel, Schelling und Hemsterhuis haben diese Ideen rezipiert und sie den Frühromantikern vermittelt.

In der Literatur des 18. Jahrhunderts stehen sich somit drei verschiedene Vorstellungsformen des goldenen Zeitalters gegenüber: das goldene Zeitalter der Hirtenunschuld, das goldene Zeitalter Friedrich II. und die goldene Zeit am Ende der Welt. Während die zeitliche Struktur des Topos in der Schäferdichtung in die Vergangenheit zurückweist, ist sie im Pietismus auf die Zukunft und in den Lobgedichten auf die Gegenwart bezogen. Gemeinsam ist diesen Vorstellungsformen, daß sie einen festen Bestand an sprachlich vorgeprägten Ideen und Bildern darstellen, aus dem die Autoren in unterschiedlicher Weise geschöpft haben. Das gilt auch noch für die letzten Jahrzehnte des 18. Jahrhunderts. Doch erfährt der Topos hier wichtige Veränderungen, die es angebracht erscheinen lassen, von einem Vorgang der Enttopisierung zu sprechen. Wie bereits H.-J. Mähl aufgezeigt hat, bewirkte Herders Kritik an der Schäferdichtung die Ablösung der Idylle aus dem arkadischen Vorstellungsbereich; Kants und Fichtes Auseinandersetzung mit Rousseaus Mythos vom „bon sauvage" trug dazu bei, die regressive zeitliche Struktur des Topos zu überwinden, und die Rezeption chiliastischen Gedankengutes führte zu einer utopischen Färbung des Topos.[15]

Diese geistesgeschichtlichen Vorgänge wird man als ideelle Manifestationen der politischen und sozialen Emanzipation des Bürgertums von der feudalen Ständegesellschaft des 18. Jahrhunderts zu verstehen haben.[16] Gerade die kritische Rezeption Rousseaus in Deutschland zeigt, daß sich bei den Schriftstellern und ihren Lesern ein fortschrittliches, antifeudales und demokratisches Bewußtsein zu bilden begann. Aufgestiegen im Dienst der Fürsten und der Kirche, wandten sie sich gegen Staat und Religion, als es offensichtlich wurde, daß die politischen Reformbestrebungen des aufgeklärten Absolutismus nicht ausreichen würden, die bürgerlichen Freiheiten zu verwirklichen. Es stellte sich heraus, daß selbst in ihrer aufgeklärten Version die absolutistische Monarchie dahin tendierte, die alten Standesprivilegien des Adels, der Kirche und der Zünfte zu konservieren. Die Hoffnungen, die von seiten der Schriftsteller auf die Zukunft gesetzt wurden, waren Hoffnungen auf ein freies, politisch vereintes und republikanisches Deutschland.

Diese fortschrittliche Tendenz blieb auch in der Frühromantik erhalten. Sie verband sich aber zusehends mit religiösen und monarchistischen Wiederherstellungsträumen. Die daraus resultierende Ambivalenz der romantischen Toposgestaltungen sichtbar zu machen, ist die Aufgabe der folgenden Darstellung.

Die politische Vorstellungsform des *goldenen Zeitalters* in der Frühromantik (*ewiger Frieden*)

An unvermuteter Stelle, in Friedrich Schlegels Aufsätzen über die Poesie der Griechen und Römer, finden sich einige bemerkenswerte Sätze über das Wesen moderner Bildung. Die moderne Bildung habe eine „unermeßliche Kluft" zwischen der „denkenden" und der „tätigen" Kraft des Menschen aufgerissen.[17] „Der Mensch ist zerrissen, die Kunst und das Leben sind getrennt", klagt Schlegel in seinem Aufsatz „Über die Grenzen des Schönen" (M I,22). Der Mensch werde von seiner „höheren Natur" isoliert; seine Sinnlichkeit befinde sich „im Stande der Unterdrückung oder der Empörung" (M I,17). Die Ursache des Zwiespalts sowohl im Menschen als auch im Verhältnis des Menschen zu seiner Umwelt sieht Schlegel in der Herrschaft des Verstandes bei den Modernen (M I, 101 u. ö.).

Schlegels Charakterisierung der modernen Bildung stimmt mit Hegels und Marx' Analyse der modernen Gesellschaft in vielen Punkten überein. Hier wie dort wird die Moderne als „Verstand" begriffen – bei Marx freilich als die falsche Art von Verstand; hier wie dort ist die Spaltung des Bewußtseins in eine privat-irrationale und in eine öffentlich-rationale Sphäre das Kennzeichen der „Entfremdung" des modernen Menschen. Doch während Schlegel mit abstrakten ontologischen Begriffen arbeitet, die eine von der Gesellschaft losgelöste Menschheit schlechthin suggerieren, führen Hegel und Marx die Entfremdung von „Herren" und „Sklaven" auf die soziale Struktur der bürgerlichen Klassengesellschaft zurück.

„Klassenjenseitig" ist auch das von Schlegel und Novalis entworfene Ideal nicht entfremdeten Lebens. Der junge Schlegel hat dieses Ideal eines „goldenen Zeitalters", auch darin Hegel und Marx ähnlich, auf die athenische Demokratie projiziert. Novalis übertrug sein Ideal auf das christliche Mittelalter. Wie zu zeigen ist, entlehnte Schlegel sein Zukunftsmodell dem französischen Republikanismus, während Novalis die bürgerlich-patriarchalische Kleinfamilie zum Vorbild nahm.

Friedrich Schlegels Beschreibungen des goldenen Zeitalters der griechischen Poesie weisen in positiver Form auf, woran es der Moderne fehlt. Statt einer in Unnatur ausartenden Künstlichkeit eine voll ausgebildete Natürlichkeit (M I, 132f.); an der Stelle eines in zahllose Einzelgebiete zerfallenden Wissens eine Bildung, deren verschiedene „Gattungen" „in der innigsten Gemeinschaft" stehen (M I, 352); statt esoterischer Poesie eine öffentlich wirksame Dichtung (I, 351). Das Kontrastbild Griechenlands gipfelt in dem Satz: „Die Kunst und das Leben griffen überall in einander ein, Poesie und Musik waren unzertrennliche Gefährten, und Harmonie, die allgemeine Eigenschaft der gesammten hellenischen Bildung, offenbart sich hier sichtbarer, ist vorzugsweise das Eigenthum dieses Zeitalters, in welchem die Musik und Gymnastik blühte, Freundschaft und Liebe sich in den größesten Handlungen auf das wunderbarste äußerten" (M I, 352).

Die Entstehung dieser Idealform des Lebens führt Schlegel auf politische Ursachen zurück:

Natürlich mußte daher jene große politische Revolution, durch welche an die Stelle der nach väterlichem Herkommen herrschenden Fürsten eine genauere Gesetzgebung trat, die Gewohnheit der Erbfolge den Wahlen der versammelten Bürger wich, das Königtum aus den hellenischen Staaten plötzlich verschwand, und mit überraschender Übereinstimmung die Freiheit überall wie von selbst aufblühte, eine ähnliche, eben so wichtige Revolution in der Kunst zur Begleiterin haben. Schon die äußeren Folgen dieser Veränderung für die Poesie waren unübersehlich . . . Mit der äußern Lage verwandelte sich selbst das Innere der Poesie, in welcher nun auch wie im Leben Eigentümlichkeit und Leidenschaft herrschend wurden, wie der Geist der Gesetzlichkeit und der Geselligkeit. (M I, 351).

Im Sinne dieses Erklärungsmusters des goldenen Zeitalters der Griechen hätte es nahegelegen, die Herstellung eines neuen goldenen Zeitalters in der Moderne vom Entstehen einer politischen Revolution abhängig zu machen. Doch daran scheint Schlegel nicht gedacht zu haben. Er begnügte sich mit der Verkündigung einer „ästhetischen Revolution" (M I, 131). Diese Inkonsequenz ist um so auffallender, als Schlegels Aufsatz über die Schrift Kants „Vom ewigen Frieden" keinen Zweifel daran lassen kann, daß die Realisierung des „universellen Republikanismus" eine Revolutionierung der bestehenden politischen und sozialen Verhältnisse zur Folge haben würde. Aber auch hier vermeidet es Schlegel, von einer politischen Revolution zu sprechen. Man wird diesen Widerspruch dahingehend zu erklären haben, daß Schlegel die Zensur gefürchtet hat. Gegen eine Verherrlichung der weit zurückliegenden griechischen Revolution dürfte die Zensur weniger einzuwenden gehabt haben als gegen eine offene Verteidigung der Französischen Revolution. So mußte die Demokratie der Alten als Ersatz für eine Demokratie der Modernen dienen.

Harmonie ist auch das Kennzeichen des Schlegelschen Ideals einer Weltrepublik. Wesentliches Merkmal der Republik ist neben Freiheit und Gleichheit das Prinzip der „Volksheiligkeit" der politischen Organe. Dadurch, daß die den „allgemeinen Willen" repräsentierende Minderheit „im Namen des Volkes" handelt, ist ein möglicher Konflikt zwischen beherrschter Mehrheit und herrschender Minderheit von vornherein ausgeschlossen. Die Harmonie im Inneren wird aber nur dann von Dauer sein können, wenn der Friede auf internationaler Ebene hergestellt ist:

. . . nur durch einen universellen Republikanismus kann der politische Imperativ vollendet werden. Dieser Begriff ist also kein Hirngespinst träumender Schwärmer, sondern praktisch notwendig, wie der politische Imperativ selbst. (M II, 67f.).

„Ewiger Frieden" und „goldenes Zeitalter" sind Projektionen desselben Ideals harmonischen Lebens. Seine Hoffnung auf eine baldige Verwirklichung des Ideals gründet Schlegel auf die Annahme einer gesetzmäßigen historischen Entwicklung. Aus den „Gesetzen der politischen Geschichte und den Prinzipien der politischen Bildung" (M II, 69) lasse sich mit einiger Wahrscheinlichkeit die künftige Entwicklung und zukünftige Verwirklichung der Idee des „ewigen Friedens" vorherbestimmen. Wie man weiterhin aus Schlegels Forderung nach politischem Engagement entnehmen kann (M II, 20), scheint er

durchaus bereit gewesen zu sein, politisch aktiv zu werden. Persönliche Einsatzbereitschaft und politische Utopie bleiben aber gedanklich unvermittelt nebeneinander stehen. Nicht nur ist der „universelle Republikanismus" eine theoretische Konstruktion, wie sie es abstrakter nicht geben kann; es führt auch kein Weg von diesem Ideal zur politischen Praxis in Deutschland. Es ist daher nicht erstaunlich, daß Schlegel sich von der Französischen Revolution als Leitbild seiner politischen Wunschvorstellungen bald abgewandt hat. Als die „eigentliche" und „wahre" gilt ihm nunmehr die deutsche Revolution des Geistes. Schlegels Bedürfnis nach einer politischen Umwälzung des Bestehenden hat sich entpolitisiert und vergeistigt.
Der Glaube an historische Gesetzmäßigkeiten, die Harmonie-Struktur und der Universalismus bestimmen auch die politisch-religiösen Endzeiterwartungen des späten Schlegel:

Das wahre goldene Zeitalter oder Reich Gottes auf Erden wäre dann, nicht wenn alle Menschen fromm und wahre Christen wären, welche Voraussetzung in ihrer Allgemeinheit mit der menschlichen Freiheit nicht vereinbar ist; sondern wenn im Ganzen das Gute siegte, d. h. die Anti-Kirche, der Anti-Staat, die Anti-Gilde, Anti-Schule und Anti-Ehe rein vertilgt und besiegt wären, was sehr wohl denkbar nicht nur, sondern auch praktisch möglich ist.[18]

Um den „Sieg des Guten" kreisen die Spätschriften Schlegels immer wieder. Sie haben den „Parteienhader" der Gegenwart angeprangert und als einzige Möglichkeit, ihn zu schlichten, einen allgemeinen „Gottesfrieden" propagiert. Auf der Ebene der Politik würde der Streit zwischen Ultras und Liberalen von selbst aufhören, wenn man zu einer gemäßigten Form der Ständegesellschaft und der Monarchie zurückkehren würde; auf der Ebene der Konfessionen schwebte Schlegel eine Wiedervereinigung der getrennten Kirchen vor; der beste Weg dorthin besteht in einem wirklichen Ernstnehmen des Christentums; auf der Ebene des Wissens würde der Streit ein Ende haben, wenn eine „Schule" als der Inbegriff des gesamten intellektuellen Lebens der Nation gestiftet würde.

Einige Grundgedanken des späten Schlegel hat Novalis in seiner Fragmentensammlung „Glaube und Liebe" in seinem Aufsatz „Die Christenheit oder Europa" vorweggenommen. Der Staat mit dem König als „Vater" und der Königin als „Urbild" aller Mütter an der Spitze, gegründet auf die „uneigennützige Liebe" der Staatsbürger für das ideale Herrscherpaar, sollte nach dem Vorbild der Ehe und Familie organisiert werden.[19] Der Antagonismus der weltlichen Kräfte kann allein durch die Religion, dieses „dritte Element", das weltlich und überirdisch zugleich ist", überwunden werden.[20] Von ihr erwartet Novalis das neue goldene Zeitalter der Welterlösung (II, 79).

Die poetische Bildersprache der politischen Fragmente des Novalis fungiert in gewisser Hinsicht als Vermittlung zwischen Ideal und Wirklichkeit. Sie erleichtert die emotionale Identifikation des Lesers mit den vom Dichter entworfenen Idealzuständen; und vielleicht bewirkt sie die Überzeugung von der praktischen Notwendigkeit dieses, wie Novalis ihn nennt, „Dichtertraumes". Es war jedenfalls die Absicht von Novalis, den Leser zu überzeugen, welche Überzeugung, so hoffte er, dann sozusagen von selbst praktisch würde. Auf diese Absicht von Novalis wird im Zusammenhang mit der poetischen Vorstellungsform des goldenen Zeitalters noch zurückzukommen sein. Es genügt vorderhand die Feststellung, daß Novalis' Zukunftsphantasien einem subjektiven Idealismus entspringen, während die von Schlegel objektiv idealistische Züge aufweisen. Schlegel vertraute nicht auf das Subjekt, sondern auf die Gesetzmäßigkeit der historischen Entwicklung. Dies gilt allerdings nur für die politische Vorstellungsform des goldenen Zeitalters. Denn Novalis glaubte sehr wohl an eine gesetzmäßige Entwicklung der Natur.

Die politischen Wunschträume von Friedrich Schlegel und Novalis weisen eine ausgeprägte Harmonie- und Einheitsstruktur auf. Sie sind frei von jeglichem Konflikt und postulieren die Überparteilichkeit von Herrschaft. Gemeinsam ist diesen politischen Zukunftsvisionen die sozialpsychologische Funktion der Kompensation. Die Harmonie- und Einheitsstruktur weist zurück auf die soziale Realität, in der Friedrich Schlegel und Novalis sich als „Fremdlinge" fühlten. Doch während der junge Schlegel die zukünftige Entwicklung zur bürgerlich-liberalen Demokratie antizipierte, übertrug Novalis die Sphäre des Privaten auf die absolutistische Monarchie.[21]

Die poetische Vorstellungsform des *goldenen Zeitalters*

In seine philosophischen Fragmentenhefte hat Friedrich Schlegel die Notiz eingetragen:

> Die Schönheit liegt in der Art der Vorstellung und in der aesthetischen Ansicht der Welt sieht man wirklich alle Dinge in Gott. Die Aesthetik hat einen Mittelpunkt und der ist eben der – Menschheit, Schönheit, Kunst goldnes Zeitalter in das Centrum dieses Centrums.[22]

Die Notiz stellt einen überraschenden Zusammenhang zwischen der Ästhetik und dem goldenen Zeitalter her. Die Bedeutung dieser Beziehung hebt Schlegel hervor, indem er ihr das seltene Prädikat „Centrum des Centrums" verleiht. Doch worin besteht der Zusammenhang zwischen der Ästhetik und der Idee des goldnen Zeitalters? Einen ersten Hinweis gibt der erste Satz. Die Beziehung zwischen der Ästhetik und dem goldenen Zeitalter weist auf Religion. Die folgende Analyse nimmt diesen Hinweis auf und bedient sich des bewährten Mittels, Schlegels Kombinationen zu rekombinieren.
Eine andere Notiz lautet:

> Die Philosophie geht nicht bis zum schlechthin Ursprünglichen, kann das nicht. Nicht das *Unendliche* sondern das *Ursprüngliche* in seiner ganzen Fülle gedacht ist göttlich. Der ursprüngliche Zustand des Menschen ist Gott zu denken und zu fühlen, also das goldne Zeitalter. (PhL IV 650)

In beiden Notizen wird das goldene Zeitalter als ein superlativer Zustand des Ichs begriffen. Dieser Zustand tritt dann ein, wenn der Mensch „Gott denken und fühlen" kann. Die zweite Notiz geht einen Schritt weiter, indem sie diesen Zustand an den Ursprung der Menschheit verlegt. Die „aesthetische Ansicht der Welt" wäre demnach nichts anderes als ein Relikt aus dem goldenen Zeitalter der Menschheit. Der Mensch lebte damals in Gottesnähe, „es umwehete noch ihn der Anhauch himmlischen Geistes" und „oft stiegen hernieder zum erdgeborenen Menschen, / lieblich in lieber Gestalt noch" die Götter.[23]

Ein anderes Wort für „Gott denken und fühlen" ist „Genie haben":

Genie zu haben, ein Daemon zu seyn, ist der natürliche Zustand des Menschen. Gesund aber mußte er aus der Hand der Natur kommen; im goldenen Zeitalter hatten alle Genie – daß es verlohren ging, aus dem ursprünglichen Prinzip von Verderblichkeit zu erklären; daß es nicht ganz unterging aus der Menschlichkeit. (PhL IV/1475)[24]

Eine letzte Notiz sei in diesem Zusammenhang konsultiert:

Die Unvollendung der Poesie ist notwendig. *Ihre Vollendung = das Erscheinen des Messias,* oder die stoische Verbrennung. Hat die Fantasie den Sieg davongetragen über die Reflexion, so ist die Menschheit vollendet. (LN 2090)[25]

Wie in den anderen Notizen, so wird auch hier eine enge Verbindung zwischen dem goldenen Zeitalter bzw. dem tausendjährigen Reich („Messias") und der ästhetischen Ansicht („Poesie"), zwischen Religion und Aesthetik also, hergestellt. Die letzte Notiz ist aber insofern die wichtigste, als sie das entscheidende Stichwort für die Beweggründe des „romantischen Messianismus" (Benjamin) liefert: „Sieg der Fantasie". Ist die Herrschaft des Verstandes und der Reflexion, die Schlegel zur Signatur der Moderne erklärt hat, gebrochen und gelangt die Phantasie an die Macht, wird die Welt „Poesie". Novalis hat denselben Gedanken formuliert: „Aus der produktiven Einbildungskraft müssen alle inneren Vermögen und Kräfte und alle äußeren Vermögen und Kräfte deduziert werden . . ." (III, 413). In seinem Aufsatz „Über die Philosophie" hat Schlegel beschrieben, wie der „Sieg der Fantasie" aussehen würde:

Durch seine Allmacht (sc. des „Verstandes") wird der ganze Mensch innerlich heiter und klar. Er bildet alles was ihn umgiebt und was er berührt. Seine Empfindungen werden ihm zu wirklichen Begebenheiten, und alles Äußerliche wird ihm unter der Hand zum Innerlichen. Auch die Widersprüche lösen sich in Harmonie auf; alles wird ihm bedeutend, er sieht alles recht und wahr, und die Natur, die Erde und das Leben stehen wieder in ihrer ursprünglichen Größe und Göttlichkeit freundlich vor ihm. (M II, 330)

Wie diese Vision eines Glückszustandes von Mensch und Welt zeigt, besitzt der frühromantische Poesiebegriff durchaus eine emanzipatorische Dimension. Die Poesie wird als eine weltverändernde Kraft begriffen. Der angestrebte Endzustand beinhaltet die Identität von Ich und Welt, von Triebstruktur und Gesellschaftsstruktur. Damit weist die Vision des goldenen Zeitalters der Poesie auf die gesellschaftlichen Verhältnisse zurück, die eine solche Utopie hervorgebracht haben. Sie stellt eine indirekte Gesellschaftskritik dar.

Nicht weniger aufschlußreich ist der andere, regressive Aspekt des Poesiebegriffs. Das dialektische Pendant zum „Sieg der Fantasie" ist der Gedanke der „stoischen Verbrennung". Wie Schlegel an anderer Stelle (Idee 131) formuliert:

Der geheime Sinn des Opfers ist die Vernichtung des Endlichen, weil es endlich ist. Um zu zeigen daß es nur darum geschieht muß das Edelste und Schönste gewählt werden; vor allem der Mensch, die Blüte der Erde. Menschenopfer sind die natürlichsten Opfer. (. . .) Alle Künstler sind Dezier, und ein Künstler werden heißt nichts anders als sich den unterirdischen Gottheiten weihen. In der Begeisterung des Vernichtens offenbart sich zuerst der Sinn göttlicher Schöpfung. Nur in der Mitte des Todes entzündet sich der Blitz ewigen Lebens.

Poesie wird hier als die Negation der Wirklichkeit, als „Anihilation des Endlichen“ (Novalis) konstituiert. Parallel dazu entsteht eine neue Auffassung von der Rolle des Künstlers in der Gesellschaft. Ein Merkmal dieses neuen Rollenverständnisses scheint zu sein, daß der Künstler die Aufgabe hat, sich gegen die Realität und gegen sein eigenes Ich zu wenden. Es scheint, als ob er den Lustgewinn seines Phantasierens aus einer masochistischen Regression beziehe.

Einer der Gründe für die um 1800 deutlich werdende mystisch-religiöse Regressionstendenz der Frühromantiker dürfte im Scheitern ihrer republikanischen Bestrebungen zu finden sein. Der durch die gesellschaftlichen Verhältnisse in Deutschland bedingte Zwang zur Vergeistigung und Verinnerlichung der Bedürfnisbefriedigung begünstigte ihre Annäherung an den Katholizismus. Diese Annahme wird durch Äußerungen Friedrich Schlegels bestätigt. In seinen Wiener Vorlesungen über die Geschichte der alten und neuen Literatur finden sich die bemerkenswerten Sätze:

Wie in Frankreich die alles beherrschende und alles auflösende, jedem Glauben und jedem Bande der Liebe entsagende Vernunft ihre zerstörenden Wirkungen nach außen hin gewandt und das gesamte Leben der Nation zum furchtbaren Schauspiel für die Mitwelt und Nachwelt ergriffen hat; so nahm in Deutschland, dem Charakter der Nation gemäß, bei der äußern Gebundenheit der edelsten Kräfte, die absolute Vernunft ihre Richtung ganz nach innen, statt der bürgerlichen Revolutionen, in metaphysischem Kampfe Systeme erzeugend und wieder zerstörend. (KA VI, 411)

Zu fragen ist nunmehr, ob es eine Verbindung zwischen der Idee des goldenen Zeitalters und dem Stilwillen Friedrich Schlegels und Novalis' gibt. Neben der frühromantischen Theorie der Allegorie ist der „apodiktische Sprechstil“, den H.-J. Mähl bei Novalis nachgewiesen hat, von großer Bedeutung.[27] Es sei in Kürze verdeutlicht, was damit gemeint ist.

H.-J. Mähl hat aufgezeigt, daß Novalis seit etwa 1798 seinen Stil geändert hat. Der Ton vorsichtigen Erwägens ist dem Ton apodiktischer Behauptungen gewichen. Wie H.-J. Mähl weiterhin ausführt, lag dieser Stiländerung eine neue Theorie des Verhältnisses von Ideal und Wirklichkeit zugrunde. Novalis hat sich bemüht, eindringlich zu sprechen und zu schreiben, um im Leser den Glauben an die Möglichkeit und Realisierbarkeit von Idealen zu wecken. Er spekulierte dabei auf das Autoritätsbedürfnis des Lesers. Denn eine Meinung wirke um so überzeugender, je stärker sie mit Autorität vorgetragen werde und je geheimnisvoller, „mystischer“ sie sich gebe. Um diese Absicht zu erreichen, hat Novalis sich des Kunstgriffs bedient, die Illusion als Wirklichkeit und die Utopie als Gegenwart darzustellen.

Es läßt sich nachweisen, daß sich auch Friedrich Schlegel die „rhetorische Gewalt des Behauptens“ (Novalis) zunutze gemacht hat. Im Rückblick auf das „Athenäum“ stellt er fest:

Das Athenäum hat auf eine kräftige Art mitgewirkt die Scheidung des Vortrefflichen und des Schlechten in der Kunst und Literatur zu Stande zu bringen ... Im Anfange derselben ist Kritik und Universalität der vorwaltende Zweck, in den spätern Theilen ist der Geist des Mystizismus das Wesentliche. Man scheue dieses Wort nicht; es bezeichnet die Verkündigung der Mysterien der Kunst und Wissenschaft, die ihren Namen ohne solche Mysterien nicht verdienen würden; vor allem aber die kräftige Vertheidung der symbolischen Formen und ihrer Nothwendigkeit, gegen den profanen Sinn.[28]

In einem Zitat zur Idee 129 heißt es:

Verstehen sollt ihr mich eben nicht, aber daß ihr mich vernehmen möget wünsch ich gar sehr.

Den Verkündigungen der „Mysterien" in Kunst und Wissenschaft am angemessensten ist der „kategorische Stil" (Ath.-Frag. 82). Es ist dies ein Stil des Behauptens und Forderns, der sich das Erklären und Beweisen erspart. „Es gibt Demonstrationen die Menge, die der Form nach vortrefflich sind, für schiefe und platte Sätze. Leibnitz behauptete, und Wolff bewies. Das ist genug gesagt" (Ath.-Frag. 82). Belege dafür, daß Schlegel den „kategorischen Stil" selber angestrebt hat, finden sich im „Athenäum" auf Schritt und Tritt. Eine besonders interessante „Verkündigung" steht am Ende der „Rede über die Mythologie":

Und so laßt uns denn, beim Licht und Leben! nicht länger zögern, sondern jeder nach seinem Sinn die große Entwicklung beschleunigen, zu der wir berufen sind. Seid der Größe des Zeitalters würdig, und der Nebel wird von Euren Augen sinken; es wird helle vor Euch werden. Alles Denken ist ein Divinieren, aber der Mensch fängt erst eben an, sich seiner divinatorischen Kraft bewußt zu werden. Welche unermeßliche Erweiterungen wird sie noch erfahren; und eben jetzt. Mich däucht wer das Zeitalter, das heißt jenen großen Prozeß allgemeiner Verjüngung, jene Prinzipien der ewigen Revolution verstünde, dem müßte es gelingen können, die Pole der Menschheit zu ergreifen und das Tun der ersten Menschen, wie den Charakter der goldnen Zeit die noch kommen wird, zu erkennen und zu wissen. Dann würde das Geschwätz aufhören, und der Mensch inne werden, was er ist, und würde die Erde verstehn und die Sonne. (KA II, 332)

Hervorgehoben sei hier nur der von Novalis her bekannte Kunstgriff, dem Leser das goldene Zeitalter so schmackhaft zu machen und so nahe zu rücken („eben jetzt"), daß er sich in der Illusion wiegen muß, er brauche nur danach zu greifen, um des Paradieses auf Erden teilhaftig zu werden. Der Glaube versetzt Berge; es genügt, eine bestimmte Bewußtseinseinstellung einzunehmen, sich der Größe des Zeitalters bewußt zu werden und seine Entwicklungstendenzen zu verstehen, und schon rückt das goldene Zeitalter näher. Diese bei den Frühromantikern verbreitete subjektiv idealistische Haltung verkennt, daß der Glaube allein nicht ausreicht, Ideale zu verwirklichen. Die objektiven gesellschaftlichen Widerstände müßten reflektiert und die Möglichkeiten der Realisierung durchaus „erklärt" und „demonstriert" werden. Es besteht sonst die Gefahr, daß das Ideal der esoterische Besitz einer kleinen Gruppe von Intellektuellen bleibt.

Mit dem Begriff des „Esoterischen" ist ein weiterer Aspekt des „kategorischen Stils" angedeutet. Friedrich Schlegels Auffassung zufolge ist die Poesie, solange das Reich Gottes aussteht, dazu verurteilt, eine „Sprache in der Sprache" zu bilden. Sie ist nur den Wenigen verständlich, die gleichen Sinnes sind. Der „Mystizismus des Ausdrucks" ist das

Erkennungszeichen ihrer „unsichtbaren Kirche" (Ath.-Frag. 414). „Jedes wahre Geheimnis muß die Profanen von selbst ausschliessen. Wer es versteht ist von selbst, mit Recht, Eingeweihter".[29]

Es zeigt sich hier ein gewisser Widerspruch zwischen der Absicht des Überzeugens und der Handhabung einer „besonderen Sprache" zur esoterischen Mitteilung an die „Eingeweihten". Die esoterische Praxis des „Athenäum", seine Ironie, sein Zynismus und Mystizismus, läßt auf einen kleinen Leserkreis schließen, die Gruppe der Frühromantiker selbst, ihre Weimarer Gönner und Feinde und einige über ganz Deutschland verstreute Sympathisanten. Interpretiert man die Absicht des „kategorischen Sprechstils" dahingehend, daß er das große Publikum erreichen wollte, so ist diese Absicht mit der esoterischen Praxis der Romantiker schwer zu vereinbaren. Die von Novalis und Friedrich Schlegel formulierte persuasive Intention erscheint als Ideologie, als eine falsche Einschätzung der realen Wirkungsmöglichkeiten ihres esoterischen Stils. Nimmt man an, die Frühromantiker wollten nicht wie die Aufklärer das breite Publikum, sondern nur ihre unmittelbaren Anhänger erreichen, so stellt sich die Frage, weshalb man glaubte, andere Menschen überzeugen zu müssen, die den Ideen des „Athenäum" aufgeschlossen waren und sie teilten?

Die Einbeziehung des Publikumsaspektes in die Interpretation führt also nicht weiter. Ein anderer Ansatz besteht darin, die Funktion der esoterischen Sprache und der esoterischen Überzeugungsabsicht für die Psychologie der romantischen Freundesgruppe zu analysieren. Wie eine eingehendere Darstellung der Ziele und Normen, des Selbstverständnisses und der Verhaltensweisen der Freundesgruppe zu zeigen hätte, kompensierten die Romantiker ihre Außenseiterrolle in der Gesellschaft durch die Bildung einer esoterischen, nur ihnen selbst voll verständlichen Sprache.[30] Ironie, Mystizismus und kategorischer Stil bestätigte sie in ihrem Anderssein. Die persuasive Intention, von der esoterischen Praxis der Romantiker her gesehen Ideologie, erscheint unter dem Aspekt der Gruppenpsychologie als Ausdruck eines elitären Selbstbewußtseins. Die Frühromantiker sahen sich in der Rolle der ästhetischen und philosophischen Avantgarde, deren Aufgabe darin bestand, ein „revolutionäres" Programm zu formulieren und zu verbreiten.

Die Identität des goldenen Zeitalters und der Poesie, von Schlegel theoretisch formuliert, haben Novalis und E. T. A. Hoffmann dichterisch gestaltet. Aufgabe der folgenden Interpretation des Romans „Heinrich von Ofterdingen" und der Märchen „Der goldene Topf" und „Prinzessin Brambilla" wird es sein, die Funktion des goldenen Zeitalters für diese Dichtung zu analysieren und die neuen Mittel der poetischen Gestaltung des Topos zu beleuchten.

Von der ersten Seite an entfaltet der Roman „Heinrich von Ofterdingen" sein Hauptthema, die Erinnerung an eine goldene Vorzeit und die Ahnung einer goldenen Zukunft. „Ich hörte", sagt Heinrich zu sich selbst, „einst von alten Zeiten reden; wie die Tiere und Bäume mit den Menschen gesprochen hätten. Mir ist gerade so, als wollten sie allaugenblicklich anfangen, und als könnte ich es ihnen ansehen, was sie mir sagen wollten" (I, 101). Dem Leser des Romans scheint es, als komme das goldene Zeitalter auf ihn zu, als bedürfe es nur noch eines kleinen Sprunges und schon beginne das goldene Zeitalter der Welt. Der Eindruck einer kontinuierlichen Progression auf das goldene Zeitalter zu – er erreicht mit dem Klingsohr-Märchen seinen Höhepunkt – bestätigt die Absicht des Dichters, die Welt in Poesie zu überführen und die Poesie Welt werden zu lassen (I, 246). „Das ganze Menschengeschlecht wird am Ende poetisch. Neue goldne Zeit" (ebd.). Novalis hat diese Absicht dadurch erreicht, daß er zahlreiche Träume, Sagen und Märchen in die Romanhandlung eingeflochten hat. Welche Beziehungen bestehen zwischen der Romanhandlung und der in den Sagen und Märchen suggerierten Traumwelt? Unter „Romanhandlung" sei dabei Heinrichs Entwicklung zum Dichter, seine Reise nach Augsburg mit ihren bedeutsamen Begegnungen und sein Aufenthalt in Augsburg, seine Freundschaft zu Klingsohr und seine Liebe zu Mathilde verstanden – Ereignisse und Begegnungen, die Heinrichs inneren Reifeprozeß fördern. Man wird diese Entwicklung Heinrichs in Analogie zum Modell des organischen Wachstums verdeutlichen können. Wie die Pflanze entfaltet, was in ihrem Keim angelegt ist, wird Heinrich innerhalb kürzester Zeit zu dem, wozu er geboren worden ist, zum Dichter. Wie das organische Wachstum ist auch Heinrichs Entwicklung von ihrem Ziel her determiniert: er kann nur Dichter werden. Alle „äußeren" Ereignisse, die in keiner Verbindung mit diesem Ziel stehen, etwa die Begegnung mit den Kreuzrittern, gleiten von ihm ab. Novalis hat auf die Determinierung der Entwicklung Heinrichs wiederholt hingewiesen: durch das Buch des Grafen von Hohenzollern, in dem er sein vergangenes und künftiges Dichterschicksal erblickt (I, 169) und durch die Liebe zu Mathilde, in der sich der Traum von der blauen Blume erfüllt (I, 181).

Das Geschehen in den Sagen und Märchen begleitet die Romanhandlung, spiegelt sie und verleiht ihr eine höhere und allgemeinere Bedeutung. Mit Schelling kann man die in die Romanhandlung eingestreuten Sagen und Märchen als „mythische Philosopheme" bezeichnen, denen es darauf ankommt, nicht daß man sie als „wirkliche Geschichte glaube, sondern daß man von der durch sie versinnlichten Wahrheit überzeugt werde".[31] Heinrichs Entwicklung zum Dichter erscheint hier als Teil des weltweiten „Kampfes der Poesie und Unpoesie, der Alten und Neuen Welt", wie es in den Paralipomena zum „Ofterdingen" heißt (I, 239); den Beginn seines Weges als Dichter und Liebender verkündet das Klingsohr-Märchen als Anbruch einer neuen goldenen Zeit. neben dieser vertiefenden ist die spiegelnde Funktion des Märchengeschehens zu berücksichtigen. Wie in Heinrichs Entwicklung die Ahnungen seines künftigen Dichtertums und seiner Liebe zunächst nur blasse Traumgesichte bleiben, ist das goldene Zeitalter in den Sagen und Märchen nur die Erinnerung an goldene Vorzeiten und die Ahnung goldener Zukunft. Das goldene Zeitalter muß erst hergestellt werden, so wie Heinrich sein Dichtertum erst erlangen muß. Mit der zunehmenden Erfahrung Heinrichs werden die Anspielungen auf das goldene Zeitalter in den Sagen immer deutlicher. Sie nehmen vorweg, was für Heinrich einmal Wirklichkeit werden wird, so wie andererseits Heinrichs Leben die Ahnungen der Sagen und Märchen erst verwirklicht.

Nach demselben Prinzip des Ineinanderspielens zweier Erzählebenen, einer „realistischen" und einer symbolischen, sind auch die Märchendichtungen E. T. A. Hoffmanns aufgebaut. Wie bei Novalis bezeichnet der Mythos vom goldenen Zeitalter einen paradiesischen Endzustand der Welt – und den Endpunkt in der Entwicklung eines dichterisch begabten Jünglings. Doch während Hoffmann denselben Mythos in verschiedenen Phasen fortspinnt, schaltet Novalis mehrere Mythen ein. Die ideologische Funktion des goldenen Zeitalters in Mythos, Sage und Märchen, die Verherrlichung des Künstlertums, ist bei beiden dieselbe. Auch die ästhetische Funktion der Darstellungen des goldenen Zeitalters für die Roman- und Märchenhandlung ist bei Novalis und bei E. T. A. Hoffmann identisch: die Vergegenwärtigung einer „heilen Welt" der Liebe und Poesie.

Ein schönes Beispiel für das Ineinandergreifen von Traumwelt und Wirklichkeit findet sich im Anschluß an die Atlantis-Sage.[32] Heinrich befindet sich mit Bekannten auf dem Weg zu einer Höhle. Es ist Abend, und der Mond scheint. Die Wirkung der Abendstimmung und der Sage ist der Gegenstand des Abschnittes. Es sei hier nur auf die besondere Weise aufmerksam gemacht, wie Novalis die Wirkung des Märchens auf Heinrich dargestellt hat:

In Heinrichts Gemüt spiegelte sich das Märchen des Abends. Es war ihm, als ruhte die Welt aufgeschlossen in ihm ... Ihm dünkte die große einfache Erscheinung um ihn so verständlich. Die Natur schien ihm ... Er sah sein kleines Wohnzimmer dicht an einen erhabenen Münster gebaut ... (I, 156f. Hervorhebungen von mir, H.-J.H.)

Diese Darstellung des allmählichen Überganges eines traumhaften Zustandes in die Wirklichkeit innerer Erfahrung spiegelt die „teleologische" Struktur des ganzen Romans wider. Heinrich muß Dichter werden, so wie die Welt ihrer Vollendung im neuen goldenen Zeitalter unaufhaltsam entgegenreift. Das Dichtertum Heinrichs ist nur eine individuelle Manifestation des allgemeinen Vollendungsprozesses der Welt.

Novalis' dichterische Vergegenwärtigungen des Idealzustandes einer goldenen Zeit steigern sich im Verlauf des Romangeschehens von bloßen Benennungen zu poetischen Darstellungen großen Stils. Zunächst nur als Erinnerung an wunderbare Vorzeiten und als Ahnung künftiger Wiederherstellung aus alten Sagen bekannt (I, 101, 116f.), wird das goldene Zeitalter in der Sage von Atlantis erstmals gegenwärtig (I, 130, 134) und im Klingsohr-Märchen prunkvoll ausfabuliert (I, 203, 215ff.). Man wird hier im einzelnen zwischen rein verbalen Benennungen („das goldene Zeitalter"), knappen Andeutungen des Gehalts („das goldene Zeitalter mit seinen Beherrscherinnen, der Liebe und Poesie"), verwandten Themen und Motiven (das Orpheus-Thema, das Motiv des Kindes[33]) und dichterischen Gestaltungen des goldenen Zeitalters wie im Klingsohr-Märchen unterscheiden müssen. Nur die beiden Darstellungen im Klingsohr-Märchen sollen hier im Hinblick auf die von Novalis verwendeten poetischen Gestaltungsmittel behandelt werden.

Als ein Schauspiel, das Ginnistan zur Kurzweil ihres Geliebten Eros in der väterlichen Schatzkammer gibt, fungiert der Abschnitt:

Himmel und Erde flossen in süße Musik zusammen. Eine wunderschöne Blume schwamm glänzend auf den sanften Wogen. Ein glänzender Bogen schloß sich über die Flut auf welchem göttliche Gestalten auf prächtigen Thronen, nach beiden Seiten herunter, saßen. Sophie saß zu oberst, die Schale in der Hand, neben einem herrlichen Manne, mit einem Eichenkranze um die Locken, und einer

Friedenspalme statt des Zepters in der Rechten. Ein Lilienblatt bog sich über den Kelch der schwimmenden Blume; die kleine Fabel saß auf demselben, und sang zur Harfe die süßesten Lieder. In dem Kelche lag Eros selbst, über ein schönes schlummerndes Mädchen hergebeugt, die ihn fest umschlungen hielt. Eine kleinere Blüte schloß sich sich um beide her, so daß sie von den Hüften an in *eine* Blume verwandelt zu sein schienen. (I, 203)

Überraschend ist die Statik der Figuren in diesem Bild. In hierarchischer Anordnung ihrer Bedeutung entsprechend sitzen sie und halten sie ihre Embleme, die Schale, die Friedenspalme, die Harfe, vor sich hin und vollführen sie die ritualisierten Gesten des Singens und Liebens, als posierten sie für die Ewigkeit. Eine gewisse Bewegung kommt durch das begleitende kosmische Geschehen ins Bild. Doch auch diese Bewegungen sind zuständlich, sie liegen zeitlich zurück, sind abgeschlossene Bewegungen. Ein weiteres Merkmal der Darstellung ist ihre Unanschaulichkeit. Der Himmelsbogen glänzt, die Blume ist schön – wie sehen sie wirklich aus? Vordergrund und Hintergrund fehlen ebenfalls, Bedeutung besitzt allein die Vertikale. Und doch wird sich kein Leser der Schönheit des Textes und dem Gefühl entziehen können, daß hier ein bedeutsamer Vorgang gestaltet worden ist. Woher kommt dieser Eindruck, wenn er nicht aus den optischen Reizen des Textes hervorgeht? Der parataktische Satzbau vor allem des Anfangs bewirkt einen gleichmäßigen, wiegenden Rhythmus. Der Text lebt sprachlich in erster Linie von seinen Adjektiven. „Süß", „schön" und „glänzend" allein kommen sechsmal vor. Im Zusammenspiel mit dem Rhythmus erzeugen sie einen Eindruck wunderbarer Ruhe. Wichtiger ist in unserem Zusammenhang allerdings der Eindruck, hier handle es sich um Vorgänge von großer Bedeutung. Dieser Eindruck ist auf die Symbolik der Figuren und ihrer Gesten zurückzuführen. Jeder Leser von Novalis kennt die Bedeutung von Sophie, und daß der „herrliche Mann" die Dichtung versinnbildlichen soll, geht aus den Zeichen seiner Würde hervor. Weisheit und Dichtung thronen über der Welt. Philosophie und Poesie werden als Weltherrscherinnen verklärt. Das Zurücktreten der Anschaulichkeit zugunsten der Bedeutung des Dargestellten erklärt sich somit aus der allegorischen Darstellungsweise des Novalis. Den Sinn dieser Allegorie wird man als Vorausdeutung auf die Weltherrschaft von Weisheit, Poesie und Liebe im goldenen Zeitalter der Welt verstehen können. Das Ende des Märchens, dort wo die Zeit sich in der Ewigkeit erfüllt und das goldene Zeitalter nicht nur im Schauspiel vorweggenommen wird, sondern sich realisiert, hat Novalis als eine zweite Allegorie gestaltet.[34] Das neue goldene Zeitalter wird hier als die anbrechende Herrschaft der Poesie (Phönix-Fabel), der Liebe (Eros-Freya als Königspaar) und der Weisheit („Sophie-Arctur") versinnbildlicht. Die universale und kosmische Dimension dieses „Festes aller Feste" wird durch die Teilnahme des Volkes am Geschehen und durch den Besuch des Mondes auf der Erde angedeutet. Die Worte Sophiens: „Die Mutter ist unter uns, ihre Gegenwart wird uns ewig beglücken. Folgt uns in unsere Wohnung, in dem Tempel dort werden wir ewig wohnen, und das Geheimnis der Welt bewahren", verleihen dieser Allegorie einen mystischen Sinn. Sie spielen auf die Szene des Aschentrankes an (I, 215) und deuten auf die Wiedergeburt des Menschen durch den Tod hin.[35] Novalis' Darstellungen des goldenen Zeitalters im „Heinrich von Ofterdingen" verwenden zahlreiche traditionelle Motive bukolischer und religiöser

Herkunft. Doch nicht dieser Aspekt sollte hier hervorgehoben werden, sondern ein anderer, die Originalität dieser Gestaltungen des Topos vom goldenen Zeitalter. Sie besteht darin, daß das goldene Zeitalter und seine Wiederherstellung erstmals in der deutschen Literaturgeschichte zum Hauptthema eines Romans wurde und daß Novalis das goldene Zeitalter als Allegorie dargestellt hat. Gerade diese Originalität bezeugt aber die Entpolitisierung und Entrealisierung des Ideals nicht entfremdeten Lebens im „Heinrich von Ofterdingen". Die Hoffnung auf eine reale Veränderung der Gesellschaft ist utopisch geworden. Sie manifestiert sich nur noch im hermetischen Sinn der romantischen Kunstmärchen.

In den Märchendichtungen E. T. A. Hoffmann vertritt der Mythos die Sphäre des Wunderbaren. Er verfügt über andere Kategorien als die Alltagswirklichkeit: Wunschträume (Atlantis), Wunschzeiten (Urzeit) und Wunschzustände. Im Mythos ereignet sich, was innerhalb der vom Verstand gesetzten Normen des Alltags unmöglich bleiben muß. Das Mythisch-Wunderbare ist jedoch ohnmächtig, die Gesetze der Wirklichkeit zu verändern oder gar aufzuheben. Es spielt in die Wirklichkeit hinein, stiftet Verwirrung und neckt den Bürger mit der Schlafmütze.

Was der Mythos verkündet, wird von den „Philistern" als „orientalischer Schwulst" abgetan. Der Märchenheld aber glaubt an die höhere Wahrheit dieser Verkündigungen, denn der Mythos verheißt ihm die Erfüllung seiner Sehnsucht. Diese vom Mythos verkündete Möglichkeit einer neuen goldenen Zeit, das Ende des Märchens realisiert sie, wenn auch in anderer Form als in der Wirklichkeit des Mythos.

Der Mythos stellt auch die Bedingung, die der Märchenheld erfüllen muß, will er von den Qualen der Alltagswirklichkeit erlöst werden. Eine solche Bedingung besteht beispielsweise darin, daß in der „dürftigen armseligen Zeit innerer Verstocktheit" – gemeint ist die Gegenwart des Erzählers – sich drei Jünglinge mit einem „kindlichen poetischen Gemüte" finden.[36] Es sind dies Erwartungen, die an die Verhaltensweise des Märchenhelden geknüpft werden. Anselmus muß seinen Glauben an Serpentina und seine Liebe zu ihr unter Beweis stellen. Erst dann kann er seinen „Lohn" empfangen. Maßgebend für die Wiederherstellung des goldenen Zeitalters ist nicht ein bestimmter Zustand der Welt, sondern die subjektive Entwicklung des Helden. Dadurch aber wird der Mythos in seiner objektiven Gültigkeit und Verbindlichkeit stark eingeschränkt. Die in ihm ausgetragenen Kämpfe des „guten" und des „bösen" Prinzips erscheinen letztlich als Objektivationen der inneren Konflikte des Märchenhelden.

Wie im Ofterdingenroman erfüllt der Mythos die Funktion der Spiegelung und Vertiefung der Haupthandlung. Wie in der Realität herrscht auch im Mythos die eiserne Zwischenzeit. Die goldene Vorzeit liegt weit zurück, sie muß erst wiederhergestellt werden. Auf diese zukünftige Wiederherstellung beziehen sich die Ahnungen und Erinnerungen sowohl des Märchenhelden wie auch des Helden im Mythos. Wie in der Realität die Partei des „Guten" einen noch unentschiedenen Kampf gegen die „Bösen" austrägt, so bekämpfen sich auch im Mythos die „guten" und die „bösen" Geister. Das Spiel der Kräfte im Mythos enthüllt erst die wahre Identität der in der Realität agierenden Personen: der Archivarius Lindhorst entpuppt sich als Abkömmling des Phosphorus („Lichtträger"), und das Äpfelweib entspringt dem Geschlecht des bösen Dämons, der Atlantis bedroht.

Besondere Bedeutung erhält der Mythos aber vor allem durch die Tatsache, daß er der Märchenhandlung einen bestimmten Sinn unterlegt. Er verdeutlicht, worum es geht, um die Idee der Liebe oder um die Idee des Humors. Er ist ein Instrument in der Hand des Autors, dem Leser die „richtige" Bewußtseinseinstellung zu vermitteln. Aus dem Gegensatz des Mythisch-Wunderbaren und des Alltäglich-Wirklichen ergibt sich die strukturelle Funktion des Topos für den von Hoffmann geschaffenen Märchentypus: die Wiederherstellung des goldenen Zeitalters hebt diesen Gegensatz auf. Im „happy end" des Märchens gelangt das goldene Zeitalter des Mythos in die Realität, Anselmus wird für die Treue seiner Liebe belohnt, indem er nie gesehene Glückseligkeiten erleben darf, Giglio findet das häusliche und berufliche Glück. Der gute Ausgang des Märchens hebt den Dualismus des Wunderbaren und des Prosaischen aber nur im Bewußtsein des Helden auf. Für die anderen Märchenfiguren bleibt die Alltagswirklichkeit unverändert bestehen. Die vom Mythos verheißene allgemeine bessere Zeit realisiert sich als individuelles Glück.

Für die Gestaltungsweise des Topos sind die Märchenschlüsse besonders aufschlußreich. In der „Prinzessin Brambilla" verwandelt sich der Palast Pistoia in einen unerhörten Zaubergarten:

> – – – unter harmonischem Glockengetön, Harfen- und Posaunenklang, begann sich alles zu regen und wogte durcheinander. Die Kuppel stieg auf und wurde zum heitern Himmelsbogen, die Säulen wurden zu hohen Palmbäumen, der Goldstoff fiel nieder und wurde zum bunten gleißenden Blumengrund und der große Kristallspiegel zerfloß in einen hellen herrlichen See. Der feurige Dunst, der aus dem Trichter des Magus gestiegen, hatte sich nun auch ganz verzogen und kühle balsamische Lüfte wehten durch den unabsehbaren Zaubergarten voll der herrlichsten anmutigsten Büsche und Bäume und Blumen.[37]

Plötzlich verstummt die Musik, der Fürst und der Magus – Verkörperungen des Topos fortitudo et sapientia – schwimmen zu einer Lotosblume, steigen in deren Kelch und legen dort eine Porzellanpuppe hin – es handelt sich um die zukünftige Königin des Urdarlandes. Das Lachen des Liebespaares löst eine zweite Verwandlung aus. Dem Kelch der Lotosblume entsteigt eine göttliche Frau, die Prinzessin Mystillis, die neue Herrscherin über Urdarland. „In der funkelnden Krone auf ihrem Haupte saßen der Magus und der Fürst, schauten hinab auf das Volk, das ganz ausgelassen, ganz trunken vor Entzücken jauchzte und schrie: ‚Es lebe unsere hohe Königin Mystilis!', während die Musik des Zaubergartens in vollen Akkorden ertönte."

Diese Stelle wurde ausführlich referiert, weil sie sich für einen Vergleich mit den Gestaltungen des Topos bei Novalis besonders eignet. Hier wie dort umspielt die Musik das Geschehen, hier wie dort wölbt sich ein Himmelbogen über das Wasser, hier wie dort steht eine geheimnisvolle Blume im Mittelpunkt, deren Kelch das Heiligste umschließt, hier wie dort schließlich ist die Darstellungsweise allegorisch. Das Lachen des erwachten Liebespaares signalisiert, daß sie erkannt haben, was der wahre Humor ist, die Fähigkeit nämlich, eine Stimmung des Gemüts „objektiv", wie in einem Spiegel zu erkennen und sie so ins äußere Leben treten zu lassen".[38] Der Anbruch des goldenen Zeitalters in Urdarland versinnbildlicht die befreiende Selbsterkenntnis durch den Humor.

Diese Gemeinsamkeiten sollten aber nicht über die unterschiedliche Qualität der beiden Toposgestaltungen hinwegtäuschen. Symptomatisch dafür sind die beiden Sätze:

Hoffmann: . . . eine Lotosblume, die wie eine leuchtende Insel aus der Mitte des Sees emporragte.[39]
Novalis: Eine wunderschöne Blume schwamm glänzend auf den sanften Wogen.[40]

Der Satz Hoffmanns übt eine starke Reizwirkung auf die Phantasie des Lesers aus. Der Blumenname ist exotisch gewählt, der Vergleich der Lotosblume mit einer „leuchtenden Insel“ fällt auf, entbehrt nicht des Manieristischen. Anders als Novalis, der die Blume auf dem Wasser ruhen läßt, verleiht Hoffmann ihr einen eigenen Willen, sie „ragte empor“, ist für jedermann weithin sichtbar. Novalis vermeidet das Auffallende. Er verwendet unbestimmte und in ihrer Bedeutung abgegriffen wirkende Adjektive. Indem er sie häuft – drei Eigenschaftswörter in einem aus neun Wörtern gebildeten Satze! – gelingt es ihm, der Einfachheit des Vorganges die Aura des Wunderbaren zu geben.

Andererseits aber erscheint die Darstellung Hoffmanns weniger prätenziös als die des Novalis. Während bei Hoffmann die geheimnisvollen Vorgänge übersichtlich bleiben und der Sinn der Allegorie offenkundig ist, überfrachtet Novalis seine Darstellungen mit bedeutungsvollen Details, deren Bedeutung verborgen bleibt. Der allegorische Stilwille des Novalis tendiert dahin, die Einfachheit seiner Prosa zu zerstören.

Den Schluß des „Goldenen Topfes“ hat Hoffmann mit nicht weniger Aufwand als in der „Prinzessin Brambilla“ gestaltet. Anselmus und Serpentina werden nach Atlantis entrückt, wo sie inmitten der Natur glückselig werden. Doch die Herrlichkeit von Atlantis macht dem Erzähler die Erbärmlichkeit s e i n e r Lage bewußt. Er wird mit den Worten getröstet:

Still, still, Verehrter! klagen Sie nicht so! – Waren Sie nicht soeben selbst in Atlantis, und haben Sie denn nicht auch dort wenigstens einen artigen Meierhof als poetisches Besitztum Ihres inneren Sinns? – Ist denn überhaupt des Anselmus Seligkeit etwas anderes als das Leben in der Poesie, der sich der heilige Einklang aller Wesen als tiefstes Geheimnis der Natur offenbaret?

Die Worte des Archivarius Lindhorst enthüllen schlagartig die kompensatorische Funktion des gepriesenen „Lebens in der Poesie“. Die hypertrophe Bildung des „inneren Sinns“ soll für die verweigerte reale Teilnahme an Atlantis entschädigen. „Artig“ ist diese Funktion der Poesie auch in dem Sinn, daß sie, weil im Niemandsland angesiedelt, die Alltagswirklichkeit unverändert bestehen läßt.

Zusammenfassend ist festzustellen, daß das Ideal des goldenen Zeitalters bei E. T. A. Hoffmann an utopischer Leuchtkraft verloren hat. Der Topos ist weniger vielschichtig, er reduziert sich auf wenige traditionelle Motive wie das Liebespaar, die Nähe zur Natur, die Sprache der Pflanzen und Tiere. Die universelle und kosmische Dimension des goldenen Zeitalters am Ende der Welt ist verschwunden und mit ihr die Hoffnung auf eine grundlegende Veränderung. Das goldene Zeitalter wird zur goldnen Zeit, zur mythischen Formel für einen individuellen Glückszustand. Auch die Gestaltungsweise des Topos hat sich verändert. Die Allegorie als das Mittel der poetischen Vergegenwärtigung des goldenen Zeitalters findet sich auch bei Hoffmann. Sie tritt jedoch zugunsten prunkvoller Schilderungen merklich zurück.

Die mystische Antizipation des *goldenen Zeitalters*

„Reich Gottes", „tausendjähriges Reich", „neues Evangelium" und „neues Jerusalem" umschreiben die religiöse Variante des goldenen Zeitalters der Poesie. Das Harmonie- und Einheitsstreben Friedrich Schlegels und Novalis' ist auch hier strukturbildend. Friedrich Schlegel hat die Religion geradezu als „Wiedervereinigung des gesunkenen Menschen mit der Gottheit" bezeichnet (KA XI, 9). Von ihr hat er die Versöhnung aller Widersprüche und die Herstellung einer Harmonie erhofft, in der sich „unendliche Fülle" und „unendliche Einheit" wechselseitig durchdringen würden.[41] Chiliastische und messianische Motive wie die Erwartung eines Reiches Gottes auf Erden und die Prophezeiung einer in unmittelbarer Zukunft bevorstehenden Erscheinung des Messias geben den religiösen Zukunftserwartungen Friedrich Schlegels und Novalis' ein besonderes Gepräge.[42] Was aber die religiöse Vorstellungsform des goldenen Zeitalters von der politischen und poetischen in erster Linie unterscheidet, ist ihr Charakter als mystische Antizipation. Es scheint, als wollten sich Friedrich Schlegel und Novalis nicht mit der langfristigen Hoffnung auf ein neues goldenes Zeitalter zufrieden geben, als würden sie durch ihre religiöse Sehnsucht zu einer unmittelbaren Vereinigung mit Gott gedrängt.

Friedrich Schlegel hat sich von den Mystikern wiederholt distanziert. Er warf ihnen vor, „durch gänzliche Verzichtleistung auf Wirklichkeit, eine volle Seligkeit im Traum, je nachdem man es nimmt, sehr wohlfeil oder auch sehr teuer" zu erkaufen (M II, 98).[43] Und doch weist sein Frühwerk und in noch stärkerem Maße das Spätwerk durchaus mystische Züge auf. Es würde den Rahmen dieser Untersuchung sprengen, die mystischen Bestrebungen Schlegels eingehend darzustellen. Es kann hier nur auf einige „genialische" Ideen des jungen Schlegel hingewiesen werden, die mit der mystischen Orientierung des späten Schlegel allerdings wenig gemeinsam haben.

Anders als die pietistischen Chiliasten vom Schlage eines F. C. Oetinger erwarteten die Frühromantiker das zukünftige Heil nicht aus der Hand der Vorsehung, sondern von ihrer eigenen Tätigkeit. Der Gedanke an das tausendjährige Reich stellt eine ständige sittliche Herausforderung für den Menschen dar. Wie Novalis formuliert: „Jeder Mensch kann seinen Jüngsten Tag durch Sittlichkeit herbeirufen. Unter uns währt das tausendjährige Reich beständig" (III, 33). Das Paradies liegt über die ganze Erde verstreut. Seine Überreste zusammenzutragen, die „Regeneration des Paradieses", ist die Aufgabe der Stunde (III, 158). Noch deutlicher wird Novalis in seinem vierten „Dialog". Das Bewußtsein kann zum Selbstbewußtsein der Unendlichkeit gelangen, die „Unlust" in „absolute Lust" verwandeln, indem es sich „eigenmächtig absondert" und sich über sich selbst erhebt. Es liegt in der Hand des Menschen, das Leben wie eine schöne, genialische Täuschung, wie ein herrliches Schauspiel zu betrachten, daß wir schon hier im Geist absolute Lust und Ewigkeit sein können" (II, 423f.).

Diese und ähnliche Gedanken haben Novalis und Friedrich Schlegel mit dem Stichwort „Magie" bezeichnet. Ziel der Magie ist es Friedrich Schlegel zufolge, das Reich Gottes auf Erden herzustellen (KA XIII, 173). Magie ist das Experimentieren der Phantasie auf die Gottheit (PhL V 131), es ist die Kunst, das Göttliche zu produzieren (KA XII, 105), selig und ewig zu werden und zu machen (PhL V 840). An diesen Ideen ist gewiß mehr genialische Überheblichkeit als „Mystik" im eigentlichen Sinne beteiligt. Doch ändert sich dies, sobald man sie im Zusammenhang der frühromantischen Auffassung von Religion als einer „Sehnsucht nach dem Tod" (KA XII, 77) betrachtet. „Magie" erscheint dann als der Vernichtungsakt des Endlichen und der eigenen Individualität durch das Bewußtsein. „Es hat dies nämlich den Zweck der Rückkehr in die absolute Einheit, und einer solchen Erweiterung des Lebens, daß es in seiner Entgegensetzung aufgelöst wird" (KA XII, 36).

In der dritten Hymne an die Nacht hat Novalis den Prozeß der mystischen Antizipation dichterisch gestaltet. Der „Fremdling" steht einsam und nach Hilfe umherschauend am Grab der Geliebten. Plötzlich kommt ein „Dämmerschauer" über ihn. Er erblickt seine Geliebte in einer Vision:

Zur Staubwolke wurde der Hügel und durch die Wolke sah ich die verklärten Züge der Geliebten – In Ihren Augen ruhte die Ewigkeit – ich faßte ihre Hände und die Thränen wurden ein funkelndes, unzerreißliches Band. Jahrtausende zogen abwärts in die Ferne wie Ungewitter – An ihrem Halse weint ich dem neuen Leben entzückende Thränen. Das war der Erste Traum in dir. Er zog vorüber aber sein Abglanz blieb der ewige unerschütterliche Glauben an den Nachthimmel und seine Sonne, die Geliebte. (II, 57)

„Zur Staubwolke wurde der Hügel", „es riß das Band der Geburt", und „Jahrtausende zogen abwärts" sind Metaphern für die Vernichtung des Endlichen in der Phantasie des Dichters. Psychologisch gesehen deuten sie darauf hin, daß das „Realitätsprinzip" außer Kraft gesetzt wird. Wie der Stelle, von der hier nur der letzte Teil zitiert wurde, zu entnehmen ist, erzeugt die Realität starke Unlustgefühle („Tränen", „Schmerz", „Angst", „Einsamkeit", „Elend"), während die Vorstellung, sie sei aufgehoben, von Lustgefühlen begleitet wird („entzückende Thränen"). Der Vorgang scheint also durch das Bestreben, die Unlustgefühle zu vermindern und die Lustgefühle zu vergrößern, ausgelöst worden zu sein. Da eine Befriedigung in der Realität nicht möglich ist, bleibt der Dichter auf das sublimierte Erinnerungsbild seiner Geliebten angewiesen.

Die Vernichtung der beengend-beängstigenden Wirklichkeit und das Wirklichwerden seiner Wünsche hat Novalis im Bild der Verwandlung des Lichts in die Nacht symbolisch dargestellt. Das „Licht", Inbegriff der vom Verstand beherrschten Wirklichkeit, verwandelt sich in „Nacht", d. h. in den Tod und damit in die Ewigkeit. Die Geliebte als das Licht am Himmel der Nacht verkörpert die in der mystischen Erfahrung sich realisierende Wunscherfüllung. Gewisse „religiöse" und „mystische" Züge weist das goldene Zeitalter auch bei E. T. A. Hoffmann auf. Im Musikerlebnis offenbart sich ihm eine „höhere Welt". Sie erlöst den Künstler von den Qualen der prosaischen Alltagswelt. Stellvertretend für viele sei eine Stelle aus der Erzählung „Ritter Gluck" zitiert:

... aber nur wenige (sc. Menschen), erweckt aus dem Traume, steigen empor und schreiten durch das Reich der Träume – sie kommen zur Wahrheit – der höchste Moment ist da: die Berührung mit dem Ewigen, Unaussprechlichen! – Schaut die Sonne an, sie ist der Dreiklang, aus dem die Akkorde,

Sternen gleich, herabschießen und Euch mit Feuerfaden umspinnen. – Verpuppt im Feuer liegt ihr da, bis sich Psyche emporschwingt in die Sonne.[44]

Hoffmann umschreibt das glückversprechende goldene Zeitalter auch mit Begriffen wie „Heimat", „Himmel", „Friede", „Freude", „Jenseits".[45] Doch im Unterschied zu Novalis und zum späten Schlegel tritt „Religion" im ästhetischen Kontext auf. Sie ist zu einer poetischen Formel für diesseitige Glückserwartung geworden.

Auf die starke Diskrepanz zwischen Wunschentfaltung und Wunscherfüllung wurde in dieser Untersuchung wiederholt hingewiesen. Es sollen nunmehr einige Aspekte der gesellschaftlichen Verhältnisse hervorgehoben werden, die diese Diskrepanz erklären können. Die folgenden Erwägungen beanspruchen nicht, alle sozialen Faktoren zu berücksichtigen. Sie möchten lediglich Fingerzeige für umfassendere literatursoziologische Untersuchungen geben.[46]

Der Beruf des Schriftstellers ist bis ins 19. Jahrhundert hinein unterprivilegiert geblieben. Zur materiellen Unabhängigkeit reichten die dürftigen Honorare der Verleger nicht aus. Der Beamtendienst in Staat oder Kirche bot die einzige Möglichkeit sozialen Aufstiegs. Das bedeutet, daß der Schriftsteller sich in zwei Berufe teilen mußte. Einerseits absolvierte er irgendeine belanglose Tätigkeit als Beamter, Hofmeister oder Sekretär, andererseits war er schöpferisch tätig als Kritiker, Rezensent und Autor. Als Autor verfügte der Schriftsteller über Freiheit und Unabhängigkeit des Geistes, als Beamter mußte er sich den Sachzwängen gesellschaftlicher Arbeit anpassen. Die Unverträglichkeit beider Rollen führte zur Bewußtseinsspaltung, zur „Entfremdung" des Schriftstellers.

Dieser Sachverhalt wäre weniger ins Gewicht gefallen, wenn sich der Schriftsteller wie in anderen Ländern aktiv an der Gestaltung des öffentlichen Lebens hätte beteiligen können. Daran wurde er aber durch die Politik der absolutistischen Staaten gehindert, die zwar politische Meinungsfreiheit gelten ließen, aber jegliche politische Aktivität unterdrückten. „Der aufgeklärte Absolutismus hatte zum geistigen Selbständigwerden einer wachsenden Zahl von Gebildeten direkt und indirekt beigetragen; von seinen eigenen Voraussetzungen her aber gab er den Weg nicht frei zur eigenständigen, mitbestimmenden Teilnahme der politisch mündigen Bürger an der Gestaltung der öffentlichen Dinge".[47] So blieb dem Schriftsteller nichts anders übrig, als den „Weg nach innen" zu gehen. Doch selbst die literarische Kommunikation konnte sich nicht ungehindert entfalten. Die Zersplitterung des kulturellen Lebens, das Fehlen einer geistigen Metropole wie Paris schränkte sie auf den Briefverkehr, gelegentliche Besuche und auf die Bildung von Freundesgruppen vor allem in den Universitätsstädten ein.

Diese Zustände waren um 1800 nicht neu. Schon Lessing, der Sturm und Drang, Schiller und Goethe hatten gegen sie opponiert. Doch der Einfluß der Französischen Revolution trug dazu bei, daß man in den 90er Jahren des 18. Jahrhunderts die Rückständigkeit der deutschen Verhältnisse stärker als früher empfand. Frankreich hatte auch in Deutschland Wünsche und Bedürfnisse geweckt, die angesichts der repressiven Fürstenherrschaft nicht in Erfüllung gehen konnten. Daher die starke Diskrepanz zwischen Wunschentfaltung und Wunscherfüllung, daher der Ersatzcharakter dieser Zukunftsphantasien, daher auch die Tendenz zur Vergeistigung und Verinnerlichung. Als Frankreich und England in den 20er Jahren des 19. Jahrhunderts ihre Rollen als Kontrast- und Leitbilder ausgespielt hatten, war auch die liberale bürgerliche Intelligenz um einige Hoffnungen ärmer geworden. Der Verlust an utopisch-politischem Gehalt bei E. T. A. Hoffmann dürfte für den halb mit Gewalt und halb freiwillig erfolgten Anpassungsprozeß der bürgerlichen Intelligenz symptomatisch sein.

Was im Rahmen der sozialen Realität literarische Kompensation bleiben mußte, konnte jedoch im Rahmen des romantischen Freundeskreises bestätigend wirken. Hier herrschten andere Normen als in der Gesellschaft, hier kam das Bedürfnis nach Mitteilung, Geselligkeit und Gemeinschaft auf seine Kosten, hier war auch der Ort, wo man sich gegen die feindliche Umwelt solidarisierte. Der Jenaer Freundeskreis erfüllte für die Romantiker die Funktion einer überindividuellen Bestätigung. Er verwandelte ihre soziale Außenseiterposition in ein Zeichen genialischer Auserwähltheit.

ANMERKUNGEN

1 Das goldene Zeitalter bei den deutschen Romantikern. In: Die Ernte, Festschrift für F. Muncker, Halle 1962, S. 117ff. J. Petersens geistesgeschichtlicher Überblick vermittelt ein anschauliches Bild der Bedeutung des goldenen Zeitalters für die Romantik. Seine Darstellung bleibt aber notgedrungen summarisch, ist nicht frei von Fehlern und entspricht nicht mehr dem Stand der heutigen Forschung.

2 Studien zur Geschichte des Topos der goldenen Zeit von der Antike bis zum 18. Jahrhundert. Diss. Köln 1961. Diese Arbeit berührt sich mit unserer Untersuchung nur für Novalis.

3 Die Idee des goldenen Zeitalters im Werk des Novalis. Studien zur Wesensbestimmung der frühromantischen Utopie und zu ihren ideengeschichtlichen Voraussetzungen. Heidelberg 1965 (= Probleme der Dichtung, Bd. 7). H.-J. Mähl gibt nicht nur tiefgreifende Interpretationen der Werke von Novalis, sondern verfolgt die Entwicklung des utopischen Denkens bis zur Antike zurück. Der Mangel dieser Studie besteht in ihrer immanenten Methode. Die gesellschaftliche Bedingtheit des Denkens von Novalis kommt nicht in den Blick. Gerade in dieser Hinsicht möchte die vorliegende Untersuchung ergänzen. Siehe dazu Punkt 3 der Einleitung.

4 Vgl. hierzu u. a. W. Veit, Toposforschung – ein Forschungsbericht. In: DVjS (1963), S. 120ff., bes. S. 125.

5 E. R. Curtius, Zur Literarästhetik des Mittelalters II. In: ZrPh 58 (1938), S. 139.

6 Auf den ideologischen Charakter der Methode der „Innenbetrachtung“, zu denen auch die „werkimmanenten“ Methoden gehören, hat K. Mannheim hingewiesen: Ideologische und soziologische Interpretation geistiger Gebilde. In: Jahrbuch für Soziologie II (1926), S. 424ff.

7 Weitere Ausführungen dazu in meiner Arbeit: Das Ganzheitsdenken Friedrich Schlegels. Wissenssoziologische Deutung einer Denkform. (Diss. Freiburg 1970) Stuttgart, Metzler 1971.

8 Gesammelte Werke, London 1940, Bd. VII, S. 216 („Der Dichter und das Phantasieren“). Zum Folgenden siehe ebd., S. 217ff.

9 Vgl. zum Folgenden H.-J. Mähl, Die Idee des goldenen Zeitalters, S. 145ff. – W. Veit, Studien zur Geschichte des Topos der goldenen Zeit, S. 146ff.

10 S. Gessner, Werke, hg. von Ad. Frey, DNL, S. 63ff.

11 Gottsched, Versuch einer Critischen Dichtkunst vor die Deutschen, Darmstadt 1962 (= Nachdruck der 4. Aufl. 1751), S. 582.

12 Friedrich Schlegels prosaische Jugendschriften, hg. von J. Minor, 2 Bde., Wien 1882, I, 164. Vgl. zu diesem Punkt auch H.-J. Mähl, Die Idee des goldenen Zeitalters, S. 181f.

13 M I, 120, KA II, 295, KA IV, 376. KA ist die abgekürzte Zitierweise für die kritische Friedrich-Schlegel-Ausgabe, Paderborn 1958ff.

14 Lessings Gedanken und Meinungen. Aus dessen Schriften zusammengestellt und erläutert von Friedrich Schlegel. 3 Teile, Leipzig 1804, 2. Teil, S. 5.

15 Vgl. H.-J. Mähl, Die Idee des goldenen Zeitalters, S. 166ff.

16 Siehe hierzu H. J. Haferkorn, Der freie Schriftsteller. Eine literatursoziologische Studie über seine Entwicklung und Lage in Deutschland zwischen 1750 und 1800. Diss. Göttingen 1959. – J. Habermas, Strukturwandel der Öffentlichkeit. Untersuchungen zu einer Kategorie der bürgerlichen Gesellschaft. Neuwied/Berlin [4]1969 (= Politica. Abhandlungen und Texte zur politischen Wissenschaft, hg. von W. Hennis und R. Schnur), S. 45ff. – R. Vierhaus, Deutschland im 18. Jahrhundert: soziales Gefüge, politische Verfassung, geistige Bewegung. In: Lessing und die Zeit der Aufklärung. Göttingen 1968, S. 12ff.

17 August Wilhelm und Friedrich Schlegel. In Auswahl hg. von O. F. Walzel. DNL, S. 253.

18 Zitiert aus Schlegels „Entwurf der historischen Betrachtungen" (1820/22). Veröffentlicht von E. Behler in: Friedrich Schlegel, Schriften und Fragmente, Stuttgart 1956, S. 326.

19 „Glaube und Liebe", Fragmente Nr. 30, 36, 37, 67.

20 Novalis, Schriften, im Verein mit R. Samuel hg. von P. Kluckhohn. Nach den Handschriften ergänzte und neugeordnete Ausgabe. Bd. I–IV, Leipzig 1929, II, 82. Nach dieser Ausgabe wird im folgenden unter Angabe des Bandes und der Seitenzahl zitiert.

21 Auf E. T. A. Hoffmann braucht hier nicht eingetgangen zu werden. Er hat keine politischen Konzeptionen entwickelt. Das goldene Zeitalter ist bei ihm ein poetischer Mythos.

22 Philosophische Lehrjahre 1796–1806, 1. Teil. KA XVIII, mit Einleitung und Kommentar hg. von E. Behler, IV. Heft Nr. 8. Abgekürzt zitiert als PhL IV 8. Siehe auch PhL IV, 712, IV 868 und LN (= Literary Notebooks, hg. von H. Eichner) 1382.

23 „Die Weltalter", KA V, 285.

24 Siehe auch PhL V 254 und Idee 19.

25 Siehe auch PhL V 891.

26 Siehe dazu auch den Abschnitt „Tändeleien der Fantasie" in der „Lucinde", KA V, 81f.

27 Die Idee des goldenen Zeitalters, S. 339ff., bes. S. 343.

28 Europa, Neuausgabe von E. Behler, Darmstadt 1963, S. 52.

29 Novalis, Glaube und Liebe, Fragment Nr. 2.

30 Vgl. dazu H.-J. Heiner, Das Ganzheitsdenken Friedrich Schlegels, S. 100ff.

31 F. W. J. Schelling, Über Mythen, historische Sagen und Philosopheme der ältesten Welt. In: Werke, Stuttgart und Augsburg 1856, Abt. I, Bd. 1, S. 57.

32 Vgl. dazu die ausführliche Interpretation H.-J. Mähls, Die Idee des goldenen Zeitalters, S. 420ff.

33 Vgl. dazu H.-J. Mähl, Die Idee des goldenen Zeitalters, S. 362ff.

34 Der Länge des Textes halber sei hier darauf verwiesen (I, 217f.).

35 Vgl. dazu H. J. Mähl, Die Idee des goldenen Zeitalters, S. 402f.

36 E. T. A. Hoffmann, Fantasie und Nachtstücke, Hg. und mit einem Nachwort versehen von W. Müller-Seidel, Darmstadt 1962, S. 229f.

37 E. T. A. Hoffmann, Späte Werke. Hg. und mit einem Nachwort versehen von W. Müller-Seidel, Darmstadt 1965, S. 320.
38 Ebd., S. 324.
39 Ebd., S. 321.
40 Schriften I, 203.
41 Siehe dazu KA XIII, 44, 370; vgl. auch PhL V 769, 871 und PhL IV 896.
42 Vgl. dazu H. Eichner, Einleitung zu KA V, S. C II ff. – H.-J. Mähl, Die Idee des goldenen Zeitalters, S. 287 ff., 372 ff.
43 Siehe auch KA XII, 419.
44 Fantasie- und Nachtstücke, S. 18.
45 Vgl. Die Serapions-Brüder, S. 414.
46 Eine ausführliche Darstellung der sozialen Lage des freien Schriftstellers am Beispiel Friedrich Schlegels in: H.-J. Heiner, Das Ganzheitsdenken Friedrich Schlegels, Kapitel VII, Abschnitt 1.
47 R. Vierhaus, Deutschland im 18. jahrhundert, S. 25. Siehe auch W. Strzelewicz, Bildung und gesellschaftliches Bewußtsein. Sozialhistorische Darstellung. In: Bildung und gesellschaftliches Bewußtsein. Eine mehrstufige soziologische Untersuchung in Westdeutschland. Stuttgart 1966, S. 1–38. W. Strzelewicz bezeichnet das hier Gemeinte mit dem Begriff der „Frustration“ der bürgerlichen Intelligenz (S. 13 ff.).

Ursprünge und Stellung der Romantik

CLAUS TRÄGER

I

Die Romantik ist eines der am schwersten faßbaren und am meisten mystifizierten Phänomene des überkommenen Erbes der deutschen Geschichte. Gerade ihr teilweise verheerender Folgenreichtum entpflichtet nicht davon, ihr widerfahren zu lassen, was selbst dem folgenlosesten Gesetzesübertreter angedeiht – Gerechtigkeit; sie ist eine Prämisse der Aneignung. Es ist niemand gehalten, die Romantik zu mögen oder sie nicht zu mögen. Aber es kann keinem gestattet sein, sie einfach rechts liegen zu lassen.

Während die europäische Aufklärung (und deutsche Klassik) oder die Vormärz-Ideologie mit ihrem klaren Wirklichkeitssinn, ihrem unerschütterten Vertrauen in eine vernünftige Gestaltbarkeit der menschlichen Geschicke niemals selber ihren Intentionen den Boden der Realität entzogen, geistert zwischen ihnen und mit allem Kontemporären verflochten jene Ideen- und Gestaltenwelt, die gemeinhin romantisch genannt wird. In ihr scheint, um es mit Hegel auszudrücken, die „Seite des äußeren Daseins . . . der Zufälligkeit überantwortet und den Abenteuern der Phantasie preisgegeben, deren Willkür ebenso das Vorhandene, *wie* es vorhanden ist, widerspiegeln, als auch die Gestalten der Außenwelt durcheinanderwürfeln und fratzenhaft verziehen kann". Es ist in ihr „eine Scheu vor der Wirklichkeit", eine „Sehnsucht, welche sich zum wirklichen Handeln und Produzieren nicht herablassen will, weil sie sich durch die Berührung mit der Endlichkeit zu verunreinigen fürchtet, obschon sie ebensosehr das Gefühl des Mangels dieser Abstraktion in sich hat".[1] Hierin ist jedes Wort, Wesentliches bezeichnend, bedeutungsvoll – nur daß Hegel die historische Erklärung schuldig bleiben mußte.

Die Romantik ist weder die schlechte Erfindung einer miserablen Nationalgeschichte noch ein negligeabler Seitentrieb der Historie. Sie ist eine universalgeschichtliche Erscheinung. Irrtümlich auch die Vorstellung, sie wäre eine in sich abgeschlossene und kohärente Periode der deutschen Literatur. Sie tritt mit ihrem ersten Vorzeichen in die Welt, da die Jakobinerdiktatur in Frankreich den Höhepunkt ihrer Machtentfaltung zu überschreiten im Begriffe ist, und sie überdauert mit einem ihrer wahrhaftesten Dichter, Joseph von Eichendorff, noch die bürgerliche Revolution des 19. Jahrhunderts um fast ein Jahrzehnt. Als Friedrich Schiller stirbt, steht das weithin glänzende Gestirn der Klassik im Zenit, und die kometenhafte Erscheinung der Frühromantik ist bereits wieder am Horizont verschwunden, indes gleichzeitig die jüngere, nicht mehr universalistische, sondern vornehmlich national gestimmte Romantik sich ins Blickfeld schiebt. Und da diese wiederum mit Arnim und Brentano, Uhland oder Fouqué, Eichendorff, Wilhelm Müller oder Hauff ihrer dichterischen Hoch-Zeit entgegengeht, entstehen die letzten Schriften Johann Gottfried Seumes, vollendet Wieland sein aufklärerisches Lebenswerk, vollziehen Goethe und Hegel die Aufhebung der vorgreiflichen Ideen des 18. Jahrhunderts in einer weitgesteckten gedanklichen Konzeption für die heraufziehende Epoche einer noch unerhörten Entfaltung der Produktivkräfte, aus deren materialistisch-dialektischer Gesetzesanalyse dann erstmalig das reale Ende aller antagonistischen Widersprüche wissenschaftlich prognostiziert werden sollte.

Aus der Vorahnung wachsender Inhumanität und einer überwältigenden Friedlosigkeit, aus der abgrundtiefen Enttäuschung angesichts der unerfüllten Verheißungen des aufgeklärten Jahrhunderts war die Frühromantik aufgestiegen. Ihr anscheinend flatterhaftes, in sich verwirrend widerspruchsvolles Wesen ist nichts als der Ausdruck des geschichtlichen Unvermögens, die wirkliche Welt als eine vermenschlichte Welt, als das Resultat realer und und freier schöpferischer Tätigkeit des Menschen wenigstens in Gedanken vorwegzunehmen. Daher der Drang, die Welt in Poesie und diese wiederum in romantische Poesie aufzuheben. „Sie allein" – schrieb Friedrich Schlegel 1798 im *Athenaeum* – sei „unendlich, wie sie allein frey ist, und das als ihr erstes Gesetz anerkannt, daß die Willkür des Dichters kein Gesetz über sich leide". Es gebe „unvermeidliche Lagen und Verhältnisse, die man nur dadurch liberal behandeln kann, daß man sie durch einen kühnen Akt der Willkür verwandelt und dadurch als Poesie betrachtet. Also sollen alle gebildete Menschen im Nothfalle Poeten seyn können ..."[2]

Das alles heißt aber nicht, daß die deutsche Romantik darum nicht im Gedanken, im Bewußtsein jene Widersprüche mit ausgetragen hätte, von denen die Übergangsperiode vom Feudalismus zum Kapitalismus gezeichnet ist. Sie hat dies auf ihre Weise genauso getan wie die klassisch-idealistische deutsche Philosophie zwischen Kant und Fichte. Indem jedoch diese Widersprüche selbst, die wie in einem Kern in dem dialektischen Verhältnis von Individuum und Gesellschaft sowie der Frage nach dem freien schöpferischen Wesen des Menschen und den Bedingungen seiner Verwirklichung beschlossen liegen, keinen bloß epochengebundenen Charakter trugen, existieren auch die romantischen Antworten darauf nicht lediglich unter der Form „historisch" abgegoltener Formulierungen.

Insofern die in jener Epoche von der Geschichte selber aufgeworfenen Probleme Elemente von gleichsam menschheitlicher Bedeutung enthalten, insofern spiegelt auch das romantische Denken und Dichten diese Seite ihrer Erkenntnisbemühung wider. Es kommt deshalb darauf an, die Methode der materialistischen Dialektik auch an der Romantik analytisch zu bewähren; mit ihrer Hilfe das Ephemere, Vergängliche vom Beständigen, Unvergänglichen zu sondern, das Ganze der Erscheinung in seiner geschichtlich notwendigen Widersprüchlichkeit zu enträtseln und sein nicht minder widerspruchsvolles, aber unabdingbares Fortwirken, d. h. seine unter allen Umständen schlechtweg gegebenen Möglichkeiten offenbar zu machen.

Wohl gibt es gewissermaßen eine Hierarchie in Hinsicht auf die Bedeutung der einzelnen historischen Epochen, Errungenschaften oder Erscheinungen für die sozialistische Bewußtseins- und Persönlichkeitsbildung, einen Vorrang der einen vor anderen. Indessen aber ist, genaugenommen, keine einzige – nicht einmal aus der Geschichte der Arbeiterbewegung selbst – in ihrem unvermittelten Sosein „brauchbar". Das hieße die Geschichte in ein totes Requisitorium verkehren. Es liegt gerade in deren Wesen, daß sie sich nicht einfach zum Konsum anheimgibt, daß sie nicht unverarbeitet nützlich wird. Erst als dialektisch aufgehobene Bewußtseinstatsache, in der sich in kritischer Bewältigung Vergangenes dem Gegenwärtigen anverwandelt und zur praktischen Meisterung der Zukunft ermächtigt, erst als wirkliche Gesetzeserkenntnis, in der das individuelle Dasein nur als repräsentativer Durchgangspunkt weitgespannter geschichtlicher Tendenzen erscheint, wird Geschichtliches produktiv. Durchaus natürlich deshalb, wenn eine der komplizierten Erscheinungen – wie eben die Romantik – gerade besonders deutlich macht, was auf alle zutrifft bzw. alle mehr oder minder erfordern: die Einsicht in den Vermittlungscharakter ihrer (gegenwärtigen) Wirkung. Das wiederum gilt im besonderen für die ästhetisch widerspiegelnde Produktion vergangener Epochen.

Während die Gedankenproduktion, von der Konkretheit der realen Erscheinungen abstrahierend, direkt zur Erfüllung etwa der so gewonnenen Gesetze, Maximen, Postulate usw. auffordert, erscheint das Wahre oder Gute in der auf die konkrete Wirklichkeit verpflichteten künstlerischen Gestaltung vor allem – und in der wahrhaft bedeutenden Kunst der Klassengesellschaft immer – als beziehungsvolle Möglichkeit im Gewande der Schönheit, also durch es vermittelt. Weder sind Macbeth oder Marinelli, Monsieur Grandet oder Klim Samgin schlechterdings Gegenstand des Abscheus noch der Bauer Pedro Crespo oder der Marquis Posa, der Fürst Myschkin oder Brechts Gelehrter Galilei Gegenstand naiv-ungebrochener Zuneigung. Othello ist nicht ohne Jago denkbar, Faust nicht ohne Mephisto, Andrej Bolkonski nicht ohne Pierre Besuchow; Karl Moor gäbe es nicht ohne den Franz, und Wilhelm Meister kann nicht ohne Werner existieren. Endlich wirken weder Shakespeares Hamlet noch Grillparzers König Ottokar, weder Stendhals Julien Sorel noch Scholochows Grigori Melichow, deren tragische Größe aus ihren welthistorisch dimensionierten individuellen Irrtümern erwächst, jemals als unvermittelte Vor-Bilder: Nur in der ergreifenden und begriffenen Widersprüchlichkeit ihrer sich historisch-logisch entwickelnden Schicksale, als Gestalten also, die etwas außer ihnen selbst Liegendes vermitteln, sind sie bildend.

Was nun freilich die romantische Gedanken- und Gestaltenwelt von den genannten Erscheinungen abhebt, ist der grundsätzlich veränderte Stellenwert utopischer Vorstellungen; und mit ihnen verband sich die Tendenz zu unrealistischer Gestaltung. Es überwiegt in der deutschen Romantik die Neigung, Ideen und Wünsche, Träume und Gesichte an die Stelle realistischer Betrachtung und folgerichtiger poetischer Analyse der wirklichen geschichtlichen Bewegung und deren Extrapolation zu setzen: Und dies aber unter dem gleichzeitigen, fast vollkommenen Verzicht auf den Versuch tatsächlichen Eingriffs in die gegebenen Verhältnisse zum Zwecke ihrer politischen Veränderung. Dafür gibt es eine prinzipielle historische Erklärung. Da die Frühromantik sich etabliert, hat die Französische Revolution bereits ihren Höhepunkt überschritten und die deutsche Reaktion der Ausbreitung ihrer Ideen und deren praktischen Folgen einen unübersteiglichen Wall von Maßnahmen und Machenschaften entgegengesetzt; alles Handeln schien sinnlos geworden. Unter diesen Voraussetzungen begab zugleich die Romantik selber sich weiterhin der ihr überlieferten Fähigkeit, in kühnem Gedankenvorgriff künftige Entwicklungen zu antizipieren. Ihr Blick schweifte allzu oft zurück.

Keine vormarxsche – wie späterhin nichtmarxistische – Welt- und Geschichtsauffassung nun ist frei von utopischen Elementen. Es kommt allerdings darauf an, ob die – aus welchen Gründen immer – vorgenommene Abstraktion vom realen Geschichtsprozeß zur Retrospektive verleitete oder aber zur genialen Vorausschau ermächtigte und inwieweit sich das eine oder andere mit wirklichem, akutem Handeln verband. Nicht allein Marx und Engels haben sich wiederholt, ausgehend von der Analyse des utopischen Sozialismus, mit diesem Problem beschäftigt. Vor allem ist – zu einer Zeit, da Utopismen aller Schattierungen der revolutionären Bewegung den Horizont zu verhängen drohten – schließlich Lenin der Sache auf ihren aktuellen Grund gegangen.

Lenin setzte, in Fortführung von Marx, bei Sismondis „romantischer" Kapitalismuskritik an, um denjenigen das irreführende theoretische Handwerk zu legen, die nahezu hundert Jahre später im zurückgebliebenen Rußland die gleiche kleinbürgerlich-individualistische Position einnahmen. Wenn also der „utopische Standpunkt . . . seine Kritik am Kapitalismus zu einer *sentimentalen* Kritik" machte, indem er die Augen vor der notwendigen „Zerstörung der gesellschaftlichen Beziehungen" durch den kapitalistischen Markt verschloß, „der sie durch Beziehungen zwischen *Massen* von *Individuen* ersetzt",[3] so unterschied Sismondi sich eben darin von den alten utopischen Sozialisten (Owen, Fourier u. a.), daß diese „in genialer Weise die Tendenzen" erraten hatten, in die sich „die tatsächliche Entwicklung bewegte", ihnen sich demnach „der *eigentliche Charakter* der Reformen unter diametral entgegengesetzten Gesichtspunkten darstellte". Beide gründeten ihre „Pläne" und „Wünsche" auf eine „abstrakte Idee"; aber Sismondis (aus einer „romantischen Kritik am Kapitalismus" erwachsene) „Utopie antizipierte nicht die Zukunft, sondern restaurierte die Vergangenheit". Die „progressive Bedeutung" der kapitalistischen Industrialisierung nicht begreifend, wollte er den besitzenden kleinen Warenproduzenten restituieren. „Das ist der Grund, weshalb Sismondis Utopie . . . als reaktionär bezeichnet" werden muß.[4]

Damit war nicht nur die Ambitendenz zwischen *progressiv* und *reaktionär* als qualitative Potenz aller Utopie angedeutet, sondern zugleich – auf einem der Literatur scheinbar entlegenen Feld und genau ein volles Jahrhundert nach dem Auftreten der Romantik – deren tiefste Wurzel freigelegt: ihr Unvermögen, den heraufziehenden Kapitalismus mit all seinen Antagonismen gerade als die historische Voraussetzung für die endgültige und wirkliche Emanzipation des Menschen zu begreifen. An Tolstoi und Tschernyschewski arbeitete Lenin das Ganze in seiner konkret-historischen Differenziertheit weiter aus. Obwohl auch „Tolstois Lehre . . . unbedingt utopisch und, ihrem Inhalt nach, reaktionär" war, enthielt sie nichtsdestoweniger sozialistische und „kritische Elemente . . ., wie sie vielen anderen utopischen Systemen eigen sind". Diese Elemente, „die wertvolles Material zur Aufklärung der fortgeschrittenen Klassen zu liefern vermögen", nehmen aber in dem Maße an Bedeutung ab, in welchem „sich die Tätigkeit der gesellschaftlichen Kräfte entfaltet", die „eine Erlösung vom sozialen Elend der Gegenwart bringen"; und

„je bestimmteren Charakter" diese Tätigkeit annimmt, „desto rascher verliert der kritisch-utopische Sozialismus ‚allen praktischen Wert, alle theoretische Berechtigung'".[5] In der Persönlichkeit Tschernyschewskis selbst war diese Wechselbeziehung unmittelbar gegeben.[6]

Dieser aufgewiesene Zusammenhang zeigt, daß also ein historisch entstandener (und damit erklärbarer) Utopismus, der immer „falsch" ist in bezug auf seinen speziellen wissenschaftlichen (ökonomischen, philosophischen usw.) Gehalt, nicht im „weltgeschichtlichen Sinn" falsch zu sein braucht, vorausgesetzt, er verbindet sich tendenziell „richtig" mit der geschichtlichen Praxis der Massen. So legt denn schließlich die genaue Leninsche Unterscheidung zwischen der „volkstümlerischen" und der „liberalen Utopie" einen gesetzmäßigen Bezug bloß, der nicht lediglich auf diese besonderen Erscheinungsformen der Utopie, sondern prinzipiell auf alle historisch vorkommenden zutrifft. „Falsch in formell ökonomischem Sinn, ist der volkstümlerische *Demokratismus* eine Wahrheit im geschichtlichen Sinn . . . Die liberale Utopie entwöhnt die Bauernmassen des Kämpfens. Die volkstümlerische Utopie ist Ausdruck ihres Strebens zu kämpfen . . . Es ist klar, daß die Marxisten, die *allen* Utopien feindlich gegenüberstehen, die Selbständigkeit der Klasse verteidigen müssen, die *rückhaltlos* gegen den Feudalismus zu kämpfen vermag . . . Es ist klar, daß die Marxisten aus der Schale der volkstümlerischen Utopie sorgfältig den gesunden und wertvollen Kern des ehrlichen, entschiedenen, kämpferischen Demokratismus der Bauernmassen herauslösen müssen."[7]

Das alles bildet für die Analyse der deutschen Romantik ein methodologisches Fundament. Zudem ist sogar die sachliche Nähe dadurch gegeben, daß die von Lenin der historischen Kritik unterzogenen bedeutenden bürgerlichen Ideologen einerseits selber teilweise direkt dem Gedankenumkreis der europäischen Romantik entstammten und andererseits Elemente ihrer Ideensysteme bis auf diesen Tag die bürgerliche Ideologie insgesamt als utopische Gegenwürfe zur wahrhaft revolutionären Veränderung der Gesellschaft durchgeistern. Namentlich die an einer eigenen kapitalistischen Entwicklung und damit der Ausbildung einer Arbeiterklasse noch behinderten, vorläufig noch auf das bäuerliche Kleineigentum verpflichteten Nationen partizipieren, notwendig allerdings durch eigene Traditionen geprägt, an solcher Vorstellungswelt. Denn dies ist nun in der Tat der Ursprung der Romantik überhaupt, von dem alle Linien ausgehen: das vergebliche Ringen um das Problem der nichtentfremdeten Arbeit und eine ungefährdete Ausbildung der menschlichen Individualität. Es erscheint nur so verwirrend, verborgen unter der angestauten Fülle noch nicht auf ein Gemeinsames zurückgeführter Erscheinungen aus allen Bereichen des Lebens, weil seine Gründe noch nicht wissenschaftlich begreifbar waren. Man muß diesen positiven, kritischen Ansatz ins Auge fassen, der allem progressiven, humanistischen Denken der Zeit gemeinsam gewesen ist, um damit zugleich das antibourgeoise, bürgerlich-humanistische Wesen der Romantik freizulegen. Vor und neben den deutschen Frühromantikern hat den besten Köpfen des Kontinents das gleiche zu schaffen gemacht: die sich entwickelnde kapitalistische Teilung der Arbeit und deren Folgen für die Integrität des Menschen.

Das Wesen der romantischen Weltsicht ist an diese unbewältigte Problematik geheftet.

Sie offenbart am ehesten und tiefsten den echt utopischen Charakter der romantischen Entwürfe für ein lebenswertes Leben. Schon in der Frühromantik, bei Friedrich Schlegel, wird aus der Kritik der menschlich selbstentfremdenden Arbeit die – wenn auch in ironischer Brechung vorgetragene – Verwerfung der Arbeit überhaupt.[8] Die keimende Einsicht in die „Unerreichbarkeit des Ideals" aufklärerisch-klassischer Prägung ermächtigt zum Lobpreis des Müßiggangs als „einziges Fragment von Gottähnlichkeit, das uns noch aus dem Paradiese blieb", und endet bei der Verkehrung des wahren Menschenwesens, nämlich Schöpfer seiner selbst zu sein, ins Gegenteil, in der Rückführung auf eine reine Pflanzenhaftigkeit seines Daseins. „Um alles in eins zu fassen: je göttlicher ein Mensch oder ein Werk des Menschen ist, je ähnlicher werden sie der Pflanze . . . Und also wäre ja das höchste, vollendetste Leben nichts als ein *reines Vegetieren.*" Solches war der Ausgang zu einer ganzen romantischen Geschichtskonzeption, die, auf dem aufklärerischen Organismusgedanken fußend, aber diesen pervertierend, schließlich die Gesellschaftsgeschichte des Menschen in eine Naturgeschichte des Menschen verwandelte.

Es konnte nicht fehlen, daß die „gottähnliche Kunst der Faulheit" eine höchst irdische Zuordnung fand, wie alle romantische Weltansicht auch aus den luftigsten Himmeln immer wieder nur auf den Status quo der wirklichen Verhältnisse zurückfallen konnte und mußte. Es sei „das Recht des Müßiggangs, was Vornehme und Gemeine unterscheidet, und das eigentliche Prinzip des Adels". Da dem Anschein nach die (bürgerliche) Erwerbstätigkeit zur Philistrosität führt, einem Gemeinplatz des Abscheus aller Romantiker, bleibt nur die Rückbesinnung auf die Existenzform des Adels – oder die dazu korrespondierende der kleinen Warenproduktion. Es steckt darin weder eine Rechtfertigung des Grundherrndaseins noch der damit verbundenen Leibeigenschaft; es ist der Versuch, einem wünschbaren Leben den sozialen Ausdruck zu geben. Bis hin zu Eichendorffs *Taugenichts* und sogar Wagners *Meistersingern* konsolidiert sich der Gedanke freier, integrer Menschlichkeit in den Versatzstücken und Attributen der Feudalität oder vorrevolutionärer Bürgerlichkeit als einem vermeintlichen Gegenwurf zur arbeitsteiligen Bourgeoiswelt.

Alles formt sich in der frühromantischen ironischen Antithese Prometheus – Herkules zum poetischen Bild. Prometheus, das der heroischen Antike entliehene Symbol geniehaften Selbsthelfertums, mit welchem sich die aufstrebende Klasse im besten Wollen ideologisch über den eigentlichen sozialen Inhalt ihres Tuns betäubte, wird für Friedrich Schlegel zum ruhelosen Schreckbild des „Erfinders der Erziehung und Aufklärung". Während Prometheus, „an einer langen Kette gefesselt" und mit der „größten Hast und Anstrengung" arbeitend, „Menschen verfertigt", sitzt der „vergötterte Herkules" ihm als „stumme Figur" gegenüber „mit der Hebe auf dem Schoß". Herkules konnte „fünfzig Mädchen in einer Nacht für das Heil der Menschheit beschäftigen", und „das Ziel seiner Laufbahn war doch immer ein edler Müßiggang". Doch Prometheus habe „die Menschen zur Arbeit verführt", so „muß er nun auch arbeiten, mag er wollen oder nicht". Aus dem Unbehagen an einer auf lustlose Pflicht gestellten bürgerlichen Lebensweise und ihrer unschöpferischen Enge erwächst die individualistische Erhebung der feudalen Existenz zum Muster schöpferischen Daseins. Damit kehrte sich – wäre das Ganze nicht geistvoll-ironisch in die Luft gestellt – der berechtigte Ansatz der romantischen Kritik um: Prometheus würde in der Tat zum traurigen Zerrbild des deutschen Bürgers, der sauren Fleißes den romantischen Herkulessen ihren schöpferischen Müßiggang erarbeiten soll. Mit der Reduktion des Schöpferischen auf das bloß geistig Schöpferische wäre der Begriff der Erzeugung eines menschlich-kulturvollen Lebens überhaupt entwertet.

Dergestalt parodierte die deutsche Romantik schon mit ihrem Auftreten die wirklichen Geburtshelfer ihrer eigenen Klasse – und damit zugleich die Voraussetzung zur endgültigen, „allgemein menschlichen Emanzipation" (Marx). Im Absehen von den konkret-historischen Bedingungen ihrer eigenen Intentionen zeigt sich ihr utopischer Charakter. So findet sich denn auch ein gehöriger Schuß Romantik noch anderthalb Jahrhunderte später in dem Versuch der Kritischen Theorie Marcusescher Provenienz, die „regressive" Funktion des prometheischen „Leistungsprinzip" mit einer Freisetzung der Arbeit durch das „Lustprinzip" jenseits des Antagonismus der Klassen und Gesellschaftsordnungen zu überwinden. Die Postulierung Prometheus' als „Archetypus des Helden des Leistungsprinzips" stellt nur auf gelehrte Weise seinen Zusammenhang wieder her, der eine Grundposition aller romantischen Antiaufklärung gewesen ist,[9] den aber die Frühromantik – unverblendet und hellsichtig, wie sie war – selber bereits gerade unter der Form der ironischen Aufhebung in die Welt gesetzt hatte.

Dieser sich modern gebende Antikapitalismus der Gesinnung hat darum nicht einmal mehr das Recht auf Nachsicht aus historischen Gründen für sich. Er ist eine geschichtlich unernste Opposition des Scheins, eine Ironisierung der Geschichte, während die Romantik noch mit der Ironie ernstlich Geschichte zu machen versucht hatte. Denn nach wie vor gilt: „Nicht die *radikale* Revolution ist utopischer Traum für Deuschland, nicht die *allgemein menschliche* Emanzipation, sondern vielmehr die teilweise, die *nur* politische Revolution, die Revolution, welche die Pfeiler des Hauses stehenläßt."[10] Utopie bedeutet mithin, nachdem die bürgerliche Revolution einmal stattgefunden, ihr Klassenwesen vor aller Welt enthüllt hat, gerade eine nicht zu den Wurzeln gehende Auffassung der Realität, nicht die konsequente gedankliche Verlängerung der Geschichte über ihren erreichten Stand hinaus, sondern eine – aller gegebenenfalls formellen politischen Radikalität der Argumentation ungeachtet – letzthin macht- und gedankenlose Verankerung des allgemeinen Bewußtseins im sozialökonomischen und politischen Status quo der jeweiligen Gesellschaftsverhältnisse.

II

Es ist eine Grundposition des Marxismus-Leninismus, daß das Wesen der Geschichte in ihrer Ganzheit und Unumkehrbarkeit besteht. Die wissenschaftliche Analyse kann nicht umhin, diesem Tatbestand Rechnung zu tragen; denn das Bewußtsein von der Geschichte kann nur ein Bewußtsein von ihrer dialektisch-widersprüchlichen Prozeßhaftigkeit sein.

Der politisch-ideologische Kampf fordert allerdings eine Stufenfolge in der Betonung oder Vernachlässigung dieser oder jener Periode, Erscheinung, Persönlichkeit. Dies hat seinen Sinn darin, daß die Arbeiterklasse bei ihrem Machtantritt vor allem jene Traditionen oder Epochen, in denen der Gedanke des Fortschritts sich unvermittelt manifestiert, sinnfällig von einzelnen auf die Masse des Volkes übersprang, zur Meisterung ihrer eigenen zukunftsträchtigen Aufgaben unmittelbar zu nutzen bestrebt ist. Im Fortgang der Dinge freilich erwächst die Notwendigkeit, das geschichtliche Handeln nicht mehr lediglich durch ein Begreifen des geschichtlichen Werdens aus seinen progressiven Hauptlinien zu unterstützen. Das aber hängt von der Reife der sozialistischen Gesellschaft, von der erreichten Höhe des historischen Bewußtseins, dem kritischen Vermögen, der historischen Urteilsfähigkeit ihrer Mitglieder ab. Mit anderen Worten: Die Haltung gegenüber der Geschichte wird gewissermaßen zunehmend „gerechter“, während zunächst jede neue Klasse, ermächtigt von ihrem geschichtlichen Recht, ihren gegenwärtigen und zukünftigen Bedürfnissen und Interessen, mit der Härte des Gesetzes, unter dem sie antritt (und das heißt „ungerecht“ gegenüber dem Voraufgegangenen), sich auf die Welt setzt. Diese „Ungerechtigkeit“ ist selbst ein Element der materialistischen Dialektik der Geschichte; die Kritik erweist sich so als eine Vorbedingung und ein Organ des Aufbaus.

Auf eben diese Weise ist die revolutionär-demokratische, aber auch die marxistische Kritik vorwiegend mit der literarischen Romantik verfahren. Der Bogen spannt sich von Heinrich Heine bis zu Georg Lukács, und der Vorgang ist so lange nicht abgeschlossen, solange die romantische Ideologie die Folie zu einer Regeneration bürgerlichen Bewußtseins abgibt.[11] Insofern gehört die Romantik-Kritik zu jenem Gesamtprozeß, in welchem sich die Arbeiterklasse ihres Selbstbewußtseins versichert; sie gehört damit gleichwohl zu dem Bilde, das diese Klasse selbst von der Romantik entwirft, und zwar als ein Ergebnis ihrer Aneignung. Im Fortgang jedoch der *Aneignung der Kultur* entwickelt sich als Notwendigkeit gleichwohl eine *Kultur der Aneignung*: Sie ist, wie alle kulturvolle Bewältigung von Wirklichkeit, dadurch gekennzeichnet, daß in der praktisch-klassenbewußten Ganzheitlichkeit der aktuellen Betrachtung zugleich ein feiner Sinn für das konkret-historisch Mögliche in seiner individuellen Erscheinung, ein tieferes Verständnis für die widerspruchsvolle geschichtliche Wirklichkeitsfülle zur Geltung kommt. Erst wenn das eine im andern dialektisch aufgehoben erscheint, kann von wirklicher Aneignung bereits durch andere angeeigneter Wirklichkeit, d. h. gedanklich formulierter oder ästhetisch gestalteter Realität, gesprochen werden. In dem Maße, wie das geschieht, wird auch die deutsche Romantik aufhören, bloß als ein Synonym für politische Reaktion, Weltflucht, Entwirklichung des Lebens, Konvertitentum und Ultramontanismus, Mittelaltlerei, Todessehnsucht oder poetisierten Obskurantismus zu gelten. Es wäre dies nur eine undialektische Antinomie zur vorherrschenden Auffassung der bürgerlichen Geschichtsideologie und Literaturwissenschaft – und somit umgekehrt deren Beglaubigung: Es wäre, mehr noch, mit der Legitimation dieser Prämissen gleichwohl die Anerkennung aller logisch daraus folgenden methodologischen Weiterungen. Dann bliebe in der Tat die deutsche Romantik „rechts“ liegen und der Tyrannei geistesgeschichtlicher oder existenzontologischer Meinungsbildung, also ideologisch der Botmäßigkeit des Kapitals unterworfen.

Die Romantik war, wann und wo immer, zuvörderst Opposition, nicht Apologie oder Legitimismus: in West- und Mitteleuropa, wo sie zuerst ins Licht der Geschichte tritt, vor allem Opposition gegen die Grundtendenzen der bürgerlich-kapitalistischen Epoche, gegen das inhumane Wesen der sich kapitalisierenden Gesellschaftsbeziehungen. Dies ist der Punkt, an welchem aller Romantik der Geist der Humanität in die Wiege gelegt ist, der ungeachtet jeder apologetischen Selbstdeformation latent fortwirkte und immer wieder durchschlug, wenn die geschichtliche Entwicklung zur Besinnung auf die Würde der menschlichen Individualität nötigte.

Sie durchläuft in England mit Coleridge – und auch Wordsworth – angesichts der revolutionären Ereignisse in Frankreich den Weg von hoffnungsvoller Erwartung zu resignierter Flucht in die Natur und steigert sich schließlich in Shelley zur symbolischen Verkündigung eines neuen weltgeschichtlichen Tags im Angesicht der ersten proletarischen Klassenkämpfe gegen die Tory-Reaktion. Die französische Romantik hat in ihren Anfängen den Ausgang der bürgerlichen Revolution zur unmittelbaren, nationalgeschichtlichen Voraussetzung. Sie rettet zunächst – mit Chateaubriand, Sénancour und Benjamin Constant – den epischen Helden (als Paradigma des gesellschaftlichen Individuums) unter Absehen von den eigentlichen, vorgreifenden weltgeschichtlichen Prozessen in die Abgeschiedenheit der Identität mit sich selbst, einer fiktiven Integrität feudaler Existenz, unberührter Natur oder gentilgesellschaftlicher Wildheit; sie geht bei Bonald und Joseph de Maistre durch die versuchte ahistorische Aufhebung der Vereinzelung in einen katholizierenden Legitimismus hindurch, um schließlich – über Béranger, Dumas père oder Alfred de Vigny – in der Säkulargestalt Victor Hugos nahezu über ein halbes Jahrhundert hin sich poetisch im Geiste eines alle Irrgärten des Individualismus durchmessenden, aber am Ende konsequenten Republikanismus auf höherer geschichtlicher Stufenleiter wieder zu konsolidieren. Von hier empfing die polnische Romantik in ihren Hauptvertretern Mickiewicz und Slowacki ganz unvermittelte Impulse, indes sie auf der andern Seite mit der etwas früheren und darum inkonsequenteren russischen romantisch-dekabristischen Opposition gegen den Zarismus (im übrigen – wie bei den deutschen Revolutionären der neunziger Jahre – verflochten mit Aufklärungsideen und klassizistischen Formelementen) den Gedanken einer gesamtnationalen Wiedergeburt, selbst durch persönliche Beziehungen bedingt, gemein hatte, der seinen poetischen Ausdruck in der Forderung der „narodnost'" fand. Verwandtes begegnet im italienischen Risorgimento wie in der Romantik Skandinaviens.

Von allen nationalen Romantiken war die deutsche die früheste. Das bestimmte ihr Schicksal, noch fernab von den nationalen und sozialen Massenbewegungen des 19. Jahrhunderts ihr Weltbild auf die „inneren" Kräfte des einzelnen gründen zu müssen: Sie erschienen als der eigentlich menschliche Gegensatz zur sich herausbildenden arbeitsteiligen Bourgeoisgesellschaft. Die Massenbewegungen des 18. Jahrhunderts waren vorübergegangen, ohne daß sich die aufklärerische Verheißung einer vernünftigen gesellschaftlichen Ordnung der menschlichen Dinge bewahrheitet hätte. Es gab keine wirkliche Macht, die, auf wahrhaft menschliche Ziele orientiert, den Richtpunkt eines zukunftsträchtigen Handelns abzugeben in der Lage gewesen wäre. So ist denn der Zeitpunkt des letzten Aufbäumens der um den Ertrag ihres Kampfes betrogenen Volkskräfte in diesem zum Ende neigenden Jahrhundert, der Versuch, das Postulat der Gleichheit dennoch in Wirklichkeit zu verwandeln, auch die letzte aufklärerische Bewährungsstunde der deutschen Romantikergeneration: Die von Babeuf geführte „Verschwörung der Gleichen“, die sich selber die letzten Republikaner nannten und – nach einem Wort von Marx – die erste tätige kommunistische Partei bildeten, und Friedrich Schlegels gegen Kants gemäßigten Republikanismusbegriff angestrengte Verteidigung des Rechts auf Insurrektion und die Rechtfertigung der „transitorischen Diktatur“ als historischer Notwendigkeit[12] sowie seine Würdigung Georg Forsters, in welcher das Ideal des „gesellschaftlichen Schriftstellers“ als politischer Auftrag gefaßt war,[13] fallen konzeptionell vor oder in dasselbe Jahr 1796. Diese Parallelität darf nicht übersehen werden.

Die begeisterte Erwartung im Angesicht der revolutionären Aktionen des großen Nachbarvolkes reichen bei den deutschen Frühromantikern – und zwar im fast ausnahmslosen Unterschied zu den Autoren der voraufgehenden Generation – vom Beginn der neunziger Jahre über die Periode der Jakobinerdiktatur bis hinein in die noch von Klassenkämpfen im Sinne eines unabgegoltenen Demokratismus zerrissene Herrschaft des Directoire. Ende 1792 schrieb der junge Tieck aus Göttingen an seinen Freund Wakkenroder, daß er „nächstens ... über die Möglichkeit der Gleichheit aller Stände etwas vorlesen“ werde, und weiter: „Oh, in Frankreich zu sein, es muß doch ein groß Gefühl sein, unter Dumouricz zu fechten und Sklaven in die Flucht zu schlagen, und auch zu fallen, – was ist ein Leben ohne Freiheit? ... – ist Frankreich unglücklich, so verachte ich die ganze Welt und verzweifle an ihrer Kraft, dann ist für unser Jahrhundert der Traum zu schön, dann ... ist Europa bestimmt, ein Kerker zu sein“.[14]

Die „Sklaven“, d. h. die deutschen Koalitionstruppen, wurden in die Flucht geschlagen, aber der Traum von Freiheit und Gleichheit verwirklichte sich nicht. Das verkündigte Reich der Freiheit entpuppte sich allzu bald als Reich der Bourgeoisie. In die hochgestimmte jugendliche Erwartung ist von Anfang an der Zweifel gesät. 1794 heißt es bei Novalis an Schlegel: „Es realisieren sich Dinge, die vor zehn Jahren noch ins philosophische Narrenhaus verwiesen wurden ... Mich interessiert jetzt zehnfach jeder übergewöhnliche Mensch – denn eh die Zeit der Gleichheit kommt, brauchen wir noch übernatürliche Kräfte. Du glaubst nicht, lieber Junge, wie ganz ich jetzt in meinen Ideen lebe.“[15] Briefstellen solcher Art aus dem Kreise der deutschen Frühromantiker lassen sich mühelos in Vielzahl zitieren. Sie zeigen indessen allesamt, wie der idealistisch-politische Utopismus gerade darin besteht, daß die Theoriebildung unter Absehen von den wirklichen, ökonomischen Voraussetzungen einer realen Freiheit und Gleichheit geschah, die erst ein vollentfalteter Kapitalismus zu liefern im Stande war. Die Ambitendenz von politischem Idealismus und dem Katzenjammer der Innerlichkeit wird offenbar, wenn man die genaue Parallelität ins Auge faßt, in der sich dieser Prozeß etwa zwischen 1796 und 1798 bei Joseph Görres und Novalis vollzog: Während in dieser Zeit der um vier Jahre jüngere Rheinländer in Wort und Tat einen entschiedenen republikanischen Cisrhenanismus, den

Anschluß der von den französischen Revolutionsarmeen besetzten linksrheinischen Gebiete an das republikanische Frankreich, verfocht (dem der Staatsstreich Napoleons vom 18. Brumaire 1799 ein desillusionierendes Ende setzte), formierte sich in Friedrich von Hardenbergs Weltbild – befördert durch tiefgreifende persönliche Erschütterungen – bereits, aller nüchtern-fleißigen Diesseitigkeit seines Berufslebens ungeachtet, die Haltung einer konsequenten Abkehr von dem Gedanken einer wirklichen Veränderbarkeit der Umstände. Am Ende stand, beim reifen Görres wie bei dem früh verstorbenen Novalis, der aus abgründiger Ent-Täuschung geborene Versuch, die Individualität von ihrem unproduktiven Erdenrest zu befreien und ihr durch die verinnerlichte Einordnung des Individuums in einen enthistorisierten, mystischen, christlich verbrämten, poetisierten Weltzusammenhang ihre von den Propheten der Aufklärung von je gepredigte geistige Integrität zu retten.

So gesehen, bildete die Romantik keinesfalls eine platt reaktionäre Antithese zur bürgerlichen Aufklärung, sondern stellt vielmehr eine vereinseitigend auf die Spitze getriebene, schließlich pervertierte Fortführung des in deren Grundpositionen selbst bereits Angelegten dar. „Der Dualismus, die Zwiespältigkeit der bürgerlichen Aufklärung war untrennbar von ihr und konnte selbst von ihren stärksten Kämpfern nicht überwunden werden; immer danach ringend, das wirkliche Leben über das betrachtende zu erheben, wurden sie immer wieder dazu gezwungen, das wirkliche dem betrachtenden Leben unterzuordnen."[16] Indem die postulierte Autonomie des gesellschaftlich handelnden Subjekts sich auf dieser Stufe als eine bloß eingebildete erweisen mußte, die sich dann nur in der Loslösung von der geschichtlichen Realität zu bewähren vermag, bedeutete dies – als die notwendige Kehrseite alles politischen Utopismus – die freiwillige Aufkündigung der politischen Mündigkeit und deren Delegierung an eine zufällige Obrigkeit.

Die damit verbundene Möglichkeit dichterischer Entdeckung und gestalterischer Ausformung der Privatsphäre, des Innenlebens der poetischen Subjekte – ein literaturgeschichtliches Verdienst der Romantik und eine Vorleistung für den kritischen Realismus – ist stets erkauft mit der Aufgabe wirklicher Souveränität. Dieses in der Klassengesellschaft untrennbare Verhältnis ist irreversibel. Es scheint daher wenig sinnvoll, die eine Seite ohne die andere für wünschbar zu halten. Beide gehören als dialektische Korrelation zusammen. Denn die „politische Revolution" zerschlägt „die bürgerliche Gesellschaft in ihre einfachen Bestandteile, einerseits in die *Individuen*, andrerseits in die *materiellen* und *geistigen Elemente*, welche den Lebensinhalt, die bürgerliche Situation dieser Individuen bilden." In seiner „*nächsten* Wirklichkeit, in der bürgerlichen Gesellschaft", ist der Mensch ein „profanes Wesen. Hier, wo er als wirkliches Individuum sich selbst und anderen gilt, ist er eine *unwahre* Erscheinung. In dem Staat dagegen, wo der Mensch als Gattungswesen gilt, ist er das imaginäre Glied einer eingebildeten Souveränität, ist er seines wirklichen individuellen Lebens beraubt und mit einer unwirklichen Allgemeinheit erfüllt."[17] Der historische (nicht individuelle) Irrtum der Romantiker lag gerade darin, das wirkliche Individuum als souveränes Gattungswesen jenseits der Sphäre des wirklichen bürgerlichen Lebens gewinnen und zugleich mit einer wirklichen Allgemeinheit erfüllen zu wollen.

Diese Position war prinzipiell antikapitalistisch. Die Romantiker gehörten zu den ersten Kritikern der sich ankündigenden bürgerlich-kapitalistischen Gesellschaft, und sie kritisierten sie vorzüglich unter dem Bilde des Philistertums. Aber ihr Standpunkt war der der überschwenglichen Misere. Sie suchten den Bourgeois, den bornierten Philister von der Position des gebildeten Philisters aus zu treffen. Dergestalt erscheint aber, der erstaunlichsten Hellsicht zum Trotz, schlechtweg alles Streben nach irdisch-materieller Erfüllung des Menschendaseins unter diese Kategorie subsumiert. „Philister leben nur ein Alltagsleben.“ So heißt es bei Novalis 1797. „Das Hauptmittel scheint ihr einziger Zweck zu seyn. Sie thun das alles, um des irdischen Lebens willen ... Poesie mischen sie der Nothdurft unter ... Der derbe Philister stellt sich die Freuden des Himmels unter dem Bilde einer Kirmeß, einer Hochzeit, einer Reise oder eines Balls vor: der sublimierte macht aus dem Himmel eine prächtige Kirche – mit schöner Musik, vielem Gepränge – mit Stühlen für das gemeine Volk parterre ... Die Schlechtesten unter ihnen sind die revolutionairen Philister, wozu auch der Hefen der fortgehenden Köpfe, die habsüchtige Race gehört.“[18]

Die Romantik als Ideologie einer bestimmten Schicht der kleinbürgerlichen Intelligenz zum Zeitpunkt der Herausbildung der kapitalistischen Gesellschaft verwies so nicht allein mit aller Konsequenz den Emanzipationsgedanken, das Erbe aus dem aufgeklärten Jahrhundert, ins Reich des Geistes und erhob den Künstler zum Modellfall schöpferischer Subjektivität: Sie ist damit gleichwohl zum entscheidenden Ausdruck eines fortwirkenden Erbübels deutscher Geschichte geworden, dem erst das Proletariat, unbetroffen von diesen „gebildeten“ Überschwenglichkeiten, ein Ende setzen konnte. Insofern aber stellt dieses Element wie eh und je einen Gegenstand der Auseinandersetzung inner- und außerhalb seiner Reihen und vor allem in der Arbeiterpartei selbst dar. „Wenn die Gebildeten und überhaupt aus bürgerlichen Kreisen stammenden Ankömmlinge“, schrieb Friedrich Engels während des Sozialistengesetzes an Bernstein, „nicht *vollständig* auf dem proletarischen Standpunkt stehn, sind sie reiner Verderb ... Die kleinbürgerliche Spießer- und Philistergesinnung innerhalb der Partei haben wir von jeher aufs äußerste bekämpft, weil sie, seit dem 30jährigen Krieg ausgebildet, *alle* Klassen in Deutschland ergriffen, deutsches Erbübel, Schwester der Bedientenhaftigkeit und Untertanendemut und aller deutschen Erblaster geworden ist ... Sie herrscht auf dem Thron ebenso wie in der Schusterherberge. Erst seitdem sich ein *modernes* Proletariat in Deutschland gebildet, erst seitdem hat sich in ihm eine Klasse entwickelt, die von dieser deutschen Erbseuche aber auch fast gar nichts an sich hat ...“[19] Deswegen waren Marx unpd Engels 1852 bereits Arnold Ruge in die Parade gefahren, der – wie ähnlich heute die Frankfurter Schule – seinen „kritisch-revolutionären“ Geist dadurch unter Beweis zu stellen gedachte, daß er in eklektischer Manier das immerhin geistvolle Philistertum der Romantik noch einmal auf dem Papier umbrachte, um das geistlose auf den Schild zu heben und somit der sich entfaltenden proletarischen Bewegung einen Bärendienst zu leisten. „Wie Nicolai kämpfte er tapfer gegen die *Romantik*, eben weil Hegel sie in seiner ‚Ästhetik‘ kritisch und Heine in der ‚Romantischen Schule‘ literarisch längst beseitigt hatte. Im Unterschiede aber von Hegel traf er mit Nicolai darin zusammen, daß er als Antiromantiker das Recht zu haben glaubte, die ordinäre Philisterhaftigkeit, und vor allem seine eigne Philisterfigur, als vollendetes Ideal hinzustellen."[20]

Die Arbeiterklasse hat also allen Grund, vor jedem (romantischen) Philister- oder Flegeltum, in welchem Gewande immer es in ihren Reihen auftritt, auf der Hut zu sein; sie kann dies aber nur, wenn sie dessen Wesen in seiner Historizität und allen Formen seiner aktuellen Erscheinung kennt, um es durchschauen zu können.

III

Ein hochentwickeltes gesellschaftliches Bewußtsein kann aus den Wirrungen der Geschichte, wenn sie dialektisch begriffen sind, nicht weniger lernen als aus den Klarheiten ihrer Höhepunkte. Denn die Wirrungen sind nicht Folge von Verirrungen bestimmter Geister, sondern von komplizierten Klassenkämpfen, die nicht durchschaut und deshalb durch die Individuen hindurch als ver-rückte Welt widergespiegelt werden. Liegt indessen solchen Abbildern ein humanistischer Sinn zugrunde und ihre Absicht jenseits aller Klopffechterei und leerer Apologetik, so kann die Verantwortung der wirklich herrschenden Klassen nicht denen zugeschoben werden, die, als die Produzenten dieser Abbilder, in einem Circulus vitiosus gerade um der Apologetik willen von jenen geplündert wurden. Dieses Schicksal ist den bedeutenden Gestalten und Werken der Romantik bis auf diesen Tag widerfahren. Es kann nur dadurch abgewendet werden, daß diejenige Klasse, die „freien Blick, Energie, Humor, Zähigkeit im Kampf" besitzt und frei ist von dem „Erbgift der Philisterborniertheit",[2] sich auch dieses Erbes kritisch versichert.

Offenbar folgen in der geschichtlichen Wirklichkeit auf „klassische" Perioden samt deren Vorbereitungsphasen solche des Nieder- oder Übergangs, stehen nach oder sogar neben „klassischen" Werken – was noch nichts mit der Frage nach dem Realismus zu tun hat – auch unentschiedene, verworrene, zerrissene: Es sind jene, in denen die wirklichen Widersprüche nicht tendenziell aufgehoben erscheinen, die Künstler und Schriftsteller an der Macht der Wirklichkeit zu zerbrechen drohen, die aber darum zugleich immer tiefe Einblicke gewähren in die Kompliziertheit der geschichtlichen Entwicklung, vor allem in die innere Entwicklungsgeschichte der Menschen, indem sie Gegebenes direkt reflektieren, unausgegoren, auch verzerrt, aber deshalb nicht unwahrhaftig, nur ohne die Überzeugung, den Glauben, die Zuversicht, die die „Klassiker" auszeichnet. Erst innerhalb dieser Spannung wird die Realismusfrage entschieden.

Mit dem Zeitpunkt der frühromantischen Bewegung jedoch und in ihren Hervorbringungen tritt uns erstmalig, sozusagen ursprünglich und – weil noch nicht als Fait accompli akzeptiert – unter gleichsam „reiner" Form jener seit dem 16. Jahrhundert vorbereitete *Grundvorgang* in seiner *krisenhaften Entscheidung*, wie er von da an die „moderne" Welt (des Kapitalismus) innerlich durchwaltet, entgegen und der, von den Wurzeln her, allein unter sozialistischen Gesellschaftsbeziehungen umzukehren ist: die Vereinzelung *und*

Deformation der Individuen. Mit der Romantik stehen wir an dem Punkte, an welchem der Prozeß der Herauslösung des Individuums aus seinen „naturwüchsigen" sozialen Bindungen – erstmals als positiver Rechtszustand in den französischen Revolutionsverfassungen fixiert – umschlägt in die Tendenz zur bindungslosen Verabsolutierung der Individualität, wodurch sie, zuvor als Subjekt proklamiert, der Gesellschaft ausgeliefert erscheint. Die Varianten, unter denen die Romantik dies – den *akuten* Übergang vom Feudalismus zum Kapitalismus – gedanklich und künstlerisch eindringlich widerspiegelt, sind höchst vielfältig. Es ist um 1792 Rückzug in die Natur etwa in der Lyrik Coleridges, zwischen 1793 und der Jahrhundertwende Flucht aus den „weltlichen Geschäften" in ein betrachtsames Klosterdasein *(Herzergießungen eines kunstliebenden Klosterbruders)* oder ziellosen Streunen durch eine kunstfreundliche fiktive mittelalterlich-frühkapitalistische Welt *(Franz Sternbalds Wanderungen)* bei Wilhelm Wackenroder und Ludwig Tieck oder die radikale Aufhebung der wirklichen Welt in eine poetische durch das künstlerische Subjekt in Novalis' *Heinrich von Ofterdingen*. Es erscheint nach der Jahrhundertwende als ein „verwildertes" Leben in Brentanos Roman *Godwi* wie als ein Leben unter Wilden in Chateaubriands Erzählungen *Atala* und *René*. Um 1820 vermag dann unter den Bedingungen hochentwickelter Klassenkämpfe das Individuum der Shelleyschen Lyrik und Dramatik sich zur Repräsentation eines allgemeinen Volkswillens zu steigern. Aber wenige Jahre darauf noch – an der Schwelle zum kritischen Realismus – stößt eine unannehmbare bürgerliche Umwelt Stendhals frühen epischen Helden Octave *(Armance)* auf sich selbst zurück und zerbricht seine ungewöhnliche Individualität, indes es gleichzeitig dem ganz gewöhnlichen Taugenichts Eichendorffs noch einmal gelingt, auf originär romantische Weise sich dem Zugriff der philiströsen Enge deutscher Bürgerlichkeit durch den Auszug in blaue Fernen zu entziehen, um in der strahlenden Sonne des Südens, in Gottes freier Natur und in vom ehernen Gang der Geschichte noch vergessenen, verträumten Enklaven vorkapitalistischer Existenz seine einfache Menschlichkeit, sich selbst also, zu realisieren.

Das war der unmittelbare Quellpunkt, die ursprüngliche Ahnengalerie der epischen Helden und lyrischen Subjekte der individualistisch geprägten Moderne. Unter solchen Aspekten lassen sich – zur Orientierung – bestimmte Hauptlinien der Literaturentwicklung unterscheiden, die freilich nicht einfach mit der allgemeinen Ideologiegeschichte zu identifizieren sind, auf welcher höchst verschiedenartige Autoren auftreten können und die auch keinesfalls unüberschreitbare Grenzen bilden, sondern zwischen denen ein lebendiger Austausch geschieht. Während etwa die aufklärerisch-realistische Tradition in den Werken von Anatole France, John Galsworthy oder Roger Martin du Gard, Heinrich Mann oder Louis Aragon, Bernhard Shaw oder Bertolt Brecht, Alexej Tolstoi oder Leonid Leonow oder Anna Seghers sich zeitgemäß fortgebildet findet und bis Friedrich Dürrenmatt, Johannes Bobrowski oder Erwin Strittmatter zu verfolgen ist, verbindet sich der Ausgang jener Linie – ob nun in oppositioneller oder konformistischer Variante, in elegischer, satirischer oder idyllischer Haltung – mit Namen wie Stéphane Mallarmé oder André Gide, Hugo von Hofmannsthal und Hermann Hesse, Rilke und Kafka, auch Bunin und Jessenin, Paul Valéry oder Ramón Jiménez oder Virginia Woolf und reicht über die Nouveaux romanciers bis zu der nonkonformistischen Frustrationsliteratur eines Günter Grass oder Peter Handke. Dieser Prozeß muß notwendig dort enden, wo die literarischen Individuen, gespiegelt durch die Subjektivität ihrer Schöpfer, nur noch als bloße Objekte der von ihnen vorgefundenen bzw. für sie erfundenen Umstände erscheinen. An allem trägt die Romantik indessen sowenig Schuld wie an der inhumanen Entwicklung der kapitalistischen Gesellschaft überhaupt. Sie hat sie von deren Anfang kritisiert, freilich auf eine (ihr historisch allein mögliche) Weise, die hernach, einmal in die Welt gesetzt, zur Beglaubigung jeglicher Unentschiedenheit, ja selbst zu jeder literarischen Schandtat – wie das Schrifttum des deutschen Faschismus bezeugt – bereitstand. Die Wurzel dafür lag in ihrer (historisch bedingten und weltanschaulich gegründeten) Methode der Erfassung sowie Gestaltung, also der Widerspiegelung des Wirklichen. „Die Romantik hypertrophierte – und das ist ihr Grundzug als Schaffensmethode – das Einzelwesen, das Individuum, verlieh seiner inneren Welt universellen Charakter und löste es so aus der objektiven Welt heraus."[22] Dies aber ist nichts anderes gewesen als die aus humaner Zwecksetzung vollzogene Ideologisierung realer Gesetzmäßigkeiten, deren Wirkungen ebenso offenkundig zutage traten wie ihre letzten Gründe noch im Dunkeln blieben: Die Dialektik dieser Ideologisierung besteht also darin, daß sie Widerspiegelung wirklicher Prozesse und zugleich deren kritische Negation war. Anders ausgedrückt: sie war in ihrer abstrakt-humanistischen Konsequenz sozusagen die Verinnerlichung der Robinsonade und damit deren schließliche Verkehrung.

Denn die Lösung des Problems konnte nicht darin bestehen, die „phantasielosen Einbildungen" des 18. Jahrhunderts, d. h. den bloßen „ästhetischen Schein" eines ersten Selbstverständnisses der bürgerlichen Klasse über diese historische Sendung des Individuums, nunmehr im Reich der einbildenden Phantasie zu verwirklichen. Die scheinbar „von Natur independenten Subjekte" waren nichts als die „Vorwegnahme der ‚bürgerlichen Gesellschaft', die seit dem 16. Jahrhundert sich vorbereitete und im 18. Riesenschritte zu ihrer Reife machte. In dieser Gesellschaft erscheint der Einzelne losgelöst von den Naturbanden usw., die ihn in früheren Geschichtsepochen zum Zubehör eines bestimmten, begrenzten menschlichen Konglomerats machen . . . Aber die Epoche, die diesen Standpunkt erzeugt, den des vereinzelten Einzelnen, ist grade die der bisher entwickeltsten gesellschaftlichen (allgemeinen von diesem Standpunkt aus) Verhältnisse."[23]

Die Romantikergeneration nahm den Ausgliederungsprozeß der Individuen aus den „Naturbanden" der vorkapitalistischen Gesellschaftsformationen mit Schrecken wahr und erlebte dessen letzten Akt, die politische Geburt des „vereinzelten Einzelnen" als Produkt der bürgerlichen Revolution, in seiner ganzen Rigorosität und unmittelbaren Handgreiflichkeit. Selbst die Religion, in früheren Zeitläufen Ausdruck, ja das *Wesen* der Gemeinschaft, das Gemeinwesen des Menschen, war der Privatisierung unterworfen, indem ihre *beliebige* Ausübung als allgemeines Menschenrecht deklariert wurde. Novalis erkannte mit äußerstem Scharfsinn, wie „man ihr das Bürgerrecht genommen und ihr bloß das Recht der Hausgenossenschaft gelassen hat, und zwar nicht in *einer* Person, sondern in allen ihren unzähligen individuellen Gestalten."[24] Die Enttäuschung ging so tief, daß sie sogar – wie eben Novalis – zu einer Geschichtskonzeption provozieren konnte, in welcher der ganze bisherige Geschichtsverlauf als ein unablässiger Abweg von der Verwirklichung des menschlichen Gattungswesens erscheinen mußte. Es sollte indes nicht vergessen werden, daß erst vom Standpunkt der „menschlichen Emanzipation", also der künftigen proletarischen Revolution aus diese Frage überhaupt entschieden werden konnte. Die hier und jetzt geschehene „*politische* Emanzipation" war ein „großer Fortschritt", doch nicht mehr als „die letzte Form der menschlichen Emanzipation *innerhalb* der bisherigen Weltordnung ... Der Mensch emanzipiert sich *politisch* von der Religion, indem er sie aus dem öffentlichen Recht in das Privatrecht verbannt. Sie ist nicht mehr der Geist des *Staats,* wo der Mensch – wenn auch in beschränkter Weise, unter besonderer Form und in einer besondern Sphäre – sich als Gattungswesen verhält, in Gemeinschaft mit andern Menschen, sie ist zum Geist der *bürgerlichen Gesellschaft* geworden, der Sphäre des Egoismus, des *bellum omnium contra omnes* ... Sie ist zum Ausdruck der *Trennung* des Menschen von seinem *Gemeinwesen,* von sich und den andern Menschen geworden – was sie *ursprünglich* war. Sie ist nur noch das abstrakte Bekenntnis der besondern Verkehrtheit, der *Privatschrulle,* der Willkür."[25] Eine solche Einsicht, die noch nicht einmal die Junghegelianer erreichten, von Novalis gewärtigen zu wollen, wäre ahistorisch, mithin ungerecht.

Da den Romantikern die Einsicht in die wahren, die historisch-ökonomischen Ursachen, die Entwicklung der Produktivkräfte und die Klassenkämpfe, nicht minder versperrt war als der Generation der Aufklärer, blieb ihnen nur, das wirkliche Wesen jenes Individuums – statt in dessen bourgeoiser Natur, wie von Marx beschrieben – in der Souveränität seiner das Wesen der ganzen Gattung scheinbar in sich begreifenden *geistigen* Existenz zu suchen. Auf dem Gebiet der Politik waren – ihrer geschichtlichen Leistung ungeachtet – unmittelbar zuvor auch die Jakobiner an dem Widerspruch zwischen dem tatsächlichen anarchischen Charakter der bürgerlichen Gesellschaft und deren auf die ideale (gattungsmäßige) Repräsentativkraft der Individuen gestellten bürger- und menschenrechtlichen Programmatik gescheitert. „Welche kolossale Täuschung, die moderne bürgerliche Gesellschaft, die Gesellschaft der Industrie, der allgemeinen Konkurrenz, der frei ihre Zwecke verfolgenden Privatinteressen, der Anarchie, der sich selbst entfremdeten natürlichen und geistigen Individualität – in den *Menschenrechten* anerkennen und sanktionieren zu müssen und zugleich die *Lebensäußerungen* dieser Gesellschaft hinterher an einzelnen Individuen annullieren ... zu wollen."[26]

Die Desillusionierung vollendet sich in den Romantikern im Angesicht der realen Folgen der Revolution. Sie gehen, voller Abscheu gegenüber einer alle schöpferische Individualität depravierenden Gesellschaft, den Weg des Utopismus bis zu Ende – in die Innerlichkeit. Zwei Jahrzehnte darauf, 1812, hat Friedrich Schlegel diesen Vorgang rückblickend in den Satz zusammengefaßt: „Wie in Frankreich die ... jedem Glauben und jedem Bande der Liebe entsagende Vernunft ihre zerstörerischen Wirkungen nach außen hin gewandt und das gesamte Leben der Nation zum furchtbaren Schauspiel für die Mitwelt und Nachwelt ergriffen hat, so nahm in Deutschland, dem Charakter der Nation gemäß, bei der äußern Gebundenheit der edelsten Kräfte, die absolute Vernunft ihre

Richtung ganz nach innen, statt der bürgerlichen Revolution, in metaphysischem Kampfe Systeme erzeugend und wieder zerstörend."[27]

Die Revolution reduzierte sich für die Frühromantiker am Ende auf eine geistige Revolution, auf Kritik. Abwegig jedoch, diese Reduktion des Wirklichen auf seinen geistigen Reflex schlechtweg als die notwendige direkte Folge einer allgemein sozialökonomischen Zurückgebliebenheit Deutschlands zu betrachten: Es hätte das widerspruchsvoll-inhumane Wesen der kapitalistischen Gesellschaftsformation kaum so tief erkannt werden können, wenn erstens deren wesentliche Elemente nicht zugleich erlebbar gewesen und zweitens die wissenschaftlichen Voraussetzungen ihres Erkennens nicht gegeben gewesen wären. Beide Seiten waren schon im 18. Jahrhundert in Deutschland so weit entwickelt, daß selbst die französischen Enzyklopädisten für ihr Werk dieser praktischen Erfahrungen und theoretischen Kenntnisse nicht entraten konnten. Auch gerade die Ursprungslandschaften der Romantik – Sachsen und Thüringen, Berlin, der Mittelrhein – waren in der Tat relativ hochentwickelte Gebiete der Industrie, was vor allem für das sächsisch-thüringische Hütten- und Salinenwesen mit seinem international bedeutenden Bildungszentrum, der Bergakademie Freiberg, die Ausbildungsstätten Friedrichs von Hardenberg also, gelten darf. Die ökonomischen Bedingungen sind freilich immer nur „in letzter Instanz" die entscheidenden.[28] Es kommt darauf an, die Verhältnisse als Ganzes in ihrer Widersprüchlichkeit ins Auge zu fassen, um die Dialektik der Entstehung eines Phänomens wie der Romantik zu begreifen. Deutschland bildete sozusagen das schwächste Glied in der Kette der entwickelten Länder, die sich auf die bürgerlich-kapitalistische Gesellschaft zubewegten und schon – in einem langen Prozeß – im Begriffe standen, die Produktionsverhältnisse entsprechend den neu sich herausarbeitenden Produktivkräften zu gestalten. Im klassischen Fall war dies die politische Revolution, die in England durch die sehr frühe Kapitalisierung der Landwirtschaft und mit einem Kompromiß zwischen Grundbesitzeradel und Bourgeoisie deren Bedürfnisse weitgehend abgegolten hatte, während es dem französischen Klein- und Mittelbürgertum bereits gelang, die z. T. unter eigenen Losungen auftretenden revolutionären Volkskräfte der Durchsetzung seiner historischen Klasseninteressen dienstbar zu machen, damit die Macht der Monarchie und des Adels radikal zu brechen und ein bürgerliches Staatswesen zu errichten.

In Deutschland fehlten diese politischen Bedingungen einer bürgerlichen Revolution. Fürsten und Adel waren in dem zerrissenen Lande noch mächtig genug, die Herrschaft weiterhin zu behaupten, und das Bürgertum war noch nicht reif genug, sie streitig zu machen und selber zu übernehmen. Wo die Massen – in Sachsen oder den Rheinlanden – eigenständig dagegen aufbrachen, floh das Bürgertum erschreckt der Reaktion an die Brust und ließ sich seine vermeintlichen Interessen von den Fürsten gegen das Volk vertreten, statt seine wirklichen (im historisch perspektivischen Sinne) von den Volksmassen gegen die Fürsten bestreiten zu lassen. Es fehlte damit, ideologisch ausgedrückt, jener freiheitliche Impetus innerhalb des dritten Standes, die politische Euphorie, der Glaube, daß dieser revolutionäre Akt der Übergang zu einer menschlichen Ordnung sei, der in Frankreich ein halbes Jahrzehnt hindurch über alle theoretisch noch unbegriffenen Klassenwidersprüche innerhalb der revolutionär gestimmten Stände und Schichten hinweggetragen und die wahre Natur des erstrebten Resultats weithin im Dunkel gelassen hatte. Denn: „In den Momenten seines besonderen Selbstgefühls sucht das politische Leben seine Voraussetzung, die bürgerliche Gesellschaft und ihre Elemente, zu erdrücken und sich als das wirkliche, widerspruchslose Gattungsleben des Menschen zu konstituieren. Es vermag dies indes nur durch *gewaltsamen* Widerspruch gegen seine eigenen Lebensbedingungen, nur indem es die Revolution für *permanent* erklärt, und das politische Drama endet daher ebenso notwendig mit der Wiederherstellung der Religion, des Privateigentums, aller Elemente der bürgerlichen Gesellschaft, wie der Krieg mit dem Frieden endet."[29]

Den Deutschen, die den ganzen Vorgang aus der Ferne beobachten konnten, lag dieses Resultat, die Herrschaft der Bourgeoisie, schließlich in Sonnenklarheit vor Augen. Notwendig fast ausnahmslos Betrachtende, schauderten sie davor zurück: am wenigsten noch die vornehmlichen Denker, Kant oder Herder, Fichte und Hegel, die das an sich erschreckende Bild einer akut friedlosen Zeit nicht mit dem Gedanken einer absolut vernunftlosen Welt verwechselten; die klassischen Dichter, auf jenes Bild, die lebendige Erscheinung verwiesen, gelangten erst viel später, als die scheinbare Wirrnis sich zerstreut und die Bewegung sich beruhigt hatte, zu einiger Besonnenheit des Urteils.[30] Die Romantiker aber, kritisch angelegt von vornherein, überfiel bereits mitten in der Hochgestimmtheit jugendlicher Begeisterung die fatale Einsicht in die Unumkehrbarkeit der mit dieser Revolution eingeleiteten welthistorischen Prozesse. 1793 gestand der vierundzwanzigjährige Friedrich Schleiermacher seinem Vater, daß er „die französische Revolution im ganzen genommen sehr liebe, freilich ... ohne alles, was menschliche Leidenschaften und überspannte Begriffe dabei getan haben, ... mit zu loben, und noch vielmehr ohne den unseligen Schwindel, eine Nachahmung davon zu wünschen und alles über *den* Leisten schlagen zu wollen – ich habe sie eben ehrlich und unparteiisch geliebt, aber *dies* hat mich von ganzer Seele mit Traurigkeit erfüllt ..."[31].

Enttäuschung, Trauer über das wirklich Geschehende, bei zugleich uneingeschränkter Zuneigung gegenüber den der Umwälzung zugrunde liegenden Ideen, kurz: der Wunsch nach einer Revolution ohne Revolution, nach Veränderung ohne praktische Gewalt, nach Verwandlung der Verhältnisse durch bloßes kritisches Verhalten – das war der Boden, aus dem die Bäume der romantischen Sehnsucht buchstäblich in den Himmel wuchsen. Dieses aus Kritik aufkeimende unbestimmte Sehnen vergegenständlichte sich philosophisch-weltanschaulich im Aufbau tradierter, aber stets von neuem variierter Ideensysteme, ästhetisch-erkenntnistheoretisch in der Ausarbeitung und Anwendung des Prinzips der Ironie sowie ontologisch-sozial in der Hypertrophierung der Künstlerexistenz. Unter diese Aspekte, aufgefaßt als eine Einheit, die ihren Kern in einer am Ende entsozialisierten Form der überkommenen bürgerlichen Konzeption vom Individuum hat, lassen sich im Grunde alle wesentlichen Erscheinungsweisen romantischer Ideologie subsumieren.

Ohne auf den Umstand näher einzugehen, daß diese Konzeption den deutschen Frühromantikern vor allem in der Fichteschen Vermittlung, der subjektiv-idealistischen Ich-

Lehre, begegnete, aus der sie unter Vernachlässigung der ihr eignenden aktivistischen Seite (das Ich zugleich als Tat-Ich) ihre subjektivistischen Schlüsse zogen, läßt sich dazu mit Hegel folgendes sagen: „Wenn nun bei diesen ganz leeren Formen, welche aus der Absolutheit des abstrakten Ich ihren Ursprung nehmen, stehengeblieben wird, so ist nichts *an und für sich* und in sich selbst wertvoll betrachtet, sondern nur als durch die Subjektivität des Ich hervorgebracht . . . Dadurch ist alles Anundfürsichseiende nur ein *Schein*, nicht seiner selbst wegen und durch sich selbst wahrhaft und wirklich, sondern ein bloßes *Scheinen* durch das Ich, in dessen Gewalt und Willkür es zu freiem Schalten bleibt. . . Als Künstler aber, diesem Prinzip gemäß, lebe ich, wenn all mein Handeln und Äußern überhaupt, insoweit es irgendeinen Inhalt betrifft, nur ein *Schein* für mich bleibt und eine Gestalt annimmt, die ganz in meiner Macht steht. . . . Die Befriedigungslosigkeit dieser Stille und Unkräftigkeit . . . läßt die krankhafte Schönseeligkeit und Sehnsüchtigkeit entstehen. Denn eine wahrhaft schöne Seele handelt und ist wirklich.“[32]

Es ist leicht einzusehen, wie der schon erwähnte philosophisch-politische Utopismus hier in ästhetischer Gestalt wiederkehrt. Richtig ahnend, daß in einer Gesellschaft der bloß äußeren Interessen und Bedürfnisbefriedigung nur die Künstlerexistenz als wirklich freie erscheint, weil einzig die künstlerische als nichtentfremdete Tätigkeit denkbar ist, erlagen die Romantiker aber gerade der Verlockung, darin nicht lediglich ein Paradigma vermenschlichten Hervorbringens zu erblicken, sondern vielmehr die akute Möglichkeit, unter Absehen von den Bedingungen der Produktion und Reproduktion des materiellen Lebens die Selbstverwirklichung des Individuums auf abstrakte, elitäre Weise hier und jetzt zu betreiben.

Wie dies vorderhand ausgehen mußte, hat Hegel beschrieben. Wie es weitergewirkt hat, ist bis heute überall dort abzulesen, wo die geistige Tätigkeit immer noch als das eigentliche Feld der Selbstverwirklichung aufgefaßt wird, was darum stets auch im Katzenjammer romantischer „Schönseeligkeit“ endet. Das mechanistische Pendant dazu, gleichfalls mit der Anwendung der materialistischen Dialektik im ästhetischen Denken unvereinbar, ist der Versuch, alle überlieferten Produkte geistiger Tätigkeit, zumal der Literatur und Kunst, interpretatorisch auf die – in ihnen unter anderem *auch* manifestierte – Komponente der Kritik, auf die darin mitgegebene Abbildung der äußeren Bedingungen der Produktion und Reproduktion des gesellschaftlichen Lebens zu reduzieren. Die Scheinradikalität dieser Position steht freilich in umgekehrtem Verhältnis zum Wesen der Kunst, die in ihrer notwendigen Idealorientiertheit immer über den Status quo Hinausweisendes impliziert; sie befindet sich darum ebenso im Widerspruch zur marxistisch-leninistischen Auffassung des Ästhetischen. Das Gegenstück also zur reproduzierten romantischen „Schönseeligkeit“, zur überschwenglichen Verwindung der Misere, ist die mechanisch-materialistische Seelenlosigkeit, die Gefahr eines starren Determinismus, der platten Bestätigung der Misere. Es war vor allem Georg Lukács, der – seiner Verdienste ungeachtet – der marxistischen Literaturwissenschaft zu ihrem Schaden und nicht ohne beträchtlichen Folgenreichtum diesen Weg nahegelegt hat. Denn das alles gilt nicht lediglich für die wissenschaftlich-theoretische Analyse des Erbes, sondern gleichwohl für dessen gestalterisch-praktische Verwirklichung in den darstellenden Künsten.

IV

Im Grunde genommen haben die – mit Ausnahme Adam Müllers und Franz von Baaders ökonomisch kaum gebildeten – deutschen Romantiker gleichsam nur den sentimentalischen Schluß aus den Anschauungen des Begründers der wissenschaftlichen politischen Ökonomie, Adam Smith, gezogen, indem sie die *Arbeit als Fluch* zur *Lust des Müßiggangs* oder zumindest zur Sehnsucht nach Freiheit von materieller Lebenstätigkeit umstilisierten. Smith hatte wohl, wie Marx schrieb, noch nicht geahnt, daß „Selbstverwirklichung, Vergegenständlichung des Subjekts, daher reale Freiheit, deren Aktion eben die Arbeit", gerade darin besteht, daß die „Überwindung von Hindernissen an sich Betätigung der Freiheit" ist, indem „die äußren Zwecke den Schein bloß äußrer Naturnotwendigkeit abgestreift erhalten und als Zwecke, die das Individuum selbst erst setzt, gesetzt werden". Er hatte – und das ist in Hinsicht auf die Romantiker von Bedeutung – jedoch „Recht, daß in den historischen Formen der Arbeit als Sklaven-, Fronde-, Lohnarbeit die Arbeit stets repulsiv, stets als *äußre Zwangsarbeit* erscheint und ihr gegenüber die Nichtarbeit als ‚Freiheit und Glück'. Es gilt doppelt: von dieser gegensätzlichen Arbeit; und, was damit zusammenhängt, der Arbeit, die sich noch nicht die Bedingungen, subjektive und objektive, geschaffen hat (oder auch gegen den Hirten- etc. -zustand, die sie verloren hat), damit die Arbeit travail attractif, Selbstverwirklichung des Individuums sei, was keineswegs meint, daß sie bloßer Spaß sei, bloßes amusement, wie Fourier es sehr grisettenmäßig naiv auffaßt."[33]

Die Differenz zwischen der Auffassung der Arbeit durch die aufklärerisch-wissenschaftliche Nationalökonomie einerseits und die Romantik andererseits ist vollkommen evident: Während Smith sie ohne Schönrednerei, ja brutal, aber ohne Apologetik, im Sinne des Bourgeois auslegte, so daß Arbeit immer – und gerade in ihrer gegenwärtigen historisch gegebenen Form, der Lohnarbeit – als Zwang und unabwendbare äußere Notwendigkeit auftritt, übersprangen die Romantiker diese harten geschichtlichen Tatsachen und endeten bei einer kritisch-utopischen Absage an die Möglichkeit *freier* gesellschaftlich notwendiger Arbeit überhaupt, um die Selbstverwirklichung des schöpferischen Individuums allein in der elitären geistigen, namentlich künstlerischen Tätigkeit und Lebensweise zu erblicken. So betrachtet, war dies – der Richtung nach – das reaktionär-utopische Pendant zur progressiv-utopischen Auffassung der gleichzeitigen utopischen Sozialisten, bei denen die Enttäuschung angesichts der kapitalistischen Produktionsweise umschlug in die Euphorie, die materielle Lebenstätigkeit sogleich als bloßes Vergnügen zu prophezeien. Naturgemäß bildete der Grundprozeß des Übergangs vom Feudalismus zur bürgerlichen Gesellschaft, die Kapitalisierung des Grundeigentums, die absolute Grenze für das Verständnis der Romantiker, denn der feudale Grundbesitz war zugleich das letzte wirkliche Refugium ihres idealistischen Antikapitalismus und abstrakten Humanismus. „Diese Verschacherung des Grundeigentums, die Verwandlung des Grundeigentums in eine Ware ist der letzte Sturz der alten und die letzte Vollendung der Geldaristokratie." Über eben diesen Vorgang weinte die Romantik ihre

„sentimentalen Tränen“: „Sie verwechselt immer die Schändlichkeit, die in der *Verschacherung der Erde* liegt, mit der ganz vernünftigen, innerhalb des Privateigentums notwendigen und wünschenswerten Konsequenz, welche in der *Verschacherung des Privateigentums* an der Erde enthalten ist.“ Denn es ist „das feudale Grundeigentum schon seinem Wesen nach die verschacherte Erde, die dem Menschen entfremdete und daher in der Gestalt einiger weniger großen Herrn ihm gegenübertretende Erde.“[34] Diese ‚Verwechslung‘ zieht sich durch von den Anfängen der Frühromantik bis an die Schwelle der bürgerlichen Revolution in Deutschland, was ihre bedeutende ästhetische Gestaltung angeht von Novalis' *Ofterdingen* bis zu Eichendorffs *Taugenichts;* und sie begegnet – in apologetischer Form – noch allenthalben selbst in der Literatur des späten 19. und beginnenden 20. Jahrhunderts.

Hingegen behielten durchgängig die Frühromantiker – da ihnen die ökonomischen Einsichten nicht gegeben waren – einen unter politisch-philosophischem Aspekt durchaus vernünftigen Standpunkt. Die Position der politischen Vernunft, Erbgut der Aufklärung, schloß am Ende jedwede Verherrlichung des Adels und seiner Herrschaft aus. Novalis fühlte sich ganz als bürgerlicher Intellektueller, als ein Ideologe, und widmete derjenigen Klasse, der er von Geburt zugehörte, kaum eine bemerkenswerte Zeile; und Friedrich Schlegel schrieb noch zur Zeit des napoleonischen Vormarschs: „Nur wenn der Adel das Geschäft des Königs übernimmt, ist er ein nothwendiger ... Stand, ohne diese Bestimmung“ aber nichts als „bloßer Familienstolz, Familienerinnerung“, überhaupt eine „zwecklose widersinnige“ Erscheinung.[35]

Gerade diese politisch-philosophische Einstellung zog es nach sich, daß die scheinbar lediglich politischen (und nicht gleichwohl oder zuvörderst ökonomischen Interessen und Gesetzen folgenden) Bewegungen der Revolution in Frankreich nach dem Thermidor sich Schritt für Schritt in den Anschauungen der Frühromantiker niederschlugen. Die deutsche Romantik entwickelte sich in genauer Parallelität zu den nachthermidorianischen Phasen der Französischen Revolution und als deren direkter ideologischer Reflex. Die entscheidenden Zäsuren bildeten dabei die Jahre der verschärften Klassenkämpfe und Massenaufstände um 1795/96 (bis zum Höhepunkt der „Verschwörung der Gleichen“ unter dem utopischen Kommunisten Babeuf gegen die großbourgeoise Diktatur der Revolutionsgewinnler), Verfall und Sturz des korrupten Direktoriums durch Napoleon (am 18. Brumaire 1799) und die Errichtung des Konsulats sowie schließlich der Übergang zum Kaiserreich Bonapartes (1804), des starken Mannes der französischen Großbourgeoisie, der jedoch zugleich auch die Hoffnung der betrogenen und ausgeplünderten Massen gewesen ist.

Die Fortbildung der romantischen Ideologie ist unter diesem Betracht mit wenigen Sätzen authentisch zu bezeugen. Für eine kurze Dauer um das Jahr 1796 hatte noch, wie schon angedeutet, der junge Friedrich Schlegel in der „transitorischen Diktatur“ eine „politisch mögliche Repräsentation“, eine „republikanische, vom Despotismus wesentlich verschiedne Form“ gesehen sowie den „Republikanismus“ als „notwendig demokratisch“ und den „absoluten Despotismus“ als einen „Antistaat“ definiert.[36] Doch schon bald darauf – 1797/98 – war sein Freund Hardenberg, im Zuge einer Art Transzendierung der staatstheoretischen Begrifflichkeit, dazu gelangt, eine „wahre Demokratie" den „absoluten Minus-Staat" und eine „wahre Monarchie" den „absoluten Plus-Staat" zu nennen, indem „Demokratie, im gewöhnlichen Sinn, . . . im Grunde von der Monarchie nicht verschieden" sei, „nur daß hier der Monarch eine Masse von Köpfen ist". Ließe sich aber – wie Novalis meinte – die „gemäßigte Regierungsform" als eine lebendige Durchdringung von „Naturwillkür und Kunstzwang" herstellen, „so wäre das große Problem gelöst"; denn „der Geist macht beydes flüssig" und „ist jederzeit poëtisch", so daß der „poëtische Staat" am Ende der „wahrhafte, vollkommne Staat" sei.[37] So erscheint jener Gedanke, der für Schiller, als sich die Revolution in Frankreich auf ihrem Höhepunkt befand, noch eine grandiose Variante aufklärerischer Utopie gewesen war,[38] in der Novalisschen Rezeption nur mehr als eine hoffnungslose Ausflucht vor dem Druck der gegebenen Wirklichkeit. Er weist auf das nahe Ende der progressiven Utopiebildung überhaupt.

Gegen die Jahrhundertwende dann war der Glaube an die *reale* Möglichkeit einer demokratischen Republik auch aus den besten Köpfen der deutschen Frühromantikergeneration verflogen. 1798 schrieb Novalis: „Vielleicht lieben wir alle in gewissen Jahren Revolutionen, freie Concurrenz, Wettkämpfe und dergleichen demokratische Erscheinungen. Aber diese Jahre gehn bei den Meisten vorüber – und wir fühlen uns von einer friedlicheren Welt angezogen, wo eine Centralsonne den Reigen führt, und man lieber Planet wird, als einen zerstörenden Kampf um den Vortanz mitkämpft."[39] Gleichfalls Schlegel räsonnierte zur selben Zeit: „Die vollkommne Republik müßte nicht bloß demokratisch, sondern zugleich auch aristokratisch und monarchisch seyn; innerhalb der Gesetzgebung der Freyheit und Gleichheit müßte das Gebildete das Ungebildete überwiegen und leiten und alles sich zu einem absoluten Ganzen organisiren." Vor allem aber mußte bereits die Bedeutung der wirklichen, konkreten Revolution von einem weltgeschichtlichen in ein nationalgeschichtliches, ja nationalpsychologisches Ereignis umformuliert werden: „Man kann die französische Revoluzion als das größte merkwürdigste Phänomen der Staatengeschichte betrachten, als ein fast universelles Erdbeben, eine unermeßliche Überschwemmung in der politischen Welt; oder als ein Urbild der Revoluzionen, als die Revoluzion schlechthin . . . Man kann sie aber auch betrachten als den Mittelpunkt und den Gipfel des französischen Nazionalkarakters, wo alle Paradoxien desselben zusammengedrängt sind; als die furchtbarste Groteske des Zeitalters, wo die tiefsinnigsten Vorurtheile und die gewaltsamsten Ahndungen desselben in ein grauses Chaos gemischt . . . sind."[40] Und ein reichliches Jahr darauf heißt es: „Nichts ist mehr Bedürfniß der Zeit, als ein geistiges Gegengewicht gegen die Revoluzion, und den Despotismus, welchen sie durch die Zusammendrängung des höchsten weltlichen Interesse über die Geister ausübt. Wo sollen wir dieses Gegengewicht suchen und finden? die Antwort ist nicht schwer; unstreitig in uns . . ."[41] Diese Verinnerlichung der Fragestellung – eine Folge der Ambitendenz der Übergangsperiode – war nur die Kehrseite dessen, was Joseph Görres zur selben Zeit, politisch gedacht, in die Worte faßte: „Ich glaube, daß unser Jahrhundert reif dazu war, die despotische Form mit einer angemesseneren zu verwechseln, und daß ihre längere Beibehaltung ein Unglück für das Menschengeschlecht gewesen wäre. – Ich glaube, daß das Jahrhundert für die Einführung der demokratischen Form noch nicht erschienen ist und auch noch so bald nicht erscheinen wird."[42]

Nach der Errichtung schließlich des napoleonischen Kaiserreichs, die Novalis nicht mehr erlebte, glaubte Friedrich Schlegel im reinen Republikanismus, der „durch kein monarchisches Prinzip beharrlich und dauerhaft gemacht wird", den „Keim der Zwietracht schon ursprünglich enthalten"; er sah die „Freiheit" in „Zügellosigkeit, die Volksherrschaft in Pöbelherrschaft ausarten" und durch den „wechselseitige(n) Vernichtungskampf der Parteien . . . endlich das Ganze in dem Zustande völliger Auflösung und Kraftlosigkeit dem ersten Despoten in die Hände" geliefert, „der Kraft und Verstand genug hat, die losgelassnen Zügel zu fassen und nach Willkür zu regieren".[43] Für Schlegel war nach 1804 der demokratische Republikanismus nichts mehr als „nur ein vorübergehendes Meteor", das zwar „einzelne lichte, glänzende Momente hat, aber schnell im Sturme bürgerlicher Zwietracht erlischt und Zerstörung und Verwirrung zurückläßt".[44] Hinter all dem jedoch stand nichts weniger als bornierte Restaurationsgesinnung. Es ringt darin vielmehr der Überdruß an bereits über eineinhalb Jahrzehnte andauernden, ihrem Wesen nach noch undurchschaubaren Kriegen und Klassenkämpfen, die Sehnsucht nach Frieden um gedanklichen Ausdruck. Und so konnte es geschehen, daß sich bereits an der Jahrhundertwende bei Novalis Sätze finden, die – fast mit den gleichen Worten – den Bogen zu jenen vorwärts schlagen, die Goethe auf dem Höhepunkt der Befreiungskriege gegenüber dem Historiker Heinrich Luden sprechen wird.[45] Bei Hardenberg heißt es: „Deutschland geht einen langsamen aber sichern Gang vor den übrigen europäischen Ländern voraus. Während diese durch Krieg, Spekulation und Parthey-Geist beschäftigt sind, bildet sich der Deutsche mit allem Fleiß zum Genossen einer höhern Epoche der Cultur, und dieser Vorschritt muß ihm ein großes Uebergewicht über die Andere(n) im Lauf der Zeit geben. In Wissenschaften und Künsten wird man eine gewaltige Gärung gewahr. Unendlich viel Geist wird entwickelt. Aus neuen, frischen Fundgruben wird gefördert . . ."[46]

Selbstredend war derlei verschieden interpretierbar. Tatsache ist, daß die Reaktion alsbald die Ambitendenz der romantischen Urteile und deren Hang zur Verinnerlichung der Problematik sich zunutze machte, sie in ihrem Klasseninteresse verwertete; auf solche Art wurde die theoretische Grundlage dafür geschaffen, daß der Sturz Napoleons schließlich von allen Siegermächten als das Ende der Französischen Revolution und der Triumph der Legitimität angesehen werden konnte.[47] Das Ganze erklärt aber auch, wieso der feudale Grundbesitz mit allen seinen Requisiten über Jahrzehnte hin ein ästhetisches Refugium der deutschen Literatur zu bilden vermochte. Es war dies die reale Alternative zu den utopischen Höhenflügen uneingetroffener Verheißungen und der mit dem Verzicht auf politische Freiheit erkaufte Trost über das Unbehagen in der dennoch entstehenden Welt der Arbeit und (bloß physischen) Bedürfnisbefriedigung, in welcher sich am Ende das Existenz*mittel* des Menschen in seinen Existenz*zweck* verkehrte.

Den all dem zugrunde liegenden Vorgang in seiner weltgeschichtlichen Dimension hat Friedrich Engels schließlich auf eine einmalig konzise und zugleich anschauliche Weise in wenige Sätze zusammengefaßt: „Wir sahen . . ., wie die französischen Philosophen des

18. Jahrhunderts, die Vorbereiter der Revolution, an die Vernunft appellierten, als einzige Richterin über alles, was bestand. Ein vernünftiger Staat, eine vernünftige Gesellschaft sollten hergestellt, alles, was der ewigen Vernunft widersprach, sollte ohne Barmherzigkeit beseitigt werden. Wir sahen ebenfalls, daß diese ewige Vernunft in Wirklichkeit nichts andres war, als der idealisierte Verstand des eben damals zum Bourgeois sich fortentwickelnden Mittelbürgers. Als nun die französische Revolution diese Vernunftgesellschaft und diesen Vernunftstaat verwirklicht hatte, stellten sich daher die neuen Einrichtungen, so rationell sie auch waren, gegenüber den frühern Zuständen, keineswegs als absolut vernünftige heraus ... Es fehlten nur noch die Leute, die diese Enttäuschung konstatierten, und diese kamen mit der Wende des Jahrhunderts. 1802 erschienen Saint-Simons Genfer Briefe; 1808 erschien Fouriers erstes Werk, obwohl die Grundlage seiner Theorie schon von 1799 datierte; am ersten Januar 1800 übernahm Robert Owen die Leitung von New Lanark."[48]

V

Will man den bedeutenden Vertretern der literarisch-philosophischen (nicht der späteren politisch-historischen) Romantik – was ihre Reaktion auf jene Prozesse angeht – in aller Gerechtigkeit einen geschichtlichen Ort zuweisen, so drängen sie sich selber bei näherem Zusehen, auf die Jahre genau, in diesen Zusammenhang. Es ist ihnen keine größere Ehre zu erweisen als die Feststellung, daß sie auf ihre Weise, aber gleichzeitig mit den utopischen Sozialisten, die Enttäuschung über die um die Jahrhundertwende sichtbar hervortretenden Zustände konstatierten, auf den Begriff und ins Bild zu bringen suchten. Daß es ihnen, ohne die Genialität und die praktisch-sozialen wie wissenschaftlich-theoretischen Voraussetzungen jener, nicht gelang, die Enttäuschung gleichwohl in einen Neuansatz vorwärtsweisender gesellschaftsphilosophischer Überlegungen zu verwandeln, gehört auf ein anderes Blatt.

Wie aber der utopische Sozialismus im wissenschaftlichen aufgehoben ist, und zwar ohne seinen Charakter einer historisch eigenständigen praktisch-geistigen Leistung aufzugeben, so sind die Leistungen des nachfolgenden Realismus in der Literatur nicht ohne die romantischen Errungenschaften denkbar: ein Umstand, der noch bei Heine, Hugo oder Balzac, die alle ihre Geburtsjahre mit der Entstehung der Romantik gemein haben, und selbst bei Dickens mit bloßem Auge zu erkennen ist – von allen verborgeneren und darum schon als Selbstverständlichkeit akzeptierten Weiterungen zu schweigen. Die Widersprüche der Geschichte indessen sind kompliziert: Während die englischen und französischen utopischen Sozialisten – einschließlich der genialen Einsichten der „romantischen" politischen Ökonomie Sismondis – die äußeren Verhältnisse des vereinzelten Individuums als Voraussetzung seiner inneren zu ihrem Gegenstand machten und sie theoretisch wie praktisch menschlich zu regeln suchten, entdeckte die literarische Romantik, gerade indem sie die unmenschliche Vereinzelung der Individuen als äußerlich irreversibel begriff, die differenzierte interne Welt des humanen Invididuums als eine Voraussetzung für die volle Ausgestaltung des Menschenmöglichen in der ganzen modernen Literatur – bis hinein in die des sozialistischen Realismus.

Es wäre deshalb vollkommen verfehlt, weil undialektisch, das Phänomen der Romantik an eine einzige, womöglich die feudale Klasse zu knüpfen, gar mit der ausschließlichen Vorstellung von Reaktion, Passivität oder Verfall zu behaften.[49] Die Romantik ist ein Produkt der durch die bürgerlich-demokratische Umwälzung selbst in die Geschichte eingetretenen und offenbar gewordenen Zustände und Widersprüche, keinesfalls reiner Ausdruck der Restauration gewesen.[50] Zudem war, als die Romantik in Deutschland und Frankreich auftrat, diese Revolution – gemessen an den sie treibenden Postulaten und Idealen – schon wieder von sich selber abgefallen; sie hatte etwas auf die Welt gesetzt, das gar nicht in ihrer subjektiven Absicht gelegen hatte. Die Romantik nahm allerdings, ohne daß ihr ursprüngliches Wesen, nämlich modern, auf die wirkliche Gegenwart orientiert zu sein, sich verkehrt hätte, in beiden Ländern einen gegenläufigen Weg, der jeweils dem Verlauf der zugrunde liegenden Gesellschaftsbewegung geschuldet war: Sie durchlief in Frankreich den Weg von einer offen gegenrevolutionären Einstellung (Chateaubriand, Bonald, de Maistre) über den linken Liberalismus der Geschichtsschreibung eines Jules Michelet oder Augustin Thierry bis zur radikalen poetisch-realistischen Gesellschaftskritik Stendhals oder Victor Hugos. Sie begann, aus der Perspektive Betrachtender, in Deutschland „mit dem Bestreben, die Folgerung der leidenschaftlich bejahten Französischen Revolution für die Umgestaltung der deutschen Welt und der politischen Welt überhaupt zu ziehen"[51]; und sie endete, über Adam Müller, den jungen F. K. von Savigny, Görres oder den späten Brentano verlaufend, im organistischen Konservatismus der Historischen Schule oder dem philosophischen Obskurantismus des alten Schelling, während sie immerhin in einzelnen literarischen Persönlichkeiten, wie Jacob Grimm, Bettina von Arnim, Uhland, Chamisso, einen liberalen Standpunkt gewann und mit Heinrich von Kleist, E. T. A. Hoffmann und dem reifen Ludwig Tieck zum Realismus überleitete.

Dieser gegenläufige Weg der französischen und deutschen Romantik ist einigermaßen vergröbert gezeichnet. Aber er entspricht im großen und ganzen der wirklichen gesellschaftlichen Bewegung. So bleibt denn die undifferenzierte Beurteilung dieses Erbes unverständlich, die die deutsche Romantik „als Ganzes mit vorwiegend reaktionären Zügen belastet" sieht, nicht recht weiß, was sie mit ihrer „Wende zur Kunst und Literatur des Mittelalters" als Spezifikum anfangen soll[52] (weil auch dies lediglich ein weitergetriebenes Erbe der Aufklärung gewesen ist), und gleichzeitig Eichendorffs *Taugenichts,* der nur eine reife Frucht von allem war, zum allgemeinen Bildungsgut (im übrigen mit Recht) erhebt. In solcher Scheu vor dem Bekenntnis auch zu diesem (wie jedes andere ebenfalls nur kritisch anzueignenden) Erbe liegt eine dialektikferne Inkonsequenz, aus der immer wieder die lukácsianische Antithese Klassik – Romantik hervorsieht. Insofern gerade die Romantik vor allem vermittelt, nicht direkt beerbt wird, muß das stete vereinseitigte Betonen ihrer politisch-ideologischen und historischen Anschauungen in einem leeren opus operatum enden: ein Verfahren, das übrigens bei Autoren wie Balzac oder Tolstoi nicht viel anders ausginge.

Sieht man genau hin, so sind aber nicht einmal in diesen Fragen die Grundpositionen so himmelweit voneinander entfernt, wie es im gängigen Bilde der Literaturgeschichte immer wieder erscheint. Wer verübelt schon Goethe noch ernsthaft, daß er nach 1789 natürlich – aus gutem Grund – niemals gegen den Feudalismus und die Monarchie gekämpft, im Gegenteil einige törichte antirevolutionäre Dramen verfaßt hat; daß er – was die nationale Seite angeht – Napoleon bewundert, seinem Sohn die Teilnahme an den Befreiungskriegen untersagt und mit den preußischen Halb-und-halb-Reformen, wie sie Engels nannte, paktiert hat? Man kann das eine – beispielsweise Goethes zauderndes Verhalten zur Französischen Revolution, seine wenig noblen Urteile über die französischen und deutschen Jakobiner usw. – als bedauerlichen Irrtum dem Genie zugute schreiben und dennoch nicht übersehen, wie sein ganzes reifes Werk – von der *Iphigenie* und dem ersten *Faust* über den *Wilhem Meister* und die *Wahlverwandtschaften* bis zu den *Wanderjahren* und *Faust II* – innerlich von ihren Ideen und Erfahrungen lebt. Man kann aber schon gar nicht so tun, als ob das andere – Goethes Reformwille, der sich auf der Höhe der zeitgenössischen deutschen Möglichkeiten befand – realiter durch etwas Besseres zu ersetzen gewesen wäre.

So betrachtet, befinden sich die Frühromantiker in gar keiner schlechten Gesellschaft. Über ihre (sich wandelnde) Stellung zur Revolution wurde schon gesprochen; doch ihre (sich freilich auch verändernde) Stellung zur Reform im Umkreis der besten Köpfe Deutschlands ist nicht minder aufschlußreich. Noch 1796 hatte Friedrich Schlegel das „Kriterium der Monarchie“ in der „größtmöglichste(n) Beförderung des Republikanismus“ gesehen,[53] womit er weit über Kant hinausgegangen war. Und zwei Jahre darauf hat sich Novalis höchst ungnädigen Recherchen nach seinem wahren Autornamen durch Friedrich Wilhelm III. ausgesetzt, in dessen hohenzollernschem Korporalverstand für die Idee einer Art Demokratisierung des Geistes kein Platz war. Obwohl bereits gemäßigter denkend und formulierend als Schlegel, mußte Hardenberg die Fortsetzung einer Publikation unterlassen, die Sätze wie diese enthalten hatte: „Ein König . . . sollte nicht bloß militairische Gesellschafter und Adjutanten haben. Warum nicht auch civilistische? . . . Hier allein würde jener eingeschränkte Geist verschwinden, jener Pedantismus der Geschäftsmänner . . . Dieses kleinstädtische Wesen ist überall sichtbar und verhindert am meisten ächten Republikanismus, allgemeine Theilnahme am ganzen Staate, innige Berührung und Harmonie aller Staatsglieder.“[54]

Die Ideen und die Praxis der Revolution Frankreichs waren an keinem denkenden Kopf Deutschlands spurlos vorübergegangen; aber es war auch nicht möglich, über die deutschen Zustände einfach hinwegzusehen. So begegnet eben selbst bei den preußischen Halb-und-halb-Reformen, deren Verdienste für den Emanzipationsprozeß der bürgerlichen Klasse in Deutschland nichtsdestoweniger feststehen, ein Bild der Monarchie, das sehr wenig mehr mit demjenigen gemein hatte, das sich die Monarchen von sich selber machten, aber notgedrungen und widerwillig – wie der König von Preußen – erst einmal akzeptieren mußten. In dem politischen Programm, das Karl August von Hardenberg, der spätere preußische Staatskanzler, nach der Niederlage gegen Napoleon 1807 Friedrich Wilhelm III. auf den Tisch legte, stand geschrieben: „Also eine Revolution im guten Sinne, gerade hinführend zu dem großen Zwecke der Veredelung der Menschheit, ... nicht durch gewaltsame Impulsion von innen oder außen, – das ist unser Ziel, unser leitendes Prinzip. Demokratische Grundsätze in einer monarchischen Regierung: dieses scheint mir die angemessene Form für den gegenwärtigen Zeitgeist."[55] Und Hegel reduzierte in seinen geschichtsphilosophischen Vorlesungen, die „Lage der Gegenwart" und die Deutschlands beschreibend, im letzten Lebensjahrzehnt, noch unter der Regierung desselben Friedrich Wilhelm also, von seinem Katheder aus unweit des königlichen Schlosses regelmäßig den Monarchen im Gegensatz zu dessen selbstgefühlter Sendung auf eine formale Existenz: „Die Lehnsverbindlichkeiten sind aufgehoben, die Prinzipien der Freiheit des Eigentums und der Person sind zu Grundprinzipien gemacht worden ... Die Regierung ruht in der Beamtenwelt, und die persönliche Entscheidung des Monarchen steht an der Spitze ... Doch bei feststehenden Gesetzen und bestimmter Organisation des Staates ist das, was der alleinigen Entscheidung des Monarchen anheimgestellt worden, in Ansehung des Substanziellen für wenig zu achten. Allerdings ist es für ein großes Glück zu halten, wenn einem Volk ein edler Monarch zugeteilt ist. Doch auch das hat in einem großen Staat weniger auf sich; denn dieser hat die Stärke in seiner Vernunft."[56]

Es geht hier nicht um die Analyse der Besonderheiten, der verschieden motivierten Standpunkte. Offenkundig ist, daß sie alle, weil aus denselben Quellen gespeist, auf *einer* großen Linie liegen. Die Unterschiede beruhen vor allem im jeweils unterschiedlichen Alter, damit der unterschiedlichen Bildung und Erfahrung der Autoren sowie auch der Zwecksetzung. Die Schwäche der noch sehr jungen Frühromantiker bestand vor allem darin, daß sie sozusagen radikal-modernistisch auftraten, alle Bindung an das Ancien régime sogleich im Handumdrehen abstreifen wollten und nicht verstanden, wie es auch darauf ankommen konnte, dessen soziale Möglichkeiten im Sinne des fortschreitenden bürgerlichen „Geistes" zu nützen. So und nicht anders war Voltaire zu einer ideologischen Großmacht geworden; so und nicht anders stellte es sich auch noch zu Anfang der romantischen Bewegung Goethes Wilhelm Meister dar, den die Romantiker zuerst bewunderten, dann bezweifelten und bald als ihren Widergeist befehdeten. Er hatte an seinen Schwager Werner, das lebensnotwendige bourgeoisphiliströse Pendant zu seiner intendierten bürgerlich-freien Künstlerexistenz, geschrieben: „Ein Bürger kann sich Verdienst erwerben und zur höchsten Not seinen Geist ausbilden; seine Persönlichkeit geht aber verloren, er mag sich stellen, wie er will." Der „Edelmann" hingegen sei „eine öffentliche Person ..., und alles übrige, was er an und um sich hat, Fähigkeit, Talent, Reichtum, alles scheinen nur Zugaben zu sein ... Wenn der Edelmann durch die Darstellung seiner Person alles gibt, so gibt der Bürger durch seine Persönlichkeit nichts und soll nichts geben ... Jener soll tun und wirken, dieser soll leisten und schaffen; er soll einzelne Fähigkeiten ausbilden, um brauchbar zu werden, und es wird schon vorausgesetzt, daß in seinem Wesen keine Harmonie sei noch sein dürfe, weil er, um sich auf *eine* Weise brauchbar zu machen, alles übrige vernachlässigen muß."[57]

Der Gedanke, die der Idee der Humanität abträgliche und der konkreten Ausbildung der Persönlichkeit entgegenstehende moderne Arbeitsteilung auf individuelle Weise und durch zeitweilige Pakte mit dem Adel zu überwinden, gehört dem ganzen Jahrhundert an und ist – im genauen Marx-Leninschen Sinne – seinem Wesen nach utopisch; die Lösung liegt jenseits der bürgerlich-kapitalistischen Formation. Vorläufig gab es nur eine Alternative: die aufklärerisch-klassische oder die romantische Antwort, von denen – unter diesem Aspekt – die eine nur das dialektische Korrelat der andern darstellt. Sie gehören als ein Epochencharakteristikum zusammen, wobei jene sich durch die größere Klugheit, diese durch die größere Konsequentheit ausweist. Um beim *Wilhelm Meister* als einem Paradigma zu bleiben, so hat Hegel die erste, Novalis die zweite am treffendsten formuliert.[58] Beide Aspekte erst, der Goethe-Hegelsche und der Novalissche, der klassische und der romantische, zusammengenommen vermitteln einen paradigmatischen Einblick in die innere Dialektik der Epochenbewegung. Schon früh ist in der marxistischen Geschichts- und Literaturgeschichtsschreibung nachdrücklich, wenn auch noch nicht immer in detaillierter Fassung auf das widersprüchliche Wesen solcher Erscheinungen aufmerksam gemacht worden. Man tut gut daran, sich dessen immer wieder zu vergewissern, um im Urteil nicht der Erstarrung durch Gewöhnung zu erliegen. Ein Mann wie Franz Mehring hat auch an diesem Gegenstand seinen eminenten dialektischen Sinn für geschichtliche Tatsachen bewiesen. Für ihn spiegelte sich in der „romantischen Dichterschule" schließlich „der Zwiespalt wider, den die Fremdherrschaft zwischen den nationalen und den sozialen Interessen des Bürgertums geschaffen hatte. Nationale Ideale ließen sich nur in dem Mittelalter finden . . ., aber da die mittelalterlichen Ideale sich doch nicht in unverstümmelter Herrlichkeit wiederherstellen ließen, nachdem ein revolutionärer Sturm über den europäischen Boden gefegt war, so mischten sie den feudalen Wein, den sie aus den Kellern der Burgen und Klöster holten, mit manchem Tropfen vom nüchternen Wasser der bürgerlichen Aufklärung." Daher sei „diese Schule nicht ohne anerkennenswertes Verdienst. Sie hat die Schätze der mittelalterlichen Dichtung wiederentdeckt . . . Vor allem hat die romantische Dichterschule die köstlichen Schätze der Volksdichtung gehoben . . . Daneben verdanken wir ihr eine außerordentliche Erweiterung unseres poetischen Gesichtskreises; da sie keinen festen Boden unter den Füßen hatte, so schweifte sie hinweg zu den Kunstschätzen aller Völker und Zeiten und brachte vieles Treffliche heim . . ."[69]

Das alles kam nicht von ungefähr; und es ist deshalb unbillig, die lichtvolleren Verdienste der zweiten Phase der Romantik sowohl von deren restaurativen Schattenseiten wie zugleich dies Ganze auch noch von seiner Grundlegung, der Frühromantik, abzusondern und nach Belieben zu bewerten. Das Wesen der Sache liegt bereits in seinen Ursprüngen beschlossen. Und die paradigmatischen Ursprünge für die ganze europäische Romantik finden sich in der deutschen frühromantischen Generation: Sie hat zuerst einen Begriff vom Romantischen geschaffen. Nur haben – wie so oft in der Kulturgeschichte der Deutschen – andere, nüchterne, auch politischere Nationen aus jenen unzeitigen Blüten die Früchte zur Reife gebracht und geerntet, aus den wilden Gärungen schließlich genießbaren reinen Wein gekeltert. Für die machtausübende Arbeiterklasse aber und die sozialistische Nation kann es keinen Grund geben, Teile ihrer unumkehrbaren Vorgeschichte, die ihr geistig-emotionales Wesen mit geprägt haben, sich selber zu verbergen. Das Erbe ist solange nicht angeeignet, solange nicht jedes seiner Teile begriffen, dialektisch bemeistert, kritisch und souverän bewältigt, dem sich fortentwickelnden Bewußtsein anverwandelt und in ihm aufgehoben ist.

ANMERKUNGEN

1 G. W. F. Hegel: Ästhetik, hrsg. von F. Bassenge, Berlin 1955, S. 117 und 186.

2 Athenaeum. Eine Zeitschrift von August Wilhelm Schlegel und Friedrich Schlegel. Ersten Bandes Zweytes Stück. Berlin 1798 (Fotomechanischer Nachdruck, Berlin 1960, S. 206 und 315).

3 Vgl. Lenin: Zur Charakteristik der ökonomischen Romantik [1897], in: W. I. Lenin: Werke, Berlin 1955ff. Bd. 2, S. 217.

4 Siehe ebd., S. 243f.

5 Vgl. Lenin: L. N. Tolstoi und seine Epoche [1911], in: Werke, Bd. 17, S. 36.

6 Vgl. Lenin: Die „Bauernreform" und die proletarisch-bäuerliche Revolution [1911], ebd., S. 107.

7 Lenin: Zwei Utopien [1912], in: Werke, Bd. 18, S. 350f.

8 Zum Folgenden siehe: Friedrich Schlegel: Lucinde [1799] – Idylle über den Müßiggang (Wunderhorn-Ausg., Berlin o. J., S. 28ff.).

9 Vgl. Herbert Marcuse: Triebstruktur und Gesellschaft [1955], Frankfurt (Main) 1967 (Bibliothek Suhrkamp 158), S. 158ff.

10 Karl Marx: Zur Kritik der Hegelschen Rechtsphilosophie, Einleitung. in: MEW, Bd. 1, S. 388.

11 Vgl. Claus Träger: Novalis und die ideologische Restauration. Über den romantischen Ursprung einer methodischen Apologetik, in: Sinn und Form, 4/1961; Ursula Roisch: Analyse einiger Tendenzen der westdeutschen bürgerlichen Romantik-Forschung seit 1945, in: Weimarer Beiträge, 2/1970; was die historischen Anfänge der kritischen Auseinandersetzung mit der Romantik angeht: Maria-Verena Leistner: Romantik-Kritik im Zeitraum zwischen Goethe und Marx, Diss., Leipzig 1972.

12 Vgl. Friedrich Schlegel: Versuch über den Begriff des Republikanismus, Veranlaßt durch die Kantische Schrift zum ewigen Frieden, in: Friedrich Schlegel: Seine prosaischen Jugendschriften, hrsg. von Jacob Minor, Bd. 2, Wien 1882.

13 Vgl. Friedrich Schlegel: Georg Forster (ersch. 1797 in Reichhardts Lyzeum der schönen Künste, Bd. I/1), in: Meisterwerke deutscher Literaturkritik, Bd. 1, Berlin 1954.

14 Ludwig Tieck: Brief vom 28. Dez. 1792, in: *Werke und Briefe von Wilhelm Heinrich Wackenroder*, Berlin o. J., S. 399 und 405

15 Novalis: Brief vom 1. Aug. 1794, in: Novalis: *Briefe und Werke*, hrsg. von Ewald Wasmuth, Berlin 1943, Bd. 1, S. 115.

16 Franz Mehring: Schiller und die Gegenwart, in: Gesammelte Schriften, Bd. 10, Berlin 1961, S. 285.

17 Karl Marx: Zur Judenfrage, in: MEW, Bd. 1, S. 368 und 355.

18 Novalis: Blütenstaub, in: Novalis: Schriften, hrsg. von Paul Kluckhohn und Richard Samuel, Bd. 2, Stuttgart 1965, S. 447/449.

19 Friedrich Engels: Brief vom 27. Febr. – 1. März 1883, in: MEW, Bd. 35, S. 443.
20 Karl Marx/Friedrich Engels: Die großen Männer des Exils, in: MEW, Bd. 8, S. 273.
21 Friedrich Engels: s. Anm. 19.
22 Boris Sutschkow: Historische Schicksale des Realismus, Berlin und Weimar 1972, S. 106.
23 Karl Marx: Einleitung zur Kritik der politischen Ökonomie, in: MEW, Bd. 13, S. 615f.
24 Novalis: Die Christenheit oder Europa, in: Schriften, a.a.O., Bd. 3.
25 Karl Marx: Zur Judenfrage, a.a.O., S. 356.
26 Karl Marx/Friedrich Engels: Die Heilige Familie, in: MEW, Bd. 2, S. 129.
27 Friedrich Schlegel: Geschichte der alten und neuen Literatur, in: Kritische Ausgabe, hrsg. von Ernst Behler, München – Paderborn – Wien 1956ff., Bd. 6, S. 411.
28 Vgl. dazu Friedrich Engels: Briefe an Joseph Bloch vom 21. Sept. 1890 und Conrad Schmidt vom 27. Okt. 1890, in: MEW, Bd. 37, S. 462ff. und 488ff.
29 Karl Marx: Zur Judenfrage, a.a.O., S. 357.
30 Am 4. Januar 1824 (!) – äußerte Goethe gegenüber Eckermann: „Es ist wahr, ich konnte kein Freund der Französischen Revolution sein, denn ihre Greuel standen mir zu nahe und empörten mich täglich und stündlich, während ihre wohltätigen Folgen damals noch nicht zu ersehen waren. Auch konnte ich nicht gleichgültig dabei sein, daß man in Deutschland *künstlicherweise* ähnliche Szenen herbeizuführen trachtete, die in Frankreich Folge einer großen Notwendigkeit waren . . . Revolutionen sind ganz unmöglich, sobald die Regierungen fortwährend gerecht und fortwährend wach sind, so daß sie ihnen durch zeitgemäße Verbesserungen entgegenkommen und sich nicht so lange sträuben, bis das Notwendige von unten her erzwungen wird.“
31 Friedrich Schleiermacher: Brief vom 14. Febr. 1793, in: Schleiermacher: Briefe, hrsg. von Martin Rade, Jena 1906, S. 45.
32 Vgl. G. W. F. Hegel: a.a.O., S. 104ff.
33 Karl Marx: Grundrisse der Kritik der politischen Ökonomie, Berlin 1953, S. 505.
34 Karl Marx: Ökonomisch-philosophische Manuskripte, in: MEW, Ergänzungsband, 1. Teil, S. 505.
35 Friedrich Schlegel: Philosophische Vorlesungen aus den Jahren 1804 bis 1806, hrsg. von C. J. H. Windischmann, Bonn 1836/37, Bd. 2, S. 367.
36 Vgl. Friedrich Schlegel: Versuch über den Begriff des Republikanismus, a.a.O., S. 60, 62f. und 70f.
37 Novalis: Blütenstaub, a.a.O., S. 468.
38 Vgl. Schillers Theorie eines „ästhetischen Staats“ im 27. Brief der Abhandlung Über die ästhetische Erziehung des Menschen [1793].
39 Novalis [Politische Aphorismen], in: Schriften, a.a.O., Bd. 2, S. 503.
40 Athenaeum, a.a.O. (I, 2), S. 232 und 309f.
41 Athenaeum, Dritten Bandes Erstes Stück, Berlin 1800, S. 10.
42 Joseph von Görres: Mein Glaubensbekenntnis, in: Ausgewählte Werke und Briefe, hrsg. von Wilhelm Schellberg, Kempten und München 1911, Bd. 1, S. 36.
43 Friedrich Schlegel: Philosophische Vorlesungen, a.a.O., S. 331f.
44 Ebd., S. 365.
45 Die berühmte Äußerung Goethes von 1813 gegenüber Luden lautet: „Ja, das teutsche Volk verspricht eine Zukunft und hat eine Zukunft . . . Aber die Zeit, die Gelegenheit vermag ein menschliches Auge nicht vorauszusehen, und menschliche Kraft nicht zu beschleunigen oder herbei zu führen. Uns Einzelnen bleibt inzwischen nur übrig, einem jeden nach seinen Talenten, seiner Neigung und seiner Stellung, die Bildung des Volkes zu vermehren, zu stärken und durch

dasselbe zu verbreiten nach allen Seiten . . ., damit es nicht zurück bleibe hinter den anderen Völkern, sondern wenigstens hierin voraufstehe . . ." (Vgl. Heinrich Luden: Rückblicke in mein Leben, Jena 1847, S. 119ff.).

46 Vgl. Novalis: Die Christenheit oder Europa, a.a.O., S. 519.

47 Siehe dazu: Friedrich Engels: Deutsche Zustände, in: MEW, Bd. 2, S. 572.

48 Friedrich Engels: Anti-Dühring, in: MEW, Bd. 20, S. 239f.

49 Siehe hierzu: Anatoli Lunatscharski: Die Romantik [1928], in: Das Erbe. Essays – Reden – Notizen, Dresden 1965 (Fundus-Bücher 14), S. 30ff.

50 Vgl. zum folgenden auch: Werner Krauss: Französische Aufklärung und deutsche Romantik, in: Wissenschaftliche Zeitschrift der Karl-Marx-Universität Leipzig, 12. Jg., 1963, Gesellschafts- und Sprachwissenschaftliche Reihe, Heft 2, S. 500f.

51 Werner Krauss: ebd., S. 501.

52 Vgl. Hans-Dietrich Dahnke: Literarische Prozesse in der Periode von 1789 bis 1806, in: Weimarer Beiträge, 11/1971, S. 55 und 64.

53 Friedrich Schlegel: Versuche über den Begriff des Republikanismus, a.a.O., S. 66.

54 Novalis: Glauben und Liebe, in: Schriften, a.a.O., Bd. 2, S. 495f.

55 Zitiert nach G. Winter: Die Reorganisation des Preußischen Staates unter Stein und Hardenberg, Bd. 1, Leipzig 1931, S. 306.

56 G. W. F. Hegel: Vorlesungen über die Philosophie der Weltgeschichte, Berlin 1970, Bd. 4, S. 937.

57 J. W. Goethe: Wilhelm Meisters Lehrjahre (V. Buch, 3. Kap.), in: Hamburger Ausgabe, Bd. 7, S. 290f.

58 Vgl. Hegel: Ästhetik, a.a.O., S. 983, S. 557 und Novalis: Briefe und Werke, a.a.O., Bd. 3, S. 278f.

59 Franz Mehring: Deutsche Geschichte vom Ausgange des Mittelalters, in: Gesammelte Schriften, Bd. 5, Berlin 1964, S. 106f.

Das Phantom unseres Ichs und die Literaturpsychologie: E. T. A. Hoffmann – Freud – Lacan*

FRIEDRICH A. KITTLER

Den Alpbacher Gesprächspartnern

Die Literaturpsychologie ist so fragwürdig und mehrdeutig wie ihr Name. Er läßt offen, ob die Psychologie von Literatur oder die Literatur von Psychologie spricht.

Seit der Epoche, die dem literarischen Schreiben den Wunsch oder das Gesetz zuschrieb, „neugefundene Räder in dem unbegreiflichen Uhrwerk der Seele" vorzuführen (Schiller)[1] oder „das innere Gebilde mit allen glühenden Farben und Schatten und Lichtern auszusprechen" (Hoffmann),[2] scheint die Literatur selber Psychologie und ihre psychologische Interpretation nurmehr leere Verdopplung. Seit der Epoche, in der Freud die Literatur als einzigen „Bundesgenossen" anrief, der immer schon davon „zeugt",[3] daß die von allen anderen Wissenschaften exkommunizierten Reden des Wahns, des Traums, des Phantasmas lesbar sind und Gesetzen der Artikulation unterstehen, scheint die Literatur nur mehr eine leere Verdopplung, ein „Beweis" mehr „für die Richtigkeit" der Psychoanalyse.[4]

Um aus diesem Spiegelbezug zwischen Literatur und Psychologie herauszutreten, ist eine doppelte Dezentrierung geboten. An der Literatur wird zu zeigen sein, daß ihre Versenkung ins Innerliche nur der Innenaspekt einer Äußerlichkeit ist, die einer ganzen Literaturepoche vorschrieb, psychologisch zu reden. An der Psychoanalyse wird zu zeigen sein, daß sie keine Psychologie ist,[5] sondern es umgekehrt möglich macht, die Seele als ein Phantom zu bestimmen, das an Schnittflächen von Sprache und Körper entsteht. In dieser methodischen Absicht wähle ich als literarischen Text einen, der an der Psychologisierung der Literatur mitgewirkt und darum auch psychoanalytische Deutungen angezogen hat: Hoffmanns Erzählung ‚Der Sandmann', und als theoretischen Text Freuds Aufsatz ‚Das Unheimliche', der diese Erzählung analysiert und selber der Analyse unterzogen werden muß. Denn erst die strukturale Psychoanalyse macht es möglich, den gemeinsamen Ort von Literatur und Psychoanalyse zu erörtern.[6]

* Überarbeiteter Text eines Vortrags, der im Rahmen des ‚Literarischen Kolloquiums' im Januar 1976 an der Universität Göttingen gehalten wurde.

I

Die Handlung von Hoffmanns Erzählung ist rasch erzählt. Einen Studenten namens Nathanael befällt ein Entsetzen, das er seiner Braut Klara brieflich beschreibt. Ihm graut davor, daß sein erwachsenes Leben eine todbringende Konstellation der frühen Kindheit wiederholt. Denn der Optiker Coppola, der Nathanael nur ein Fernrohr verkaufen will, scheint dem Studenten den schrecklichen Advokaten Coppelius zu reinkarnieren. Coppelius hat einst an bestimmten Abenden den Vater des Kindes Nathanael besucht, „der Familie abwendig gemacht" (14) und als Gehilfen beim alchymischen Werk gebraucht. An diesen Abenden hat die Mutter Nathanael mit dem Argument zu Bett geschickt, der Sandmann komme. Später nennt die Mutter den Sandmann eine bloße Redensart für die Müdigkeit der Kinder, was Nathanael aber nicht glaubt, weil die Redensart Redensart nur die Besuche des Advokaten „verleugnet" (5). Eine Amme hingegen erklärt den Sandmann zur existierenden Macht, die schlafenden Kindern die Augen ausreißt. So identifiziert Nathanael Coppelius mit dem Bösen selber. Zuletzt übertritt er das mütterliche Schlafgebot, schleicht ins Zimmer des Vaters und sieht ihn mit Coppelius beim alchymischen Werk. Ein Angstschrei Nathanaels, der lauter entstehende Menschen halluziniert, verrät seine Gegenwart; Coppelius' Drohungen, ihm die Augen auszureißen und die Glieder zu verrenken und neu zusammenzusetzen, stürzen ihn in eine beinahe tödliche Ohnmacht, aus der Nathanael in den Armen seiner Mutter erwacht. Beim letzten Besuch bringt der Advokat, bevor er spurlos verschwindet, auf rätselhafte Weise den Vater zu Tod.

Klara und ihr Bruder suchen Nathanaels Wahn mit Argumenten einer transzendentalen Psychologie zu heilen, scheinbar mit Erfolg: In Nathanael verblaßt das Bild des Sandmanns, das Coppelius und Coppola umfaßt, so sehr, daß er es durch Gedichte wieder heraufbeschwören muß. Dieser magische Akt aber verzaubert den Magier selber:[7] Beim Vortrag seines Gedichts glaubt der Entsetzte, daß nicht er, sondern der besprochene Sandmann selber es spricht. Darüber kommt es zwischen ihm und Klara zum Streit und mit ihrem Bruder fast zum Duell.

Nach der Versöhnung sieht Nathanael den einmal beschworenen Sandmann wieder. Coppola verkauft ihm unter dem Titel „schöne Augen" ein Fernrohr oder Perspektiv, das Nathanael im Fenster des Nachbarhauses die schöne Olimpia, Tochter des Professors Spalanzani, sehen läßt. Nathanael verliebt sich in sie, deren einziges Wort das „Ach" der romantischen Innerlichkeit ist. Die Liebe endet im Wahnsinn: Olimpia erweist sich als eine Automatenpuppe, die von ihren zwei Erbauern Spalanzani und Coppola im Streit zerrissen wird. Als Nathanael das sieht und Spalanzani sagen hört, daß Olimpias Augen seine eigenen von Coppola „gestohlenen" sind, verfällt er „tierischem Gebrüll" und „gräßlicher Raserei" (38).

Nach einem Irrenhausaufenthalt als geheilt entlassen, sieht Nathanael bei einer Turmbesteigung mit Klara den verschollenen Coppelius wieder. Er will ihn durchs Perspektiv beobachten, sieht aber Klara mit „rollenden Augen" und sucht sie als ein „Holzpüppchen" (41) vom Turm zu stürzen. Nachdem Klara gerettet worden ist und Coppelius öffentlich Nathanaels Selbstmord vorausgesagt hat, springt das Opfer der Prophetie selber vom Turm.

Diese Geschichte von Kindheit, Liebe, Wahnsinn und Tod trägt einen Streit über den Wahnsinn aus. Nathanael schreibt sein Schicksal dem Wirken „dunkler Mächte" (21) zu; die „verständige Klara" (22) führt, ohne ihn überzeugen zu können, dies Schicksal auf einen Wahn und den Wahn auf eine Selbstverzauberung des Ich zurück. Sie erklärt die Identität von Coppelius und Coppola als Produkt einer Einbildungskraft, die den freien Willen erst in ein unabwendbares Schicksal entfremdet:

„Coppelius ist ein böses, feindliches Prinzip (. . .), aber nur dann, wenn du ihn nicht aus Sinn und Gedanken verbannst. Solange du an ihn glaubst, *ist* er auch und wirkt, nur dein Glaube ist seine Macht." (22)

„Wir selbst nur entzünden den Geist, der, wie wir in wunderlicher Täuschung glauben, aus jener Gestalt spricht. Es ist das Phantom unseres eigenen Ichs, dessen innige Verwandtschaft und dessen tiefe Einwirkung auf unser Gemüt uns in die Hölle wirft oder in den Himmel verzückt." (15)

Die Verdopplung des Subjekts in eine produktive und eine rezeptive Seite, das „Innere" also in seinem „Kampf" (14) und Selbstbezug, heißt die Quelle der Phantasmen, die nur wahnsinnige „Täuschung" in der „wahren wirklichen Außenwelt" (13) ansiedelt. Klaras Ätiologie des Wahnsinns wird von Hoffmanns ganzem Werk gestützt, und das nicht zufällig. Denn dieses Werk errichtet seine Poetologie, indem es den Wahnsinnigen als den negativen Doppelgänger des Dichters bestimmt. Der Wahnsinn produziert zwar auch eine innere Welt, kann sie aber nicht wie die Dichtung reflektieren und damit von der Außenwelt scheiden. Wenn der angehende und scheiternde Dichter Nathanael sein Gedicht über den Sandmann vom Sandmann selber gesprochen nennt, tritt die negative Entsprechung von Dichtung und Wahnsinn zutage.[8]

Poetologie und Psychologie sind solidarisch. Sie bestimmen das Subjekt als eine Doppelung, die in den Wahnsinn führt, wenn es sie nicht noch einmal reflexiv verdoppeln und vermitteln kann. Michel Foucault hat indessen gezeigt, daß diese Gegenstandsbestimmung nur das historische Apriori der transzendentalen Psychologie selber ist. Im Unterschied zu früheren rationalistischen Seelenlehren, die die Seelenvermögen an den ihnen zugeordneten Weltausschnitten und umgekehrt artikuliert und damit beide auf die Fläche *einer* transparenten und durchlaufbaren Repräsentation abgebildet haben, schreibt die Psychologie ihrem Gegenstand eine eigene Tiefe zu. Die Seele hat eine Geschichte, die den innerweltlichen Chronologien nicht synchron ist, und eine Produktivität, die auf keiner Repräsentationsfläche erscheinen kann. Dieselbe Zuschreibung begründet die neuen Wissenschaften des Lebens, der Arbeit, der Sprache. All diese Geschichtlichkeiten und Produktivitäten, wie sie Hoffmanns Erzählung in der Kindheit und in der Phantasie namhaft macht, unterhalten zu ihrer Erkenntnis einen zweideutigen Bezug: Einerseits entgehen sie der Erkenntnis, weil sie die menschliche Erkenntnis selber bedingen und ermöglichen; andererseits gibt es sie nur aus der Perspektive einer Erkenntnis, die sie an den eigenen Strukturen entdeckt: der menschlichen Erkenntnis. Laut Hoffmann sind psychische Phänomene „Erscheinungen *unseres* Seins, die wir eigentlich wieder nur selber sind, da sie uns und wir sie wechselseitig bedingen".[9] Dieser Zirkel erst führt in die Konfigurationen des Wissens den Menschen ein: als den „Ort einer empirisch-transzendentalen Reduplizierung".[10]

So ist denn der Wahnsinn, wenn er um 1800 zum Objekt der Psychologie wird, ihr notwendiger und feindlicher Bruder, ihr Doppelgänger. Die Psychologie allein kann erkennen, daß das menschliche Erkennen selber seine Entfremdung bewirkt, wie Klara das ausführt. Der Wahnsinn allein kann bezeugen, daß menschliches Erkennen nicht in friedlicher Präsenz bei sich, sondern gespalten und getrübt ist durch die Mächtigkeiten, die es erzeugt haben. In dieser Konfiguration von Psychologie und Wahnsinn behielte die beredsame Psychologie das letzte Wort, wenn nicht am Ende von Hoffmanns Erzählung der Sandmann wiederkäme und allen, nicht nur dem exkommunizierten Nathanael vernehmlich spräche.

Die Rede des Sandmanns bezeugt, daß die Psychologie „unseres Ichs", die ihn auf ein „Phantom unseres Ichs" zurückführt, selber ein „Phantom" und selber der Sandmann ist, der Kindern Sand in die Augen streut.

II

Die Psychoanalyse tut diesen methodischen Schritt. Sie ist Subversion der Psychologie, weil sie das Phantasma nicht auf ein produzierendes Ich zurückführt, sondern umgekehrt dies Ich durch Lektüre der Phantasmen aus Strukturen der Intersubjektivität ableitet, die es produzieren. Einer Theorie gegenüber, die die Bedingungen des Menschen in den Menschen setzt, statuiert sie, daß das diese Bedingungen nicht am Existieren hindert. Das Diktum seines Lehrers Charcot „La théorie, c'est bon, mais ça n'empêche pas d'exister"[11] hat Freud auch vor der skandalösen Existenz des Sandmanns beherzigt.

Die Psychoanalyse hört auf Nathanaels Rede anders als deren Adressatin im Text. Klara neutralisiert den Diskurs des Wahns, wenn sie wirkliche und eingebildete Vorfälle, wahr und falsch unterscheidet. Die Spielregeln der Psychoanalyse schreiben vor, daß der Analysand alles sagt, was ihm einkommt, und der Analytiker nichts, was er hört, positiv oder negativ auswählt. Diese pragmalinguistischen Regeln befolgen Freuds elementare „Einsicht, daß es im Unterbewußten ein Realitätszeichen nicht gibt, so daß man die Wahrheit und die mit Affekt besetzte Fiktion nicht unterscheiden kann"[12] und soll.

Die methodische Ausklammerung der Referenz setzt am Diskurs das endlose Spiel seiner internen Bezüge frei. Sie vergibt darum auch die Möglichkeit einer Psychoanalyse literarischer Texte, die ja von der Absenz der Referenten definiert werden.[13] Nur Verkennung sieht die Psychoanalyse wieder Ursachen oder Referenten in die Literaturwissenschaft einführen.[14] Schon daß Freuds Text-Analysen die Autorenbiographien nur streifen, die ‚Sandmann'-Analyse zum Beispiel in einer einzigen Fußnote, würde vor diesem Mißverständnis warnen; doch spricht Freud den Unterschied von Psychoanalyse und Psychobiographie[15] auch im Methodischen aus. Sein Interesse an Jensens Novelle ‚Gradiva' gilt „jenen Träumen, die überhaupt niemals geträumt wurden, die von Dichtern geschaffen und erfundenen Personen im Zusammenhange einer Erzählung beigelegt werden",[16] wie das im ‚Sandmann' der Fall ist. Freud geht also mit dem Vorurteil, dem „bereits die wirklichen Träume" und um so mehr ihre „freien Nachbildungen als zügellose und regelfreie Bildungen gelten",[17] eine Wette ein, um es an der Stelle seiner größten Plausibilität zu widerlegen. Die Entzifferung gerade erfundener Träume, also fingierter Fiktionen zeigt, daß die Psychoanalyse nicht Fiktion auf Realität, sondern „Willkür" auf „Gesetz"[18] zurückführt. Weil „die Gesetze des Unbewußten in" den literarischen Texten „verkörpert enthalten" sind,[19] würde eine Psychopathographie ihrer Autoren den Nachweis gerade verunmöglichen, daß diese Gesetze nicht nur in kranken Ausnahmefällen, sondern als die Universalpragmatik einer jeden Rede gelten. Der Kontext und nicht der Autor ersetzt bei der Literatur-Analyse die freien Assoziationen der Analysanden.[20] Der Skandal psychoanalytischer Literaturwissenschaft ist also nicht, daß die entzogenen oder gar toten Autoren die Deutung nicht wie Analysanden selber annehmen oder ablehnen können, sondern daß sie zwischen jenen Schriften und diesen Reden den Unterschied tilgt, den unsere Kultur aufgerichtet hat, wenn sie den Neurotiker einen pathologischen Fall und den Schriftsteller ein geniales Individuum nennt.[21] „A letter, a litter" – ein Schriftstück, ein Stück Dreck: mit diesem Wortspiel von James Joyce bestimmt Lacan den Status von Texten überhaupt.[22]

Die Einklammerungen der Referenz und der sozialen Sprecherrolle setzen eine Positivität am Diskurs frei, die diesseits von Meinen und Verstehen, von Bedeutsamem und Unbedeutsamem liegt. Umkreisen die psychologischen und hermeneutischen Interpretationsverfahren, wie Hoffmanns literarische Psychologie gezeigt hat, vom Bewußtsein und seinen implizit gemeinten Bedeutungen aus das andere, das seinerseits das Bewußtsein bedingt, so „zielt die Psychoanalyse direkt und mit Überlegung auf das Unbewußte", auf das, was da ist, sich entzieht, was mit der stummen Festigkeit einer Sache, eines in sich selbst abgeschlossenen Textes oder einer freien Stelle in einem sichtbaren Text existiert und was sich dadurch verteidigt".[23] Die Psychoanalyse durchkreuzt die empirisch-transzendentale Reduplikation, deren Feld die Wissenschaften vom „Menschen" durchmessen.

III

Darum geht Freud von jenem einzigen Zug im ‚Sandmann' aus, den weder der Wahnsinn noch die Psychologie kommentieren: von der Bedrohung der Augen durch den Sandmann. In ihr liest er eine am Körper verschobene Kastrationsdrohung. Doch unterstellt diese Deutung nicht einfach einem symbolischen Signifikanten ein auf Reales referierendes Signifikat. Freud schreibt vielmehr:

„Man mag es versuchen, in rationalistischer Denkweise die Zurückführung der Augenangst auf die Kastrationsangst abzulehnen; man findet es begreiflich, daß ein so kostbares Organ wie das Auge von einer entsprechend großen Angst bewacht wird, ja man kann weitgehend behaupten, daß kein tieferes Geheimnis und keine andere Bedeutung sich hinter der Kastrationsangst verberge. Aber man wird damit doch nicht der Ersatzbeziehung gerecht, die sich in Traum, Phantasie und Mythus zwischen Auge und männlichem Glied kundgibt."[24]

Wenn die Kastrationsangst ein „tieferes Geheimnis" und eine „andere Bedeutung" als das reale Organ hat, fungiert der Phallos als ein Signifikant,[25] der in Saussures Terminologie nicht Bedeutung, sondern Wert in einem System aus lauter „Ersatzbeziehungen" hat.[26] Dieses System nennt Freud Kastrationskomplex.

Komplexe bezeichnen psychoanalytisch eine unbewußte und „grundlegende Struktur der zwischenmenschlichen Beziehung und der Art, wie die Person dort ihren Platz findet".[27] Den Platz des Kindes bestimmt seine Stellung in dem Dreieck, das es mit den Eltern bildet; den Platz des männlichen Kindes das paradoxe Gebot, so zu sein wie der Vater (nämlich ein Mann) und nicht so zu sein wie der Vater (nämlich der Liebhaber der Mutter).[28] Dem Gebot gleichursprünglich ist der Wunsch, die Mutter zu lieben und den Vater zu beseitigen. Der Wunsch schreibt also dem Vater das Merkmal zu, dessen sich das Subjekt beraubt und das es hinreichend glaubt, um das mütterliche Begehren zu wecken und zu erfüllen.[29] Wenn der Vater diese Zuschreibung des Phallos an ihn nicht relativiert, erzeugt sie den homosexualisierenden umgekehrten Ödipuskomplex.[30] Das Begehren nach dem Phallos, das das Kind der Mutter zuschreibt, führt dann zur Identifikation mit ihr, d. h. zum Wunsch, „die Mutter zu ersetzen und sich vom Vater lieben zu lassen, wobei die Mutter überflüssig wird".[31] Diese Liebe zum Vater ist wie jede Liebe zum Umschlg ins Gegenteil bereit; sie wird Haß, sobald eine Erniedrigung des Vaters seine imaginäre Allmacht dementiert.

Die Elemente dieser intersubjektiven Struktur, die die Geschlechtsrolle der Kinder regelt, findet Freud in Hoffmanns Erzählung. Prägend steht über der Kindheitssituation Nathanaels die Ambivalenz der Vaterimago, weshalb das Phantasma den Vater zerlegt: in den geliebten leiblichen Vater und den gehaßten Coppelius, in einen toten und einen tötenden. Daß Coppelius den Vater tötet, erfüllt den Wunsch des Patrizids; daß der leibliche Vater Nathanaels Augen von Coppelius freibittet, wendet die Kastration ab. – Die Situation des Studenten ist eine exakte Wiederholung. Der Komplex insistiert, wie das seine Definition ist,[32] wenn die Verdopplung des Vaters noch einmal verdoppelt wird und als die Zweiheit Spalanzani-Coppola wiederkehrt: Der gute Vater Spalanzani und der böse Vater Coppola produzieren die Puppe Olimpia ganz so, wie einst Vater und Coppelius das Kind Nathanael zerlegt und wieder zusammenmontiert haben. Darin findet Freud den Beweis, daß Olimpia „nichts anderes als die Materialisation von Nathanaels femininer Einstellung zu seinem Vater sein kann".[33]

Die Analyse des Phantasmas erweist ihre Kraft daran, daß sie die zerstreuten Züge des Textes sammeln und des Anscheins von „Willkür und Bedeutungslosigkeit"[34] entkleiden kann. Daß der Sandmann dreimal als Störer der Liebe auftritt – er entzweit Nathanael mit Klara, er macht dessen mit Klara entzweiendes Liebesobjekt Olimpia entzwei, er läßt

Nathanael anstelle der Braut den Tod finden –, zeigt an, daß die Vaterfixierung heterosexuelles Begehren versperrt.[35] Daß die zwei bösen Väter fast homonym sind, zeigt an, daß ihre Identität im Unbewußten auf der Ebene der Signifikanten und nicht der Signifikate spielt. Gerade die unverstandenen und im Text nicht kommentierten fremdsprachlichen Eigennamen artikulieren das Phantasma; nach Freuds Nachweis bergen die Namen Coppelius und Coppola den Probiertiegel *(coppella)* der Alchimie und die leere Augenhöhle *(coppa)* der Kastration.[36]

Freuds Verfahren ist also literaturwissenschaftlicher als die ihm zeitgenössische Literaturwissenschaft. Es löst die vage Ganzheit des psychologisch oder hermeneutisch Verstandenen auf,[37] um die Struktur des Textes gerade aus seinen opaken und disparaten Elementen zu konstruieren. Es liest die literarische Phantasie nicht als eine autochthone und unfaßliche Einbildungskraft, sondern, einfacher, als ein Puzzlespiel von einzelnen „Elementen", deren „ursprüngliche Anordnung" die Psychoanalyse „wiederherstellt".[38] Entwickelt hat Freud dieses Verfahren bei der Traumdeutung, die die nachträgliche und scheinbare Einheit des manifesten Traums ignoriert und den latenten Traumtext als ein „Rebus" liest, das Gesetzen nicht der Naturalität und Mimesis, sondern der Hieroglyphik folgt.[39] Der Literaturpsychologe Jentsch in seiner Arbeit zum Unheimlichen, die Freuds gleichnamiger Aufsatz angreift, verbleibt beim Manifesten, bei den vom Text erregten Vorstellungen. Er führt das Unheimliche an Puppe und Sandmann zurück auf eine „intellektuelle Unsicherheit"[40] des Lesers, ob er sie als Wirklichkeiten oder als Vorstellungen vorstellen soll. Freud setzt solche metaphysischen und humanistischen Fragen außer Kraft, wenn er Sandmann und Puppe als Signifikanten in einem unvorstellbaren Zeichensystem entziffert.

Die Einschreibung dieses Zeichensystems datiert die Psychoanalyse auf die Primärsozialisation. Was formal die Auflösung des Textganzen in nur differenziell bestimmte Elemente, leistet inhaltlich die Rückführung des vertrauten Bewußtseins auf das Unheimliche der Kindheit. In einem Spiel mit Worten setzt Freud das Unheimliche dem Heimlichen und das Heimliche dem Heim gleich;[41] er bestimmt die Kindheit also als Stätte einer ursprünglichen Dispersion oder eben Unheimlichkeit. Unheimlich wird es dem Bewußtsein, wenn Zeichen und Wunder, nämlich Fehlleistungen und Symptome, daran gemahnen, daß es über einem Unbewußten und auf einer intersubjektiven Matrix entstanden ist. Weil beim menschlichen Wesen kein eingeborener Instinkt die Übernahme der primären Rollen von Alter und Geschlecht regelt, ist es ganz auf die Situationen angewiesen, die ihm einen Platz auf den Achsen der Generationen und der Geschlechter erst zuweisen. Daß Nathanaels Stellung infantil und feminin ist, zeigt an, daß dieser Platz nichts mit Natur zu tun hat. Das nennt Freud das „Unheimliche" an der Psychoanalyse selber.[42] Ihre Sache, das Unbewußte, ist in seinen formalen Gesetzen, die einem „Schriftsystem" noch näher stehen als einer „Sprache",[43] wie sie in seinen Inhalten eine Antiphysis. Darum hat es nichts gemein mit dem Unbewußten, wie die Romantik es bestimmte;[44] und eben darum auch kann die Psychoanalyse dieses romantische Unbewußte bestimmen. Weil die romantische Anthropologie die Frage „Wohin gehn wir?" mit dem Wort „Immer nach Hause" beantwortete,[45] hieß die Kindheit die Stätte einer so verborgenen wie tragenden Identität, der gegenüber die Schrecken eines Nathanael unwirklich und phantastisch heißen mußten. Weil die Psychoanalyse umgekehrt das Heim als das Unheimliche bestimmt, kann sie die Entstehung des „Phantoms unseres Ichs“ positiv beschreiben. Gerade was phantastisch an den Texten scheint, entziffert sie als die symbolische Wirklichkeit der Hominisation.

IV

Freuds ‚Sandmann‘-Analyse hat freilich Leerstellen an eben den Stellen, die ihre eigene Möglichkeit betreffen. Sie analysiert Nathanael erstens von ihrer Neurosenlehre her, während der Text ihn wahnsinnig, psychotisch nennt. Sie übergeht zweitens, welche Mutationen der Sozialisation die Rede eines Subjekts über seine Primärsozialisation und damit auch dessen Psychoanalyse ermöglicht haben. Sie vernachlässigt drittens, was der Erzähler von seinem Erzählen sagt, also die literarische Autoreferenz des Textes,[46] die sie gleichwohl analysieren müßte, weil das Verhältnis zwischen Begehren und Rede ihre Sache ist.

An diesen drei Komplexen arbeitet die strukturale Psychoanalyse. Daß Lacan statt wie Freud von Hysterien von der Psychiatrie der Psychosen ausgegangen ist, hat einen Zugang zum Wahnsinn geöffnet. Und weil die Psychose, vor jeder wissenschaftlichen Definition, einfach ein kulturell verbotenes Sprechen ist – wie auch Lacans Sprechen eine Zeitlang verboten war –, verweist sie gebieterisch auf den Zusammenhang von Sprache, Kultur und Körper. Ihre Rede bringt „instinktive und soziale Komplexe“, die an den neurotischen Symptomen erst die Interpretation freilegt, offen zur Sprache.[47] Schon 1932 hat Lacan psychotische Texte nicht im Unterschied, sondern im Bezug zu kulturellen, zu literarischen Texten analysiert und psychotische Reden mit den Reden der elementaren Kulturisationsinstanzen korreliert.[48] Das ändert das Feld der Psychoanalyse. Den endopsychischen Konflikt zwischen bewußtem Ich und unbewußtem Wunsch, den Freud entdeckt hat, ersetzt die Strukturbeziehung zwischen den unbewußten Wünschen der Eltern und denen des Kindes. Solch „unbewußten Inter-Reaktionen“[49] gelten auch Lacans Literatur-Analysen. Sie zeigen, daß „nicht nur das Subjekt, wie Freud uns lehrt, dem Zug des Symbolischen folgt“, sondern daß „die Subjekte, in ihrer Intersubjektivität begriffen, gehorsamer als die Schafe“ nach seiner Pfeife tanzen.[50]

Intersubjektivität und Sprache sind methodisch nicht zu trennen. Denn die unbewußten Funktionen der Anderen sind es, die das Infans, d. h. buchstäblich das sprachlose Wesen, sozialisieren, d. h. zu einem sprechenden Wesen machen. Das Unbewußte entsteht bei der Einführung in die Sprache, deren Effekte alles übertreffen, was die Sprecher von ihr wissen können.[51] Psychoanalyse wird bei Lacan Sprachtheorie. Freilich: gegenüber der Kommunikationstheorie Watzlawicks oder der Antipsychiatrie Laings bezieht die Psychoanalyse die Sprache auf den Körper. Lacan trennt zwischen leeren Spiegelbeziehungen und dem von Sprache konstituierten Verhältnis. Er trifft eine „methodische Unterscheidung“[52] zwischen Realem, Imaginärem und Symbolischem, wobei das Reale den unfaßbaren Körper bezeichnet, das Imaginäre die Verstrickung des Infans in die Sprache der Anderen und das Symbolische die Sprachbeziehung als Grund jeder Intersubjektivität.

Lacan ist, gleichzeitig mit Portmann, ausgegangen von der verfrühten Geburt des Menschen, die das Kind auf Andere schlechthin angewiesen macht. Dieser spezifischen Differenz zum Tier entspricht eine spezifische Weise, die reale Not der ersten Lebensmonate zu übersteigen: das Spiegelstadium. Anders als die Tiere erkennt das menschliche Wesen, noch bevor Sensorik und Motorik koordiniert sind, mit allen Zeichen von Lust sein Ebenbild im Spiegel. Die Imago präsentiert eine optische Ganzheit, die der motorisch-körperlichen Dispersion entgegengesetzt und eben darum die Matrix ist, auf der das Kind zur scheinbaren Einheitsfunktion des Ich kommt.[53] Das Ich, von Freud dem Subjekt des Wahrnehmens und Erkennens gleichgesetzt,[54] erweist sich, ein Objekt und zwar das Objekt eines Verkennens zu sein. Es tilgt auf imaginäre und spiegelverkehrende Weise eine reale Zerrissenheit. Das Ich, Objekt einer narzißtischen Liebe, ist also, mit und gegen Hoffmann gesagt, „das Phantom unseres Ichs“. Lacan unternimmt nichts geringeres als eine „Subversion“,[55] die das cartesische Ego dezentriert.

Der Narzißmus ist Verkennung und führt zu Verkennung. Er ist Verkennung, weil die Spiegelverkennung das Eingreifen des Anderen ausblendet, das sie notwendig voraussetzt. Der Blick auf den Anblick im Spiegel sieht nicht, daß er schon gesehen, d. h. „Objekt eines Blicks“ ist.[56] Die „trügerische Selbstidentifikation“ mit dem Ideal-Ich ersetzt das Subjekt durch denjenigen Anblick, den das Begehren des Anderen zum Objekt hat.[57] Der sprachkompetente Andere ist es, durch dessen Sprache die Bedürfnisse des Infans wie durch ein Gitter hindurch müssen, um ihn als artikulierte Bitte zu erreichen.[58] So wird das Bild des Ich vom Begehren des Anderen geprägt. Den Platz dieses Anderen (mit großem A) nimmt zu Anbeginn eine Mutter ein.

„Das Kind in seiner Beziehung zu der Mutter – eine Beziehung, die (. . .) nicht gebildet wird durch seine vitale Abhängigkeit, sondern durch seine Abhängigkeit von ihrer Liebe, d. h. durch das Begehren nach ihrem Begehren – identifiziert sich mit dem imaginären Objekt dieses Begehrens“.[59]

Das Kind wünscht, daß die Mutter wünscht und was sie wünscht. In dieser Verstrickung entsteht das Subjekt des unbewußten Begehrens als der Differenz, die zwischen Bedürfnis und Bitte aufkommt.

Der Narzißmus führt zu Verkennung, weil er die frühen Sozialbeziehungen modelliert. Ähnliche, zumal Geschwister, verschmelzen dem Kind mit seinem Spiegelbild. Sie sind darum Objekte sowohl einer Liebe, die Ich und andere (mit kleinem a) verwechselt und im anderen das Ideal liebt,[60] als auch eines Hasses, der den anderen um seine Ganzheit beneidet.[61] Die Beziehung zwischen Ich und Seinesgleichen ist erotische Aggressivität, die in ihrem Transitivismus und ihrer Instabilität jeder Regelung spottet.

An Hoffmanns Erzählung sind diese Strukturen zu verifizieren. Zuallererst durchläuft Nathanaels Körper, zumal das Auge und der Schlaf, die Worte einer Mutter, die ihn bezeichnen.[62] Wenn später die Figuren des Sandmanns Nathanael und seiner Spiegelung Olimpia die Glieder ausrenken, kehrt der Schrecken der anfänglichen Zerstückeltheit wieder. Sein Effekt ist beide Male ein psychotischer Zustand, dessen vergebliche Rekonstruktionsarbeit die Integrität des Spiegelbildes wiederzufinden sucht. Das macht Nathanael auf die Hilfe der Anderen angewiesen: nach der Zerstückelung Olimpias erwacht er unter den Blicken von Braut und Mutter, nach der Zerstückelung seiner selbst durch Coppelius „wie aus dem Todesschlaf" in den Armen der Mutter, die den „wiedergewonnenen Liebling küßt und herzt" und verspricht, daß der Sandmann fortan „keinen Schaden" mehr tue (10). Als Objekt des Begehrens der Anderen – „Liebling" – entsteht also die imaginäre Einheit Ich.[63]

Die unbewußte Bestimmung durchs Begehren der Anderen lenkt Nathanaels erotische Objektwahl. Klara wird nicht zufällig nach dem Tod des Vaters „von Nathanaels Mutter ins Haus genommen" (20): Sie ist eine matrilineare Schwester im Schatten der ungenannten Mutter. Die Aggression gegen Seinesgleichen tritt zutage, wenn Nathanael das Duell mit Klaras Bruder sucht, beim Blick „in Klaras Augen" „den Tod" erblickt, der „ihn mit Klaras Augen" anschaut (24), und am Ende Mordwünsche ungeschieden gegen Klara und sich richtet. Das Spiegelbild selber symbolisiert Olimpia, die ja der Blick durchs Fernrohr erst belebt. Narzißtische Liebe vereinigt Nathanaels

> „Ich mit dem Standbild, auf das hin der Mensch sich projiziert, wie mit den Phantomen, die es beherrschen, wie auch schließlich mit dem Automaten, in dem sich, in mehrdeutiger Beziehung, die Welt seiner Produktion zu vollenden sucht".[64]

In Olimpia verschmelzen das Ich (die Liebe spricht dem mechanisch sprechenden Automaten die tiefste Innerlichkeit zu) und der Tod (der Puppe geht das Leben ab). Und wenn an der Scheinlebendigen einzig die Augen „gar seltsam starr und tot" aussehen (28f.), bezeichnet das sehr genau die Struktur des Spiegelbildes, dessen Integrität den einen Mangel hat, den das Erblicktsein des Subjekts durch den ersten Anderen auftut.

Die Ambivalenz, die ungeschieden Liebe und Haß ungeschieden auf das Ich und Seinesgleichen lenkt, ist die Struktur jeder Zweierbeziehung, die als solche allen affektiven Entfremdungen offensteht und d. h. Psychosen auslöst. Das heißt umgekehrt, daß Hominisation eine Dreierbeziehung voraussetzt. Der Mensch anerkennt sich als Mensch nur im Maß, wie er von mindestens zwei anderen anerkannt wird, die einander anerkennen.[65] Der Ödipuskomplex in Lacans Lesart[66] ist eben diese Öffnung der Dyade auf einen Dritten hin, den die Mutter als erste Figur des Anderen beim Namen nennen muß. Der Name des Vaters absolviert das Kind davon, Wunsch aus und nach dem Wunsch der Mutter zu sein, weil die Mutter mit seinem Nennen ein anderes Begehren als nach dem Kind einbekennt. Folge dieses mütterlichen Sprechakts ist die Identifikation des Kindes mit dem gleichgeschlechtlichen Elternteil, das Ich-Ideal, das im Unterschied zur Spiegelidentifikation mit dem Ideal-Ich Normen und Verbote einschließt. Vater und Mutter könnten aber gar nicht verbotene Sexualobjekte werden, ohne daß es genealogische Rede und d. h. Sprache gäbe. Zumal die Vaterschaft ist ein „purer Signifikant",[67] weil der symbolische Name des Vaters und der leibliche Erzeuger weder einer noch kulturell identifiziert sein müssen: „Pater semper incertus".[68] Also ist die Dreierbeziehung Übergang des Infans zum Sprachwesen.

Die Sprache geht nie im Informationstausch Zweier auf. Die Sprecher/Hörer sind immer schon auf einen dritten Ort bezogen, dem ihr gemeinsamer Code entstammt und den ihre Sprechakte als Garanten dafür voraussetzen, daß sie nicht betrügen. Die Sprache stellt eine symbolische Ordnung im Wortsinn her: Verbindungen und Allianzen, die, wie bei der tessera hospitalis, auf dem Geben und Nehmen von Zeichen beruhen. Sie löst das Phantasma der Allmacht des Anderen auf, wie es das Imaginäre prägt. Denn statt den Mangel durch ein Bild auszufüllen, symbolisiert sie den Mangel, der das Subjekt *und* die Anderen begehren macht:

„Wäre die Sprache so reich wie das Sein, so wäre sie der nutzlose und stumme Doppelgänger der Dinge; es gäbe sie nicht. Und doch, ohne Namen, sie zu nennen, blieben die Dinge in der Nacht. (. . .) Die Sprache spricht also nur von einem Mangel her, der ihr wesentlich ist. Das „Spiel" dieses Mangels erscheint in der Tatsache, daß dasselbe Wort zwei verschiedene Dinge sagen und derselbe Satz, wiederholt, einen anderen Sinn haben kann."[69]

Der Mangel und die Rhetorik der Sprache sind eins.

Das Unbewußte als Korrelat des Sprachgesetzes ist nach Lacans Formel „artikuliert wie eine Sprache",[70] weil es den rhetorischen Prinzipien Metonymie und Metapher im Sinn Jakobsons gehorcht. Die Teile des zerstückelten Körpers, der am Anfang extrauterinen Lebens steht, werden nicht wie im Imaginären integriert, sondern zu Signifikanten des Subjekts in einem Sprachsystem,[71] das sie miteinander kombiniert (Metonymie) und durcheinander ersetzt (Metapher).[72] Blick und Auge, die Objekte innerhalb der Dyade Mutter-Nathanael, werden Symbole des Phallos, der seinerseits die Metapher der Vaterschaft wird. Sie zirkulieren darum im ödipalen Dreieck zwischen den Figuren wie ein sprachliches Symbol, das keinem gehört und den Mangel aller bezeichnet. Wie im chinesischen Brettspiel gibt ein leerer (vierter) Platz den realen (drei) Figuren Spielraum. Das Unbewußte ist, weil es diesen Bezug des Subjekts zum Ort des Anderen niederschreibt, der Diskus des Anderen.[73]

So beseitigt die strukturale Lesung des Ödipuskomplexes seine biologistischen und empiristischen Momente. Sie nimmt nicht wie Freud eine unvermittelte pädagogische Drohung an, sondern leitet die Kastration, d. i. die Symbolisierung des Mangels aus den Aporien der Zweierbeziehung Mutter-Kind ab. Sie nimmt die Familie nicht als biologische Gegebenheit, sondern als ein System gezählter Positionen, die von den empirischen Mitgliedern nur vertreten werden.

Nathanael aber fällt, wann immer ihm die symbolische Triangulation droht, in Zweierbeziehungen zurück. Er verweigert es, die narzißtische Gliederpuppe zu opfern,[74] die ihn ganz zu machen scheint und am Begehren hindert. Er regrediert, weil ihn eine Sprache empfangen hat, die Lug und Trug ist. Wenn der Eintritt in die symbolische Ordnung der Sprache ganz davon abhängt, was am Ort des Anderen geschieht,[75] sind familiale Mystifikationen imstande, ihn zu versperren. Die Mystifikationen betreffen die gegenseitige Anerkennung des Begehrens zwischen den Zwei, deren Anerkennung das Infans hominisieren würde. Nathanaels Mutter wirft dem Vater vor, daß er sich von Coppelius der „Familie abwendig machen" läßt und gegenüber Coppelius nicht Herr sondern Knecht ist (8). Ihren Kindern gegenüber aber „verleugnet" sie all das, was in ihren Augen ihren Mann erniedrigt, durch zweifachen Betrug: durch die betrügerische Fiktion einer Macht, die Kinder um ihr Sehen betrügt. So redet die Mutter den Kindern ein, sie selber wünschten, was sie wünscht: daß die Kinder schlafen und Coppelius nicht sehen. Es hilft nichts, daß Nathanael diese Konfusion der Wünsche und diese Verleugnung durchschaut; gerade dadurch werden die „Zwistigkeiten zwischen den Eltern" offenbar, die nach Freuds Einsicht „das fruchtbarste Material" für infantile Phantasien sind.[76] Der Sandmann besteht aus den widersprüchlichen Worten der Mutter und dem Schweigen des Vaters über Coppelius.[77] Es gibt ihn, weil es keine Metakommunikation der Eltern über ihre Kommunikation gibt.[78] Wenn Nathanael Coppelius endlich sieht, zergeht sein Phantasma darum so wenig, daß es alle Wahrnehmung strukturiert. Denn er sieht, wie sein Vater mit den Attributen weiblicher Unterwerfung und Coppelius mit den Attributen männlicher Gewalt[79] zusammen etwas produzieren, das sich am Ende als Kind, als Nathanael selber erweist. Ihr alchymisches Werk ist eine phallokratische Metapher der Urszene zwischen den Eltern. Allgemein hat die sexuelle Urszene die Funktion, dem Kind seine Herkunft aus einer Zweiheit und damit das Begehren der Eltern nacheinander zu bezeichnen. Nathanaels Halluzination aber ersetzt Begehren durch Gewalt und Magie, d. h. durch Tötung. Damit inkarniert sie freilich nur den Diskurs einer Anderen: Wenn Nathanael den Vater und Coppelius Kinder machen sieht, reproduziert er ein Phantasma seiner Mutter, deren „Haß" (8) auf Coppelius Eifersucht gegenüber dem männlichen Phantasma einer Kinderzeugung ohne Mutter ist. Spalanzani, der Vater der Automaten, trägt ja den Namen des Abbé, der die ersten künstlichen Befruchtungen an Tieren vornahm.[80]

Pathogen nennt die Psychoanalyse demnach nicht, wie das Vorurteil will, einzelne Erlebnisse und Anekdoten aus Kindertagen; pathogen nennt sie den Dissens zwischen Eltern hinsichtlich der elementaren Funktion von Elternschaft. Sie verbergen, daß sie verbergen, daß zwischen und mit ihnen etwas geschieht, während die Kinder schlafen. Die elterlichen Mystifikationen hypostasieren *und* entwerten zumal den Vater: Ein allmächtiger Coppelius, der das Gesetz der Menschwerdung nicht nur vertritt sondern macht, und ein erniedrigter Erzeuger sind die zwei komplementären Bruchstücke der Vaterfunktion. Der stumme Körper, zu dem sein nicht besprochener Tod den Vater macht, und der Puppenkörper Nathanaels insistieren im Wiederholungszwang, weil kein Wort sie bezeichnet.[81] Verstellt bleibt Nathanael seine doppelte Kontingenz: daß er Mann oder Frau und daß er sein oder nicht sein könnte.[82] Verstellt bleibt ihm auch die Kontingenz des Anderen, der entweder als Automat an den Fäden eines stummen Schöpfers oder als Schöpfer ohne Mangel noch Sprache erscheint.[83] So ist dem Subjekt jede Spielstrategie genommen, wenn anders Subjektsein besagt, die Rede auf den Anderen als einen Sprecher beziehen können, der seine Rede schon aufs Subjekt bezieht.[84]

Lacans These, daß das Unbewußte nicht in einem monadischen Individuum, sondern in Interrelationen besteht, verknüpft die Psychoanalyse mit der Sache von Literaturwissenschaft: der Rede. Von der Gleichursprünglichkeit von Sprache, Betrug und Unbewußtem her wird Hoffmanns Erzählung lesbar. Der Sandmann, der wie Don Juans

„Steinerner Gast das Festmahl der Begehrungen des Subjekts stört, ist gemacht aus den Pflichtverletzungen und leeren Schwüren, aus den Wortbrüchen und haltlosen Reden, deren Konstellation über dem In-die-Welt-Setzen eines Menschen gestanden hat".[85]

Literaturwissenschaft fände ein weites Arbeitsfeld daran, die unbewußten Effekte mißbrauchter Sprechakte in Texten zu analysieren.

V

Den Effekt paradoxer Kommunikation, der Nathanaels Psychose ist, kann die strukturale Psychoanalyse auch historisch situieren. Während Freud alle Kultur aus *einer* biologischen Urfamilie abgeleitet hat, leitet sie die Familien und deren Kommunikationsstruktur mit Claude Lévi-Strauss aus symbolischen Tausch- und Allianzregeln der Gemeinschaft ab.[86] Daß die bürgerliche Familie, wie Hoffmanns Erzählung sie voraussetzt, den Namen des Vaters des Kindes und den leiblichen Erzeuger identifiziert, ist keine Notwendigkeit, sondern ein historisches Ereignis, das zu spezifischen Paradoxien der Sozialisation führt. Einerseits entsteht die bürgerliche Familie, indem der „Vater zum Vertreter einer symbolischen Funktion wird, die versammelt, was in anderen kulturellen Strukturen entfalteter, komplexer und essentieller ist".[87] Andererseits bleibt solche „Deckung des Symbolischen und des Realen absolut unfaßbar".[88] Darum kehrt die Differenz beider im Imaginären wieder: Der leibliche Vater gerät unter der Last des Signifikanten beständig in die Positionen des abweichenden, fehlenden, erniedrigten. Diesen „pathogenen Effekt" des neuzeitlichen Ödipuskomplexes bestätigt ‚Der Sandmann'. Die Spaltung in einen schwachen und guten Vater, der nicht mehr als ein homosexualisierender Bruder ist, und einen allmächtigen und bösen Vater, der nicht nur die Mutter, sondern jedes Begehren untersagt, kommt auf gerade dann, wenn Symbolisches und Reales konfundiert werden. Die imaginären Verstrickungen, in denen Nathanael zu Tode kommt, sind die Folge einer Desymbolisierung,[89] die mit der Reduktion der Lebensform Ganzes Haus auf die Lebensform konjugale Kernfamilie einhergeht. Zum Zeichen dessen sind Nathanaels Vater und Coppelius asynchrone Typen, die nur eine geologische Verwerfung nebeneinandergestellt hat. Coppelius, dieses Gespenst in der Tracht des ancien régime, hat tatsächlich den Status des Revenants und d. h. Verdrängten: In die Karikatur des familienfeindlichen Advokaten verzerrt die Kleinfamilie Instanzen einer Kultur, die in juridisch geregelten weitverzweigten Allianzen zwischen Familienverbänden bestanden hat. Denn weil auch die Kleinfamilie ihrer Selbstbezogenheit zuwider Allianzen voraussetzt und fortsetzt, sucht ein Gespenst sie heim, das den Platz des symbolischen Vaters vertritt.[90] Nathanaels Vater hingegen untersteht den Normen einer Familie, die ihre Mitglieder zusammenruft, um ihren Kindern nicht das Gesetz der Lust und des Todes, sondern die Norm des Lebens und Besserlebens einzufleischen, die sie Liebe nennt.[91]

Daß Freud in neuzeitlicher Literatur „Übereinstimmung" mit seiner Theorie finden konnte, ist also weder ein Zufall noch ein „Beweis für deren Richtigkeit".[92] Wenn die literarischen Texte so gut wie die verwirrten Reden der Analysanten die Imagines der Kleinfamilie als Schicksalsmächte beschwören und wenn die Psychoanalyse in Verkleidungen der Imagines nur die eine monotone Rede von Vater und Mutter hört, besagt das nichts über ein zeitloses Wesen der Unvernunft, sondern nur etwas über die historische Figur einer Vernunft, die der Kleinfamilie die Primärsozialisation überläßt. Die Psychoanalyse bringt also eine historische Sedimentierung nur um den Preis zutage, „ihr in einem neuen Mythos die Bedeutung eines Schicksals zu geben".[93] Erst ihre strukturale Erneuerung erlaubt die allgemeinen und d. h. sprachlichen Strukturen von Sozialisation und deren geschichtlichen Mutationen zu sondern und damit zu bestimmen. So aber wird auch das spezifisch literarische Ereignis zugänglich, daß das Subjekt klassisch-romantischer Texte in einer vergeblichen Hermeneutik seiner kleinfamilialen Genealogie entsteht. Die Erzählstruktur des ‚Sandmanns' ist dafür beredtes Zeugnis.

Wenn Nathanael den Schrecken beim Fernrohrkauf auf Ereignisse seiner „frühen Jugendzeit" zurückführt und dabei methodisch anmerkt, „daß nur ganz eigene, tief in (sein) Leben eingreifende Beziehungen diesem Vorfall Bedeutung geben können" (4), verfällt er dem Imaginären, gerade wenn er es klären will. Der Privatdetektiv und Hermeneut seiner Kindheitserlebnisse untersteht einfach einer kulturellen Kommunikationsregelung, die die Familie im selben Maß zur Stätte aller Identifikationen und „Bedeutungen" ernennt, wie deren makrosoziale und ökonomische Funktionen schwinden.[94] Erst die vom symbolischen Austausch entkoppelte Kleinfamilie wird zur Produktionsstätte so aufdringlicher wie undurchdringlicher Bedeutungen. Sie fungieren wie ein Köder für Nathanaels vergebliche Bedeutungssuche: Der sein Unglück auf die Kindheit zurückschreibt, bleibt Kind und Gefangener seiner Kindheit bis in den Tod. Denn erst die bürgerliche Familie, die als Reich der Innerlichkeiten von der Öffentlichkeit gesondert ist,[95] sondert in ihrem Binnenraum noch einmal eine Welt der Kinder und setzt damit „das Kind, um ihm Konflikte zu ersparen, einem besonders schweren Konflikt aus, dem Widerspruch nämlich zwischen seiner Kindheit und seinem wirklichen Leben".[96]

Literarisch erscheint diese Aporie als der Diskurs der Innerlichkeit. ‚Der Sandmann' setzt ein mit einer brieflichen Ich-Rede des Helden, die dem Helden zufolge niemand adäquat beantwortet. Das kann auch niemand, weil sie „Vorfälle" nennt, was familiale Reden und Phantasmen sind. Der Fehl von Metakommunikation produziert eine imaginäre Realität als Korrelat der monologischen Innerlichkeit. Wahr am Monolog Nathanaels ist einzig sein Ergehen. Es bezeugt den sozialen Ursprung auch eines Gedächtnisses, das individuelle Erinnerung heißt. Bevor überhaupt Subjekte, wie das die Helden der klassischen und romantischen Epen bezeichnet, eine einzigartige und geheime Bedeutung ihres Lebens in der Kindheit suchen, muß die Kleinfamilie ein privilegiertes „Aufschreibesystem"[97] geworden sein. Daß Literatur Helden zur Sprache bringt, die Detektive und Opfer familialer Diskurse werden, ist selber ein diskursives Ereignis und in den Mutationen der Kommunikationsregeln anzusiedeln. Die endopsychische Trennung zwischen Manifestem und Latentem, wie Nathanaels Hermeneutik sie vollzieht und Freuds Psychoanalyse sie fortschreibt, hat historische Bedingungen. Sie bildet, wie Norbert Elias zeigte,[98] nur die intersubjektive Schranke ab, die die Desymbolisierung der Familie zwischen Öffentlichem und Geheimem gezogen hat.

Nichts unterscheidet in dieser Hinsicht den Binnenerzähler Nathanael vom Erzähler des Textes. Der Erzähler legitimiert in einem poetologischen Einschub sein Tun. Daß er es nicht sozial legitimiert, ist schon eine Definition romantischen Schreibens: „Mich hat, wie ich es dir, geneigter Leser, gestehen muß, eigentlich niemand nach der Geschichte des jungen Nathanael gefragt." Den literarischen und d. h. öffentlichen Diskurs legitimiert einzig ein latenter und innerlicher „Trieb": Dem Erzähler zufolge gibt es Nathanaels Geschichte anfangs nur als „erlebtes" „inneres Bild" und als „dunkle Seufzer", die ihn obsessionell „erfüllen" und durch nichts sagbar sind, „was Rede vermag" (18f.). Zugrunde liegen dem Text also das Phantasma einer eigenen Welt, die Anderen ebenso entzogen ist wie Nathanaels Kinderwelt, und der Wunschtraum einer Kommunikation, die den Diskurs ebenso unterläuft wie das „Ach" Olimpias.

Aber statt wie Nathanael die unverlangte und vergebliche Hermeneutik des „inneren Bildes" zu versuchen, sucht der Erzähler umgekehrt nach einer Kommunikationsstrategie, die „das innere Gebilde mit allen glühenden Farben und Schatten und Lichtern" mitteilen soll. Er verwirft alle herkömmlichen Erzählanfänge, zumal die auktorialen, und fingiert statt dessen genau das, was der scheiternde Dichter Nathanael bei seinem Sandmann-Gedicht erleidet: Er fingiert, daß nicht der Autor, sondern der im Text Besprochene selber spricht. Demgemäß beginnt die Erzählung mit dem Brief des erzählten Helden.

Die Kommunikationsstrategie des Erzählers, „uns selbst durch die Brille oder das Perspektiv des dämonischen Optikers schauen" zu lassen, „durch das er in höchsteigener Person geguckt hat",[99] klärt das Verhältnis zwischen Sprache und Phantasma. Die symbolische Ordnung ist, dem poetologischen Einschub des Erzählers zuwider, keine nachträgliche und unvollkommene Übersetzung eines Inneren, sondern eine bestimmte Sprachverwendung – die Rede eines „Ich" ohne vorangegangene Referenzen – erzeugt überhaupt erst Perspektive und Individualität des erzählten Helden. Auch das verrät der Kommentar:

„Vielleicht gelingt es mir, manche Gestalt wie ein guter Porträtmaler so aufzufassen, daß du (Leser) (das Gebilde) ähnlich findest, ohne das Original zu kennen, ja daß es dir ist, als hättest du die Person recht oft schon mit leibhaftigen Augen erblickt." (19)

Der Erzähler verspricht etwas Paradoxes: das Bild einer Individualität, das index sui ist und d. h. als Porträt auch dem Leser erscheint, der nicht weiß, daß ein und was für ein Modell dahintersteht. Damit gibt er den Lesern diese Individualität wie ein Rätsel auf. Dessen Lösung liegt freilich schon in der Formulierung: Das einzige Porträt, das unablässig auf ein Original verweist, das das Auge nie erblicken wird, ist einem jeden sein Spiegelbild. Die Logik des Phantasmas bestimmt also über das Erzählte hinaus auch das Erzählen selber. Das Werk als Herstellung eines Bildes, das vollständig und täuschend „ähnlich" scheint, verdeckt und tilgt die Zerrissenheit, der das Begehren zu sprechen und zu schreiben entspringt. Wie der Held ist auch der Erzähler anfangs Objekt und Ursache eines Begehrens, das ihm unerkennbar bleibt, gerade weil keine Bitte und Kommunikationsaufforderung es artikuliert hat; wie bei Nathanael ist dieses Objekt das „leibhaftige Auge"; wie Nathanael überführt der Erzähler sein Erblicktsein in den Anblick eines erblickbaren Doppelgängers, heiße er Olimpia oder Nathanael. Nach dieser Transformation sehen Autor und Leser „sich selbst mitten im Bilde, das aus (dem) Gemüt (des Autors) hervorgegangen ist" (18). Der erzählte Held fungiert also wie das Spiegelbild, über das die imaginären Identifikationen und die Konfusion von Ich und Seinesgleichen, von Erzähler und Lesern laufen. Mit jedem seiner Signifikate verdeckt das Werk einen Mangel beider.[100]

In Weiterführung Freuds bestimmt Lacan das Kunstwerk als eine Befriedigung des Publikums, das sieht, daß einige von der Ausbeutung ihres Begehrens leben können. Das Werk erregt Lust, weil es eine Augentäuschung ist. Nicht die Mimesis-Illusion, sondern deren Potenzierung ist sein Effekt. Wenn im ‚Sandmann' der Erzähler dem Leser bedeutet, daß der Held ein Porträt nach einem vorgegebenen Original zu sein nur vorgibt und eigentlich eine Projektion von Autor und Lesern darstellt, erweist sich das Werk, nicht mit den Erscheinungen, sondern mit dem zu konkurrieren, was Platon die Ideen nennt und was die Erscheinungen erscheinen macht. Das Werk gibt sich, als wäre es dieses unmögliche andere (die Ursache des Begehrens). Wie einst der fromme Blick auf die Ikonen den Blick sah, den Gott auf die Bilder seiner Heiligen warf, und der Blick der Bürger auf die Tafelbilder ihrer Rathäuser den Blick der Signoria, die dort ihr verborgenes Regiment führte, so sieht der Leser neuzeitlicher Literatur auf den augentäuschenden und augenaufschlagenden Figuren der Fiktion den Blick des Monstrums liegen, das Autor heißt:[101]

„Die Erzählung verweist nicht mehr auf eine hergestellte oder fabrizierte Wirklichkeit oder Wirklichkeitssimulation, sondern unmittelbar und kalkuliert auf die Lektüreszene. Ich, der Erzähler, will, daß du siehst – nicht die Wirklichkeit, sondern meine Weise, Wirklichkeit zu sehen. Ich will, daß du sie in meinen Augen siehst."[102]

Diese komplexe Ästhetik wäre dem Text auch ohne die Umwege der Theorie zu entnehmen gewesen, weil sein erstes Wort, der Name des Helden, sie schon verrät. Wie die Menschen bestimmt auch die literarischen Figuren nicht das, was sie zu sein meinen, sondern ihr Platz in einer Symbolik, dessen einfachstes Zeichen der Name ist. Nathanael heißt ‚von Jahweh gegeben'. Jahweh aber ist der einzige Gott, dessen Kinder keine Mutter haben. Das romantische Individuum Nathanael wird einzig von der Ich-Rede produziert, die ihm der Erzähler in den Mund legt. Als Hersteller von Individuen, die Porträts ohne Modelle sind, tritt der Erzähler an die Stelle des Sandmanns, der Kinder wie Automaten produziert, ohne einer Frau zu bedürfen.[103] Auch das Phantasma des allmächtigen Vaters kehrt also auf der Erzählebene wieder. Die behauptete Genialität des romantischen Autors *ist* diese Wiederkehr. Der sagt, daß seinem Produzieren innerer Bilder keine Schranken gesetzt sind, wird selber produziert von einer Kultur, die mit dem Mythos des geliebten Kindes die Nachgeborenen zu ihrem Ideal-Ich ernennt.[104] Die romantische Identität von Kind und Genie ist das Echo auf diese Sozialisation. Hoffmann, der später den Vornamen Amadeus – Liebegott – angenommen hat, hat von seinen Eltern die Namen Ernst Theodor Wilhelm erhalten. Nathanael ist einfach das hebräische Äquivalent von Theodor.

Die Synonymie der Subjekte bezeichnet so gut wie die Homonymie der bösen Väter Coppelius und Coppola jeweils die unbewußte Identität. Der Bezug zwischen Erzähler und Held, um den es der Psychoanalyse geht, spielt auf symbolischer Ebene und nicht im empirischen Autor. Die Synonymie ihrer Namen zeigt an, daß die Elemente des Textes keine Zeichen sind, die etwas Wißbares für jemand repräsentieren, sondern Signifikanten, die das unbewußte Subjekt für einen anderen Signifikanten repräsentieren.[105] Der Signifikant ‚Nathanael' vertritt es für den Signifikanten ‚Theodor' und umgekehrt.

Homonymien und Synonymien spielen in und mit der Sprache. Als Einstellungen der sprachlichen Nachricht auf die Nachricht selber (was Jakobson die poetische Funktion der Nachricht genannt hat[106]) verleihen sie der Literatur den Status, den Lacan dem Mythos zuschreibt: Literatur gibt eine diskursive Formulierung derjenigen Wahrheit, die nicht gesprochen werden kann, weil das Sprechen selber sie konstituiert und sagt.[107] An die Stelle der unmöglichen Autoreferenz der Rede tritt ein literarischer Text, der ohne jede Garantie seiner Wahrheit das intersubjektive Spiel der Wahrheit spielt. Die Rede Nathanaels, der von seinem Gesagten so überzeugt und geängstigt ist, daß er die Adressaten ihn auszulachen bittet (4), und die Rede des Erzählers, der Nathanael einmal Mimesis des „wirklichen Lebens" (19) und einmal aus seinem „Gemüt hervorgegangen" nennt, führen in dieses Spiel eine neue Variante oder Potenzierung ein.[108] Sie setzen den Glauben der Leser an die Unglaublichkeit literarischer Rede voraus, um eben diesen Glauben zu betrügen und die Wahrheit in ihrer Struktur von Fiktion zu artikulieren.[109] Im Bereich der Rede des Unbewußten, die niemand sprechen kann, sind nach Lacan alle Revolutionen Revolutionen des Stils.[110] Der Stil aber ist nicht der Mensch, sondern der Mensch, zu dem man spricht.[111] Rede und Antwort zwischen Literatur und Leserschaft haben die Logik des Witzes, den Freud von den zwei Juden in der Eisenbahn zwischen Lemberg und Krakau überliefert:[112]

„Wohin fahrst du?" fragt der eine. „Nach Krakau", ist die Antwort. „Sieh her, was du für Lügner bist", braust der andere auf. „Wenn du sagst, du fahrst nach Krakau, willst du doch, daß ich glauben soll, du fahrst nach Lemberg. Nun weiß ich aber, daß du wirklich fahrst nach Krakau. Also warum lügst du?"

ANMERKUNGEN

1 „Ankündigung der Rheinischen Thalia" (1784). Sämtliche Werke, hg. E. v. d. Hellen, Stuttgart/Berlin 1904, XVI, S. 139.

2 „Der Sandmann". Sämtliche Werke, historisch-kritische Ausgabe, hg. C. G. v. Maassen, München/Leipzig [2]1912–1914, III, S. 18. (Alle weiteren ‚Sandmann'-Zitate im Text geben nur mehr die Seitenzahl in dieser Ausgabe an.)

3 „Der Wahn und die Träume in W. Jensens ‚Gradiva'". GW VII, S. 33.

4 Die Traumdeutung. GW II/III, S. 101.

5 J. Lacan, „Die Ausrichtung der Kur und die Prinzipien ihrer Macht". *Schriften* I, S. 214.

6 Vgl. „Einleitung. II. ‚Diskursanalyse versus Literaturwissenschaft'" [in Band der Quelle], wo der Weg von einer Analyse der Psyche zur Analyse von Reden nachgezeichnet wird.

7 Vgl. Novalis, „Teplitzer Fragmente", Nr. 88. *Schriften* II, S. 612: „Der größeste Zauberer würde der seyn, der sich zugleich so bezaubern könnte, daß ihm seine Zaubereyen, wie fremde, selbstmächtige Erscheinungen vorkämen – Könnte das nicht mit uns der Fall seyn."

8 Zu Hoffmanns Poetologie in Absetzung vom Wahnsinn vgl. P. v. Matt, Die Augen der Automaten. E. T. A. Hoffmanns Imaginationslehre als Prinzip seiner Erzählkunst, Tübingen 1972. Die Untersuchung bleibt freilich der Begrifflichkeit ihres Interpretandum so nahe, daß sie weder den historischen Ort noch die Aporien Hoffmanns ausmachen kann.

9 „Meister Floh". Späte Werke, hg. W. Müller-Seidel, München 1965, S. 765.

10 Foucault, Die Ordnung der Dinge, S. 389.

11 Freud, „Charcot". GW I, S. 24.

12 An W. Fließ, 21. 9. 1897. Aus den Anfängen der Psychoanalyse. Briefe an Wilhelm Fließ, Abhandlungen und Notizen aus den Jahren 1887–1902, London 1950, S. 230.

13 Vgl. Derrida, Grammatologie, S. 120 f., und für die methodischen Konsequenzen bei einer Literaturanalyse S. und H. C. Goeppert, Sprache und Psychoanalyse, Reinbek 1973, S. 108.

14 So P. v. Matt, Literaturwissenschaft und Psychoanalyse. Eine Einführung, Freiburg/Br. 1972, S. 41 f.

15 Vgl. Lacan, „Lituraterre". Littérature, Nr. 3 (Oktober 1971), S. 4.

16 „Der Wahn und die Träume", a.a.O., S. 31.

17 Ebd., S. 33.

18 Ebd.

19 Ebd., S. 121.

20 Ebd., S. 101.

21 Die nach Amerika exportierte Psychoanalyse hat es natürlich eilig gehabt, den Unterschied wieder einzuführen. Auf der einen Seite kennt sie die beklagenswerte Regression der Neurose, auf der anderen eine produktiv-ästhetische „Regression im Dienst des Ich", deren Erfinder Ernst Kris ist (Psychoanalytical Explorations in Art. New York 1952).

22 „Lituraterre", a.a.O., S. 3.

23 Foucault, Die Ordnung der Dinge, S. 447 f.

24 „Das Unheimliche". GW XII, S. 243.

25 Vgl. Lacan, „Die Bedeutung des Phallus". *Schriften* II, S. 125 f.

26 Vgl. Cours de linguistique générale, hgg. Ch. Bally und A. Sechehaye, Paris 1969, S. 149–154.

27 J.-B. Pontalis/J. Laplanche, Das Vokabular der Psychoanalyse, Frankfurt/M. 1972, s. v. „Komplex".

28 Freud, „Das Ich und das Es". GW XIII, S. 262.

29 M. Safouan, Etudes sur l'Œdipe. Introduction à une théorie du sujet, Paris 1974, S. 50 und S. 130.
30 Ebd. 129–131.
31 Freud, „Der Untergang des Ödipuskomplexes". GW XIII, S. 398.
32 Zur allgemeinen Struktur dieser Insistenz vgl. Lacan, „La famille", 8˙ 40–5 f.; zur besonderen Form, in der die Insistenz im ‚Sandmann' erscheint, vgl. J.-P. Bauer, „Le marchand de sable. Remarques sur le fantastique". *Etudes freudiennes,* Nr. 3–4 (September 1970), S. 61–65.
33 „Das Unheimliche", a.a.O., S. 244.
34 Ebd.
35 Ebd., S. 245.
36 Ebd., S. 241 (nach einem Hinweis von Frau Dr. Rank).
37 Vgl. A. Green, „La déliaison". Littérature, Nr. 3 (Oktober 1971), S. 37–44. Das Wort „déliaison" faßt nur zusammen, was Freud theoretisch und praktisch als Struktur der psychoanalytischen Deutung bezeichnet hat. Sie ist keine Synthese.
38 „Das Unheimliche", a.a.O., S. 244.
39 Die Traumdeutung, a.a.O., S. 283 f.
40 Zit. Freud, „Das Unheimliche", a.a.O., S. 242 f.
41 Ebd., S. 230–237 und S. 254.
42 Ebd., S. 257.
43 Freud, „Das Interesse an der Psychoanalyse". GW VIII, S. 404.
44 Vgl. Lacan, „Über eine Frage, die jeder möglichen Behandlung der Psychose vorausgeht". *Schriften* II, S. 80–84.
45 Novalis, *Ofterdingen,* II 1. *Schriften* I, S. 325.
46 Das hat H. Cixous bei ihrer Relektüre von Hoffmann, Freud und Jentsch eingewandt (Prénoms de personne, Paris 1974, S. 22).
47 Lacan, „Le problème du style et la conception psychiatrique des formes paranoïaques de l'expérience". In: De la psychose paranoiaque dans ses rapports avec la personnalité, suivi de Premiers écrits sur la paranoia, Paris [2]1975, S. 387: „Les délires, en effet, n'ont besoin d'aucune interprétation pour exprimer par leurs seuls thèmes, et à merveille, ces complexes instinctifs et sociaux que la psychanalyse a la plus grande peine à mettre au jour chez les névrosés."
48 Ebd., S. 287–291.
49 Ebd., S. 285 f.
50 „Das Seminar über E. A. Poes ‚Der entwendete Brief'". *Schriften* I, S. 29.
51 Vgl. Lacan, „Funktion und Feld des Sprechens und der Sprache in der Psychoanalyse". *Schriften* I, S. 104 f.
52 Lacan, „D'un syllabaire après coup". *Ecrits,* S. 720. „Distinction méthodique donc, et qui ne constitue pour autant, précisons-le puisque le terme s'offre à nous, aucun seuil dans le réel."
53 „Das Spiegelstadium als Bildner der Ichfunktion". *Schriften* I, S. 61–70.
54 Diese Auffassung Freuds ist zusammengefaßt in „Das Ich und das Es", a.a.O., S. 243. Lacans Kritik formuliert am bündigsten „L'agressivité en psychanalyse". *Ecrits,* S. 116.
55 Vgl. „Subversion des Subjekts und Dialektik des Begehrens im Freudschen Unbewußten". *Schriften* II, S. 165–204.
56 Lacan, „De nos antécédents". *Ecrits,* S. 69–71.
57 Ebd., S. 69–71. Vgl. Safouan, *Etudes,* a.a.O., S. 156.
58 „Die Ausrichtung der Kur und die Prinzipien ihrer Macht". *Schriften* I, S. 209.
59 „Über eine Frage". *Schriften* II, S. 87.

60 Andere können diese Liebesentstehungsgeschichte kürzer erzählen: „In a tiny piece of coloured glass / My love was born" (Donovan: Jersey Thursday, *Album* Nr. 5, London o. J.).

61 Vgl. Lacan, „L'agressivité en psychanalyse". a.a.O., S. 113.

62 Das hat Bauer („Le marchand de sable", a.a.O., S. 66 f.) über Freud hinausgehend an Hoffmanns Erzählung nachgewiesen.

63 Die Parallele dieser zwei Szenen, die Nathanael als Objekt eines mütterlichen Begehrens erweisen, hat H. Cixous entdeckt (Prénoms de personne, a.a.O., S. 43), allerdings ohne jede Folgerung daraus zu ziehen, weil sie den Familiarismus des romantischen Textes seiner subversiven Potenz zuliebe überliest. Wie das Träumen, Phantasieren und Erwachen im Arm der Mutter, diese Urszene romantischer Texte, die ihren Poesiebegriff generiert, archäologisch auf eine Mutation der Familienstrukturen zurückgeht, zeigt mein Aufsatz „Die Irrwege des Eros und die ‚absolute Familie'" an Texten von Novalis (erscheint in Psychoanalytische und psychopathologische Textinterpretation, hgg. B. Urban und W. Kudszus, Darmstadt 1977).

64 Lacan, „Das Spiegelstadium", a.a.O., S. 65.

65 Vgl. Lacan, „Le temps logique et l'assertion de certitude anticipée". *Ecrits,* S. 213.

66 Exakte und zugleich kritische Referate dieser Leseart gibt A. Wilden in den Büchern The Language of the Self, Baltimore 1968, und System and Structure. Essays in Communication and Exchange, London 1972.

67 Lacan, „Über eine Frage", a.a.O., S. 89.

68 Freud, „Der Familienroman der Neurotiker". GW VII, S. 229.

69 Foucault, Raymond Roussel, Paris 1963, S. 208: „Si le langage était aussi riche que l'être, il serait le double inutile et muet des choses; il n'existerait pas. Et pourtant sans nom pour les nommer, les choses resteraient dans la nuit. ... Le langage ne parle qu'à partir d'un manque qui lui est essentiel. De ce manque, on éprouve le ‚jeu' – aux deux sens du terme – dans le fait (limite et principe à la fois) que le même mot peut dire deux choses différentes et que la même phrase répétée peut avoir un autre sens."

70 „Über eine Frage", a.a.O., S. 81. Für eine sprachtheoretische Präzisierung vgl. „La psychanalyse et son enseignement". *Ecrits,* S. 444.

71 Lacan, „Die Ausrichtung der Kur", a.a.O., S. 204.

72 Vgl. Lacan, „Das Drängen des Buchstaben im Unbewußten oder die Vernunft seit Freud". *Schriften* II, S. 29–34.

73 Lacan, „Introduction au commentaire de J. Hippolyte sur la ‚Verneinung' de Freud". *Ecrits,* S. 379. – Wenn man freilich wie C. Pietzcker („Zum Verhältnis von Traum und literarischem Kunstwerk". In: Psychoanalytische Literaturinterpretation, hg. J. Cremerius, Hamburg 1974) Traum und Phantasie als sogenannte Regressionen „narzißtisch" (S. 59), das Werk hingegen zu seiner Ehrenrettung „nach außen" (S. 60) gewandt nennt und damit übergeht, daß im Unbewußten nichts statthat als der Diskurs des Anderen (genitivus subiectivus und obiectivus), d. h. der Bezug des Subjekts zum Körper und zur Intersubjektivität – Freuds konkrete Traumanalysen müßten nur einmal gelesen werden –, scheint es vonnöten, die Text-Psychoanalyse durch eine „auf Realgeschichte basierende Sozialpsychologie" (S. 64) zu ergänzen, eine Theorie also, die systematisch verdrängt, daß „Realgeschichte" ohne Begehren nicht wäre. Die Kritik dieses unterm Titel Gesellschaftsbezogenheit laufenden Freud-Revisionismus hat L. Althusser geliefert (Freud und Lacan, Berlin 1970, S. 3).

74 Vgl. Lacan, „La famille", 8· 40–13 f.

75 Vgl. Lacan, Le séminaire XI: Les quatre concepts fondamentaux de la psychanalyse, Paris 1973, S. 181.

76 An F. Fliess, 20. 6. 1898. Aus den Anfängen, a.a.O., S. 274.

77 Vgl. Bauer, „Le marchand de sable", a.a.O., S. 68.

78 Lacan spricht vom „Infantilismus", mit dem jene „wahrhaftigen Kinder, die die Eltern sind – in diesem Sinn gibt es keine anderen als sie in der Familie –, das Geheimnis ihrer Ein- oder Zwietracht, je nachdem, maskieren wollen, d. h. das Geheimnis, von dem ihr Sprößling ganz genau weiß, daß da das ganze Problem liegt" („Über eine Frage", a.a.O., S. 112).

79 Zum Beweis für diese Distribution der Geschlechterstereotypen zwischen Vater und Coppelius genügt ein Blick auf Hoffmanns Handzeichnung, die die Begegnung der beiden zeigt: Der Vater im langen Nachtgewand empfängt niedergebeugt und ergeben-melancholisch einen sanguinischen, knapp gekleideten und stockbewehrten Coppelius, aus dessen Kleinheit und Kraft die wohlbekannte Symbolik des Zwergs spricht. Rechts und links von den beiden verhüllen Rauch und Schleier zwei Heimlichkeiten: den Ort der alchymischen Hochzeit und den des Kindes.

80 Nach einem Hinweis von L. Wawrzyn, Der Automaten-Mensch, Berlin 1976, S. 96. – Über das technisch-erotische Phantasma Lazzaro Spallanzanis vgl. neuerdings H. M. Enzensberger, Mausoleum, Frankfurt/M. 1975, S. 40–42.

81 Vgl. Bauer, „Le marchand de sable", a.a.O., S. 62.

82 Vgl. Lacan, „Über eine Frage", a.a.O., S. 82.

83 Das zeigt ausführlich Bauer, „Le marchand de sable", a.a.O., S. 68ff.

84 Die exakte spieltheoretische Formulierung dieses Sprachbezugs, der das Subjekt des Unbewußten vom Subjekt der Metaphysik unterscheidet, gibt Safouan, *Etudes,* a.a.O., S. 48.

85 Lacan, „La chose freudienne ou sens du retour à Freud en psychanalyse". *Ecrits,* S. 433: „C'est des forfaitures et des vains serments, des manques de parole et des mots en l'air dont la constellation a présidé à la mise au monde d'un homme, qu'est pétri l'invité de pierre qui vient troubler, dans les symptômes, le banquet de ses désirs."

86 Vgl. Les structures élémentaires de la parenté, Paris-LaHaye ^{2}1967. – Ohne über die ethnographischen Daten von Lévi-Strauss zu verfügen (der ja seine Theorie des Inzestverbots von einem indischen Informanten gelernt hat), hat Lacan Freuds Familien- und Kulturentstehungstheorie schon 1938 einer prinzipiellen Kritik unterzogen. Vgl. „La famille", 8' 40–3f. und 8' 40–12.

87 Lacan, Le mythe individuel du névrosé ou „poésie et vérité" dans la névrose, Raubdruck Paris o. J., S. 31f.: „La situation la plus normativement du vécu originel du sujet moderne, sous la forme réduite qui est la structure familiale, la forme de la famille conjugale, est liée au fait que le père se trouve le représentant, l'incarnation d'une fonction symbolique essentielle, qui concentre en elle ce qu'il y a de plus essentiel et de plus développé dans d'autres structures culturelles."

88 Ebd., S. 32: „Il est clair que ce recouvrement du symbolique et du réel est absolument insaisissable." Lacan zeigt den pathogenen Effekt am Bezug Goethes zu Friederike Brion und zu seinem Doppelgänger, wie er in ‚Dichtung und Wahrheit' überliefert ist. Das diskursive Ereignis, daß die Umstrukturierung der Familie Texte wie ‚Dichtung und Wahrheit' erst ermöglicht, läßt Lacan freilich außer Betracht.

89 M. Guillaume (Le capital et son double, Paris 1975, S. 22–30) sucht derart und gewiß vorläufig Lacans Kulturisationstheorie mit makrosozialen, politischen und ökonomischen Prozessen zu verknüpfen.

90 Vgl. Cixous, Prénoms de personne, a.a.O., S. 95.

91 Zur Unterscheidung von Kulturen des Gesetzes und Kulturen der Norm vgl. Foucault, Sexualität und Wahrheit, Bd. I: Der Wille zum Wissen, Ffm. 1977, Kap. V.

92 So Freud anläßlich von Jensens „Gradiva": Die Traumdeutung, a.a.O., S. 101.

93 Foucault, Wahnsinn und Gesellschaft, S. 512.
94 Vgl. Lacan, „Fonctions de la psychanalyse en criminologie“. *Ecrits*, S. 132f.
95 Vgl. Ph. Ariès, Geschichte der Kindheit.
96 Foucault, Psychologie und Geisteskrankheit, S. 123.
97 Ich danke dieses Wort den Denkwürdigkeiten eines Nervenkranken von D. P. Schreber (Nachdruck Berlin 1973, S. 168).
98 Über den Prozeß der Zivilisation, Nachdruck Frankfurt 1976, Bd. I, S. 261–263.
99 Freud, „Das Unheimliche“, a.a.O., S. 242.
100 Vgl. S. Leclaire, „Le réel dans le texte“. Littérature Nr. 3 (Oktober 1971), S. 30–32.
101 Lacan, Le séminaire XI, a.a.O., S. 100–104. Lacan argumentiert am Beispiel der Malerei, das jedoch auf Hoffmanns Erzählung beziehbar ist, deren Poetologie ständig in Metaphern der Opsis und des Malens spricht.
102 Cixous, Prénoms de personne, a.a.O., S. 99: „Le récit ne renvoie plus à quelque réalité (ou simulacre de réalité) effectuée ou fabriquée: mais de façon directe, calculée, à la scène de lecture. Moi, le narrateur, je veux que tu voies, non pas la réalité, mais ma façon de voir la réalité. Je veux que tu la voies dans mes yeux.“
103 Vgl. Wawrzyn, Der Automaten-Mensch, a.a.O., S. 9.
104 Vgl. Kittler, „Die Irrwege des Eros und die ‚absolute Familie‘“.
105 Zur Unterscheidung von Zeichen und Signifikant vgl. Lacan, „Position de l’inconscient“. *Ecrits*, S. 840, und Le séminaire XX: Encore. Paris 1975.
106 „Linguistik und Poetik“. In: Strukturalismus in der Literaturwissenschaft, hg. H. Blumensath, Köln 1972, S. 124.
107 Lacan, Le mythe individuel, a.a.O., S. 2f.
108 Hoffmanns stilistische Innovationen betont vor allem W. Kayser, Das Groteske in Malerei und Dichtung, Reinbek 1960, S. 59.
109 Lacan, „‚Der entwendete Brief‘“, a.a.O., S. 10.
110 Lacan, „La psychanalyse et son enseignement“. *Ecrits*, S. 458.
111 So kehrt Lacan die sprichwörtliche Formel Buffons um („Ouverture de ce recueil“. *Ecrits*, S. 9).
112 Der Witz und seine Beziehung zum Unbewußten. GW VI, S. 127.

Quellenverzeichnis

Georg Lukács, Die Romantik als Wendung in der deutschen Literatur, in: G. L., Kurze Skizze einer Geschichte der neueren deutschen Literatur, Luchterhand, Neuwied und Berlin 1963, S. 64–87. (Zuerst in: G. L., Fortschritt und Reaktion, Aufbau, Berlin (DDR) 1945.)

Werner Kohlschmidt, Nihilismus der Romantik, in: W. K., Form und Innerlichkeit. Beiträge zur Geschichte und Wirkung der deutschen Klassik und Romantik, Francke, Bern 1955, S. 157–176, 257–258. (Zuerst in: Neue Schweizer Rundschau, Dez. 1953.)

Ernst Behler, Der Wendepunkt Friedrich Schlegels. Ein Bericht über unveröffentlichte Schriften Friedrich Schlegels in Köln und Trier, Philosophisches Jahrbuch der Görresgesellschaft 64 (1956), S. 245–263.

Richard Alewyn, Eine Landschaft Eichendorffs, Euphorion 51 (1957), S. 42–60.

Theodor W. Adorno, Zum Gedächtnis Eichendorffs, in: T. W. A. Noten zur Literatur I, Suhrkamp, Frankfurt/M. 1958, S. 105–134. (Zuerst in: Vortrag zum 100. Todestag Eichendorffs im Westdeutschen Rundfunk, Nov. 1957).

Hans Mayer, Die Wirklichkeit E. T. A. Hoffmanns, in: H. M., Von Lessing bis Thomas Mann. Wandlungen der bürgerlichen Kultur in Deutschland, Neske, Pfullingen 1959, S. 198–246.

Heinrich Henel, Arnims „Majoratsherren", vom Autor durchgesehene und überarbeitete Fassung in: Jost Schillemeit (Hg.), Interpretationen. Deutsche Erzählungen von Wieland bis Kafka, Fischer-Bücherei, Frankfurt/M. 1966, S. 151–178. (Zuerst in: Benno von Reifenberg und Emil Staiger (Hg.), Weltbewohner und Weimaraner. Ernst Beutler zugedacht, Artemis, Zürich und Stuttgart 1960, S. 73–104).

Werner Krauss, Französische Aufklärung und deutsche Romantik, in: W. K., Perspektiven und Probleme. Zur französischen und deutschen Aufklärung und andere Aufsätze, Luchterhand, Neuwied und Berlin 1965, S. 266–284. (Zuerst Vortrag, Leipzig 1962).

Hans-Joachim Mähl, Novalis: Hemsterhuis-Studien, aus der Einleitung zu: Novalis, Schriften Bd. II, hg. von Richard Samuel in Zusammenarbeit mit Hans-Joachim Mähl und Gerhard Schulz, Kohlhammer, Stuttgart 1965, S. 309–330.

Wilfried Malsch, Vorwort zu: W. M., „Europa". Poetische Rede des Novalis. Deutung der französischen Revolution und Reflexion auf die Poesie in der Geschichte, Metzler, Stuttgart 1965, S. V–XII.

Eberhard Lämmert, Zur Wirkungsgeschichte Eichendorffs in Deutschland, in: Herbert Singer und Benno von Wiese (Hg.), Festschrift für Richard Alewyn, Böhlau, Köln und Graz 1967, S. 346–378.

Franz Norbert Mennemeier, Fragment und Ironie beim jungen Friedrich Schlegel. Versuch der Konstruktion einer nicht geschriebenen Theorie, Poetica 2 (1968), S. 348–370.

Heinz Schlaffer, Roman und Märchen. Ein formtheoretischer Versuch über Tiecks „Blonden Eckbert", in: Helmut Kreuzer (Hg.), Gestaltungsgeschichte und Gesellschaftsgeschichte. Literatur-, kunst- und musikwissenschaftliche Studien, Metzler, Stuttgart 1969, S. 224–241.

Wolfgang Frühwald, Gedichte in der Isolation. Romantische Lyrik am Übergang von der Autonomie- zur Zweckästhetik, in: Walter Müller-Seidel (Hg.), Historizität in Literatur und Sprache. Akten der Tagung der deutschen Hochschulgermanisten 1972, Fink, München 1973, S. 295–311.

Hans-Joachim Heiner, Das „goldene Zeitalter" in der deutschen Romantik. Zur sozialpsychologischen Funktion eines Topos, Zeitschrift für deutsche Philologie 91 (1972), S. 206–234.

Claus Träger, Ursprünge und Stellung der Romantik, Weimarer Beiträge 21 (1975) II, S. 37–73.

Friedrich A. Kittler, „Das Phantom unseres Ichs" und die Literaturpsychologie. E.T.A. Hoffmann – Freud – Lacan, in: F.A.K. und Horst Turk (Hg.), Urszenen. Literaturwissenschaft als Diskursanalyse und Diskurskritik, Suhrkamp, Frankfurt/M. 1977, S. 139–166.

Auswahl-Bibliographie

A. Ausgaben

1. *Kritische Gesamtausgaben*

Kritische Friedrich-Schlegel-Ausgabe, 35 Bde., hg. von Ernst Behler unter Mitwirkung von Jean-Jacques Anstett, Jakob Baxa, Ursula Behler, Liselotte Dieckmann, Hans Eichner, Raymond Immerwahr, Robert L. Kahn, Eugène Susini, Bertold Sutter, A. Leslie Willson u. a. Mitarbeitern, Paderborn 1958ff.

Novalis. Schriften. Die Werke Friedrich von Hardenbergs, 4 Bde., 2. nach den Handschriften ergänzte, erweiterte und verbesserte Auflage, hg. von Paul Kluckhohn (†) und Richard Samuel in Zusammenarbeit mit Hans-Joachim Mähl und Gerhard Schulz, Stuttgart 1960–75.

Joseph Freiherr von Eichendorff, Historisch-kritische Ausgabe sämtlicher Werke, begründet von Wilhelm Kosch und August Sauer, fortgeführt und hg. von Helmut Koopmann und Hermann Kunisch, ca. 25 Bde., Neue Edition: Regensburg 1962ff, Stuttgart 1975ff.

Clemens Brentano, Sämtliche Werke und Briefe. Historisch-kritische Ausgabe, veranstaltet vom Freien Deutschen Hochstift, ca. 40 Bde., hg. von Jürgen Behrens, Wolfgang Frühwald und Detlev Lüders, Stuttgart 1975ff.

2. *Andere Ausgaben*

Friedrich Schlegel, Kritische Schriften, hg. von Wolfdietrich Rasch, München 1956, ^{2}1964.

Friedrich Schlegel, Schriften und Fragmente. Ein Gesamtbild seines Geistes, aus den Werken und dem handschriftlichen Nachlaß zusammengestellt und eingeleitet von Ernst Behler, Stuttgart 1956.

Friedrich Schlegel, Literary Notebooks 1797–1801, ed. with introduction and commentary by Hans Eichner, Toronto 1957.

Joseph von Eichendorff, Neue Gesamtausgabe der Werke und Schriften, 4. Bde., hg. von Gerhart Baumann in Verbindung mit Siegfried Grosse, Stuttgart 1957/58.

E.T.A. Hoffmann, Sämtliche Werke, nach dem Text der Erstdrucke, unter Hinzuziehung der Ausgaben von Carl Georg von Maassen und Georg Ellinger, 5 Einzelbände, hg. von Walter Müller-Seidel, München 1960–65.

Achim von Arnim, Sämtliche Romane und Erzählungen, 3 Bde., auf Grund der Erstdrucke, hg. von Walther Migge, München 1962–65.

August Wilhelm Schlegel, Kritische Schriften und Briefe, hg. von Edgar Lohner, Stuttgart 1962–74.

Ludwig Tieck, Werke, 4 Bde., nach dem Text der Schriften von 1828–54, unter Berücksichtigung der Erstdrucke, hg. von Marianne Thalmann, München 1963–66.

Clemens Brentano, Werke, 4 Bde., hg. von Friedhelm Kemp, Wolfgang Frühwald und Bernhard Gajek, München 1963–68.

Novalis, Werke, hg. und kommentiert von Gerhard Schulz, München 1969.

Joseph von Eichendorff, Werke, 5 Bde., nach den Ausgaben letzter Hand unter Hinzuziehung der Erstdrucke. Textredaktion Jost Perfahl, Einführung und Anmerkungen von Ansgar Hillach und Klaus-Dieter Krabiel, München 1970ff.
Ludwig Tieck, Ausgewählte kritische Schriften, hg. von Ernst Ribbat, Tübingen 1974.
Adelbert von Chamisso, Sämtliche Werke, 2 Bde., nach dem Text der Ausgaben letzter Hand und den Handschriften. Textredaktion Jost Perfahl, Bibliographie und Anmerkungen von Volker Hoffmann, München 1975.
Achim von Arnim, Gedichte. 2. Teil, hg. von Herbert R. Liedke und Alfred Anger, Tübingen 1976 (Bd. 23 der Sämtlichen Werke, Berlin 1839–56).
Friedrich de la Motte Fouqué, Romantische Erzählungen, nach den Erstdrucken mit Anmerkungen, Zeittafel, Bibliographie und einem Nachwort, hg. von Gerhard Schulz, München 1977.
Novalis, Werke, Tagebücher und Briefe Friedrich von Hardenbergs, 2 Bde., hg. von Hans-Joachim Mähl und Richard Samuel, München 1978.
Joseph Görres, Ausgewählte Werke, 2 Bde., hg. von Wolfgang Frühwald, Freiburg u. a. 1978.

B. Sammelbände

Theodor Steinbüchel (Hg.), Romantik. Ein Zyklus Tübinger Vorlesungen, Tübingen/Stuttgart 1948.
Hans Steffen (Hg.), Die deutsche Romantik. Poetik, Formen und Motive, Göttingen 1967.
Helmut Prang (Hg.), Begriffsbestimmung der Romantik, Darmstadt 1968.
Siegbert Prawer (Hg.), The Romantic Period in Germany. Essays by Members of the London University Institute of Germanic Studies, London 1970.
Benno von Wiese (Hg.), Deutsche Dichter der Romantik. Ihr Leben und Werk, Berlin 1971.
Romantik heute. Friedrich Schlegel. Novalis. E.T.A. Hoffmann. Ludwig Tieck, Bonn/Bad Godesberg 1972.
Die europäische Romantik, mit Beiträgen von Ernst Behler, Heinrich Fauteck, Clemens Heselhaus, Wolfram Krömer, Wilhelm Lettenbauer, Hans Sckommodau, Helmut Viebrock, Kurt Wais, Frankfurt/M. 1972.
Hans Eichner (Hg.), „Romantic" and Its Cognates. The European History of a Word, Toronto 1972.
Dieter Bänsch (Hg.), Zur Modernität der Romantik, Literaturwissenschaft und Sozialwissenschaften 8, Stuttgart 1977.
Richard Brinkmann (Hg.), Romantik in Deutschland. Ein interdisziplinäres Symposion, Sonderband der DVjs., Stuttgart 1978.

C. Allgemeine Darstellungen

Georg Lukács, Die Romantik als Wendung in der deutschen Literatur, in: G.L., Fortschritt und Reaktion, Berlin 1945. Dann in: G.L., Kurze Skizze einer Geschichte der neueren deutschen Literatur, Neuwied 1963, S. 64–87.
Henri Brunschwig, La crise de l'état prussien à la fin du XVIIIe siècle et la genèse de la mentalité romantique, Paris 1947. Deutsch: Gesellschaft und Romantik in Preußen im 18. Jahrhundert. Die Krise des preußischen Staates am Ende des 18. Jahrhunderts und die Entstehung der romantischen Mentalität, Frankfurt/M. u. a. 1976.
Erich Ruprecht, Der Aufbruch der romantischen Bewegung, München 1948.
Ferdinand Lion, Romantik als deutsches Schicksal, Stuttgart 1947.
Walther Rehm, Kierkegaard und der Verführer, München 1949.
Werner Kohlschmidt, Nihilismus der Romantik, Neue Schweizer Rundschau, Dez. 1953. Dann in: W.K., Form und Innerlichkeit. Beiträge zur Geschichte und Wirkung der deutschen Klassik und Romantik, Bern 1955, S. 157–76.
Hans Reiss, The Political Thought of the German Romantics (1793–1815), Oxford 1955. Deutsch: Politisches Denken in der deutschen Romantik, Bern/München 1966.
Ingrid Strohschneider-Kohrs, Die romantische Ironie in Theorie und Gestaltung, Tübingen 1960, [2]1977.
Marianne Thalmann, Das Märchen und die Moderne. Zum Begriff der Surrealität im Märchen der Romantik, Stuttgart 1961.
Roger Ayrault, La genèse du romantisme allemand, 3 Bde., Paris 1961–1970.
Gerhard Schneider, Studien zur deutschen Romantik, Leipzig 1962.
Hans Mayer, Fragen der Romantikforschung, Vortrag in Leipzig 1962. Dann in: H.M., Zur deutschen Klassik und Romantik, Pfullingen 1963, S. 263–305.
Werner Krauss, Französische Aufklärung und deutsche Romantik, Vortrag in Leipzig 1962. Dann in: Wissenschaftl. Zeitschr. der Univ. Leipzig 12 (1963), Heft 2. Und in: W.K., Perspektiven und Probleme. Zur französischen und deutschen Aufklärung und andere Aufsätze, Neuwied/Berlin 1965, S. 266–84.
Marianne Thalmann, Romantik und Manierismus, Stuttgart 1963.
René Wellek, The Concept of Romanticism in Literary History, in: R.W., Concepts of Criticism, New Haven/London 1963, S. 128–98.
Wilhelm Emrich, Romantik und modernes Bewußtsein, in: W.E., Geist und Widergeist. Studien, Frankfurt/M. 1965, S. 236–57.
Lawrence Ryan, Romanticism, in: J. M. Ritchie (Hg.), Periods in German Literature, London 1966, S. 123–43.
Helmut Schanze, Romantik und Aufklärung. Untersuchungen zu Friedrich Schlegel und Novalis, Nürnberg 1966, [2]1976.
Erläuterungen zur deutschen Literatur: Romantik, hg. vom Kollektiv für Literaturgeschichte im Verlag Volk und Wissen, Berlin (DDR) 1967, [2]1973.
Arthur Henkel, Was ist eigentlich romantisch?, in: Herbert Singer und Benno von Wiese (Hg.), Festschrift für Richard Alewyn, Köln/Graz 1967, S. 292–308.
Helmut Schanze (Hg.), Die andere Romantik. Eine Dokumentation, Frankfurt/M. 1967.
Claus Träger, Ideen der französischen Aufklärung in der deutschen Romantik, Weimarer Beiträge 14 (1968) I, S. 175–86.

Klaus Weimar, Versuch über Voraussetzung und Entstehung der Romantik, Tübingen 1968.
Hans Grassl, Aufbruch zur Romantik, München 1968.
Bernhard Heimrich, Fiktion und Fiktionsironie in Theorie und Dichtung der deutschen Romantik, Tübingen 1968.
Christa Karoli, Ideal und Krise enthusiastischen Künstlertums in der deutschen Romantik, Bonn 1968.
Peter Kapitza, Die frühromantische Theorie der Mischung. Über den Zusammenhang der romantischen Dichtungstheorie und zeitgenössischer Chemie, München 1968.
Herbert Mainusch, Romantische Ästhetik, Bad Homburg u. a. 1969.
Armand Nivelle, Frühromantische Dichtungstheorie, Berlin 1970.
Ursula Roisch, Analyse einiger Tendenzen der westdeutschen bürgerlichen Romantikforschung seit 1945, Weimarer Beiträge 16 (1970), II, S. 52–81.
Heinz Hillmann, Bildlichkeit der deutschen Romantik, Frankfurt/M. 1971.
Hans-Dietrich Dahnke, Literarische Prozesse in der Periode von 1789–1806, Weimarer Beiträge 17 (1971) II, S. 46–71.
Klaus Lindemann, Geistlicher Stand und religiöses Mittlertum. Ein Beitrag zur Religionsauffassung der Frühromantik in Dichtung und Philosophie, Frankfurt/M. 1971.
Raymond Immerwahr, Romanticism, in: Horst Daemmrich und Diether H. Haenicke (Hg.), The Challenge of German Literature, Detroit 1971, S. 183–231.
Heinz-Dieter Weber, Über eine Theorie der Literaturkritik. Die falsche und die berechtigte Aktualität der Frühromantik, München 1971.
Dieter Arendt, Der „poetische Nihilismus" in der Romantik. Studien zum Verhältnis von Dichtung und Wirklichkeit in der Frühromantik, 2 Bde., Tübingen 1972.
Raymond Immerwahr, Romantisch. Genese und Tradition einer Denkform, Frankfurt/M. 1972.
Ernst Behler, Die Auffassung der Revolution in der Frühromantik, in: Essays in European Literature. In Honor of Liselotte Dieckmann, St. Louis 1972, S. 191–215.
Hans-Joachim Heiner, Das „goldene Zeitalter" in der deutschen Romantik. Zur sozialpsychologischen Funktion eines Topos, ZfdPh. 91 (1972), S. 206–34.
Helmut Prang, Die romantische Ironie, Darmstadt 1972.
Alfred Riemen, Die reaktionären Revolutionäre? oder romantischer Antikapitalismus?, Aurora 33 (1973), S. 77–86.
Inge Hoffmann-Axthelm, Geisterfamilie. Studien zur Geselligkeit der Frühromantik, Frankfurt/M. 1973.
Richard Brinkmann, Frühromantik und Französische Revolution, in: Deutsche Literatur und Französische Revolution. Sieben Studien von R.B. u. a., Göttingen 1974, S. 172–91.
Hans Kals, Die soziale Frage in der Romantik, Köln/Bonn 1974.
Roland Heine, Transzendentalpoesie. Studien zu Friedrich Schlegel, Novalis und E.T.A. Hoffmann, Bonn 1974.
Manfred Frank, Das Problem „Zeit" in der deutschen Romantik. Zeitbewußtsein und Bewußtsein der Zeitlichkeit in der frühromantischen Philosophie und in Tiecks Dichtung, München 1974.
Claus Träger, Ursprünge und Stellung der Romantik, Weimarer Beiträge 21 (1975) II, S. 37–73.

Jochen Hörisch, Die fröhliche Wissenschaft der Poesie. Der Universalitätsanspruch von Dichtung in der frühromantischen Poetologie, Frankfurt/M. 1976.
Gerda Heinrich, Geschichtsphilosophische Positionen der deutschen Frühromantik (Friedrich Schlegel und Novalis), Berlin (DDR) 1976, Kronberg/Ts. 1977.
Günter Hartung, Zum Bild der deutschen Romantik in der Literaturwissenschaft der DDR, Weimarer Beiträge 22 (1976), XI, S. 167–76.
A. S. Dmitriev, Deutsche Romantik und europäische Literatur, Weimarer Beiträge 23 (1977) II, S. 100–20.
Hans-Jürgen Geerdts, Romantik und Romantikforschung in der Diskussion, Weimarer Beiträge 23 (1977) II, S. 151–53.
Hannelore Schlaffer, Frauen als Einlösung der romantischen Kunsttheorie, JbDSG 21 (1977), S. 274–96.
Jack Zipes, The Revolutionary Rise of the Romantic Fairy Tale in Germany, Studies in Romanticism 16 (1977), S. 409–50.
Hans-Dietrich Dahnke, Zur Stellung und Leistung der deutschen romantischen Literatur. Ergebnisse und Probleme ihrer Erforschung, Vortrag in Frankfurt/Oder 1977. Dann in: Weimarer Beiträge 24 (1978) IV, S. 5–20.
Wolfgang Heise, Weltanschauliche Aspekte der Frühromantik, Vortrag in Frankfurt/Oder 1977. Dann in: Weimarer Beiträge 24 (1978) IV, S. 21–46.
Claus Träger, Historische Dialektik der Romantik und Romantikforschung, Vortrag in Frankfurt/Oder 1977. Dann in: Weimarer Beiträge 24 (1978) IV, S. 47–73.
Wilfried Malsch, Klassizismus, Klassik und Romantik der Goethezeit, in: Karl Otto Conrady (Hg.), Deutsche Literatur zur Zeit der Klassik, Stuttgart 1978, S. 381–408.
Martin Meyer, Idealismus und politische Romantik. Studien zum geschichtsphilosophischen Denken der Neuzeit, Bonn 1978.
Geschichte der deutschen Literatur von den Anfängen bis zur Gegenwart, Bd. 7: 1789–1830, von einem Autorenkollektiv unter der Leitung von Hans-Dietrich Dahnke, Thomas Höhle und Hans-Georg Werner, Berlin (DDR) 1978.
Gerhart Hoffmeister, Deutsche und europäische Romantik, Stuttgart (Slg. Metzler) 1978.
Hermann Timm, Die heilige Revolution. Das religiöse Totalitätskonzept der Frühromantik. Schleiermacher-Novalis-Friedrich Schlegel, Frankfurt/M. 1978.
Rüdiger von Tiedemann, Fabels Reich. Zur Tradition und zum Programm romantischer Dichtungstheorie, Berlin/New York 1978.
Ernst Ribbat, Die Romantik. Wirkungen der Revolution und neue Formen literarischer Autonomie, in: Viktor Žmegač (Hg.), Geschichte der deutschen Literatur vom 18. Jahrhundert bis zur Gegenwart, Bd. I, 2, Königstein/Ts. 1978, S. 92–141.
Klaus Peter, Adel und Revolution als Thema der Romantik, in: Peter Uwe Hohendahl und Paul Michael Lützeler (Hg.), Legitimationskrisen des deutschen Adels 1200–1900. Literaturwissenschaft und Sozialwissenschaften 11, Stuttgart 1979, S. 197–217.

D. Zu einzelnen Autoren

1. *August Wilhelm Schlegel*

Walter F. Schirmer, August Wilhelm Schlegel. Drei Vorträge, in: W.F.Sch., Kleine Schriften, Tübingen 1950.
M. E. Atkinson, August Wilhelm Schlegel as a Translator of Shakespeare, Oxford 1958.
F. Finke, Die Brüder Schlegel als Literaturhistoriker, Diss. Kiel 1961.
J. C. Osborne, August Wilhelm Schlegel as a Historian of German Literature 1786–1804, Diss. Northwestern Univ., Evanston 1962.
Ch. Nagavajara, August Wilhelm Schlegel in Frankreich. Sein Anteil an der französischen Literaturkritik 1807–1835, Tübingen 1966.
Michael Buselmeier, Der Weltmann und die Wissenschaft von der Literatur, Neue Deutsche Hefte 14 (1967) Heft 4, S. 124–34.
Hans-Dietrich Dahnke, August Wilhelm Schlegels Berliner und Wiener Vorlesungen und die romantische Literatur. Zum Problem einer europäischen Romantik, Weimarer Beiträge 14 (1968), S. 782–95.
Lothar Ehrlich, Die frühromantische Dramaturgie August Wilhelm Schlegels, Wissenschaftl. Zeitschr. der Univ. Halle 18 (1969), Heft 2, S. 157–70.
Peter Gebhardt, August Wilhelm Schlegels Shakespeare-Übersetzung. Untersuchungen zu seinem Übersetzungsverfahren am Beispiel des „Hamlet", Göttingen 1970.
Edgar Lohner, August Wilhelm Schlegel, in: Benno von Wiese (Hg.), Deutsche Dichter der Romantik, Berlin 1971, S. 135–62.
Ralph W. Ewton, The Literary Theories of August Wilhelm Schlegel, The Hague 1972.
Klaus Lindemann, Theorie-Geschichte-Kritik. August Wilhelm Schlegels Prinzipienreflexion als Ansatz für eine neue Literaturtheorie?, ZfdPh. 93 (1974), S. 560–79.
Silke Agnes Reavis, August Wilhelm Schlegels Auffassung der Tragödie im Zusammenhang mit seiner Poetik und ästhetischen Theorien seiner Zeit, Bern 1978.

2. *Friedrich Schlegel*

Heinrich Henel, Friedrich Schlegel und die Grundlagen der modernen literarischen Kritik, The Germanic Review 20 (1945), S. 81–93.
Jean-Jacques Anstett, Lucinde. Eine Reflexion. Essai d'interprétation, Etudes Germaniques 3 (1948), S. 241–50.
Raymond Immerwahr, The Subjectivity or Objectivity of Friedrich Schlegel's Poetic Irony, The Germanic Review 26 (1951), S. 173–91.
Peter Szondi, Friedrich Schlegel und die romantische Ironie, Euphorion 48 (1954), S. 397–411. Dann in: P.S., Satz und Gegensatz. Sechs Essays, Frankfurt/M. 1964, S. 5–18.
Viktor Lange, Friedrich Schlegel's Literary Criticism, Comparative Literature 7 (1955), S. 289–305.
Ernst Behler, Der Wendepunkt Friedrich Schlegels. Ein Bericht über unveröffentlichte

Schriften Friedrich Schlegels in Köln und Trier, Philosophisches Jb. der Görres-Gesellsch. 64 (1956), S. 245–63.
Hans Eichner, Friedrich Schlegel's Theory of Romantic Poetry, PMLA 71 (1956), S. 1018–41.
Ernst Behler, Friedrich Schlegels Theorie der Universalpoesie, JbDSG 1 (1957), S. 211–52.
Alois Dempf, Der frühe und der späte Friedrich Schlegel, in: A.D., Weltordnung und Heilsgeschehen, Einsiedeln 1958, S. 79ff.
Richard Brinkmann, Romantische Dichtungstheorie in Friedrich Schlegels Frühschriften und Schillers Begriffe des Naiven und Sentimentalischen, DVjs. 32 (1958), S. 344–71.
Ernst Behler, Zur Theologie der Romantik. Das Gottesproblem in der Spätphilosophie Friedrich Schlegels, Hochland 52 (1960), S. 339–53.
Klaus Briegleb, Ästhetische Sittlichkeit. Versuch über Friedrich Schlegels Systementwurf zur Begründung der Dichtungskritik, Tübingen 1962.
Heinrich Nüsse, Die Sprachtheorie Friedrich Schlegels, Heidelberg 1962.
Gerd Peter Hendrix, Das politische Weltbild Friedrich Schlegels, Bonn 1962.
Eugeniusz Klin, Das Problem der Emanzipation in Friedrich Schlegels Lucinde, Weimarer Beiträge 9 (1963), S. 76–99.
Ernst Behler, Friedrich Schlegel und Hegel, Hegel-Studien 2 (1963), S. 203–50.
Eugeniusz Klin, Die frühromantische Literaturtheorie Friedrich Schlegels, Wroclaw 1964.
Ernst Behler, Friedrich Schlegel in Selbstzeugnissen und Bilddokumenten, Reinbek bei Hamburg 1966.
Klaus Peter, Friedrich Schlegels ästhetischer Intellektualismus. Studien über die paradoxe Einheit von Philosophie und Kunst in den Jahren vor 1800, Diss. Frankfurt/M. 1966.
Karl Konrad Polheim, Die Arabeske. Ansichten und Ideen aus Friedrich Schlegels Poetik, Paderborn 1966.
Hans-Robert Jauß, Schlegels und Schillers Replik auf die „Querelle des Ancien et des Modernes", in: H. Friedrich, F. Schalk (Hg.), Europäische Aufklärung – H. Dieckmann zum 60. Geb., München 1967, S. 117–40.
Werner Weiland, Der junge Friedrich Schlegel oder Die Revolution in der Frühromantik, Stuttgart 1968.
Franz Norbert Mennemeier, Fragment und Ironie beim jungen Friedrich Schlegel. Versuch der Konstruktion einer nicht geschriebenen Theorie, Poetica 2 (1968), S. 348–70.
Raimund Belgardt, Romantische Poesie. Begriff und Bedeutung bei Friedrich Schlegel, The Hague/Paris 1969.
Hans Eichner, Friedrich Schlegels Theorie der Literaturkritik, ZfdPh 88 (1969), Sonderheft: Friedrich Schlegel und die Romantik, S. 2–19.
Karl Konrad Polheim, Friedrich Schlegels „Lucinde", ZfdPh 88 (1969), Sonderheft: Friedrich Schlegel und die Romantik, S. 61–90.
Ernst Behler, Die Theorie der romantischen Ironie im Lichte der handschriftlichen Fragmente Friedrich Schlegels, ZfdPh 88 (1969), Sonderheft: Friedrich Schlegel und die Romantik, S. 90–114.
Ursula Struc, Zu Friedrich Schlegels orientalistischen Studien, ZfdPh 88 (1969), Sonderheft: Friedrich Schlegel und die Romantik, S. 114–132.

Jean-Jacques Anstett, Mystisches und Okkultistisches in Friedrich Schlegels spätem Denken und Glauben, ZfdPh 88 (1969), Sonderheft: Friedrich Schlegel und die Romantik, S. 132–50.
Hans Eichner, Friedrich Schlegel, New York 1970.
Peter Szondi, Friedrich Schlegels Theorie der Dichtarten. Versuch einer Rekonstruktion auf Grund der Fragmente aus dem Nachlaß, Euphorion 64 (1970), S. 181–99.
Franz Norbert Mennemeier, Friedrich Schlegels Poesiebegriff. Dargestellt anhand der literaturkritischen Schriften. Die romantische Konzeption einer objektiven Poesie, München 1971.
Eberhard Huge, Poesie und Reflexion in der Ästhetik des frühen Friedrich Schlegel, Stuttgart 1971.
Hans-Joachim Heiner, Das Ganzheitsdenken Friedrich Schlegels. Wissenssoziologische Deutung einer Denkform, Stuttgart 1971.
Jost Schillemeit, Systematische Prinzipien in Friedrich Schlegels Literaturtheorie. Mit textkritischen Anmerkungen, JbFDH (1972), S. 137–76.
Klaus Peter, Objektivität und Interesse. Zu zwei Begriffen Friedrich Schlegels, in: Volkmar Sander (Hg.), Ideologiekritische Studien zur Literatur. Essays I, Frankfurt/M. 1972, S. 9–34.
Volker Deubel, Die Friedrich-Schlegel-Forschung 1945–1972, DVjs. 47 (1973), Sonderheft Forschungsreferate, S. 48–181.
Klaus Peter, Idealismus als Kritik. Friedrich Schlegels Philosophie der unvollendeten Welt, Stuttgart 1973.
Heinz-Dieter Weber, Friedrich Schlegels „Transzendentalpoesie". Untersuchungen zum Funktionswandel der Literaturkritik im 18. Jahrhundert, München 1973.
Hannelore Schlaffer, Friedrich Schlegel über Georg Forster. Zur gesellschaftlichen Problematik des Schriftstellers im nachrevolutionären Bürgertum, in: Joachim Bark (Hg.), Literatursoziologie II, Beiträge zur Praxis, Stuttgart 1974, S. 118–38.
Ursula Klein, Der Beitrag Friedrich Schlegels zur Entwicklung der frühromantischen Kunstanschauung, Weimarer Beiträge 20 (1974) VII, S. 80–101.
Ralph-Rainer Wuthenow, Revolution und Kirche im Denken Friedrich Schlegels, in: Anton Rauscher (Hg.), Deutscher Katholizismus und Revolution im frühen 19. Jahrhundert, Paderborn 1975, S. 11–32.
Bernd Bräutigam, Eine schöne Republik. Friedrich Schlegels Republikanismus im Spiegel des Studium-Aufsatzes, Euphorion 70 (1976), S. 316–39.
Raymond Immerwahr, Friedrich Schlegel. Der Dichter als Journalist und Essayist. Erster Teil, Jb für intern. Germ. 8 (1976), S. 145–68.
Bärbel Becker-Cantarino, Schlegels „Lucinde". Zum Frauenbild der Frühromantik, Colloquia Germanica 10 (1976/77), S. 128–39.
Gert Mattenklott, Der Sehnsucht eine Form. Zum Ursprung des modernen Romans bei Friedrich Schlegel, erläutert an der „Lucinde", in: Dieter Bänsch (Hg.), Zur Modernität der Romantik, Stuttgart 1977, S. 143–66.
Klaus Peter, Friedrich Schlegel, Stuttgart (Slg. Metzler) 1978.

3. *Friedrich von Hardenberg (Novalis)*

Henry Kamla, Novalis' „Hymnen an die Nacht". Zur Deutung und Datierung, Kopenhagen 1945.

Karl Barth, Novalis, in: K.B., Die protestantische Theologie im 19. Jahrhundert, Zürich 1947, ³1960, S. 303–42.

Monica von Miltitz, Novalis. Romantisches Denken zur Deutung unserer Zeit, Berlin 1948.

Werner Kohlschmidt, Der Wortschatz der Innerlichkeit bei Novalis, in: Festschrift für Paul Kluckhohn und Hermann Schneider zu ihrem 60. Geb., Tübingen 1948, S. 396–426. Dann in: W.K., Form und Innerlichkeit. Beiträge zur Geschichte und Wirkung der deutschen Klassik und Romantik, Bern 1955, S. 120–56.

Klaus Ziegler, Die Religiosität des Novalis im Spiegel der „Hymnen an die Nacht", ZfdPh 70 (1948/49), S. 396–418, und 71 (1951/52), S. 256–77.

Edgar Hederer, Novalis, Wien 1949.

Walther Rehm, Orpheus. Der Dichter und die Toten. Selbstdeutung und Totenkult bei Novalis, Hölderlin, Rilke, Düsseldorf 1950, S. 13–148.

Hugo Kuhn, Poetische Synthesis oder ein kritischer Versuch über romantische Philosophie und Poesie aus Novalis' Fragmenten, Zeitschr. für philosophische Forschungen 5 (1950/51), S. 161–78, 358–85.

Friedrich Hiebel, Novalis. Der Dichter der blauen Blume, München 1951, ²1972.

Eugen Biser, Abstieg und Auferstehung. Die geistige Welt in Novalis' „Hymnen an die Nacht", Heidelberg 1954.

Theodor Haering, Novalis als Philosoph, Stuttgart 1954.

Jury Striedter, Die Komposition der „Lehrlinge zu Sais", DU 7 (1959), Heft 2, S. 5–23.

Martin Dyck, Novalis and Mathematics. A Study of Friedrich von Hardenberg's Fragments on Mathematics and its Relation to Magic, Music, Religion, Philosophy, Language, and Literature, Chapel Hill 1960.

Hans Wolfgang Kuhn, Der Apokalyptiker und die Politik. Studien zur Staatsphilosophie des Novalis, Freiburg i. Br. 1961.

Claus Träger, Novalis und die ideologische Restauration. Über den romantischen Ursprung einer methodischen Apologetik, Sinn und Form 13 (1961), S. 618–60.

Hans-Joachim Mähl, Novalis und Plotin. Untersuchungen zu einer neuen Edition und Interpretation des „Allgemeinen Brouillon", JbFDH (1963), S. 139–250.

Hans-Joachim Mähl, Novalis' Wilhelm-Meister-Studien des Jahres 1797, Neophilologus 47 (1963), S. 286–305.

Richard Samuel, Novalis. Heinrich von Ofterdingen, in: Benno von Wiese (Hg.), Der deutsche Roman. Struktur und Geschichte, Bd. I, Düsseldorf 1963, S. 252–300.

Gerhard Schulz, Die Berufslaufbahn Friedrich von Hardenbergs (Novalis), JbDSG 7 (1963), S. 253–312.

Werner Vordtriede, Novalis und die französischen Symbolisten. Zur Entstehungsgeschichte des dichterischen Symbols, Stuttgart 1963.

Gerhard Schulz, Die Poetik des Romans bei Novalis, JbFDH (1964), S. 120–57.

Hans-Joachim Mähl, Die Idee des goldenen Zeitalters im Werk des Novalis. Studien zur Wesensbestimmung der frühromantischen Utopie und zu ihren ideengeschichtlichen Voraussetzungen, Heidelberg 1965.

Jürgen Kreft, Die Entstehung der dialektischen Geschichtsmetaphysik aus den Gestalten des utopischen Bewußtseins bei Novalis, DVjs. 39 (1965), S. 213–45.
Wilfried Malsch, „Europa". Poetische Rede des Novalis. Deutung der französischen Revolution und Reflexion auf die Poesie in der Geschichte, Stuttgart 1965. Vorwort.
Oskar Serge Ehrensperger, Die epische Struktur in Novalis' „Heinrich von Ofterdingen". Eine Interpretation des Romans, Winterthur 1965.
Jürgen Kuczynski, Diltheys Novalisbild und die Wirklichkeit, Weimarer Beiträge 12 (1966), S. 27–56.
Hans-Joachim Mähl, Goethes Urteil über Novalis. Ein Beitrag zur Geschichte der Kritik an der deutschen Romantik, JbFDH (1967), S. 130–270.
Heinz Ritter, Der unbekannte Novalis. Friedrich von Hardenberg im Spiegel seiner Dichtungen, Göttingen 1967.
Lawrence O. Frye, Spatial Imagery in Novalis' „Hymnen an die Nacht", DVjs. 41 (1967), S. 568–91.
Manfred Dick, Die Entwicklung des Gedankens der Poesie in den Fragmenten des Novalis, Bonn 1967.
Helmut Schanze, Index zu Novalis' „Heinrich von Ofterdingen", Frankfurt/M. 1968.
Eckhard Heftrich, Novalis. Vom Logos der Poesie, Frankfurt/M. 1969.
Gerhard Schulz, Novalis in Selbstzeugnissen und Bilddokumenten, Reinbek bei Hamburg 1969.
Richard Faber, Novalis: Die Phantasie an die Macht, Stuttgart 1970.
Ulrich Gaier, Krumme Regel. Novalis' Konstruktionslehre des schaffenden Geistes und ihre Tradition, Tübingen 1970.
Johannes Mahr, Übergang zum Endlichen. Der Weg des Dichters in Novalis' „Heinrich von Ofterdingen", München 1970.
Hannelore Link, Abstraktion und Poesie im Werk des Novalis, Stuttgart 1971.
John Neubauer, Bifocal Vision. Novalis' Philosophy of Nature and Disease, Chapel Hill 1971.
Ursula Heukenkamp, Die Wiederentdeckung des „Wegs nach innen". Über die Ursachen der Novalis-Renaissance in der gegenwärtigen bürgerlichen Literaturwissenschaft, Weimarer Beiträge 19 (1973) XII, S. 105–28.
Rolf-Peter Janz, Autonomie und soziale Funktion der Kunst. Studien zur Ästhetik von Schiller und Novalis, Stuttgart 1973.
Ernst-Georg Gäde, Eros und Identität. Zur Grundstruktur der Dichtungen Friedrich von Hardenbergs (Novalis), Marburg 1974.
Klaus Ruder, Zur Symboltheorie des Novalis, Marburg 1974.
Johannes Hegener, Die Poetisierung der Wissenschaften bei Novalis, dargestellt am Prozeß der Entwicklung von Welt und Menschheit. Studien zum Problem enzyklopädischen Welterfahrens, Bonn 1975.
Hans-Joachim Beck, Friedrich von Hardenberg. Ökonomie des Stils. Die Wilhelm Meister Rezeption im Heinrich von Ofterdingen, Bonn 1976.
Carl Paschek, Novalis und Böhme. Zur Bedeutung der systematischen Böhmelektüre für die Dichtung des späten Novalis, JbFDH (1976), S. 138–67.
Martin Erich Schmidt, Novalis. Dichter an der Grenze zum Absoluten, Heidelberg 1976.

4. *Wilhelm Heinrich Wackenroder*

Gerhard Fricke, Bemerkungen zu Wilhelm Heinrich Wackenroders Religion der Kunst, in: Festschr. für Paul Kluckhohn und Hermann Schneider, Tübingen 1948, S. 345–71.
Dorothea Hammer, Die Bedeutung der vergangenen Zeit im Werk Wackenroders. Unter Berücksichtigung der Beiträge Tiecks, Diss. Frankfurt/M. 1961.
Werner Kohlschmidt, Wackenroder und die Klassik. Versuch einer Präzisierung, in: Unterscheidung und Bewahrung. Festschrift für Hermann Kunisch, Berlin 1961, S. 175–84.
Bonaventura Tecchi, Wilhelm Heinrich Wackenroder, Bad Homburg v.d.H. 1962.
Hans-Joachim Schrimpf, Wilhelm Heinrich Wackenroder und Karl Philipp Moritz. Ein Beitrag zur frühromantischen Selbstkritik, ZfdPh 83 (1964), S. 385–409.
Werner Kohlschmidt, Bemerkungen zu Wackenroders und Tiecks Anteil an den Phantasien über die Kunst, in: Philologia deutsch. Festschr. für Walter Henzen, Bern 1965, S. 89–99.
Heinz Lippuner, Wackenroder/Tieck und die bildende Kunst. Grundlegung der romantischen Ästhetik, Zürich 1965.
Werner Kohlschmidt, Der junge Tieck und Wackenroder, in: Hans Steffen (Hg.), Die deutsche Romantik, Göttingen 1967, S. 30–44.
Elmar Hertrich, Joseph Berglinger. Eine Studie zu Wackenroders Musikerdichtung, Berlin 1969.
Rose Kahnt, Die Bedeutung der bildenden Kunst und der Musik bei Wilhelm Heinrich Wackenroder, Marburg 1969.
Jack O. Zipes, Wilhelm Heinrich Wackenroder. In Defense of his Romanticism, The Germanic Review 44 (1969), S. 247–58.
Siegfried Sudhof, Wilhelm Heinrich Wackenroder, in: Benno von Wiese (Hg.), Deutsche Dichter der Romantik, Berlin 1971, S. 86–110.
Jürg Kielholz, Wilhelm Heinrich Wackenroder. Schriften über die Musik. Musik- und literaturgeschichtlicher Ursprung und Bedeutung in der romantischen Literatur, Bern 1972.

5. *Ludwig Tieck*

Marianne Thalmann, Hundert Jahre Tieckforschung, Monatshefte 46 (1953), S. 113–23.
Marianne Thalmann, Ludwig Tieck. Der romantische Weltmann aus Berlin, Bern 1955.
Joachim Müller, Tiecks Novelle „Der Alte vom Berge“. Ein Beitrag zum Problem der Gattung, Wissenschaftl. Zeitschr. der Univ. Jena 8 (1958/59), S. 475–81.
Marianne Thalmann, Ludwig Tieck. Der Heilige von Dresden. Aus der Frühzeit der deutschen Novelle, Berlin 1960.
Emil Staiger, Ludwig Tieck und der Ursprung der deutschen Romantik, Neue Rundschau (1960), S. 596–622. Dann in: E.S., Stilwandel. Studien zur Vorgeschichte der Goethezeit, Zürich 1963, S. 175–204.
Benno von Wiese, Ludwig Tieck, Des Lebens Überfluß, in: B.v.W., Die deutsche Novelle von Goethe bis Kafka, Düsseldorf 1960, S. 117–33.
Wolfgang F. Taraba, Tiecks „Vittoria Accorombona“, in: Benno von Wiese (Hg.), Der

deutsche Roman. Vom Barock bis zur Gegenwart. Struktur und Geschichte, Bd. I, Düsseldorf 1963, S. 329–52.

James Trainer, Ludwig Tieck. From Gothic to Romantic, London-The Hague-Paris 1964.

Paul Gerhard Klussmann, Die Zweideutigkeit des Wirklichen in Ludwig Tiecks Märchennovellen, ZfdPh 83 (1964), S. 426–52.

Gonthier-Louis Fink, Naissance et apogée du conte merveilleux en Allemagne, Paris 1966.

Robert Minder, Das gewandelte Tieck-Bild, in: Festschr. für Klaus Ziegler, Tübingen 1968, S. 181–204.

Gerhard Kluge, Idealisieren-Poetisieren. Anmerkungen zu poetologischen Begriffen und zur Lyriktheorie des jungen Tieck, JbDSG 13 (1969), S. 308–60.

Paul Gerhard Klussmann, Ludwig Tieck, in: Benno von Wiese (Hg.), Deutsche Dichter des 19. Jahrhunderts. Ihr Leben und Werk, Berlin 1969, S. 15–52.

Heinz Schlaffer, Roman und Märchen. Ein formtheoretischer Versuch über Tiecks „Blonden Eckbert", in: Helmut Kreuzer (Hg.), Gestaltungsgeschichte und Gesellschaftsgeschichte, Stuttgart 1969, S. 224–41.

Roger Paulin, Der alte Tieck. Forschungsbericht, in: Jost Hermand und Manfred Windfuhr (Hg.), Zur Literatur der Restaurationsepoche 1815–1848, Stuttgart 1970, S. 247–62.

Marianne Thalmann, Die Romantik des Trivialen. Von Grosses „Genius" bis Tiecks „William Lovell", München 1970.

Christian Gneuss, Der späte Tieck als Zeitkritiker, Düsseldorf 1971.

Heinz Hillmann, Ludwig Tieck, in: Benno von Wiese (Hg.), Deutsche Dichter der Romantik, Berlin 1971, S. 111–34.

Uwe Schweikert (Hg.), Ludwig Tieck. Dichter über ihre Dichtungen, 3 Bde., München 1971.

Ralf Stamm, Ludwig Tiecks späte Novellen. Grundlage und Technik des Wunderbaren, Stuttgart 1973.

Uwe Schweikert, Jean Paul und Ludwig Tieck, Jb. der Jean-Paul-Gesellsch. 8 (1973), S. 23–77.

William J. Lillyman, „Des Lebens Überfluß". The Crisis of a Conservative, The German Quarterly 46 (1973), S. 393–409.

Christa Bürger, Romantische Gesellschaftskritik, in: L. Bredella, C. Bürger, R. Kreis, Von der romantischen Gesellschaftskritik zur Bejahung des Imperialismus. Tieck-Keller-Kipling, Frankfurt/M. 1974.

Gonthier-Louis Fink, L'ambiguité du message romantique dans „Franz Sternbalds Wanderungen" de Ludwig Tieck, Recherches Germaniques 4 (1974), S. 16–70.

Rosemarie Hellge, Motive und Motivstrukturen bei Ludwig Tieck, Göppingen 1974.

Hans-Wolf Jäger, Trägt Rotkäppchen eine Jakobiner-Mütze? Über mutmaßliche Konnotate bei Tieck und Grimm, in: Joachim Bark (Hg.), Literatursoziologie II, Beiträge zur Praxis, Stuttgart 1974, S. 159–80.

Walter Münz, Individuum und Symbol in Tiecks „William Lovell". Materialien zum frühromantischen Subjektivismus, Frankfurt/M.-Bern 1975.

Karlheinz Weigand, Tiecks „William Lovell". Studie zur frühromantischen Antithese, Heidelberg 1975.

Johannes P. Kern, Ludwig Tieck. Dichter einer Krise, Heidelberg 1977.
Ernst Ribbat, Ludwig Tieck. Studien zur Konzeption und Praxis romantischer Poesie, Kronberg/Ts. 1978.

6. *Joseph Görres*

Robert Saitschik, Joseph Görres und die abendländische Kultur, Olten 1953.
Leo Just, Görres in Heidelberg, Hist. Jb. der Görres-Gesellsch. 74 (1955), S. 416–31.
Viktor Walter, Die „Christliche Mystik" von Joseph Görres in ihrem Zusammenhang mit der wissenschaftlichen Romantik, Ludwigsburg 1956.
Georg Bürke, Vom Mythos zur Mystik. Joseph Görres' mystische Lehre und die romantische Naturphilosophie, Einsiedeln 1958.
Reinhard Habel, Joseph Görres. Studien über den Zusammenhang von Natur, Geschichte und Mythos in seinen Schriften, Wiesbaden 1960.
K. G. Faber, Die Rheinlande zwischen Restauration und Revolution. Probleme der rheinischen Geschichte von 1814–1848 im Spiegel der zeitgenössischen Publizistik, Wiesbaden 1966.
Max Braubach, Der junge Görres als „Cisrhenane", in: M.B., Diplomatie und geistiges Leben im 17. und 18. Jahrhundert. Gesammelte Abhandlungen, Bonn 1969, S. 807–33.
Heribert Raab, Joseph Görres, in: Benno von Wiese (Hg.), Deutsche Dichter der Romantik, Berlin 1971, S. 341–70.
Heribert Raab, Görres und die Geschichte, Hist. Jb. der Görres-Gesellsch. 93 (1973), S. 73ff.
Heribert Raab, Görres und die Revolution, in: Anton Rauscher (Hg.), Deutscher Katholizismus und Revolution im frühen 19. Jahrhundert, Paderborn 1975, S. 51ff.
J. Isler, Das Gedankengut der Aufklärung und seine revolutionäre Auswertung in Görres' Frühschriften (1795–1800), Hist. Jb. der Görres-Gesellsch. 96 (1976), S. 1ff.
Heribert Raab, Europäische Völkerrepublik und christliches Abendland. Politische Aspekte und Prophetien bei Joseph Görres, Hist. Jb. der Görres-Gesellsch. 96 (1976), S. 58ff.
A. Kraus, Görres als Historiker, Hist. Jb. der Görres-Gesellsch. 96 (1976), S. 93ff.
H. J. Kreutzer, Der Mythos vom Volksbuch. Studien zur Wirkungsgeschichte des frühen deutschen Romans seit der Romantik, Stuttgart 1977.

7. *Clemens Brentano*

Wolfgang Pfeiffer-Belli, Clemens Brentano. Ein romantisches Dichterleben, Freiburg i. Br. 1947.
Walther Rehm, Brentano und Hölderlin, Hölderlin Jb. (1947), S. 127–78.
Joseph Adam, Clemens Brentanos Emmerick-Erlebnis. Bindung und Abenteuer, Freiburg i. Br. 1956.
Hubert Schiel, Clemens Brentano und Luise Hensel. Mit bisher ungedruckten Briefen, Aschaffenburg 1956.

Emil Staiger, Clemens Brentano: „Die Abendwinde wehen", in: Gestaltungsprobleme der Dichtung. Günther Müller zu seinem 65. Geb., Bonn 1957, S. 181–92.

Richard Alewyn, Brentanos „Geschichte vom braven Kasperl und dem schönen Annerl", in: Gestaltungsprobleme der Dichtung. Günther Müller zu seinem 65. Geb., Bonn 1957, S. 143–80.

Hans Magnus Enzensberger, Brentanos Poetik, München 1961.

Wolfgang Frühwald, Das verlorene Paradies. Zur Deutung von Clemens Brentanos „Herzlicher Zueignung" des Märchens „Gockel, Hinkel und Gackeleia" (1838), Literaturwissenschaftl. Jb. NF 3 (1962), S. 113–92.

Friedrich Wilhelm Wollenberg, Brentanos Jugendlyrik. Studien zur Struktur seiner dichterischen Persönlichkeit, Hamburg 1964.

Werner Hoffmann, Clemens Brentano. Leben und Werk, Bern-München 1966.

Horst Meixner, Denkstein und Bildersaal in Clemens Brentanos „Godwi", JbDSG 11 (1967), S. 435–68.

Benno von Wiese, Brentanos „Godwi". Analyse eines „romantischen" Romans, in: B.v.W., Von Lessing bis Grabbe. Studien zur deutschen Klassik und Romantik, Düsseldorf 1968, S. 191ff.

Wolfgang Frühwald, Frankfurter Brentano-Ausgabe, Jb. für Intern. Germ. I,2 (1969), S. 70–80.

Herbert Lehnert, Die Gnade sprach von Liebe. Eine Struktur-Interpretation der „Geschichte vom braven Kasperl und dem schönen Annerl" von Clemens Brentano, in: Geschichte-Deutung-Kritik. Literaturwissenschaftliche Beiträge zum 65. Geb. Werner Kohlschmidts, Bern/München 1969, S. 199ff.

Wolfgang Frühwald, Brentano und Frankfurt. Zu zeittypischen und zeitkritischen Aspekten im Werk des romantischen Dichters, JbFDH (1970), S. 226–43.

Klaus Wille, Die Signatur der Melancholie im Werk Clemens Brentanos, Bern 1970.

Bernhard Gajek, Homo poeta. Zur Kontinuität der Problematik bei Clemens Brentano, Frankfurt/M. 1971.

Wolfgang Frühwald, Clemens Brentano, in: Benno von Wiese (Hg.), Deutsche Dichter der Romantik, Berlin 1971, S. 280–309.

Jürg Mathes, Ein Tagebuch Clemens Brentanos für Luise Hensel, JbFDH (1971), S. 198–310.

Elisabeth Stopp, Brentano's „Chronika" and its Revision, in: Wolfgang Frühwald und Günter Niggl (Hg.), Sprache und Bekenntnis. Hermann Kunisch zum 70. Geb., Berlin 1971, S. 161–84.

Wolfgang Frühwald, Gedichte in der Isolation. Romantische Lyrik am Übergang von der Autonomie- zur Zweckästhetik, in: Walter Müller-Seidel (Hg.), Historizität in Literatur und Sprache. Akten der Tagung der deutschen Hochschulgermanisten 1972, München 1973, S. 295–311.

Elisabeth Stopp, Brentano's „O Stern und Blume". Its Poetic and Emblematic Context, MLR 67 (1972), S. 95–117.

Hans P. Neureuter, Das Spiegelmotiv bei Clemens Brentano. Studien zum romantischen Ich-Bewußtsein, Frankfurt/M. 1972.

Wolfgang Frühwald, Stationen der Brentano-Forschung 1924–1972, DVjs. 47 (1973), Sonderheft Forschungsreferate, S. 182–269.

Gerhard Schaub, Le Génie Enfant. Die Kategorie des Kindlichen bei Clemens Brentano, Berlin 1973.
John F. Fetzer, Romantic Orpheus. Profiles of Clemens Brentano, Berkeley and Los Angeles 1974.
Dieter Dennerle, Kunst als Kommunikationsprozeß. Zur Kunsttheorie Clemens Brentanos, dagestellt an Hand seiner außerdichterischen Werke (Briefe, Theaterrezensionen, Schriften zur Bildenden Kunst), Bern 1975.
Wolfgang Frühwald, Das Spätwerk Clemens Brentanos (1815–1842). Romantik im Zeitalter der Metternichschen Restauration, Tübingen 1977.
Heinrich Henel, Brentanos „O schweig nur, Herz". Das Gedicht und seine Interpreten, JbFDH (1977), S. 309–49.
Rolf-Dieter Koll, Des Dichters Ehre. Bemerkungen zu Brentanos „Geschichte vom braven Kasperl und dem schönen Annerl", JbFDH (1978), S. 256–90.
Susanne Mittag, Clemens Brentano. Eine Autobiographie in der Form, Heidelberg 1978.
Heinrich Henel, Erfüllte Form. Brentanos Umgestaltung der europäischen Kunstpoesie, JbDSG 22 (1978), S. 442–73.

8. *Achim von Arnim*

Paul Noack, Phantastik und Realismus in den Novellen Achim von Arnims, Diss. Freiburg i. Br. 1952.
Harald Riebe, Erzählte Welt. Interpretationen zur dichterischen Prosa Achim von Arnims, Diss. Göttingen 1952.
Heinz Günter Hemstedt, Symbolik der Geschichte bei Achim von Arnim, Diss. Göttingen 1956.
Jörn Göres, Das Verhältnis von Historie und Poesie in der Erzählkunst Achim von Arnims, Diss. Heidelberg 1957.
Helmut Fuhrmann, Achim von Arnims „Gräfin Dolores". Versuch einer Interpretation, Diss. Köln 1958.
Gerhard Rudolph, Studien zur dichterischen Welt Achim von Arnims, Berlin 1958.
Ernst Ludwig Offermanns, Der universale romantische Gegenwartsroman Achim von Arnims. Die Gräfin Dolores. Zur Struktur und ihren geistesgeschichtlichen Voraussetzungen, Diss. Köln 1959.
Wolfdietrich Rasch, Achim von Arnims Erzählkunst, DU 7 (1959), Heft 2, S. 38–55.
Heinrich Henel, Arnims Majoratsherren, in: Benno von Wiese und Emil Staiger (Hg.), Weltbewohner und Weimaraner. Ernst Beutler zugedacht, Zürich/Stuttgart 1960, S. 73–104. Vom Autor durchgesehene und überarbeitete Fassung in: Jost Schillemeit (Hg.), Deutsche Erzählungen von Wieland bis Kafka. Interpretationen, Frankfurt/M. 1966, S. 151–78.
Jörn Göres, „Was soll geschehen im Glücke". Ein unveröffentlichter Aufsatz Achim von Arnims, JbDSG 5 (1961), S. 196–221.
Benno von Wiese, Achim von Arnims Novelle „Der tolle Invalide auf dem Fort Ratonneau", in: B.v.W., Die deutsche Novelle von Goethe bis Kafka, Bd. 2, Düsseldorf 1962, S. 71–86.

Herbert R. Liedke, Vorstudien Achim von Arnims zur „Gräfin Dolores", JbFDH (1964), S. 236–42, (1965), S. 235–313, (1966), S. 229–308.

Claude David, Achim von Arnims „Isabella von Ägypten". Essai sur le sens de la littérature fantastique, in: Herbert Singer und Benno von Wiese (Hg.), Festschr. für Richard Alewyn, Köln/Graz 1967, S. 328–45.

Peter H. Neumann, Legende, Sage und Geschichte in Achim von Arnims „Isabella von Ägypten", JbDSG 12 (1968), S. 296–314.

Karol Sauerland, „Die Kronenwächter". Auflösung eines Mythos, Weimarer Beiträge 14 (1968), S. 868–83.

Hans-Georg Werner, Arnims Erzählung „Metamorphosen der Gesellschaft". Zur Schaffenseigenart und -problematik eines Romantikers in der Restaurationszeit, Wissenschaftl. Zeitschr. der Univ. Halle 18 (1969), S. 183–95.

Horst Meixner, Romantischer Figuralismus. Kritische Studien zu Romanen von Arnim, Eichendorff und Hoffmann, Frankfurt/M. 1971.

Gerhard Möllers, Wirklichkeit und Phantastik in der Erzählweise Achim von Arnims. Arnims Erzählkunst als Ausdruck seiner Weltsicht, Diss. Münster 1971.

Hans-Georg Werner, Die Erzählkunst im Umkreis der Romantik (1806–1815), Weimarer Beiträge 17 (1971), S. 11–38, 18 (1972), S. 82–111.

Werner Vordtriede, Achim von Arnim, in: Benno von Wiese (Hg.), Deutsche Dichter der Romantik, Berlin 1971, S. 253–79.

Heinz Härtl, Arnim und Goethe. Zum Goethe-Verhältnis der Romantik im ersten Jahrzehnt des 19. Jahrhunderts, Diss. Halle 1971.

Hermann F. Weiss, Achim von Arnims „Metamorphosen der Gesellschaft". Ein Beitrag zur gesellschaftskritischen Erzählkunst der frühen Restaurationsepoche, ZfdPh 91 (1972), S. 234–51.

Volker Hoffmann, Die Arnim-Forschung 1945–1972, DVjs. 47 (1973), Sonderheft Forschungsreferate, S. 270–342.

Hermann F. Weiss, Achim von Arnims Harmonisierungsbedürfnis. Zur Thematik und Technik seiner Novellen, Literaturwissenschaftl. Jb. der Görres-Gesellsch. 15 (1974), S. 81–100.

Bernd Haustein, Romantischer Mythos und Romantikkritik in Prosadichtungen Achim von Arnims, Göppingen 1974.

Helene M. Kastinger Riley, „Über Manier und Charakter". Ein unbekannter Aufsatz Achim von Arnims, JbFDH (1975), S. 212–22.

Jürgen Knaack, Achim von Arnim – Nicht nur Poet. Die politischen Anschauungen Arnims in ihrer Entwicklung. Mit ungedruckten Texten und einem Verzeichnis sämtlicher Briefe, Darmstadt 1976.

Helene Maria Riley, Idee und Gestaltung. Das konfigurative Strukturprinzip bei Ludwig Achim von Arnim, Bern 1977.

Renate Moering, Die offene Romanform von Arnims „Gräfin Dolores". Mit einem Kapitel über Vertonungen Reichardts, Heidelberg 1978.

Helene M. Kastinger Riley, Ludwig Achim von Arnims Jugend- und Reisejahre. Ein Beitrag zur Biographie mit unbekannten Briefzeugnissen, Bonn 1978.

9. *E.T.A. Hoffmann*

Fritz Martini, Die Märchendichtungen E.T.A. Hoffmanns, DU 7 (1955), Heft 2, S. 56–78.

Robert Mühlher, „Prinzessin Brambilla", Mitteil. der E.T.A. Hoffmann-Gesellsch. 5 (1958), S. 5–24.

Hans Mayer, Die Wirklichkeit E.T.A. Hoffmanns, in: H.M., Von Lessing bis Thomas Mann. Wandlungen der bürgerlichen Literatur in Deutschland, Pfullingen 1959, S. 198–246.

Hellmuth Himmel, Schuld und Sühne der Scuderi. Zu Hoffmanns Novelle, Mitteil. der E.T.A. Hoffmann-Gesellsch. 7 (1960), S. 1–15.

Benno von Wiese, Rat Krespel, in: B.v.W., Die deutsche Novelle von Goethe bis Kafka, Bd. 2, Düsseldorf 1962, S. 87–103.

Hans-Georg Werner, E.T.A. Hoffmann. Darstellung und Deutung der Wirklichkeit im dichterischen Werk, Weimar 1962.

Herbert Singer, Kater Murr, in: Benno von Wiese (Hg.), Der deutsche Roman. Vom Barock bis zur Gegenwart. Struktur und Geschichte, Bd. 1, Düsseldorf 1963, S. 301–28.

Wolfgang Preisendanz, „Eines matt geschliffnen Spiegels dunkler Widerschein". E.T.A. Hoffmanns Erzählkunst, in: William Foerste und Karl Hein Borck (Hg.), Festschr. für Jost Trier zum 70. Geb., Köln/Graz 1964, S. 411–29.

Klaus Günther Just, Die Blickführung in den Märchennovellen E.T.A. Hoffmanns, WW 14 (1964), S. 389–97.

Klaus Kanzog, E.T.A. Hoffmanns Erzählung „Das Fräulein von Scuderi" als Kriminalgeschichte, Mitteil. der E.T.A. Hoffmann-Gesellsch. 11 (1964), S. 1–11.

Thomas Cramer, Das Groteske bei E.T.A. Hoffmann, München 1966, ²1970.

Lothar Köhn, Vieldeutige Welt. Studien zur Struktur der Erzählungen E.T.A. Hoffmanns und zur Entwicklung seines Werkes, Tübingen 1966.

Gabrielle Wittkop-Ménardeau, E.T.A. Hoffmann in Selbstzeugnissen und Bilddokumenten, Reinbek bei Hamburg 1966.

Wulf Segebrecht, Autobiographie und Dichtung. Eine Studie zum Werk E.T.A. Hoffmanns, Stuttgart 1967.

Wulf Segebrecht, E.T.A. Hoffmanns Auffassung vom Richteramt und vom Dichterberuf. Mit unbekannten Zeugnissen aus Hoffmanns juristischer Tätigkeit, JbDSG 11 (1967), S. 62–138.

Benno von Wiese, E.T.A. Hoffmanns Doppelroman „Kater Murr". Die Phantasie des Humors, in B.v.W., Von Lessing bis Grabbe. Studien zur deutschen Klassik und Romantik, Düsseldorf 1968, S. 248–67.

Christa Karoli, „Ritter Gluck". Hoffmanns erstes Fantasiestück, Mitteil. der E.T.A. Hoffmann-Gesellsch. 14 (1968), S. 1–17.

Erwin Rotermund, Musikalische und dichterische „Arabeske" bei E.T.A. Hoffmann, Poetica 2 (1968), S. 48–69.

Bernhard Pikulik, Anselmus in der Flasche. Kontrast und Illusion in E.T.A. Hoffmanns „Der goldene Topf", Euphorion 63 (1969), S. 341–70.

Robert S. Rosen, E.T.A. Hoffmanns „Kater Murr". Aufbauformen und Erzählsituationen, Bonn 1970.

Horst Meixner, Romantischer Figuralismus. Kritische Studien zu Romanen von Arnim, Eichendorff und Hoffmann, Frankfurt/M. 1971.
Peter von Matt, Die Augen der Automaten. E.T.A. Hoffmanns Imaginationslehre als Prinzip seiner Erzählkunst, Tübingen 1971.
Horst Rüdiger, Zwischen Staatsraison und Autonomie der Kunst. E.T.A. Hoffmanns poetologischer Standort, in: Klaus W. Jonas (Hg.), Deutsche Weltliteratur. Von Goethe bis Ingeborg Bachmann. Festgabe für J. Alan Pfeffer, Tübingen 1972, S. 89–114.
Charles N. Hayes, Phantasie und Wirklichkeit im Werke E.T.A. Hoffmanns, mit einer Interpretation der Erzählung „Der Sandmann", in: Volkmar Sander (Hg.), Ideologiekritische Studien zur Literatur. Essays I, Frankfurt/M. 1972, S. 169–214.
Jürgen Walter, E.T.A. Hoffmanns Märchen „Klein Zaches genannt Zinnober". Versuch einer sozialgeschichtlichen Interpretation, Mitteil. der E.T.A. Hoffmann-Gesellsch. 19 (1973), S. 27–45.
Barbara Elling, Leserintegration im Werk E.T.A. Hoffmanns, Bern/Stuttgart 1973.
Horst S. Daemmrich, The Shattered Self. E.T.A. Hoffmann's Tragic Vision, Detroit 1973.
Norman W. Ingham, E.T.A. Hoffmann's Reception in Russia, Würzburg 1974.
Friedrich Schnapp (Hg.), E.T.A. Hoffmann. Dichter über ihre Dichtungen, München 1974.
Inge Stegmann, Die Wirklichkeit des Traumes bei E.T.A. Hoffmann, ZfdPh 95 (1975), S. 64–92.
Ilse Winter, Untersuchungen zum serapiontischen Prinzip E.T.A. Hoffmanns, The Hague 1975.
Lothar Pikulik, Das Wunderliche bei E.T.A. Hoffmann. Zum romantischen Ungenügen an der Normalität, Euphorion 69 (1975), S. 294–319.
Ingrid Aichinger, E.T.A. Hoffmanns Novelle „Der Sandmann" und die Interpretation Sigmund Freuds, ZfdPh 95 (1976), S. 113–32.
Klaus Günzel, E.T.A. Hoffmann. Leben und Werk in Briefen, Selbstzeugnissen und Zeitdokumenten, Berlin (DDR) 1976, Düsseldorf 1979.
Barbara Elling, Der Leser E.T.A. Hoffmanns, JEGP 75 (1976), S. 546–58.
Franz Fühmann, E.T.A. Hoffmann, Sinn und Form 28 (1976), S. 480–98.
Wolfgang Nehring, E.T.A. Hoffmanns Erzählwerk. Ein Modell und seine Variationen, ZfdPh 95 (1976), S. 3–24.
Heide Eilert, Theater in der Erzählkunst. Eine Studie zum Werk E.T.A. Hoffmanns, Tübingen 1977.
Friedrich A. Kittler, „Das Phantom unseres Ichs" und die Literaturpsychologie. E.T.A. Hoffmann-Freud-Lacan, in: F.A.K. und Horst Turk (Hg.), Urszenen. Literaturwissenschaft als Diskursanalyse und Diskurskritik, Frankfurt/M. 1977, S. 139–66.
Hans-Georg Werner, Der romantische Schriftsteller und sein Philisterpublikum. Zur Wirkungsfunktion von Erzählungen E.T.A. Hoffmanns, Vortrag in Frankfurt/Oder 1977, dann in: Weimarer Beiträge 24 (1978), S. 87–114.
Franz Fühmann, E.T.A. Hoffmanns „Klein Zaches", Weimarer Beiträge 24 (1978), S. 74–86.

10. *Friedrich de la Motte Fouqué*

Jean-Jacques Anstett, Ondine de Fouqué à Giraudoux, Langues Modernes 44 (1950), S. 81–94.
Arno Schmidt, Fouqué und einige seiner Zeitgenossen. Biographischer Versuch, Karlsruhe 1958, 2. verb. und beträchtlich vermehrte Aufl., Darmstadt 1960; Nachdruck: Frankfurt/M. 1975.
Helmut Sembdner, Fouqués unbekanntes Wirken für Heinrich von Kleist, JbDSG 2 (1958), S. 83–113.
Hans Wilhelm Dechert, Fouqués „Marquisgeschichte" in Kleists „Abendblättern", ZfdPh 89 (1970), S. 169–80.
William J. Lillyman, Fouqués Undine, Studies in Romanticism 10 (1971), S. 94–104.
Edward Mornin, Some Patriotic Novels and Tales by La Mottes Fouqué, Seminar 11 (1975), S. 141–56.

11. *Adelbert von Chamisso*

Heinz Kelm, Adelbert von Chamisso als Ethnograph der Südsee, Diss. Bonn 1951.
Waldemar Thies, Adelbert von Chamissos Verskunst mit einer Einleitung zur Chamissoforschung, Diss. Frankfurt/M. 1953.
Christian Velder, Das Verhältnis Adelberts von Chamisso zu Weltbürgertum und Weltliteratur, Diss. Berlin 1955.
Benno von Wiese, Adelbert von Chamisso. Peter Schlemihls wundersame Geschichte, in: B.v.W., Die deutsche Novelle von Goethe bis Kafka, Düsseldorf 1956, S. 97–116.
E. Loeb, Symbol und Wirklichkeit des Schattens in Chamissos Peter Schlemihl, GRM Nf 15 (1965), S. 398–408.
Werner Feudel, Adelbert von Chamisso als politischer Dichter, 2 Bde. im Anhang Erstdruck von Briefen und Gedichten, Diss. Halle 1965.
Hermann J. Weigand, Peter Schlemihl, in: Marion Sommerfeld u. a. (Hg.), Wert und Wort. Festschr. für Elsa M. Fleissner, New York 1965, S. 32–44.
Paul Neumarkt, Chamisso's Peter Schlemihl. A Literary Approach in Terms of Analytical Psychology, Literature and Psychology 17 (1967), S. 120–27.
Werner Feudel, Adelbert von Chamisso. Leben und Werk, Leipzig 1971.
Peter A. Kroner, Adelbert von Chamisso, in: Benno von Wiese (Hg.), Deutsche Dichter der Romantik, Berlin 1971, S. 371–90.
Franz Schulz, Die erzählerische Funktion des Motivs vom verlorenen Schatten in Chamissos „Peter Schlemihl", The German Quarterly 45 (1972), S. 429–42.
Niklaus R. Schweizer, A Poet Among Explorers. Chamisso in the South Seas, Bern 1973.
Volker Hoffmann, „Drücken, Unterdrücken-Drucken". Zum Neubeginn von Chamissos politischer Lyrik anhand eines erstveröffentlichten Briefes an Uhland, JbDSG 20 (1976), S. 38–86.
Dörte Brockhagen, Adelbert von Chamisso. Forschungsbericht, in: Alberto Martino u. a. (Hg.), Literatur in der sozialen Bewegung. Aufsätze und Forschungsberichte zum 19. Jahrhundert, Tübingen 1977, S. 373–423.

12. *Joseph von Eichendorff*

Werner Kohlschmidt, Die symbolische Formelhaftigkeit von Eichendorffs Prosastil. Zum Problem der Formel in der Romantik, Orbis litterarum 8 (1950), S. 322–54. Dann in: W.K., Form und Innerlichkeit. Beiträge zur Geschichte und Wirkung der deutschen Klassik und Romantik, Bern 1955, S. 177–209.

Josef Kunz, Eichendorff. Höhepunkt und Krise der Spätromantik, Oberursel 1951.

Gerhard Möbus, Eichendorff in Heidelberg. Wirkungen einer Begegnung, Düsseldorf 1954.

Walter Höllerer, Schönheit und Erstarrung. Zur Problematik der Dichtung Eichendorffs, DU 7 (1955), S. 93–103.

Benno von Wiese, Joseph von Eichendorff „Aus dem Leben eines Taugenichts", in: B.v.W., Die deutsche Novelle von Goethe bis Kafka, Bd. 1, Düsseldorf 1956, S. 79–96.

Richard Alewyn, Eine Landschaft Eichendorffs, Euphorion 51 (1957), S. 42–60.

Theodor W. Adorno, Zum Gedächtnis Eichendorffs, Vortrag zum 100. Todestag des Dichters im Westdeutschen Rundfunk, Nov. 1957. Dann in: T.W.A., Noten zur Literatur I, Frankfurt/M. 1958, S. 105–34. Im vorliegenden Band, S.

Richard Alewyn, Eichendorffs Dichtung als Werkzeug der Magie, Neue Deutsche Hefte 4 (1957/58), S. 977–85.

Wilhelm Emrich, Dichtung und Gesellschaft bei Eichendorff, Aurora 18 (1958), S. 11–17. Dann in: Paul Stöcklein (Hg.), Eichendorff heute, 2. Aufl. Darmstadt 1966, S. 57–65.

Paul Stöcklein (Hg.), Eichendorff heute. Stimmen der Forschung mit einer Bibliographie, München 1960, 2. erg. Aufl. Darmstadt 1966.

Gerhard Möbus, Der andere Eichendorff. Zur Deutung der Dichtung Joseph von Eichendorffs, Osnabrück 1960.

Walther Rehm, Prinz Rokoko im alten Garten. Eine Eichendorff-Studie, JbFDH (1962), S. 97–207.

Hans Friederici, Untersuchungen zur Lyrik Joseph von Eichendorffs, Weimarer Beiträge 8 (1962), S. 85–107.

Walther Killy, Der Roman als romantisches Buch. Über Eichendorffs „Ahnung und Gegenwart", Neue Rundschau 73 (1962), S. 533–52. Dann in: W.K., Wirklichkeit und Kunstcharakter. Neun Romane des 19. Jahrhunderts, München 1963, S. 36–58.

Paul Stöcklein, Joseph von Eichendorff in Selbstzeugnissen und Bilddokumenten, Reinbek bei Hamburg 1963.

Hans Pörnbacher, Joseph Freiherr von Eichendorff als Beamter, dargestellt auf Grund bisher unbekannter Akten, Troisdorf 1964.

Oskar Seidlin, Versuche über Eichendorff, Göttingen 1965.

Hans Jürg Lüthi, Dichtung und Dichter bei Joseph von Eichendorff, Bern 1966.

Eberhard Lämmert, Zur Wirkungsgeschichte Eichendorffs in Deutschland, in: Herbert Singer und Benno von Wiese (Hg.), Festschr. für Richard Alewyn, Köln/Graz 1967, S. 346–78.

Alexander von Bormann, Natura loquitur. Naturpoesie und emblematische Formel bei Joseph von Eichendorff, Tübingen 1968.

Peter Krüger, Eichendorffs politisches Denken, Würzburg 1969.

Peter P. Schwarz, Aurora. Zur romantischen Zeitstruktur bei Eichendorff, Bad Homburg v.d.H. 1970.

Helmut Koopmann, Eichendorff: Das Schloß Durande und die Revolution, ZfdPh 89 (1970), S. 180–207.
Alexander von Bormann, Philister und Taugenichts. Zur Tragweite des romantischen Antikapitalismus, Aurora 30 (1970), S. 94–112.
Horst Meixner, Romantischer Figuralismus. Kritische Studien zu Romanen von Arnim, Eichendorff und Hoffmann, Frankfurt/M. 1971, über „Ahnung und Gegenwart“, S. 102–54.
Helmut Koopmann, Joseph von Eichendorff, in: Benno von Wiese (Hg.), Deutsche Dichter der Romantik, Berlin 1971, S. 416–41.
Werner Schwan, Bildgefüge und Metaphorik in Eichendorffs Erzählung „Eine Meerfahrt“, Sprachkunst 2 (1971), S. 357–89.
Klaus-Dieter Krabiel, Joseph von Eichendorff. Kommentierte Studienbibliographie, Frankfurt/M. 1971.
Theresia S. Bailliet, Frauen im Werk Eichendorffs. Verkörperungen heidnischen und christlichen Geistes, Bonn 1972.
Egon Schwarz, Joseph von Eichendorff, New York 1972.
Ansgar Hillach und Klaus-Dieter Krabiel, Eichendorff-Kommentar, 2 Bde., München 1972.
Klaus-Dieter Krabiel, Tradition und Bewegung. Zum sprachlichen Verfahren Eichendorffs, Stuttgart 1973.
Günter Strenzke, Die Problematik der Langeweile bei Joseph von Eichendorff, Hamburg 1973.
Eckart Busse, Die Eichendorff-Rezeption im Kunstlied. Versuch einer Typologie anhand von Kompositionen Schumanns, Wolfs und Pfitzners, Würzburg 1975.
Paul Mog, Aspekte der „Gemütserregungskunst“ Joseph von Eichendorffs. Zur Appellstruktur und Appellsubstanz affektiver Texte, in: Gunter Grimm (Hg.), Literatur und Leser. Theorien und Modelle zur Rezeption literarischer Texte, Stuttgart 1975, S. 196–207, 402–404.
Martin Wettstein, Die Prosasprache Joseph von Eichendorffs. Form und Sinn, Zürich 1975.
Wolfgang Paulsen, Eichendorff und sein Taugenichts. Die innere Problematik des Dichters in seinem Werk, Bern/München 1976.
Peter Exner, Natur, Subjektivität, Gesellschaft. Kritische Interpretation von Eichendorffs Gedicht „Zwielicht“, in: Norbert Mecklenburg (Hg.), Naturlyrik und Gesellschaft, Stuttgart 1977, S. 88–101.
Carel ter Haar, Joseph von Eichendorff „Aus dem Leben eines Taugenichts“. Text, Materialien, Kommentar, München 1977.
Wolfgang Nehring, Eichendorff und der Leser, Aurora 37 (1977), S. 51–65.

Abkürzungen:

DU	= Deutschunterricht
DVjs.	= Deutsche Vierteljahresschrift für Literaturwissenschaft und Geistesgeschichte
GRM	= Germanisch-romanische Monatsschrift
Jb.	= Jahrbuch
JbDSG	= Jahrbuch der Deutschen Schillergesellschaft
JbFDH	= Jahrbuch des Freien Deutschen Hochstifts
JEGP	= Journal of English and Germanic Philology
MLN	= Modern Language Notes
MLR	= Modern Language Review
PMLA	= Publications of the Modern Language Association of America
WW	= Wirkendes Wort
ZfdPh	= Zeitschrift für deutsche Philologie